Barça insólito

Barça insólito

Manuel Tomás y Frederic Porta

CÓRNER

© 2017, Manuel Tomás, Frederic Porta

Primera edición: marzo de 2017

© de esta edición: 2017, Roca Editorial de Libros, S. L.
Av. Marquès de l'Argentera 17, pral.
08003 Barcelona
actualidad@rocaeditorial.com
www.editorialcorner.com

Impreso por LIBERDÚPLEX, s.l.ú.
Crta. BV-2249, km 7,4, Pol. Ind. Torrentfondo
Sant Llorenç d'Hortons (Barcelona)

ISBN: 978-84-945064-3-7
Depósito legal: B. 2734-2017
Código IBIC: WSJA

RC06437

Prólogo

La táctica del rompecabezas

POR SERGI PÀMIES

*L*a estructura del libro *Barça insólito*, escrito por Frederic Porta y Manuel Tomás, repite la de *Barça inédito*. Son 800 entradas ordenadas por temáticas, es decir: una especie de gran superficie organizada por secciones y departamentos complementarios. La diferencia entre lo que es insólito y lo que es inédito es relativa y eso permite pensar —¿por qué no?— en otros formatos de la misma franquicia (*¿Barça indigno? ¿Inverosímil? ¿Impertinente?*). En cualquier caso, es un ejemplo de sana y fructífera explotación de la memoria y de gestión inteligente de un legado documental poco conocido y divulgado. Esta es, por encima de otras, la mejor virtud del trabajo de Porta-Tomás: divulgar de manera comprensible y directa la historia del club.

En eso, por suerte, no están solos. En los últimos años se han acumulado ensayos y documentales sobre el Barça que han reparado olvidos difíciles de comprender. La propia entidad ha entendido que la conservación y la divulgación de su archivo forma parte de una responsabilidad corporativa que supera los límites de la estricta vida asociativa o del afán por acumular ingresos atípicos. Lo interesante es que, en general, las publicaciones propuestas han ido configurando un corpus de una densidad casi académica mientras que la fórmula Porta-Tomás funciona a base de una fragmentación deliberada que amplía la metodología de lectura y la acerca a formas más populares de cultura popular.

El elemento que define el libro es precisamente la posibilidad de leerlo siguiendo un orden estrictamente personal, a la carta, y sin tener que arrastrar mala conciencia. Tiene elementos formales y conceptuales de enciclopedia aunque sin seguir ningún orden alfabético y propone una recopilación de hechos que a menudo no pasan de la anécdota. Y esta es la segunda novedad: haber hallado uno de los atajos posibles entre el interés y la curiosidad de los barcelonistas que viven el club más allá del calendario de los partidos y del oleaje de previas y de debates posteriores y haberlo hecho con un formato accesible, que no intimida, y que permite tomarse licencias de lectura menos exigentes de las que imponen otros géneros igualmente respetables.

Con la técnica de uno de aquellos rompecabezas con muchas piezas que nos gusta tener durante meses desplegados en la mesa del comedor y que no acabamos de completar ni cuando convalecemos de una enfermedad, el lector va sumando elementos a una imagen total con pequeñas aportaciones que, por decirlo con la solemnidad típica del prologuista pedante, documentan un sentimiento. A menudo se dice que los sentimientos no pueden expresarse con palabras. Por suerte, esta afirmación es una gilipollez desmentida por la historia de la literatura y del periodismo. Y del mismo modo que muchos culés se han formado a través de la educación oral de un abuelo, de un tío, de un padre o de un hermano que rompió el carnet tras la deshonrosa derrota de Sevilla, ahora habrá muchos culés que podrán recuperar este corpus oral en un formato más ordenado y, sobre todo, documentalmente fiable. La tradición también se construye así, a base de rompecabezas pensados para entretener pero también para estimular los rincones más insondables de nuestro cerebro. Descubrir o recordar el concierto de Quilapayún en el Palau Blaugrana, o que el gran Oriol Martorell aceleraba los conciertos para poder llegar a tiempo al Camp Nou, o darse cuenta de desde cuándo y de qué manera el catalanismo ha sido un recurso de integración no partidista que identifica el club y no una fiebre oportunista, paladear la sonoridad melancólica de un poema fundacional de Manuel Vázquez Montalbán, recrear mentalmente la vida noctámbula de Kubala y Czibor (practicantes de una suerte de fútbol total lejos de los estadios que ya preveía la llegada de las legiones holandesas), situar al gimnasta Blume o al pianista Montoliu en el álbum particular de mitos humanizados y sumergirse en tantas y tantas genealogías familiares culés o en personajes y conceptos —Nelson Mandela, el gol del cojo, Javier Coma— que nos brindan elementos no para entender mejor al Barça (eso es imposible), sino para amarlo con más propiedad.

SERGI PÀMIES

Nota de los autores

Apreciados lectores:

Desde la fórmula del saludo, permítannos cierta connivencia, la que ofrece el puente establecido entre nuestra tarea (u obsesión, ya no distinguimos) y su complicidad. Los autores pensamos que les debíamos este breve texto explicativo desde la aparición de *Barça inédito*, libro al que le dieron una gran acogida, gran detalle que agradecemos de corazón. Entonces apostamos por las anécdotas cortas que acabaran formando un considerable lienzo a base de pequeñas pinceladas, toques que permitiesen afrontar un punto concreto con rigor y, también, compusieran el mural completo de esta maravilla que es la historia del Futbol Club Barcelona. Con la fe de los conversos en esta religión, siempre que podemos planteamos la evidencia: los ciento diecisiete años de trayectoria parecen, todavía hoy, una mina por explotar, un tesoro ignorado por gran parte del barcelonismo, obstinado de manera sistemática en vivir y gozar de la actualidad de su querido club a caballo entre el último marcador y la expectativa generada por el próximo partido, sin mayor perspectiva. Sin aprovechar las enormes lecciones del pretérito, ignorante de la identidad creada, paso a paso, por las multitudes que nos precedieron en el amor a la causa.

Aún falta escribir una historia del Barça, lo creemos firmemente, conforme a ley y realidad, a los hechos tal como sucedieron, bien situados en su momento, alejados de mitos y leyendas urbanas distorsionadas por la tradición oral. Existen magníficos trabajos, puntuales o genéricos, a puñados, pero conviene perseverar en este terreno. Y lo seguiremos intentando, aunque parezca, en ocasiones, como predicar en el desierto, sin respuesta ni interacción posible. En el momento de afrontar *Barça inédito*, una vez discutido y asumido el estilo de redacción, comprobamos que el Barcelona (como decían nuestros antepasados) puede dividirse perfectamente en once épocas históricas. Once, como un equipo de fútbol. Y ahora, cuando la editorial nos planteaba completar la experiencia con un segundo volumen, hemos repetido patrón para mantener la familiaridad conseguida, por ánimo de proseguir en la misma línea ya conocida por el lector, nuestro cómplice. Aunque ahora hemos variado los esquemas. Continuamos con una alineación de once capítulos, esta vez dedicados a narrar de manera cronológica aspectos concretos que también, como en el volumen anterior, afrontaremos con un texto introductorio que le sirva como contexto.

En este *Barça insólito*, título que también supone un guiño, se podrán encontrar anécdotas vinculadas, para empezar, con la idea y la singularidad única del *més que un club*. Seguiremos escribiendo de jugadores, de técnicos, de la gente azulgrana, de los lugares que han servido como templos de esta peculiar fe, de las mujeres que han contribuido también a su grandeza, del fútbol formativo que congregamos bajo el concepto La Masia y de las secciones que contribuyen a la singularidad del fenómeno azulgrana por la vertiente polideportiva. Acabaremos con un «cajón de sastre» donde, en efecto, cabe de todo, siempre que lleve dos colores, el azul y el grana, y reservaremos el último capítulo para realizar un homenaje al humor. O al sentido del humor que, en tantas ocasiones, ha salvado momentos delicados, difíciles, de dura historia, a partir de las ingeniosas aportaciones surgidas de redacciones tan añoradas y básicas para forjar el talante y personalidad barcelonista como las de *El Xut!*, *El Once* o *Barrabás*, en cita rápida de tres publicaciones históricas con notable vuelo y contribución.

Si en el primer volumen nos enorgullecía la implicación de amigos de gran prestigio profesional como Martí Perarnau o Antonio Franco, autores de prólogo y epílogo del *Barça inédito*, ahora sentimos lo mismo hacia Sergi Pàmies y David Carabén, a los que agradecemos, como a ustedes, su connivencia con dos autores que tanto les respetan y aprecian, así como su altruismo.

Son ochocientas anécdotas más extraídas de este caudal inagotable, de esta riqueza casi mitológica que conocemos como historia del Futbol Club Barcelona. Y nos hemos propuesto, desde el primer día, no rebajar el listón de la primera entrega, tan bien recibida por crítica y público. Esta respuesta nos animó a renovar la experiencia en poco tiempo, zambulléndonos de nuevo, a tope y cargados de energía porque la causa de la divulgación histórica culé bien lo vale. Porque nos encanta hablar de aquellos que no merecen caer en el olvido, de transmitir todo aquello que vale la pena de este club y hacerlo de modo fehaciente, sin sacralizarlo ni minimizarlo, en su punto justo. Y hacerlo con cierta ironía; estamos de acuerdo con Arrigo Sacchi cuando definía al fútbol como la más trascendente de las cosas sin importancia. También pensamos en los coetáneos, aquellos que vivieron otras épocas del fenómeno y ahora ya no nos acompañan. Por la importancia que el Barça gozaba en sus vidas, esta también quiere ser, en otra lectura de corte emocional, un guiño de reconocimiento hacia su sentimiento y sus épocas, seguramente menos plenas en materia de satisfacciones deportivas que las nuestras.

Algún día lo conseguiremos. Lograremos que el pasado, la historia, los protagonistas y las circunstancias, llenen de orgullo de pertenencia al culé, tal como goza y celebra los goles de Messi. Al mismo tiempo, aquellos que se acerquen a esta divulgación, incorporados a la pasión común desde este espléndido siglo, confirmarán que al Barça le cae a medida la consideración de *més que un club* por numerosas razones. Ya que el club vive la mejor etapa de todos los tiempos, perseveraremos tozudos en la difusión de su pasado y la pasión por conservar un modelo, el actual y ya admirado en el planeta, que tantas décadas costó encontrar para aquellos que nos precedieron.

Solo nos queda, otra vez, darles las gracias. Esperamos que este libro les guste y que logremos mantener esta estimulante complicidad.

MANUEL TOMÁS I BELENGUER
FREDERIC PORTA I VILA

1

Més que un club

*E*n 1908, Joan Gamper resucitó un Futbol Club Barcelona casi en coma a partir de una intuición genial, que ahora comprendemos mucho mejor: tras unos años de expansión exponencial y posteriores crisis de equipos de fútbol surgidos en cualquier parte, resultaba imprescindible reinventar el concepto. Convenía destacar que el club fundado por extranjeros y nativos llevara el nombre de la ciudad, hecho diferencial que fue sumado a un nuevo as sacado de la manga del fundador. En aquel año de zozobra, el suizo-catalán cogió la presidencia por vez primera con el propósito de vincular al Barça con el sentimiento creciente en la sociedad local, deseosa por recuperar la maltrecha identidad nacional. El deporte también debía ser una herramienta coherente con el alma del país. Gracias a sus contactos internacionales, Gamper comenzó a invitar a equipos europeos para que jugaran en Barcelona contra los azulgranas, iniciativa vetada a otras entidades sin conexiones transnacionales; la inmediata respuesta del público ayudó a reanimar la salud barcelonista. Años después, bajo presidencias como la de Gaspar Rosés, la apuesta por la catalanidad sería una evidencia, saludada y comprendida desde la «sociedad civil» de entonces.

Tras diversas iniciativas, los nuevos Estatutos del Barcelona (1920) ya se redactaron en catalán. En ellos se expresaba como «testamento» en vida la voluntad de entregar, en caso de disolución de la entidad, trofeos y patrimonio a la Mancomunitat y al Museu Nacional Català. Enseguida, intelectuales como Rovira i Virgili empezarían a construir los cimientos de un concepto diferencial básico, la idea del *més que un club*, expresada así por primera vez en el boletín del club publicado en los primeros tiempos de la República, después de años de enfrentamientos contra la dictadura de Primo de Rivera, que decretó su cierre durante seis meses como reacción a los hechos de la *Marcha Real* en junio del 25, que tanto afectaron a un Gamper maltratado y convertido en chivo expiatorio por el evidente lazo, ya inseparable, entre Barça y Cataluña. En tal sentido, las proclamas públicas eran constantes y el club no se escondía de expresar su distintivo latido. Cuando, por ejemplo, su cuarto equipo de 1920 lleva el nombre de *Separatistes* no puedes camuflar por más tiempo la identidad y voluntad de una singularidad mantenida bajo democracia y dictadura.

Los ejemplos resultan un alud constante de pruebas en tal dirección. La muerte del presidente Suñol, apenas iniciada la guerra, y la ignominiosa «desaparición» que su figura sufrió durante décadas. La gira salvadora de 1937 por México y Estados Unidos, garantía para recuperar la actividad una vez acabada la pesadilla de la conflagración civil y, a la vez, en su momento, entendida como una embajada futbolística que pedía ayuda internacional para el poder legítimo en peligro. Aún hoy queda como lacerante homenaje pendiente el agradecimiento hacia aquellos héroes de la gira que, en su mayoría, optaron por el exilio y salvaron la continuidad de unos colores estigmatizados por el nuevo régimen militar, de nula compasión hacia los demócratas y nacionalistas perdedores. En la dura, triste y oscura posguerra, el Barcelona actuó como el último refugio de una identidad arrasada, de un genocidio cultural perpetrado contra Cataluña y su máximo representante en la simbología deportiva. Pero la capacidad de resistencia resulta proverbial en este pueblo; tras multiplicar por diez el número de asociados, llegarían otras gestas, como la participación activa del barcelonismo en el éxito de la «huelga de tranvías» del 51. A continuación, las celebraciones por las *Cinc Copes* o la inmensa cacicada del «caso Di Stéfano», que solo quería impedir la consagración del Barça como gran equipo estatal. Desde el régimen se cerraría el paso a tan legítima aspiración, a pesar de que aún hoy se niegue tal evidencia bajo cualquier excusa o banal cortina de humo interesada.

La larga noche del franquismo acabaría, como casi todo en la vida. En la recuperación de las libertades, el Barça superviviente volvía a figurar en primera línea, ahora aún más reforzado en su vertiente social. Como escribiría Vázquez Montalbán en aquel texto antológico, era «el ejército desarmado simbólico de Cataluña», básico para la integración de los recién llegados a la tierra, sin importar de donde procedieran. Como acuñaría Narcís de Carretas, en efecto se mantenía el rasgo diferencial y poderoso del *més que un club*.

Más adelante, con el país cada vez más pendiente de la política y priorizándola en su lista de atenciones, el Barça se tambaleó en este signo imprescindible de personalidad característica. A finales de la transición, cuando el palco sumaba décadas «pasando el porrón» entre empresarios del textil u otros personajes adinerados, el denominador común se resintió durante dos décadas bajo la presidencia de Núñez, el constructor que descafeinó la idiosincrasia y usó como escudo justificador el manido lema, trillado recurso de las fuerzas más conservadoras de cualquier parte, de no mezclar política con deporte. El Barça siempre ha sido político porque, en efecto, todo es política en la vida. Escoger Unicef también es política, como lo es la labor social que desarrolla la fundación, luchar contra la homofobia o enviar unos balones a niños palestinos al otro lado del muro de Cisjordania. Y en paralelo, la mejor política deportiva consiste en confiar en La Masia como pilar fundamental en el modelo de éxito que ha catapultado a la entidad hacia la mejor época de su larga trayectoria centenaria.

Hoy, en otra encrucijada histórica del país, un sector de aficionados cree que el Barça no puede vincularse a cuestiones extradeportivas. Otros consideran que la fidelidad al espíritu barcelonista, avalado por la historia, debería marcar las decisiones del club. En cualquier caso, en el siglo XXI, solo se comprende la persistencia de la condición como *més que un club* si se realiza en coherencia con los ciento diecisiete años de recorrido anterior. Abandonarlo implicaría renunciar al alma azulgrana. A pesar de que la globalización lo condicione todo. O precisamente por eso.

1. PRIMEROS ESTATUTOS

Tres años después de la fundación del Futbol Club Barcelona, el 2 de diciembre de 1902, el entonces gobernador civil de Barcelona, Francisco Manzano, aprobó los primeros Estatutos azulgrana, que habían sido presentados en el gobierno civil por el secretario de la junta, Pere Cabot. En aquel momento, el Barça contaba con ciento ochenta y seis socios. Los primeros Estatutos (redactados en castellano) constaban de solo veinte artículos. El primero decía así: «Bajo la denominación de Foot-Ball Club Barcelona se constituye en esta ciudad una sociedad de aficionados al deporte del foot-ball, y cuyo fin es el fomento y propagación de este *esport* para el desarrollo de la juventud». También se decía que la junta directiva se renovaría cada año y que «la duración de esta sociedad es por tiempo indeterminado». Y, muy importante, se recalcaba que «la sociedad no podrá tener nunca carácter político». De acuerdo con la visión del «tiempo indeterminado». Sobre el carácter político, podríamos discutir a favor o en contra durante mucho tiempo.

2. SOLO *SPORTSMEN*

Desarrollando la última línea anterior, entre los años 1899 y 1908, el FC Barcelona fue solo un club estrictamente futbolístico, sin la mínima connotación extradeportiva. La explicación, sencilla: los fundadores del Barça eran jóvenes *sportsmen* de posición acomodada, muchos de ellos extranjeros que trabajaban en Cataluña y no querían tener ningún tipo de problema con las autoridades españolas. Cabe recordar, en este sentido, que el ambiente general en España era de abierta oposición a cualquier mínima concesión ante las aspiraciones catalanas, por nimias que fueran. Como ejemplo, el 13 de enero de 1901, un documento del obispo Morgades, en el que se pedía la enseñanza del catecismo en catalán, provocó enfurecidas intervenciones contrarias en el Congreso de los Diputados de Madrid.

3. UN NUEVO BARÇA

Ya sabemos qué sucedería a partir del 2 de diciembre de 1908, decisivo punto de inflexión en la historia del club. Aquel día, Joan Gamper ocupó por vez primera la presidencia azulgrana, casi como solución de emergencia y bombero ideal para apagar un fuego pavoroso, el que quemaba dentro del FC Barcelona. Tras la grave crisis que estuvo a punto de acabar con su existencia, al quedarse casi sin socios, el club, siguiendo las indicaciones de su fundador, inició una política de acercamiento a los sectores más dinámicos del catalanismo, personificados en aquella época por la Lliga Regionalista de Catalunya, el partido que representaba al nacionalismo burgués.

Hoy diríamos que se trataba de un acercamiento a la «sociedad civil catalana», con el propósito de ampliar por la vertiente deportiva el empuje de recuperación de la identidad nacional que se respiraba en otros sectores. Al mismo tiempo, Gamper intentaba hallar un «factor diferencial». Al fin y al cabo, los equipos de fútbol se habían multiplicado como setas por toda la geografía catalana. Era necesario, pues, hallar un signo distintivo que hiciera al Barcelona (con la ventaja de ser el único que llevaba el nombre de la ciudad) un club más poderoso que el resto. La manera práctica de buscar esta fuerza y tal atractivo para las crecientes masas de aficionados consistió en traer a la ciudad a destacados conjuntos de toda Europa, que visitaban la capital catalana gracias, en buena parte, a los contactos internacionales del políglota Gamper. Un as en la manga con el que no podían contar otras entidades.

4. POLÍTICOS EN EL PALCO

Volvamos a la llegada de Gamper a la presidencia por primera vez. Solo asumir el cargo, con aquella energía y dinamismo suyos tan característicos, el suizo-catalán se entrevistaría con Lluís Durán, concejal del Ayuntamiento de Barcelona, y con los diputados Francesc Cambó y Joan Ventosa, haciéndoles ver que la salvación del Barça equivalía a realizar un gesto por Cataluña. Al cabo de un mes, el 3 de enero de 1909, Durán, Cambó y Ventosa coincidían en el palco presidencial del campo de la calle Muntaner, donde cuatro mil barcelonistas presenciaron el partido ante el Stade Helvetique de Marsella y certificaron que alguna cosa estaba cambiando. ¿Cómo se entiende que políticos catalanistas estuvieran en el palco de un campo hasta entonces tan apolítico? La respuesta es clara: por la voluntad de Gamper, que arrancaba su proyecto de revitalización siguiendo la teoría que había imaginado. La «resurrección» del Barça pasaba por su proyección social y catalanista, por nuevos y firmes rasgos de personalidad.

5. Sin complejos

Dicho de otro modo, el Barça renació de sus cenizas gracias a que dejó de ser solo un club de fútbol. Ya en 1910 dejaba las cosas claras: el nuevo escudo del club lucía la bandera catalana y la cruz de sant Jordi, patrón de Cataluña. El proceso, pausado en principio, se aceleraría en la segunda mitad de la década de los diez, coincidiendo con una etapa de plena efervescencia política y social en Cataluña y en toda España. La relación de los hechos es harto conocida: en 1916, el club adopta el catalán como idioma oficial; dos años después se apoya la campaña en favor de la autonomía de Cataluña y en 1919, el FC Barcelona participa por primera vez en el Once de Septiembre, diada nacional de Cataluña, con la ofrenda al monumento de Rafael Casanova. Y en fin, un año después, el cuarto equipo azulgrana es bautizado con el inequívoco nombre de *Separatistes*. Ya no había camino de retorno.

6. Quedaba claro

Dos de mayo de 1920. Nuevo detalle para convencer a quienes nunca desean caer bajo el peso de la evidencia. El Barça se proclamó campeón de España tras ganar al Athletic de Bilbao por 2-0, goles de Vicenç Martínez y Paulino Alcántara, en la final disputada en El Molinón asturiano. En aquellos tiempos, el Barça ya no disimulaba las muestras de personalidad, su voluntad de apoyo al resurgimiento de la maltrecha identidad catalana. Dos días después del triunfo, la publicación *Catalunya Sportiva* imprimiría estas líneas: «Eternos enemigos del Barcelona, los que lo odiáis porque lleva el nombre de la augusta ciudad: porque es el club catalanísimo. Mordeos los puños porque la victoria es nuestra». Un posicionamiento claro como la luz del día.

7. Estatutos en catalán

«Amb la denominació de Futbol Club Barcelona i siguent el seu idioma el català, existeix en aqueixa ciutat de Barcelona una societat d'aficionats i amants al deport dit futbol.»

Las líneas de arriba corresponden a la definición del club, en catalán prenormativo, escrita en el artículo primero de los cuarenta y cinco incluidos en los estatutos aprobados el 27 de junio de 1920. Eran los primeros redactados en catalán, ya que los de 1911 aún se escribieron en castellano. Así quedaba instituido, negro sobre blanco, que el catalán era el idioma oficial del FC Barcelona. En la praxis, el catalán se había convertido en oficial desde el primero de julio de 1916, cuando se transcribió por vez primera un acta de reunión de junta en el idioma del territorio.

Tal como indicamos en *Barça inédito*, la memoria que se leyó en aquella asamblea de 1920 acababa con una frase diáfana: «Somos del FC Barcelona porque somos de Cataluña. Hacemos deporte porque hacemos patria».

8. EN CASO DE DISOLUCIÓN

En el año 1920, con el apoyo de 3.574 socios, el Barça comenzaba a vivir la primera Edad de Oro; para muchos, seguidores o no, ya demostraba una significación que excedía el mero ámbito deportivo. Así, el artículo cuarenta y dos de los estatutos estipulaba que, en caso de disolución de la entidad, los trofeos y libros debían entregarse a la Mancomunitat de Catalunya y al Museu Nacional Català. Una decisión coherente. Por si las moscas.

9. HOMENAJE AL FUNDADOR

El 25 de febrero de 1923 se celebró en el estadio de Les Corts un magno homenaje al presidente Joan Gamper, fundador y auténtica alma del club. Uno de los momentos emotivos de la velada llegaría cuando Joan Vallès i Pujals leyó en el palco la dedicatoria a Gamper de la Mancomunitat de Catalunya, firmada por el presidente Josep Puig i Cadafalch. Un texto en catalán donde destacaban estas significativas palabras: «Usted ha sabido dar a las manifestaciones deportivas de nuestro pueblo un alto sentido de dignidad ciudadana y una eficacia alentadora. A su amor por la cultura física ha sabido añadir la motivación del patriotismo. Extranjero por nacimiento, se ha compenetrado con los sentimientos y los ideales de nuestro pueblo, y por ello los catalanes le aman como a un hijo de nuestra tierra. El homenaje organizado por los elementos deportivos catalanes es un acto de justicia a su actividad y su fe». Reconocimiento no faltaba. Lástima que desapareciera tras los hechos de la *Marcha Real*, apenas dos años después.

10. Argumento de ficción

Clovis Eimeric, seudónimo del periodista y escritor barcelonés Lluís Almerich i Sellarés (1882-1952), publicó en 1923 una novela titulada *El minyó del cop de puny* (El chico del puñetazo). Lo hizo por entregas en la revista *Virolet*, destinada al público joven. Era una pieza ambientada en la Barcelona del primer cuarto del siglo XX, con tono marcadamente melodramático y chavales protagonistas dedicados a buscarse la vida por las calles de la capital catalana. El «malo» de la ficción era el conde de Soto-Verde, arribista ennoblecido por cuestiones políticas, presidente del club de fútbol Iberia, trasunto literario del R. C. D. Espanyol. Su rival futbolístico barcelonés era el Favència (uno de los nombres de la Barcelona romana), presidido por un burgués catalanista, el señor Riudecòdols. La camiseta del Favència era blanca con la cruz roja de sant Jordi; su campo estaba engalanado con la *senyera*. A pesar de las divergencias, el nivel económico de Soto-Verde y Riudecòdols era equiparable, ya que ambos vivían en la misma zona señorial de Barcelona.

11. Decálogo utópico

Publicado por la junta directiva del FC Barcelona en 1924, año de las bodas de plata del club, el *Decálogo del Socio* supone el mejor ejemplo de lo que debería ser el aficionado al fútbol idealizado. Repasar entonces, y ahora, el listado entra en terreno de la pura utopía. En cualquier caso, el decálogo es una muestra de las nobles intenciones que guiaban al club bajo la presidencia de Joan Gamper. Traducimos el texto del catalán original:

«1. No exijas a los jugadores un esfuerzo superior al rendimiento normal, y evita considerar corriente la jugada genial en una tarde afortunada. Sé comprensivo.

2. Procura no tener simpatías o antipatías en perjuicio de determinados elementos del equipo. Haz justicia.

3. Ahórrate la censura y no escatimes aplausos. Sé generoso.

4. Tu estímulo es especialmente necesario cuando el juego decae. Una protesta en estas circunstancias puede tener una transcendencia funesta. Sé cauto.

5. Sé circunspecto con los otros clubes. Si un respetable egoísmo no te permite animarlos, al menos sé cortés. Que la educación sea tu virtud.

6. Piensa que es humano pagar con la misma moneda, y que una conducta impulsiva predispone a ponerse en tu contra a aquellos que un día te recibirán como forastero. Ten cautela.

7. Evita las repulsas, las palabras difamatorias y las campañas que te hagan renegar de tu corrección. No caigas en la tentación.

8. No te pelees con los vecinos y, sobre todo, que nunca sea por tu culpa. Nada de provocaciones.

9. Piensa y no olvides, barcelonista, que tus compañeros estarán orgullosos de tu digna conducta. No quieras que deban avergonzarse de ti.

10. Que cuando digas que eres del Barcelona, se te abran todas las puertas».

Bienvenidos al mundo ideal. A eso se le llama *fair-play*.

12. ENTRA SUÑOL

El 20 de marzo de 1925, la dictadura de Primo de Rivera (1923-30) decidió la supresión de la Mancomunitat, el régimen semiautonómico catalán vigente desde 1914. Pocos días antes, Josep Suñol i Garriga, un joven de veintiséis años de ideología progresista y comprometido con los ideales catalanistas y republicanos, optó por sumarse al club que mejor se identificaba con sus postulados cívicos y sociales. Y así fue como Suñol se convertiría en socio del FC Barcelona el 12 de febrero de 1925, con el número 11.138, cuatro días después de la victoria del Barça sobre el Sabadell por 3-0 en partido correspondiente al Campeonato de Cataluña, con goles de Arnau, Samitier y Torralba. Los hechos desmienten una leyenda bastante extendida: no se hizo socio, pues, como reacción a la clausura de seis meses del FC Barcelona, decretada por la dictadura en junio de 1925 tras el abucheo a la *Marcha Real*. Años después, el 6 de agosto del 36, el presidente del Barça Josep Suñol sería asesinado por un grupo de soldados franquistas en la sierra de Guadarrama.

13. LA COPA STADIUM

La Copa Stadium es un premio creado por el rey Alfonso XIII en 1923, que se entrega anualmente dentro de los Premios Nacionales del Deporte. Es el galardón deportivo más antiguo de

España, con el que se reconoce a la persona o entidad destacada por su especial contribución durante el último año a tareas de promoción y fomento del deporte español. A lo largo de la historia, el FC Barcelona ha recibido este premio en las ediciones de 1925, 1926, 1942, 1997 y 2012. No deja de resultar sorprendente la concesión sucesiva en el 25 y 26, cuando el club había sido clausurado, entre junio y diciembre de 1925, como castigo por la pitada al himno español. ¿Una muestra de mala conciencia por considerar que la sanción había sido excesiva? Vete a saber, demasiado tarde para plantearnos según qué preguntas.

14. POLÍTICA Y NO FÚTBOL

El 14 de abril de 1931, día de proclamación de la II República española, constituyó un nuevo punto de inflexión para el FC Barcelona. A partir de la instauración del régimen republicano y de la consecución de las libertades democráticas, una buena parte de los directivos barcelonistas aparecieron vinculados al republicanismo catalanista. La mayoría de la masa social se había desplazado desde posiciones políticas propias del catalanismo conservador a la defensa de un nacionalismo de signo progresista y popular encarnado por Esquerra Republicana de Catalunya, el nuevo partido hegemónico en el principado tras su triunfo en las elecciones municipales y generales de 1931. Así pues, el FC Barcelona se sentía identificado con un régimen republicano que hacía posible la autonomía de Cataluña, aunque aquellos primeros años treinta resultaran peliagudos para el club, que padecía una crisis deportiva, económica y social. Eran tiempos de politización tan intensa que los ciudadanos se alejaron de los campos de fútbol. Preferían los mítines.

15. ¡VIVA LA REPÚBLICA!

En definitiva, el ambiente de libertad y euforia popular que comportó la proclamación de la II República hizo posible que, el 21 de junio de 1931, el Barça pudiera organizar un nuevo homenaje al Orfeó Català. A diferencia del vivido en 1925, el clima político y social soplaba a favor de la iniciativa. Aquel día, en el descanso del FC Barcelona-Zaragoza (que finalizó con victoria local por 4-0), se entregó un pergamino a los responsables del Orfeó y un lazo para embellecer su blasón. El texto (obra de los artistas y socios azulgranas Utrillo y Joan M. Guasch, maestro en *Gai Saber* y antiguo directivo) era el mismo que debía haberse ofrecido al Orfeó en aquella funesta tarde del 14 de junio de 1925, cuando la pitada al himno español por parte del público de Les Corts había provocado la clausura del FC Barcelona durante seis meses por decreto de las autoridades dictatoriales.

16. ESENCIAS DE IDENTIDAD

Dos meses antes del segundo homenaje al Orfeó Català, el 23 de abril de 1931, el Barça había demostrado que se ponía rápidamente al día en la recuperación de sus esencias identitarias, emitiendo un comunicado en catalán referido a la fiesta de Sant Jordi: «El Consejo Directivo del FC Barcelona se dirige a todos sus socios para recordarles que hoy, festividad de Sant Jordi, coincide con la Jornada de la Bandera Catalana. Son diversas las históricas enseñas barradas, escondidas durante la Dictadura, que, con motivo de la solemnidad del día, harán aparición a plena luz. El FC Barcelona prepara, entre otros actos igualmente significativos, un festival destinado a borrar el recuerdo de las privaciones e imposiciones de que la entidad fue objeto en aquellos turbios años. Mientras tanto, de todos modos, en deber de ciudadanía ante el próximo plebiscito, el Consell indica a los socios del FC Barcelona, sin distinción entre ellos, la alta conveniencia de manifestar su cooperación e interés por la vida de la nación, haciendo pública ostentación, cada cual desde su lugar, de las cuatro llamas de la Bandera». Alto y claro, sin tapujos.

17. GUERRA AL ESTATUTO

El 15 de mayo del 32, el Barça pasó las de Caín en el campo de Mestalla, partido de vuelta de los octavos de final del Campeonato de España. Y no hablamos de angustias futbolísticas, pues los hombres de Greenwell superaron la eliminatoria con solvencia, con un 2-3 que rubricaba el 2-0 logrado en la ida de Les Corts. El problema residió en el ambiente extremadamente hostil sufrido por el once azulgrana, que soportó una peligrosa lluvia de botellas de vidrio combinada con furibundos gritos de «¡Guerra al Estatuto!» por parte del público valencianista. Vamos, como si el Barça fuera responsable directo de la redacción y aprobación del Estatuto de Autonomía catalán de 1932. La irresponsable reacción del público de Mestalla estuvo a punto de provocar una tragedia, tal como quedó escrito en el *Xut!*, revista que esta vez no se lo tomó a broma como acostumbraba: «Nos consolamos pensando que los autores del seísmo eran cuatro monárquicos, pero si Alcoriza no se hubiera agachado a tiempo, ahora lo tendríamos embalsamado». El defensa barcelonés Francesc Alcoriza se salvó por los pelos, pero por desgracia quien quedaría fuera de combate a causa de un botellazo en la cabeza fue el centrocampista valenciano Tonín Conde, víctima de un fanático con pésima puntería.

18. EL PRIMERO *ENTRE TOTS*

Tras desaparecer durante dos años y medio, en octubre de 1932 volvió a publicarse el *Butlletí del FC Barcelona*, ahora ya en época democrática. Esteve Calzada i Alabedra, secretario de la Comisión de Cultura del club (y autor en 1949 de la letra del himno barcelonista *Barcelona sempre amunt!*) dejó patente en el primer número del boletín cuáles eran las razones del enorme prestigio social de aquel Barça de la República:

«En la popularidad de nuestro club entran, innegablemente, elementos extradeportivos. Hay páginas brillantes en la historia del FC Barcelona: el homenaje anual a los mártires de 1714, que este año ha movilizado a un numeroso grupo de socios; la asistencia de la gloriosa bandera del club, también al frente de una imponente representación de socios, a la memorable manifestación por la ratificación del Estatuto de Cataluña; la entusiasta acogida a las autoridades representativas de Cataluña que han venido a nuestro campo de juego; la misma persecución y semifiscalización dictatorial…

Hace bien el FC Barcelona de seguir los amplios caminos de la ciudadanía y el patriotismo, porque eso es lo que, por encima de todo, lo acerca al pueblo y le hace ser el primero entre todos. Y los hechos demuestran que, en todos los aspectos de la vida humana, aquello perdurable, aquello que no muere, es todo cuanto huele a popular. Quien no quiere ir del brazo del pueblo está condenado a morir, tarde o temprano, en los polvorientos desvanes del olvido.»

19. La Renaixença

En 1933, Cataluña celebró el centenario de su Renaixença, iniciada un siglo antes con la publicación de la *Oda a la Pàtria*, de Bonaventura Carles Aribau. La Renaixença fue un movimiento cultural del XIX que pugnaba por el resurgimiento de la lengua y cultura catalanas tras muchos años de decadencia y marginación. Como no podía ser de otro modo, el FC Barcelona se adhirió a la conmemoración de esta efeméride, realizada el 16 de abril en el monasterio de Santa Maria de Ripoll, junto a la tumba de Guifré I, el primer conde barcelonés independiente. Curiosamente, ese día, todas las banderas que desfilaron en el curso de la manifestación fueron recibidas en silencio, con veneración y respeto..., excepto la azulgrana, a la que se acogió con una salva de aplausos.

20. ¿Hace falta insistir?

En octubre del 33, en la primera página del *Butlletí* del club se podían leer estas palabras de Antoni Cabestany, ex secretario general del Barça: «Día encapotado y gris el de este 11 de septiembre que venimos de rememorar. La naturaleza ha querido aleccionarnos respecto a que nuestra fiesta nacional no podrá ni deberá ser un estallido de entusiasmo alegre y desbordado mientras la memoria de los héroes caídos no sea plenamente reivindicada. Hay que haber escuchado con religiosa compunción las estrofas grávidas de nuestro himno nacional en la hora cambiante de la medianoche cantadas por el glorioso Orfeó Català para saber aprender que nos resta mucho camino a hacer antes que podamos ver la Patria totalmente liberada». Una vez más, se podía decir más alto, pero no más claro.

21. La muerte de «l'avi» Macià

A principios de 1934, el boletín del FC Barcelona publicó un sentido texto de pésame por la muerte de Francesc Macià, llamado popularmente *L'Avi* (el Abuelo, en catalán). El presidente de la Generalitat había fallecido el día de Navidad del 33. El texto terminaba con este párrafo: «En estos momentos difíciles es necesario que todos los catalanes, a beneficio de nuestra patria, sepamos conservar el lazo de unión que esta fatal desgracia ha posibilitado. Este será el mejor homenaje que podamos tributar a la memoria del Gran Desaparecido».

22. IDENTIDAD NO PARTIDISTA

El FC Barcelona siempre ha tenido muy diáfana la línea divisoria entre la defensa de la identidad catalana y el juego político y partidista. Y cuando ese límite no quedó demasiado claro para algunos, ha actuado razonada y escrupulosamente. Veamos lo escrito en el acta de la junta directiva del 25 de febrero del 36, una semana antes del retorno triunfal a Barcelona del presidente Lluís Companys tras su liberación del presidio donde permanecía tras lo sucedido en octubre de 1934: «Se da lectura a una comunicación del comité organizador de la llegada del honorable *president* y *conseller* de la Generalitat de Catalunya por la que se invita a nuestro club a asistir. A indicación de la presidencia, cada uno de los reunidos expone su opinión. Igualmente es consultado en tal sentido el señor Josep Sunyol Garriga en su condición de presidente de la entidad, actualmente en Madrid. Conocidas las diversas opiniones expuestas, se toma en consideración la invitación, que se agradecerá, y se adopta el siguiente acuerdo: «El Consejo Directivo, en referencia a la invitación del comité organizador de la llegada del honorable *president* y *consellers* de la Generalitat de Catalunya acuerda, como otras entidades deportivas de nuestra tierra, asistir con la bandera del club, haciendo constar que vista su significación esencialmente deportiva y ciudadana, desnuda este acto de todo sentido y matiz político para ver, solamente, la expresión del retorno a Cataluña de sus libertades».

23. MARCADO PARA SIEMPRE

Conviene recordar la historia una vez más con la clara intención de no olvidarla: en 1936, solo comenzar la guerra civil y tras el asesinato del presidente barcelonista, Josep Suñol i Garriga, a manos de los soldados fascistas, el Barça pasaría a ser una entidad al servicio del Gobierno legítimo de la República. Así lo entendieron los mexicanos y los *yanquis*, que, durante la famosa gira de 1937, recibieron al Barça más como embajador del régimen republicano que como mero equipo de fútbol.

Y no solo por las trágicas circunstancias del momento, también había una trayectoria histórica detrás.

Como perversa consecuencia, en 1939, tras la victoria franquista en la guerra, el club sufrió los odios y los rencores de las nuevas autoridades dictatoriales, que consideraron al Barça como un «nido de rojos-separatistas». Ante la imposibilidad de suprimir la existencia del club, la dictadura procuró controlarlo y eliminar su carácter liberal y catalanista, lo que consiguieron durante cierto tiempo en lo institucional, ya que tenían la paella por el mango. En cuanto a la gente, nunca pudieron lograrlo.

24. Reducto de libertad

El franquismo había vencido, pero no había conquistado las conciencias de la inmensa mayoría de los catalanes, muchos de los cuales encontraron cobijo simbólico y sentimental en el FC Barcelona, convertido en el último refugio donde salvaguardar una identidad arrasada en cualquier otro frente. En la década de los cuarenta y cincuenta, el público de Les Corts podía hablar catalán sin ningún problema, con la garantía de estar en su propia casa, en el último reducto de libertad, mientras que en la calle los «camaradas» falangistas podían golpear impunemente a quien se atreviera a expresarse en su propio idioma. En aquella época, los dirigentes barcelonistas eran fascistas y tenían la plena confianza del nuevo régimen o, como mínimo, de la derecha acomodaticia. El club de aquellos durísimos tiempos no tenía fundación alguna, ni convenio con la Unicef, ni acuerdos con entidades catalanistas inexistentes, ni era un fenómeno global con cuatrocientos millones de seguidores en todo el mundo. Pero continuaba siendo mucho más que un club: de eso que no quepa duda.

25. Un once «delatado»

El escritor barcelonés Juan Marsé siempre ha sido un culé convencido. En una de sus novelas, *Rabos de lagartija*, ambientada en la triste y miserable posguerra, quiso plasmar un gesto de complicidad simbólica con el Barça de aquella época. En un momento concreto del libro, un miembro de la policía secreta se identifica y empieza a interrogar al vecindario («Y la mano yerta del hombre en la solapa, dejando entrever su autoridad, concitando las voces y el miedo».) Entonces se desencadena una retahíla de voces solapadas y un tanto incoherentes, todas ellas deseosas de disipar en el esbirro cualquier sospecha de «rojerío»:

«—Pregúnteme a mí, señor. A mi marido no, que no sabe nada.

—El mío tampoco. Y no es un desafecto, que conste. Mayormente, que es un poco sordo.

—El mío es de la Devota Cofradía de Portantes del Santo Cristo.

—Pues el mío tiene la Gran Cruz de la Orden del Mérito Aeronáutico. Es totalmente afecto al régimen, créame usted.

—El mío tiene un poquito de sarna. Son malos tiempos, oiga».

El policía se impacienta y quiere información directa de sospechosos de deslealtad al régimen: «¡Nombre y apellidos! ¡Quiero nombre y apellidos!». Y la respuesta de una voz anónima es: «Miró, Zabala, Benito; Raich, Rosalench, Franco; Sospedra, Escolà, Martín, César y Bravo». Once nombres que formaban uno de los equipos del Barça en la temporada 42-43, cuando el club estaba fichado por tener un pasado «francamente separatista», según constaba en el informe archivado en la Jefatura Superior de Policía de Barcelona.

26. EMOCIONANTE Y PRESTIGIOSO

El escritor y periodista mallorquín Baltasar Porcel (1937-2009) cargaba con la fama de ser bastante indiferente al fenómeno deportivo, aunque durante la infancia en su Andratx natal fuera un entusiasta del Barça. Ni él mismo recordaba el motivo de su simpatía por los colores azulgrana, solo sabía que, desde pequeño, decía a sus amigos: «Yo soy del Barcelona» y, automáticamente, la emoción le embargaba. Según confesaba Porcel, en aquella época, años cuarenta, ser del Barça en Andratx era emocionante y prestigioso. En un artículo publicado en la revista *Barça* del 17 de septiembre del 74, el escritor mallorquín explicaba esta anécdota: «En un momento dado conocí a un señor sonriente, gordo y anciano, barcelonés, que me aseguró ser socio del Barcelona y haber ido como delegado de alguna filial infantil del club. Enrojecí de satisfacción. Sin embargo, años después he pensado que a lo mejor no era cierto: que el individuo se encontraba solo y viejo, en tierra extraña, y que para tener compañía urdió esta mentira, como hubiera podido embarcarse en cualquier otra. Pero me es indiferente: yo conocí, durante unas semanas, a un auténtico socio del Barcelona. Nadie más, en el pueblo, había tenido privilegio semejante. Fui feliz».

27. PUES QUE VIVA...

El domingo, 27 de noviembre de 1949, tocaba fiesta de las gordas. Se celebraba el banquete conmemorativo de las bodas de oro del Barça, un ágape dispuesto en el *marco incomparable* (los tópicos son eternos) del hotel Ritz. En la mesa, al margen de los dirigentes del club, nutrida representación de las fuerzas vivas del momento, y no solo deportivas: el presidente de la Federación Española, el del Colegio Nacional de Árbitros, el delegado nacional de Deportes, el alcalde de la ciudad, el gobernador civil... Incluso estaba allí el presidente del Real Madrid, Santiago Bernabéu.

En aquellos tiempos de negra dictadura, la presencia de estos personajes entrañaba la mejor disuasión para que Agustí Montal Galobart olvidara cualquier peligrosa veleidad en su discurso para ceñirse estrictamente al guion oficialista. Así, la anodina prédica del presidente azulgrana acabó con un previsible «¡Viva España!». En cambio, Armando Muñoz Calero, presidente de la Federación Española, no mostró ningún complejo al terminar su alocución con una surrealista sucesión de vítores: «¡Viva Franco! ¡Arriba España! *Visca el Barça! Visca Catalunya!*». Por su parte, Pedro Escartín, presidente de los árbitros, también se lució sobremanera, ya que cerró su perorata al grito de «¡Viva España, que es decir viva Cataluña!».

28. LA HUELGA DE TRANVÍAS

La efeméride es bastante conocida, pero podemos aportar nuevas informaciones. Como resulta bien sabido, a inicios de marzo de 1951, los ciudadanos barceloneses boicotearon los tranvías de la ciudad en protesta por el desmesurado aumento en el precio del billete, que había pasado de cincuenta a setenta céntimos de peseta. A pesar del clima de miedo y dictadura, los ciudadanos se desplazaban masivamente a pie, mientras los tranvías lo hacían apenas con un policía como pasajero. La huelga de tranvías se mantenía aún el 4 de marzo, día en el que el FC Barcelona jugaba en Les Corts el partido de Liga con el Racing de Santander (2-1) bajo una lluvia que caía a cántaros. Las autoridades intentaron aprovechar la circunstancia del mal tiempo para reventar la huelga. Así, acumularon gran cantidad de tranvías en los aledaños de Les Corts, en espera de que los aficionados subieran una vez concluido el lance.

El fracaso resultó absoluto y los tranvías abandonaron vacíos la plaza del Centre, mientras miles y miles de seguidores culés iniciaban en procesión la marcha hacia sus respectivos hogares. Hasta ahora se creía que la censura impidió que ninguna publicación de la ciudad recogiera tal estampa, con la excepción de la revista satírico-deportiva *El Once*, que, con ironía sutil, tituló así la crónica del encuentro: «El Barcelona venció al Santander por 2-1 en una tarde sin restricciones pluviométricas, ante 40.000 espectadores con paraguas». Ahora sabemos que en el programa del partido del Barça-Celta del 18 de marzo se escribió una mención más clara y directa de la rebeldía de los aficionados azulgrana, lo cual entraña mucho mérito al haberse realizado desde una publicación oficial del FC Barcelona. Juzgue el lector: «Unos venían de San Andrés, otros de Horta y otros de la *quinta forca* [expresión catalana que equivale a «de muy lejos»]. Cada uno con sus paraguas iban cantando bajo la lluvia sin preocuparse por la humedad de sus pies. A última hora, los rezagados llegaban corriendo, paraguas en ristre, como unos atletas que participaran en la carrera del paraguas. Y el campo de Les Corts se llenó a rebosar. Menos mal que Ruiz tuvo el acierto de meter un balón en su propia meta. Porque de lo contrario el regreso a pie y con paraguas se habría hecho insoportable».

Por lo que parece, en aquella época el club alternaba cal con arena, ya que, apenas dos meses después, el 27 de mayo, al presidente Montal Galobart le pilló un pronto halagador y condecoró al dictador Francisco Franco con la propia medalla de oro y brillantes del club. Y lo hizo en el mismísimo palco de Chamartín.

29. NO ES LO QUE PARECE

El 15 de noviembre de 1959 se podía leer en una publicación

oficial del club una singular *Oda al C. F. Barcelona*. Obra de Joan Demestres, se trataba de una composición poética en catalán de discutible valor literario, aunque, leída con ojos modernos, genera perplejidad por estos atrevidos versos:

> *El flameig d'una senyera volguda*
> *forma un tot compacte i unit,*
> *és un bell símbol que ens aglutina*
> *mirant de front i vers l'infinit.*

¿El Barça publicando versos de exaltación catalanista en plena dictadura franquista sin que la censura lo impidiera? ¿Cómo era posible? Muy fácil. En aquella época, por *senyera* todo el mundo entendía la definición del diccionario: «estandarte o bandera, en acepción global». Entonces, a diferencia de hoy, nadie identificaba *senyera* con bandera catalana. Así, en aquella aséptica *Oda al C. F. Barcelona* todos entendieron que *senyera* era sinónimo de bandera azulgrana. Ningún problema, pues.

30. *ABUI CHUGA EL FUCTÉ*

El mítico artículo de Manuel Vázquez Montalbán «*Barça! Barça! Barça!*», publicado en la revista *Triunfo* el 25 de octubre de 1969, causó sensación en una época en que los intelectuales de izquierdas consideraban el fútbol como «el opio del pueblo», una especie de droga que los poderosos aplicaban a la gente para distraerla de temas realmente importantes. Lejos de esta teoría, el artículo, escrito en castellano, rompería moldes; de hecho, se ha convertido en un clásico por ser la primera ocasión desde la guerra civil en la que se hablaba del Barça desde una óptica claramente extradeportiva.

En sus líneas, Vázquez Montalbán defendía el FC Barcelona como símbolo de la idiosincrasia catalana y, al mismo tiempo, como elemento cohesionador de la sociedad del principado. De esta manera, la adhesión a los colores azulgrana se convertía en un factor integrador de los inmigrantes llegados desde otras partes del Estado español. En tal sentido, resulta impagable el párrafo donde Vázquez Montalbán explica las «extrañas» voces que se podían oír en las cercanías del Camp

Nou los días de partido: «*Ecorta, tú, abui chuga el Fucté*». O lo que es lo mismo, la versión «charnega» de «*Escolta, tu, avui juga el Fusté*».

Todo ello justificaba la expresión «*el Barça és més que un Club*» que el presidente Narcís de Carreras había verbalizado apenas dos años antes, el 17 de enero de 1968.

31. LEMA EN MARCHA

El 31 de octubre del 73, el Camp Nou acogió un partido organizado por la FIFA entre las selecciones de América y Europa, magno evento que fue denominado el I Día Mundial del Fútbol. Precisamente, fue entonces cuando se comenzó a popularizar la frase «el Barça es más que un club». Este lema se pudo leer en el anuncio del I Día Mundial del Fútbol, publicado el 29 de octubre del 73. La idea era del publicista Javier Coma y, evidentemente, tuvo éxito. En la publicidad de este acontecimiento, insertada en castellano en los diarios deportivos barceloneses, se podía leer: «La historia, la proyección y las actividades del Club de Fútbol Barcelona han colocado siempre a esta entidad no solo muy por encima de las coyunturas por las que ha atravesado su equipo de fútbol, sino incluso a un nivel emotivo y cultural muy superior al que podría ser lógico en una asociación deportiva».

32. TODOS SABEMOS QUÉ QUIERE DECIR

El eslogan «Nosotros somos los que decimos: El Barça es más que un club» (ya en catalán) debía ser el hilo conductor de la campaña de Agustí Montal i Costa en las elecciones presidenciales del Barça, previstas para diciembre de aquel 1973, pero finalmente se abandonó la idea. De todos modos, desde entonces, la expresión «*El Barça és més que un club*», se convirtió en una muletilla popular de la que todos conocían su significado implícito.

33. EL *CANT DEL BARÇA*

Con motivo de los actos de celebración del septuagésimo quinto aniversario, la directiva del presidente Agustí Montal instauró un nuevo himno barcelonista para sustituir al creado en 1957 con motivo de la inauguración del Camp Nou. Con letra de

Jaume Picas y Josep Maria Espinàs, y con música de Manuel Valls Gorina, el nuevo *Cant del Barça* logró un éxito inmediato. Ayudó sobremanera la magnificencia de su estreno en el Camp Nou, incluido en un acto que, al margen de deslumbrante, mostró un claro matiz de reivindicación catalanista.

El evento fue retransmitido en directo por TVE, la única del momento, a toda España. A las 20.30 horas de aquel 27 de noviembre de 1974, se juntaron en el centro del terreno de juego 3.500 representantes de setenta y ocho entidades corales catalanas que, dirigidas por el maestro Oriol Martorell, director de la Coral Sant Jordi, hicieron sonar con perfecta nitidez las notas del nuevo himno barcelonista. El *Cant del Barça* fue el colofón a un repertorio integrado por el *Cant de la Senyera*, *El rossinyol*, *L'hereu Riera* y *Al vent*, la mítica canción de Raimon, entonces vetada en televisión. Aquel fue, pues, un golazo por la escuadra al rígido organismo estatal de entonces.

34. «GOL» TELEVISADO

También resultaría un gol televisado la interpretación, por vez primera en la historia del Camp Nou, de *El Cant de la Senyera*. Conviene recordar que, durante muchos años, este himno del Orfeó Català había padecido la prohibición del régimen franquista a causa de su condición oficiosa como himno alternativo de Cataluña ante la absoluta marginación sufrida por *Els segadors*.

De esta circunstancia era consciente el delegado de la Policía Armada, quien le susurró al gobernador civil de Barcelona, Rodolfo Martín Villa, que «aquello» que se estaba cantando era el himno separatista catalán. Asustado, Martín Villa pidió explicaciones a Agustí Montal, sentado a su lado en el palco presidencial. Montal, sin perder la calma, le contestó: «Solo es el himno del Orfeó Català». Así negaba todo simbolismo político. Martín Villa se quedó satisfecho con una hábil respuesta que resultaba verdad a medias. Pero, para acabar de completar el cuadro, en el descanso del partido que enfrentó al Barça contra Alemania Oriental, bajo los sones de la cobla La Principal de la Bisbal, ochocientos bailarines interpretaron *La Santa Espina*, sardana también prohibida por el franquismo. Una valiente manera de saltarse prohibiciones, por si no queda claro.

35. Reivindicación

Durante las noches del 20 y 21 de septiembre del 74, el Palau Blaugrana alteró por vez primera su talante deportivo para transformarse en recinto de expresión musical y contestataria. Actuaba el grupo chileno Quilapayún, enormemente simbólico entonces, que ofreció unos emotivos recitales en repulsa a la dictadura de Pinochet. La llama de la reivindicación humanitaria (dentro de los estrechos márgenes que permitía el tímido aperturismo del tardofranquismo) se mantuvo el 29 de abril del 75 con un acto cívico y cultural llamado «¡Queremos vivir!». Aquel día, más de trece mil niños se reunieron en el Palau convocados por la Federación de Asociaciones de Padres de Familia y el Grupo de Padres en Defensa de los Derechos Humanos para aunar voces contra la guerra y la injusticia en el mundo.

36. El busto de Franco

Joan Granados, secretario general del Barça entre el 75 y el 78, la lio parda en una de las primeras reuniones de la directiva tras la muerte del dictador Francisco Franco, el 20 de noviembre de 1975. Apenas entrar en la sala de juntas, Granados miró el busto de Franco que, por imperativo legal, presidía la estancia. Entonces dijo: «Esto ya no pinta nada aquí». Y, en un arranque, levantó el busto, con la mala fortuna de que le resbaló de las manos antes de caer al suelo y hacerse añicos. Normal, no era de bronce, sino de yeso pintado. Las caras de los directivos presentes expresaron espanto y uno de ellos llegó a preguntar aterrado: «¿Y ahora, qué nos puede pasar?». La respuesta de Granados fue rápida y ufana: «Ahora, ya nada». Desconocemos la identidad de la persona que tuvo el honor de barrer los últimos restos simbólicos del dictador de la sala de juntas del FC Barcelona.

37. Carta al Rey

El 21 de diciembre de 1975, el Barça jugaba un partido de Liga en el Luis Casanova de Valencia. Durante el viaje, la directiva de Agustí Montal planteó a los futbolistas la posibilidad de que escribieran una carta al rey Juan Carlos I solicitando amnistía para los presos políticos. La carta se llegaría a redactar, pero los jugadores no la firmaron porque algunos prefirieron no implicarse en cuestiones políticas. Los que no quisieron estampar su rúbrica fueron los gallegos Tomé y Costas, el leonés De la Cruz, el ceutí Migueli, el peruano Sotil, el alicantino Asensi, el madrileño Clares y el asturiano Marcial. En cambio, firmaron a favor de la amnistía los catalanes Rexach, Mir, Corominas, Fortes y Mora, el vasco Artola y los holandeses Cruyff y Neeskens. Justo un empate a ocho. Así las cosas, todo quedaría en agua de borrajas y la carta nunca se llegó a enviar.

38. LA TRANSICIÓN CULÉ

En cualquier caso, en aquella coyuntura transcendental conocida como transición española, la apuesta del FC Barcelona por los valores de democracia y libertad resultaría firme y decidida. Así, en el editorial del *Butlletí Oficial* de enero del 76 se enfatizaba: «El presidente Montal ha dicho en múltiples ocasiones que alrededor de nuestra actividad deportiva hemos de ofrecer testimonio de una gran obra social y cultural. Esta es la contribución más importante que nuestro club, en el momento histórico actual, puede aportar a la tarea común de construir una sociedad más libre y más justa.»

Dos meses después, en las páginas de la misma publicación, se aprovechaba un canto a la tolerancia y a la diversidad de opiniones para dejar caer al final del texto un gesto de complicidad histórica: «Entre todos iremos creando nuestro club. Problemas siempre los habrá, así como tensiones en nuestro cuerpo social. Nosotros, más que tener un club monolítico, donde las voces discrepantes no puedan oírse, preferimos un club donde la polémica y la libre expresión puedan ser siempre signo de vitalidad colectiva. Queremos que el club vaya adelante en el terreno deportivo y también, que nos mantengamos fieles a las responsabilidades históricas dentro del espíritu democrático de nuestra casa. Esta debe ser la manera de entender un club que quiere ser «deporte y ciudadanía». Una alusión directa al lema de *La Rambla*, el semanario del presidente asesinado del club, Josep Suñol i Garriga. Una mención valiente en aquel momento si pensamos que la memoria de Suñol aún seguiría proscrita durante dos décadas más.

39. DREAM TEAM INTELECTUAL

En la recta final de la campaña 75-76, el *Butlletí Oficial Informatiu* del Barça ya se escribía prácticamente en su totalidad en catalán. Apenas se transcribía en castellano el nombre de la publicación, que aparecía en la portada como *Boletín Oficial Informativo*, así como algunos anuncios publicitarios. El nombre no se tradujo al catalán hasta la edición correspondiente a enero de 1977. Fuera como fuera, el nivel de la publicación era elevado, ya que en su sección de cultura participaban, entre otras, firmas de prestigio como las de Josep Maria Espinàs, Joan Triadú, Josep Melià, Josep Faulí, Cesc, Tísner, Joaquim Molas, Josep Maria Poblet, Pere Calders, Maria Aurèlia Capmany, Montserrat Roig, Antoni Ros Marbà, Oriol Pi de Cabanyes, Joan Fuster, Miquel Porter i Moix, Josep Fuster i Rabés y Joan Josep Artells.

40. PRIMER MITIN

El 22 de junio de 1976 se celebró en el Palau el primer mitin político legal desde 1939. El PSC (Congrés), partido que aún se declaraba marxista, congregó a quince mil personas que fueron un clamor en pro de la democracia, la libertad, la amnistía y la libre autodeterminación de todos los pueblos del mundo. En aquellos días de nuevos aires democráticos, la directiva de Agustí Montal i Costa no dejaba ninguna duda de su voluntad: el Palau Blaugrana podía ser alquilado a cualquier partido político que lo pidiera, sin excepción.

41. TRANSMISIÓN EN CATALÁN

El 5 de septiembre de 1976, el FC Barcelona fue protagonista de un acontecimiento capital en el largo proceso de normalización de la lengua catalana. El Barça y la UD Las Palmas jugaban en el Camp Nou el partido correspondiente a la primera jornada de Liga 76-77. Aquel día se cumplía un año desde que se permitía hablar catalán por la megafonía del Estadi y fue cuando Joaquim Maria Puyal transmitió por Radio Barcelona el primer encuentro de fútbol en catalán desde el final de la guerra civil.

Puyal, que llevaba ocho años radiando al Barça en castellano, se enfrentó con el problema de la falta de práctica en el uso de su propia lengua, pero superaría la prueba con muy buena nota. Aquel día se empezaron a escuchar términos y expresiones ahora habituales y populares como «*s'escapoleix de l'escomesa d'un contrari*» («se zafa del acoso de un contrario») o «*jugador destraler*» (jugador leñero). Además, la fiesta fue completa, ya que el Barça ganó por 4-0, con goles de Heredia, Cruyff (2) y Clares.

De este modo, el catalán, entonces ya reconocido como lengua literaria y científica, recuperaba el espacio deportivo. La iniciativa de Radio Barcelona contó con el apoyo del FC Barcelona, personificado en la figura de su secretario general, Joan Granados. Al final, la experiencia resultó un éxito absoluto y Puyal recibió un montón de cartas de todo tipo de gente, desde intelectuales a trabajadores, que le felicitaban y le animaban a continuar. Una de ellas, enviada por un grupo de amigos del barrio barcelonés de La Verneda, le hizo especial ilusión: «Nosotros no somos de aquí, pero somos admiradores del Barça y nos sentimos catalanes como el que más y escuchamos con mucho interés los partidos del Barça en catalán y de esta manera vamos aprendiendo el idioma de Cataluña».

42. Fuster y el Barça

Desde 1970, el club aprovechaba cada desplazamiento a Valencia para celebrar una cena en la Casa Catalunya de la capital del Turia. En aquellos ágapes, de marcada orientación catalanista, Agustí Montal y sus directivos conocieron a Joan Fuster, el prestigioso escritor y ensayista valenciano. Al autor de *Nosaltres els valencians* no le gustaba casi nada el fútbol (más bien le espantaban el fanatismo y los gritos de los aficionados), pero entabló buena amistad con la junta azulgrana, que mostraba un talante muy afín al suyo. De hecho, en aquellas cenas se hablaba de todo menos de fútbol. A partir del 73, los cónclaves fueron trasladados a los locales de la Penya Barcelonista Ribera Baixa, de reciente creación y situada en El Perelló. La última cena de esta clase fue celebrada el 9 de abril del 77, Sábado de Gloria, en vísperas de un Valencia-Barça de Liga. En pleno evento, a los comensales les llegó la noticia de la legalización del Partido Comunista de España. Aunque ninguno de los directivos barcelonistas presentes simpatizaba con tal formación política, la noticia fue recibida con una explosión de alegría y se brindó con cava. Faltaban poco más de dos meses para las primeras elecciones democráticas tras la muerte del dictador, por lo que la participación de los comunistas se entendía como un avance más en la plena recuperación de la voluntad popular.

43. DOS BARÇAS EN UNO

Fue Agustí Montal, sucesor de Narcís de Carreras, quien el 13 de abril de 1977, en el transcurso de una asamblea, definiera el significado de «*més que un club*» de manera diáfana, al manifestar que, de hecho, coexisten dos *Barças* en uno: «Uno es el Barça que sale en defensa de los ideales más selectos, mientras el otro continúa jugando. Uno es el Barça del espíritu; el otro el Barça de los goles. Uno y otro están tan entroncados que no se sabe dónde acaba uno y dónde comienza el otro». Fue justo ese día cuando el club dio su apoyo al Estatuto de Autonomía de Cataluña.

Cabe señalar que algunos empleados del club habían rebautizado al presidente con el apodo de *Tontal*, de manera harto injusta, ya que no eran pocos los que creían que Montal no tenía suficiente carácter para guiar la institución. Se equivocaron porque, en realidad, Montal se mostraba afable y sencillo, dispuesto por sistema a minimizar los conflictos. Quizá por ello en las últimas frases de su autobiografía, *Memorias de un presidente azulgrana en tiempos difíciles*, dijera que «procuro reír y hacer reír». Entendido, aunque parezca una autodefinición bastante equívoca.

44. LA DIADA DEL 77

Desde la restauración de la democracia, el Barça solo ha participado una vez como club en una manifestación de cariz político. Fue en la gigantesca manifestación del *Onze de Setembre* de 1977, aquella convocatoria unitaria (solo faltó Alianza Popular) en favor de la restauración del Estatuto de Autonomía que congregó más de un millón de personas en las calles de la capital catalana. La representación del FC Barcelona fue de carácter institucional: el presidente Agustí Montal, los directivos, jugadores, técnicos y empleados. Y con la bandera azulgrana por delante.

A partir de 1978, la celebración de la Diada fue haciéndose menos unitaria y más partidista. Ello explica que, desde entonces, el Barça no haya vuelto a participar de manera institucional en ninguna manifestación política.

45. PRESIDENT TARRADELLAS

El 30 de octubre de 1977, al cabo de una semana de su retorno a Cataluña procedente del exilio francés, el *president* de la Generalitat Josep Tarradellas asistió a un partido del Barça en el Camp Nou. El póster conmemorativo de aquel día histórico, obra de Avel·lí Artís-Gener, *Tísner*, incluía unos versos en catalán de Salvador Espriu («Nos mantendremos fieles para siempre al servicio de este pueblo»), que era, precisamente, la frase con la que Agustí Montal solía acabar sus parlamentos a las peñas barcelonistas.

Con el discurrir de los años, la historia ha acentuado el talante marcadamente catalanista que caracterizó la época del presidente Montal (1969-77). Aún destaca con mayor fuerza una vez comparada con la larga égida de Josep Lluís Núñez (1978-2000), presidencia distinguible, entre otros aspectos, por una tremenda asepsia y distancia a todo cuanto no fuera estrictamente deportivo o económico.

46. SIN COLABORACIÓN

En junio de 1985, Antoni Badia i Margarit, presidente de la comisión organizadora del II Congrés Internacional de la Llengua Catalana, propuso a Josep Lluís Núñez que formara parte del Patronato del Congreso, tanto personal como institucionalmente. Al fin y al cabo, se trataba tan solo de un cargo honorífico destinado a prestigiar el histórico evento. De todos modos, el presidente barcelonista rechazó el honor, alegando falta de tiempo debido a sus múltiples obligaciones. Meses después, en enero del 86, un irónico Badia deseó que el club tuviera noticia «por los medios de comunicación» de las actividades del congreso, cuando, en teoría, el Barça formaba parte de la comisión organizadora. Una manera más o menos sibilina de lanzar la indirecta públicamente: «Gente del Barça, no habéis hecho nada…».

El comité ejecutivo del II Congrés Internacional de la Llengua Catalana se disolvería en octubre del 87. Su última decisión fue convocar a todas las entidades catalanas «académicas, culturales, religiosas, profesionales, deportivas, económicas y otras» a coordinarse entre ellas en pro de la normalización lingüística del catalán. La respuesta de la junta azulgrana, bastante telegráfica, consistió en rechazar el ofrecimiento.

47. ¿SOLO DEPORTE?

La desvinculación del FC Barcelona de todo aquello que no fuera, estrictamente, deportivo durante la etapa nuñista quedó patente de manera diáfana con estas palabras de Nicolau Casaus, en agosto de 1985: «Creemos que si bien en otros momentos nuestro club tenía que asumir, y así lo hizo, la función social que las circunstancias y su idiosincrasia exigían, ahora, con la normalización de las instituciones de nuestro país, el Barça debe volver al deporte, que en definitiva es el espacio social que, en normalidad, le corresponde». La justificación de Casaus era discutible, básicamente por la renuncia explícita al alma simbólica que ha definido al club desde la refundación de Gamper, en 1908.

Como ya sabemos que todo es relativo, treinta años después, una buena parte de la población catalana opinaba que estas instituciones no estaban aún normalizadas, en absoluto. Y, por lo tanto, el 6 de octubre de 2014, el Barça se adhirió al *Pacte Nacional pel Dret a Decidir*, apoyando la libre voluntad del pueblo catalán.

48. BALONES FUERA…

Otro ejemplo de la sistemática inhibición de la directiva de Josep Lluís Núñez en relación con cualquier intento de recuperación de la memoria histórica azulgrana. En los primeros días de 1996, un socio se dirigió al club para proponer un homenaje a Josep Suñol i Garriga, aprovechando la ocasión de que pronto se cumpliría el sexagésimo aniversario de su asesinato a manos de soldados franquistas, perpetrado en agosto de 1936.

La respuesta del FC Barcelona, el 13 de febrero, resultó bastante descorazonadora: «El mejor servicio que podemos hacer al país consiste en usar la memoria histórica para potenciar la concordia y la convivencia entre todos los catalanes, que es lo que hubiera querido Josep Suñol i Garriga. Por tal motivo pensamos que el mejor homenaje que podemos rendirle es continuar trabajando por la grandeza del club». A eso se le llama echar balones fuera y no querer mojarse ni bajo la ducha. En aquel momento, claro, resultaba complicado entender que el mejor homenaje a un personaje olvidado consistiera en dejarlo aparcado en el ostracismo histórico, como si aún viviéramos bajo una dictadura.

Pocos días después, tal vez aleccionada por alguien con buen criterio, la junta se dio cuenta del resbalón y viró rumbo. En coherencia, el 11 de marzo del 96 quedaría transcrita en el acta de la directiva la primera referencia a Josep Suñol realizada en el Barça desde 1939: «El presidente (Núñez) informa de la adhesión del club a los actos de homenaje que se están organizando en recuerdo del político señor Josep Suñol i Garriga, quien fue presidente del club en los años trágicos de la guerra civil y que fue asesinado cerca de Madrid». Bien está lo que bien acaba, pero les costó bastante…

49. Agravio reparado

Como consecuencia, el 31 de julio de 1996, bajo los auspicios de la Comisión de Cultura del Club, se inauguraría en el Museo del FC Barcelona una vitrina dedicada a Josep Suñol. Pocos días después, el 4 de agosto, se descubrió un monolito conmemorativo en la sierra de Guadarrama, justo en el lugar donde Suñol fue asesinado. Esta vitrina desapareció con la remodelación del Museo, que acabó el 13 de junio de 2010. Sin embargo, el agravio quedaría reparado con la inauguración (con motivo del llamado «Año Suñol») de un nuevo espacio dedicado al presidente azulgrana fusilado, que sería estrenado el 26 de marzo de 2015.

50. El ejército desarmado

En mayo de 1998, cuando el equipo acababa de conseguir el doblete de Liga y Copa, Manuel Vázquez Montalbán escribió un poema en castellano dedicado al FC Barcelona con el título «Desarmado ejército simbólico de una memoria desarmada». La composición lírica refleja la evolución del club desde un «ejército simbólico desarmado de la catalanidad» hasta convertirse bajo el nuñismo en un «ejército» formado por mercenarios sin memoria. Casi parece un ejercicio de escritura automática del autor en clave de repaso de la historia azulgrana. Hay que leerlo despacio y con atención, desprovisto como está de signos de puntuación:

Fundado por Joan Gamper
el Noi del Sucre puso las masas
la patronal la tribuna de diseño
una nieta de Torroja cantaría al niño
de la luna desde Madrid
el corazón tan blanco
la tribuna de Torroja fue profecía
de arquitecturas férricas ahumadas
vegueros del textil inmobiliarias brevas
las masas abuchean la Real Marcha
visca Macià que és català mori Cambó que és un cabró
Primo de Rivera ordena la carga policíaca
Franco —el corazón tan blanco— forma el pelotón
de fusilamiento para Josep Sunyol presidente
de algo más que un club presidente de una religión
republicana catalana y laica
cautivas fusiladas masas
de azul la patronal textil
o inmobiliaria de azul el brazo en alto
la patronal pedía perdón al Moloch de las batallas africanas
y consagraba el club a las vírgenes vernáculas
moreneta de día merced de noche escindidas gentes
dioses paganos en el césped
Basora César Kubala Moreno y Manchón
se iban de vírgenes Di Stéfano al Madrid
el corazón tan blanco
de las Corts al Camp Nou las catedrales
siempre sumergidas las masas construyeron
domingo tras domingo razones democráticas
consagraron médiums de victorias y derrotas
azulgranas contra el Estado de corazón tan blanco
extrañas parejas los dioses menores siempre
de dos en dos los mitos necesarios sol y sombra

para construir la religión de la memoria
cultos binarios para el octavo día de la semana
banderas del escondite al apogeo de una rebelión sin causa
los dioses se suceden del todo a la nada
Samitier y Alcántara Sunyol y Companys Kubala y Suárez
Rexach y Marcial Cruyff y Puig Antich Dafnis y Cloe
Gasset y Ortega Núñez y Navarro Núñez y Núñez
Núñez y Van Gaal Tristán e Isolda
una historia de amor como no hay otra igual
en el escaparate de una razón social pasteurizada
mercenario simbólico desarmado ejército de una memoria desarmada
el Barça.

51. PREMIOS CIUDADANOS

La identificación del FC Barcelona con la Ciudad Condal ha sido reconocida por el Ayuntamiento barcelonés, que ha querido premiar, en el transcurso de la historia, la proyección ciudadana del club otorgándole, en 1949 y 1993, la Medalla de Oro de la Ciudad y la Medalla de Oro al Mérito Deportivo, respectivamente. Ahora bien, entre el mandato del alcalde Baró de Terrades y el de Pasqual Maragall, la situación política había cambiado bastante. Por fortuna.

52. MIQUEL MARTÍ I POL

El inmortal poeta y escritor catalán Miquel Martí i Pol (1929-2003) era aficionado barcelonista y así lo demostró de manera fehaciente en un texto de 1998. Respetamos el catalán original de los versos citados:

Hace un montón de años escribí unos versos que decían:

Amb símbols sols, ja ho saps, no podem viure,
sense símbols, tampoc.

Lo escribí, como digo, hace muchos años, pero todavía estoy, que dicen en mi pueblo. Los símbolos, de hecho, en todos los ámbitos de la vida y con más o menos preponderancia, son un referente, íntimo o colectivo, al que solemos acudir y que nunca nos niega su ayuda [...] ¿Os habéis preguntado alguna vez qué sería el Barça sin sus símbolos? ¿Sin su escudo, sin sus colores, sin su himno? Con mayor o menor intensidad, todos los culés (¡santa palabra!) nos reconocemos en los símbolos de este equipo que ahora celebra sus primeros cien años.

Esta diáfana declaración de principios barcelonistas se hallaba en el prólogo del libro de Josep Carreras, otro culé insigne, titulado *Los símbolos*, uno de los treinta pequeños volúmenes de la *Col·lecció del Centenari*, editada por el FC Barcelona en octubre del 98 para celebrar un aniversario tan redondo.

53. GEMELOS POLÍGLOTAS

Los gemelos De Boer, Frank y Ronald, llegaron juntos al Barça en enero del 99, aunque el club había iniciado los contactos con el Ajax holandés durante el verano anterior, cuando los hermanos disputaban el Mundial de Francia. El 28 de junio, un periodista catalán entrevistó a Ronald de Boer, que manifestó: «Mi predisposición a adaptarme es plena. Cuando te vas al extranjero, lo primero que tienes que hacer es aprender el idioma. No tengo problemas para ponerme a estudiar catalán ahora mismo». Cuando el periodista le puntualizó que el idioma que debía aprender era el castellano, Ronald lo tuvo claro: «Bueno, eso después. Si ficho por el Barça, lo primero que tendré que hacer es aprender catalán, ¿no?». No nos consta que ni Ronald ni Frank siguieran el ejemplo de Joan Gamper, por citar el nombre de un ilustre que sí incorporó rápido la lengua propia del país que lo acogió.

54. CENTENARIO DEMOCRÁTICO

El centenario del FC Barcelona (1999) significaría la primera ocasión en que el club celebraba uno de sus señalados aniversarios en democracia. Realizando un rápido repaso, suficientemente descriptivo sobre la represión de libertades en España, las bodas de plata se conmemoraron en Les Corts apenas iniciada la dictadura de Primo de Rivera (1924), las bodas de oro en el mismo campo en plena dictadura franquista (1949) y las de diamante en el Camp Nou aún bajo régimen de Franco (1974). Cabe esperar que, de cara a la celebración del 125.º aniversario, en el 2024, se mantenga el actual estado de cosas, solo faltaría…

55. ¡A Sant Jaume!

La presencia del Barça en las instituciones con sede en la plaza Sant Jaume para celebrar sus títulos ha sido una tradición mantenida durante setenta y cinco años. Fue estrenada con el recibimiento a los héroes de aquella mítica final del Campeonato de España de 1928 en Santander contra la Real Sociedad y se prolongó hasta la celebración de la Euroliga de baloncesto de 2003. Por obvios motivos políticos, en el arranque se visitaba solo el Ayuntamiento; no fue hasta 1978, con la democracia restablecida, cuando el Barça pudo ofrecer un galardón (la Copa del Rey) a un presidente de la Generalitat, circunstancia que no se produjo durante la época republicana porque el club no ganó nada durante esos años. La celebración de la Liga 2004-05 se hizo ya en el Camp Nou por motivos de seguridad: las estrechas dimensiones de la plaza Sant Jaume la habían convertido en peligrosa ante el creciente alud de euforia barcelonista.

56. Medallas al dictador

A finales de 2003, unos tres mil socios pidieron con sus firmas a la junta directiva que fuera retirada la medalla concedida al dictador Francisco Franco en 1974. Entonces se desconocía aún la existencia de otras dos medallas, entregadas al Caudillo en los años 1951 y 1971. La iniciativa había surgido del semanario *El Triangle* y la entidad Amics de Josep Sunyol. El 20 de octubre, un consejo asesor de la junta nombrado para tal ocasión dictaminó lo siguiente: «El consejo asesor tiene constancia de que la Medalla de Oro al general Francisco Franco nunca le fue concedida. En 1974, la junta directiva presidida por Agustí Montal se vio obligada a conceder una medalla al general Franco. La medalla entregada fue la del 75.º aniversario. El consejo asesor también ha sido informado de que en el libro de actas de las reuniones de la junta directiva no consta la concesión de ninguna medalla al general Franco. El consejo asesor considera que el FC Barcelona no es responsable de actos realizados por imposición en una situación no democrática».

Por un cruel sarcasmo del destino, el presidente de este grupo de asesores era el expresidente barcelonista Raimon Carrasco, hijo del dirigente de Unió Democràtica de Catalunya, Manuel Carrasco i Formiguera, ejecutado por la dictadura franquista en 1938, en plena guerra civil.

57. COMO PILATOS

Con su extraño veredicto, aquel consejo dejó en manos de la junta la decisión de retirar o no la medalla a Franco. Cabe señalar que la decisión final parecía cantada. Así, al día siguiente, el secretario de la junta escribió en acta: «La opinión de esta junta coincide con la expresada por el Consejo Asesor. No tiene sentido pedir que se retire una medalla que no se concedió voluntariamente. Aun así, por unanimidad, los miembros de la junta manifiestan que, en el caso que esta medalla hubiera sido concedida al general Franco, esta junta directiva habría pedido que le fuera retirada». Para complicarlo aún más, tras la reunión, el portavoz de la junta, Xavier Cambra, indicó: «La medalla no fue concedida, sino impuesta, y por lo tanto no existió. Es cierto que no existe ningún impedimento para retirarla, pero como no existió voluntad de darla y no consta en ninguna acta es como si no hubiera existido».

Total, un follón sin pies ni cabeza. ¿Qué quiere decir que una medalla impuesta no existe? ¿Y por qué una medalla que no fue concedida libremente no puede ser retirada? Entonces, según este sofisma, podría darse el caso de que el FC Barcelona solo retirara las medallas de 1951 y 1971 (concedidas sin mediar imposición) y que mantuviera la inexistente e impuesta medalla de 1974.

58. INSISTIR PARA NADA

Tiempo después, el 26 de marzo de 2012, el diario *Gol* inició otra campaña de captación de firmas para que el FC Barcelona retirara las medallas entregadas a Franco. Por desgracia, en septiembre del mismo año, *Gol* cambió de empresa editorial y la campaña quedó cancelada cuando sumaba más de siete mil firmas de las 8.862 (el 5% de los socios) requeridas para debatir la propuesta en la siguiente asamblea general. Otra opción para proponer la retirada de las medallas en la asamblea consistiría en la presentación de una petición con las firmas de unos cuatrocientos compromisarios, el diez por ciento de los, aproximadamente, cuatro mil elegidos como representantes de los socios. Cuando escribimos estas páginas, nadie ha dado este paso. Y así seguimos.

59. CLASES DE CATALÁN

Bajo la presidencia de Joan Laporta (2003-10), el FC Barcelona impartió clases de catalán para los futbolistas del primer equipo. La prueba, iniciada en febrero de 2004, no tuvo mucho éxito. Resulta una evidencia pública que los jugadores no aprovecharon tal oportunidad; tiempo después, las clases se dejaron de dar. Lo que se ha mantenido hasta hoy es la cláusula incluida en todos los contratos, también instaurada por Laporta, que decía textualmente: «El jugador debe realizar el máximo esfuerzo para integrarse en la sociedad catalana, respetando y asumiendo los valores culturales de esta, y debe comprometerse en especial con el aprendizaje de la lengua catalana, vehículo fundamental para la mencionada integración. Por su parte, el club pondrá los medios necesarios para favorecer esta integración, formando al jugador en el conocimiento del catalán». A la postre, eso era y es mero formulismo, auténtico papel mojado si repasamos el nivel de catalán de los foráneos de la plantilla: ha quedado como un consejo poco seguido y no una imposición.

60. NO A LA VIOLENCIA

El 18 de octubre de 2003, en los actos previos al partido de Liga FC Barcelona-Deportivo de La Coruña, un grupo de artistas catalanes (Joan Pere Viladecans, Arranz Bravo, Romà Penedès, Benet Rossell, Robert Llimós y Antoni Vives-Fierro) sumaron sus creativas personalidades para pintar un enérgico alegato contra la violencia y a favor de la amistad y los valores del deporte. El cuadro, un acrílico sobre madera, fue realizado y presentado en una gran fiesta solidaria, donde miles de barcelonistas se manifestaron bajo la consigna «No a la violencia».

La obra quedó expuesta temporalmente en el Museo del Barça hasta el día de la disputa del encuentro de la segunda vuelta en Riazor (29 de febrero de 2004), cuando fue entregada al club gallego como obsequio del FC Barcelona, en muestra de hermanamiento solidario en favor del civismo y la paz en el deporte.

61. ÒMNIUM CULTURAL

El 22 de marzo de 2004, el FC Barcelona y Òmnium Cultural firmaron un convenio de colaboración que formalizaba, entre otros acuerdos, que Òmnium Cultural daría clases de historia, cultura y tradiciones de Cataluña a los jugadores del FC Barcelona, poniendo especial énfasis en la historia del club.

Recordemos que Òmnium Cultural es una asociación fundada en 1961, en plena dictadura franquista, para promover la enseñanza de la lengua catalana en la clandestinidad. Hoy es una entidad que trabaja para la promoción y la normalización de la lengua, la cultura y la identidad nacional de Cataluña. Aunque, si somos sinceros, con aquel proyecto de ofrecer cultura y «catalanizar» a los futbolistas pincharon en hueso...

62. NELSON MANDELA

Suele decirse que los futbolistas de élite viven en su mundo, particular y alejado del resto de los mortales. Pocas veces ha quedado tan patente, y de manera tan sangrante, de paso, como el 20 de junio de 2007. El Barça se hallaba en Pretoria, capital administrativa de Sudáfrica, donde debía disputar un amistoso en favor de Unicef y la Fundación Mandela ante el Mamelodi Sundowns local. Aprovechando la ocasión, el expresidente sudafricano Nelson Mandela recibió a la expedición azulgrana en la sede de su fundación, pero solo cinco jugadores del Barça quisieron conocer personalmente a una de las mayores personalidades del siglo XX: Iniesta, Belletti, Thuram, Gio van Bronckhorst y Oleguer. El resto, un total de diecisiete futbolistas, prefirieron quedarse en el hotel. Por desgracia, aquel día el Barça empequeñeció. Y la conciencia de muchos quedó avergonzada. Para empezar, imaginamos, la de Albert Perrín, el directivo que encabezaba la expedición.

Por cierto, Perrín tiene enmarcada la foto de aquel encuentro en su despacho profesional y comenta siempre que puede las palabras que intercambió con Mandela, una gran anécdota personal. Cuando el directivo le enseñó la camiseta con su nombre detrás, Mandela negó con la cabeza. Sonriente y con picardía, el dirigente comentó: «Eso no es lo que importa. Lo importante está delante». Señalaba el nombre de Unicef.

63. República del Barça

El 10 de octubre de 2007, el presidente Laporta participó en el coloquio «*El català, un llenguatge global*», celebrado en la Feria del Libro de Fráncfort. Laporta generó cierta polémica cuando dejó caer estas palabras: «Me gustaría que el Barça continúe siendo un instrumento de promoción de la cultura catalana y que se cumplan los deseos de mejora en el uso del catalán, porque, si no, deberemos constituir la república catalana del Barça». No era para tanto, ¿verdad? Será que cierta gente es alérgica a la palabra «república». No se puede decir ni en broma… ni aplicada al mundo del fútbol…

64. El espejo del alma

El 29 de noviembre de 2009, el Barça celebró su 110 aniversario de la mejor manera, con una victoria sobre el Madrid en el Camp Nou. Un solitario gol marcado por Zlatan Ibrahimovič daría la victoria a los hombres de Guardiola sobre el eterno rival. Aquel mismo día, un artículo publicado en *El Periódico*, firmado por «Ladislao Samitier» (¿conviene aclarar que era un seudónimo?), analizaba la historia de los enfrentamientos entre azulgranas y merengues bajo un punto de vista sociológico y político. Y, entre otras punzantes aseveraciones, destacaba esta sobre sus respectivos himnos: «La verdad es que conociendo el del Real Madrid, en el fondo es comprensible que el madridismo haya querido apropiarse del himno español. Quizá sea porque no tiene letra y le produce cierta vergüenza entonar un himno, como el del Real Madrid, que reza ni más ni menos de la siguiente forma: "Hala Madrid, hala Madrid, noble y bélico adalid, caballero del honor…", pero, ¡por Dios! ¿A quién se le habrá ocurrido semejante letra? Comparen ustedes con *"Tot el camp és un clam, som la gent blaugrana, tant se val d'on venim, si del sud o del nord, una bandera ens agermana…"*. Si el himno es el espejo del alma, está todo dicho». Visto así, no le faltaba razón al tal Ladislao Samitier. El himno como espejo del alma. En efecto, el contraste es brutal…

65. Premio MVM

Desde 2004, la fundación FC Barcelona y el Col·legi de Periodistes de Catalunya convocan el Premio Internacional de Periodismo Manuel Vázquez Montalbán, en la categoría de periodismo deportivo, con la voluntad de recordar permanentemente la figura y obra de los periodistas que destacan por su rigor, ética y compromiso social. El escritor y periodista uruguayo Eduardo Galeano (1940-2015) fue el galardonado en la edición de 2010.

En su discurso, el autor de *Las venas abiertas de América Latina* y gran aficionado al fútbol dedicó el premio «a la memoria de Josep Suñol, el presidente del Barça que en 1936 fue asesinado por los enemigos de la democracia». Galeano añadió: «Y también quiero rendir homenaje a los deportistas peregrinos, que un año después, en 1937, encarnaron la dignidad, malherida pero viva, de toda España. Me refiero a los jugadores del Barça que en 1937 recorrieron los Estados Unidos y México disputando partidos de fútbol en beneficio de la República». Galeano exhibió un gran conocimiento histórico de un país que no era el suyo. Qué más quisiéramos que los nativos conocieran el pasado del Barça tan bien.

66. Ruanda toma nota

Entre los valores del FC Barcelona están el trabajo en equipo, el esfuerzo, el respeto, la humildad y la tolerancia. El 31 de marzo de 2013, James Kabarebe, ministro de Defensa de Ruanda, puso al Barça como ejemplo que seguir para que el deporte de su país pudiera progresar: «El trabajo duro y emular al Barça puede conducirnos al éxito». Un piropo que genera orgullo, por supuesto.

67. Una valla y un balón

A principios del año 2014, los niños de la localidad palestina de Kfar Sud, en Cisjordania, perdieron el balón con el que jugaban en el pequeño descampado existente junto al muro. Amir, uno de los chicos, chutó con tanta potencia que mandó la pelota al otro lado de la alambrada, construida en un territorio palestino confiscado por Israel y al que los palestinos tienen prohibido el acceso. Los soldados judíos que patrullaban la zona no devolvieron el balón a los chicos, a pesar de que sus propietarios la reclamaron con insistencia.

El día que perdieron la pelota, Yazan, uno de los amigos de Amir, publicó en Facebook un texto donde narraba lo sucedido. Destacaba que cada día juegan en la zona del muro, pero que hasta entonces nunca se les había escapado el balón al otro lado. El Barça acabó descubriendo esta singular historia y, a comienzos de febrero, envió unos balones a los niños palestinos, en un gesto altruista y humano destacable por su *finezza*, como dirían los italianos en clave política. Una manera de decir: «Dejadles jugar a pelota: son solo niños».

68. NO A LA HOMOFOBIA

El 14 de mayo de 2015 quedó rubricado el compromiso del FC Barcelona en la lucha contra la homofobia durante un acto celebrado en el palco del Camp Nou. El vicepresidente Jordi Cardoner y el directivo Ramon Pont firmaron un manifiesto en el que el FC Barcelona se comprometía a promover la diversidad y a asegurar la difusión de mensajes positivos sobre la tolerancia, el respeto y la dignidad, incluida la orientación sexual.

El FC Barcelona también apoyó la Ley 19/2007, del 11 de julio, contra la violencia, el racismo, la xenofobia y la intolerancia en el deporte, la lucha contra la homofobia y la discriminación de cualquier índole en el ámbito deportivo. En otra muestra de compromiso, el 29 de octubre de 2016, coincidiendo con el Barça-Granada de Liga, el club invitó en su palco al árbitro gaditano Jesús Tomillero, quien había sufrido amenazas y coacciones tras declarar públicamente su homosexualidad. Tomillero estuvo acompañado y apoyado por diversas instituciones y entidades deseosas de que su ejemplo sirva para sensibilizar a la sociedad en contra de la homofobia.

69. SIRVE PARA ESO

El 29 de diciembre de 2015, el explorador y presentador de televisión Frank Cuesta hizo público, a través de un vídeo, su agradecimiento al Barça, que había intervenido para que sus hijos pudieran ver a su madre, Yuyee Alissa Intusmith. Desde junio de 2014, Yuyee estaba encarcelada en Tailandia tras ser condenada a quince años por posesión de cocaína tras un juicio un tanto irregular. El popular Frank de la Jungla explicaba en el vídeo que los jugadores azulgranas (que entonces estaban en Japón por la disputa del Mundial de Clubes) habían intercedido por la situación de su esposa ante las autoridades tailandesas: «Fue Messi quien preguntó qué pasaba con el tema de Yuyee, y también Luis Enrique. Después, Dani Alves les dijo que cómo era posible que los niños no hubieran podido ver a su madre, ni abrazarla, ni besarla...».

Poco después, las autoridades tailandesas permitieron el primer encuentro entre madre e hijos, tras 564 días. Y Fran Cuesta concluía: «Se agradece que haya deportistas que hacen las cosas de corazón, sin dinero de por medio».

70. NINGÚN PRESIDENTE

Qué casualidad. O tomen nota de la anécdota, si hace falta. Ningún presidente del Gobierno español ha asistido a un partido organizado por el FC Barcelona en el Camp Nou. Sí, ni uno desde que fuera inaugurado el 24 de septiembre de 1957. Redactemos la lista, sea en dictadura o democracia: Luis Carrero Blanco, Carlos Arias Navarro, Adolfo Suárez, Leopoldo Calvo Sotelo, Felipe González, José María Aznar, José Luis Rodríguez Zapatero y Mariano Rajoy. El 23 de febrero de 2005, el culé Zapatero estuvo a punto de ver un Barça-Chelsea de Champions League, pero a última hora una nevada obligó a cerrar la base aérea de Torrejón, de donde debía salir el avión del presidente. Qué lástima. Siempre se llenaba la boca de ser tan culé, como tantos leoneses inducidos por su mítico paisano César Rodríguez, pero nunca se atrevió a ocupar un sitio en el palco. Debe de ser un temor reverencial a perder votos entre los ciudadanos españoles. No, no debe de ser. Es eso, simplemente.

2

Partidos y competiciones

*I*maginad que, por aquello tan obstinadamente humano, os hacen elegir un solo partido en la historia del Barça. Uno solo. Imposible. Máxime cuando el club ha disputado unos siete mil setecientos, entre oficiales y amistosos, en el transcurso de estos ciento diecisiete años. Pese a ello, por voluntarismo y el reto que implica la demanda, cada cual elegirá el suyo. Seguramente, más ligado al sentimiento íntimo que a la transcendencia deportiva del duelo. Aquellos que ya perdieron la voz, los aficionados de primera hora, quizás optarían por un duelo concreto contra el Català, el encarnizado primer adversario de la historia con fuste, valía y pasión para ganarlo. Otros optarían por el «eterno rival», este Espanyol que, hasta el epitafio de la Copa del 57, era contrincante que excedía la proximidad y el potencial para entrar en otras consideraciones, como si, en efecto, el fútbol representara una guerra incruenta resuelta por otros medios. A partir del caso Di Stéfano, quedaba claro que sería el Real Madrid (tal vez para siempre) la antítesis absoluta, el espejo que refleja la némesis, el eterno punto de comparación, destinatario absoluto de tantas vehemencias nada meditadas, por ser, como es, una metáfora convertida en fútbol.

A falta de competiciones vibrantes, los primeros culés se entretenían y se apasionaban con enfrentamientos contra rivales catalanes, y después midiendo fuerzas ante los potentes equipos extranjeros que invitaba Joan Gamper para conseguir una buena taquilla. Se suele decir que todo ya está inventado. Así, podemos comprobar si repasamos la historia, que en el lejano 1911 se organizaría el primer amistoso solidario, algo que ahora casi ha desaparecido por completo por culpa de la presión del mercado hiperprofesional y un calendario sobrecargado de partidos. También han pasado a mejor vida aquellos homenajes organizados para despedir a los futbolistas especiales, de larga trayectoria, queridos y comprometidos con la causa. Quizá nadie reparará en la aparición de la primera camiseta cuatribarrada en el campo del Reus hace un siglo: fue resultado de la coincidencia de colores... y también... porque nada sucede por casualidad. Los seguidores de la Edad de Oro recordarían el primer triunfo en la Liga de estreno, en Getxo contra el Arenas, y lo tendrían difícil si quisieran ignorar la triple final copera del 28 contra la Real Sociedad, la de la *Oda a Platko* de Rafael Alberti.

Se volvieron puro anacronismo aquellos «goles del cojo», épicos hasta extremos, marcado por los lesionados y las «figuras decorativas» cuando no se admitían aún las sustituciones. Duelos espléndidos de la Macaya, de la Copa Latina, de esa Copa de Ferias de escaso entusiasmo entre los culés, las finales de la también desaparecida Recopa, título que marcó a alguna generación a falta de hitos mayores, despreciada hoy, cuando la abundancia hastía, con el apelativo de *levantarrecopas*. Aun así, quienes empiezan a ser veteranos escogerían Basilea 79 por su simbolismo, como otros alegarán con razón que Wembley 92 marca un histórico punto de inflexión, abriendo el camino hacia el éxito y una gloria que aún tardó en establecerse. Sentimiento de igual fuerza al de Berna 61, de triste recuerdo y regusto amargo, que abriría las puertas a la desgraciada e inacabable travesía del desierto de los años sesenta. El Barça jugó tras un Muro de Berlín recién levantado (y que marcó la segunda mitad del siglo XX, cuando la «guerra fría» también era evidente en el fútbol). En libre asociación de ideas congregadas en la memoria, alguien recordará con nostalgia las matinales de Navidad, tradición de tantos años, dotada de un especial sabor, entrañable como la jornada.

Si los malos tragos endurecen el carácter y ayudan a superar obstáculos, la vida del Barça colecciona un puñado. Y cubren todas y cada una de las tonalidades cromáticas, generando sensaciones de todo tipo en el feligrés barcelonista. Desde las humillaciones como el 11-1 en Madrid o el caso Guruceta, hasta las continuas exhibiciones de belleza mostradas por el Dream Team de Johan Cruyff; redondeadas después hasta límites inimaginables por el Barça de Guardiola. Tantos y tantos partidos que el buen aficionado guarda en el fondo de su alma, envueltos como si de la célebre magdalena de Proust se tratara, mitificada y perfecta. El vaso medio lleno o medio vacío, sea en la felicidad o en el dolor de la derrota. O ambas emociones al tiempo, como en aquella vital promoción contra el Murcia que se venció por 5-1 y que evitó una situación inverosímil, el descenso del Barça a Segunda. Partidos, finales, emociones por doquier. Y cada cual elegirá sus preferidos en largo plural, que la singularidad resulta aquí imposible de separar. También en este aspecto se puede aplicar la gráfica imagen idealizada de un mosaico gaudiniano precioso, formado por mil trozos de memoria, forjada en dosis de noventa minutos inolvidables.

71. EL ESPANYOL

Como es bien sabido, el FC Barcelona fue fundado el 29 de noviembre de 1899 y el Espanyol (en principio bautizado como Sociedad Española de Foot-Ball) como club integrado por estudiantes universitarios, el 13 de octubre de 1900. El primer derbi entre el Barça y el futuro Espanyol se produjo poco después, el 23 de diciembre de aquel 1900, en el campo del hotel Casanovas. Por lo tanto, los azulgranas jugaban en casa un *match* acabado sin goles y caracterizado por la exquisita corrección de futbolistas y público de ambas aficiones, aún muy poco numerosas.

En un principio, los lances entre los dos equipos marchaban por buen camino. El panorama se torció a partir del 8 de marzo de 1903, cuando empezaron las hostilidades entre los futuros «eternos rivales». Aquel día se disputaba en el terreno barcelonista de la carretera de Horta un Barça-Espanyol correspondiente a la Copa Barcelona; los futbolistas de ambos equipos lo jugaron con un ardor inusitado; como consecuencia, hubo múltiples incidentes entre los espectadores. El duelo terminó con empate a dos. Seis jugadores, los azulgrana Witty, Gamper y Parsons, y los españolistas Acha, Green y Ponz, acabaron descalzos y con la indumentaria rota. Como propina, el árbitro Hamilton culminó su actuación protegido por un guardia, que tuvo que desenvainar su sable ante la acometida de diversos aficionados españolistas, enfurecidos por la anulación de un gol a su equipo tras un presunto *off-side*.

72. Sutilezas

Como escribieron en una publicación oficial del FC Barcelona de 1949, la rivalidad en los terrenos de juego entre Barça y Espanyol en aquellos tiempos heroicos de principios de siglo solía transcurrir más o menos así: «Álvarez entraba como un bólido con la noble intención de vaciar el hígado de Amechazurra, y este, posando delicadamente la rodilla en el flato contrario, se lo cargaba. Este ligero incidente bastaba para excitar los ánimos de los compañeros. Inmediatamente, Heredia arreaba una bofetada al vientre de Giralt, y Álvarez iba persiguiendo comerse el hígado de Forns. Y se seguía luchando hasta que los ánimos se apaciguaban porque ya todo el mundo tenía su correspondiente ojo a la funerala». Muy sutil, el sardónico redactor…

73. Euskadi no sienta bien

La temporada 1905-06 no resultó demasiado lucida para el Barça, limitado a una discreta tercera posición en el Campeonato de Cataluña, por detrás del Club X (nuevo y transitorio nombre que usó el Espanyol durante tres años, entre 1906 y 1909) y el Internacional. Por lo tanto, nada de participar en el Campeonato de España, competición conseguida por el Madrid tras vencer en la final, disputada el 10 de abril de 1906, al Athletic de Bilbao por 4-1.

Una vez cerrado el Campeonato de Cataluña, el Barça jugó durante aquel mes de abril dos encuentros; ambos tuvieron un resultado desastroso. En el primero fue arrasado por el Athletic de Bilbao con un inverosímil 10-1, mientras caía después contra el Recreation Club de San Sebastián por un más digerible 3-1.

74. Primera visita blanca

En aquel momento, ya de retorno a casa, el Barça recibió duras críticas de sus aficionados. Para arreglar un poquito la situación, la directiva presidida por Josep Soler concertó un amistoso con el Madrid, equipo que hasta entonces no había jugado en Cataluña. Querían así que la parroquia culé se olvidara del mal momento del equipo con un buen espectáculo futbolístico ante todo un campeón de España.

Conscientes de la debilidad del equipo, los azulgranas se reforzaron para la ocasión con futbolistas del Club X, el Internacional y el Català. De manera que, en resumidas cuentas, solo fueron convocados tres barcelonistas auténticos, Quirante, Steinberg y Forns. El partido quedó fijado para el domingo 13 de mayo de 1906, a las 16 horas, en el campo de la calle Muntaner.

75. GRAN EXPECTACIÓN

Recordamos aquí que, cuatro años antes, ambos *teams* se habían medido en Madrid, con victoria azulgrana por 1-3, dentro del programa de fiestas por la coronación de Alfonso XIII. La primera visita de los blancos a Cataluña generó la correspondiente *enorme expectación* (¿qué haríamos sin los tópicos del fútbol?). Tanta que se fijaron carteles por toda la ciudad promocionando el duelo. En esos anuncios, curiosamente, los futbolistas del Barça salían dibujados con camiseta roja, en lugar de la habitual azulgrana, y pantalones blancos, todavía típicos en aquellos tiempos.

Las expectativas no quedaron defraudadas. Se congregó una multitud, con notable presencia femenina. Al final, salió un partido de excelente nivel. Contra el juego preciso y elegante del Madrid, los locales contrarrestaron con gran energía y pundonor. En el marcador, el Barça se impuso por 5-2, tras llegar al descanso con empate a dos. Charles Wallace, inglés que acabaría jugando en el Barça, firmó un par de goles mientras Ponz aportaba otro par y el gran Romà Forns anotaba uno. Si atendemos a las crónicas madrileñas, los blancos jugaron de manera preciosista «con pases bien combinados que nos trasladaban a un tablero de ajedrez, tal era su precisión y exactitud», aunque el equipo local, a pesar de la falta de conjunción (sus integrantes no habían entrenado juntos ni un solo día), jugó con mucho entusiasmo hasta obtener una merecida victoria.

Acabado el lance, el público ovacionó a los dos equipos por igual, sin mostrar ningún indicio de hostilidad hacia el equipo de la capital. Fue, en definitiva, un partido en el que imperó la corrección más absoluta, si bien algo tuvo que ver la presencia de un fuerte contingente policial que custodiaba al capitán general de Cataluña, Arsenio Linares, espectador de aquel Barça-Madrid de estreno.

76. BANQUETE ENTRE RIVALES

Por desgracia y en cierta forma, el buen ambiente se quebró en el banquete celebrado aquella noche en el restaurante de la estación de Francia. Asistieron cincuenta comensales entre futbolistas y representantes de los dos clubes. Por parte del Madrid, la comitiva estaba encabezada por su presidente, el catalán Carlos Padrós. No sabemos quién lanzó la primera piedra, pero durante la velada se produjeron algunas alusiones poco afortunadas. Y unos y otros se dedicaron palabras fuera de tono. Udo Steinberg, capitán y directivo barcelonista, hizo cuanto estuvo en su mano para que la tensión no aumentara, pero aquella noche brotó el primer episodio de una rivalidad centenaria. Por si alguien quiere apuntarlo en el acta de la memoria histórica protagonizada entre las dos «superpotencias».

77. ¡VÁMONOS DE AQUÍ!

La primera retirada de un equipo del rectángulo de juego en un partido contra el Barça se produjo el 14 de octubre de 1906. Disputaban en el campo del Salut un duelo de la llamada Copa Salut el Barça y el Club X. Cabe precisar que, entonces, la tirria entre los azulgranas y los «incógnitos» era mutua y considerable, lo que explica en buena parte lo sucedido aquel día. El Barça se mostró bastante superior y ganó claramente 3-1. Dos goles de Carles Comamala y uno de Luciano Lizárraga, aunque el duelo no terminaría ahí. El X protestó de modo desaforado la validez del tercer gol rival. Como el árbitro Balaguer no admitió la queja, el capitán incógnito Sanpere ordenó a sus compañeros la retirada a vestuarios.

Aunque parezca mentira, la Asociación de Clubs de Fútbol anuló el partido, alegando que Balaguer había perjudicado gravemente al X. El Barça se negó a repetir el lance con los incógnitos y, en virtud de tal negativa, el Català se convirtió en vencedor de aquella Copa Salut. Precisemos que corrían tiempos delicados para el FC Barcelona, que padecía la abierta y descarada hostilidad de la Asociación de Clubs. De hecho, la animadversión contra el Barça era tan flagrante que su presidente, Joan Lloret, llegaría a decir el 23 de abril de 1907: «Afortunadamente, el Barcelona desaparecerá en tres meses como máximo».

78. LOS INCÓGNITOS

Para mayor cruz, en aquellas fechas, esos acérrimos rivales del Club X tampoco disimulaban sus sentimientos antibarcelonistas que, en ocasiones, llegaban hasta niveles incomprensibles. Así, el 9 de septiembre de 1907, durante un Barça-X, los jugadores incógnitos, faltos de interés por un lance que perdían 4-2, fueron abandonando el terreno de juego de manera gradual hasta que, finalmente, apenas quedaron siete.

79. DESACATO A LA AUTORIDAD

El 20 de abril de 1911, el público salió entusiasmado de la calle Indústria a pesar de la derrota del Barça ante el conjunto londinense del New Crusaders por 1-3. El espectáculo había sido fabuloso y, además, el público sabía que ambos equipos volverían a enfrentarse apenas tres días más tarde. Así pues, la perspectiva resultaba atractiva. La taquilla había sido fenomenal y, de cara al segundo encuentro, el club, presidido entonces por Joan Gamper, aún quería ingresar otro buen puñado de dinero. Por lo tanto, pensando en el negocio, encargaron contrarreloj más sillas de tijera, con la idea de alquilarlas a dos pesetas.

El 23 de abril se formaron largas colas de aficionados en las taquillas de la calle Indústria. Como el partido estaba a punto de comenzar y aún quedaba mucha gente en la calle, el presidente Gamper tomó unos fajos de entradas y se fue a venderlos a la vía pública, decidido a recaudar aún más. Poco después, en plena faena, un guardia le intentó detener bajo la acusación de reventa ilegal de entradas. Gamper se resistió diciéndole: «Déjeme tranquilo, yo soy el presidente y estoy en mi casa». Finalmente, tras no pocas discusiones y la intervención de algunos directivos, el lío se aclaró, aunque la junta tuvo que prometer que se presentaría en comisaría, acusada del típico «desacato a la autoridad». En cualquier caso, el segundo encuentro con el New Crusaders volvió a resultar un éxito de asistencia y juego, a pesar de la nueva derrota azulgrana, esta vez por 0-2.

80. DEBERÍA ESTAR EN UN MUSEO

Aquel 23 de abril de 1911 se estrenó una bandera regalada al club por un socio que no quiso dar su nombre. A los acordes del himno del FC Barcelona, interpretado por la banda del regimiento de Alcántara, dirigida por el maestro José Antonio Lodeiro (autor del himno), la bandera fue izada en el mástil plantado a tal efecto. El estandarte azulgrana medía 3x1,80 metros; en el centro lucía el escudo del club bordado en seda. Durante largo tiempo, la bandera quedó expuesta en el museo del Barça. Pero la sacaron de allí hará cuatro días, como aquel que dice: en 2010.

81. ¿*PROSS*? NO, GRACIAS

Concluido aquel segundo amistoso con el New Crusaders, los ingleses fueron invitados a un banquete en el Mundial Palace. Llegados al brindis, el jugador y secretario del conjunto londinense, de apellido Farnfield, pronunciaría un discurso dirigido a los futbolistas azulgranas: «No os dejéis seducir por las ganancias que pueda conseguir el club en los grandes partidos que, de un tiempo a esta parte, viene celebrando; luchad como entusiastas aficionados pro-deporte, porque el profesionalismo, del que yo abomino, es la rémora del fútbol por lo que posee de malhechora influencia». Si el tal Farnfield viviera hoy, le daría un infarto…

82. ESTRENO BENÉFICO

Apunten el 21 de mayo de 1911, fecha del primer partido benéfico en la historia del Barcelona. A beneficio del Hospital de Manresa, el campo de la calle Indústria presenció la victoria del Barça por 5-1 sobre el Català, con goles de Charles Wallace (2), Forns (2) y Percival Wallace. Pocos días después, el 11 de junio, se disputó el segundo amistoso solidario, en este caso a beneficio de las escuelas de los distritos segundo y sexto. Y, otra vez, el Barça derrotó al Català, máximo contrincante en aquellos tiempos, por 6-1.

83. Al Badalona, lo que es suyo

Nunca es tarde para reparar una inexactitud histórica. Al FC Barcelona no le corresponde en su palmarés el Campeonato de Cataluña 1912-13, título oficial que se le atribuyó de modo erróneo. En realidad, las pruebas documentales aportadas por el investigador Eugen Scheinherr indican que ese trofeo lo ganó el CF Badalona.

Situémonos en el contexto histórico. Durante aquellos convulsos años, repletos de peleas y cismas federativos en el fútbol estatal, en Cataluña hubo dos campeonatos regionales organizados por dos federaciones paralelas. La competición de la Federación Catalana la ganó el FC España, seguido por el Universitari. Por su parte, el campeonato de la disidente Foot-ball Associació de Catalunya (FAC) lo conquistó el FC Badalona, con un total de cuatro victorias, un empate y una derrota, por delante del FC Avenç, el FC Barcelona C y el FC Català. El primer y segundo equipo del Barça, que habían iniciado la competición, se retiraron con posterioridad. En el caso del FC Barcelona A, lo hizo para poder preparar con tiempo la final del Campeonato de España, que debía disputar contra la Real Sociedad. En cualquier caso, el 10 de agosto de 1913 se vivió en la calle Indústria el reparto de premios de la FAC, con la entrega de la copa de campeón de Cataluña al FC Badalona. Por esas fechas las dos federaciones catalanas enfrentadas llegaron a un acuerdo para disolverse y crear una nueva. Una de las cláusulas del acuerdo de fusión consistía en homologar como oficiales los dos campeonatos jugados, tanto el de la Federación Catalana como el de la FAC.

Desconocemos en qué momento y por qué se creyó que el FC Barcelona había sido el campeón de Cataluña versión FAC, pero este error histórico se ha arrastrado hasta la actualidad. Pero ya es hora de poner las cosas en su sitio: El C. F. Badalona fue campeón de Cataluña 1912-13.

84. Ay, los árbitros

El 23 de marzo de 1913, tras dos encuentros terminados en empate (2-2 y 0-0), el Barça ganaría la final del Campeonato de España contra la Real Sociedad por 2-1. Los tres *matchs* se disputaron en la calle Indústria, pero tal factor no condicionó al árbitro que se encargó de dirigir los tres partidos. Más bien al contrario, ya que en el tercer y definitivo lance el señor Angoso mostró una manifiesta parcialidad en favor del equipo donostiarra, manera de proceder que provocó una invasión del campo por parte de un grupo de enfurecidos aficionados barcelonistas. Angoso, que se salvó por los pelos de ser agredido, no digirió nada bien el incidente: rechazó la invitación del FC Barcelona para la cena de celebración de la victoria, que se celebró en el restaurante Royal.

85. Carga al colegiado

En aquellos tiempos románticos del fútbol estatal, invitar a cenar al árbitro resultaba casi protocolario. A falta de Angoso, participaron futbolistas y directivos del Barça y de la Real Sociedad. Alcanzados los discursos de rigor, el presidente de la Real, Enrique Pardiñas, cargó de forma contundente contra la descortesía demostrada, según él, por el pobre juez perseguido. El discurso encendido de Pardiñas debía resultar emotivo hasta el punto de tocar la fibra de sus chicos, que decidieron entonar las notas del *Gernikako Arbola* tan pronto como el orador acabó su frenesí dialéctico.

86. Reloj de premio

Por cierto, las recompensas recibidas por los vencedores de este Campeonato de España en la edición 1913 consistieron en unos relojes de plata, gentileza del joyero y futuro directivo barcelonista Jaume Vendrell, y unos espléndidos cigarros habanos ofrecidos por un grupo de agradecidos socios. Nada en metálico, faltaría más, que aquellos eran tiempos de estricto amateurismo. Que los deportistas fumaran puros debía parecer normal. Imagínenselo hoy en día.

87. La primera *senyera*... en el cuerpo

El 16 de julio de 1916, el FC Barcelona jugó un amistoso en la capital del Baix Camp contra el Reus Deportiu. Aquel día, el equipo azulgrana vistió «maillot amarillo y rojo de rayas verticales»; es decir, vistió una camiseta con los colores de la *senyera*. Si se quiere subrayar la novedad, lo hizo solo quince días después de escribir la primera acta en catalán de la historia del club, que sellaba los acuerdos tomados en la reunión de la directiva azulgrana. Tendrían que pasar muchas décadas para volver a ver al Barça vestido con los colores de la cuatribarrada.

88. DEMASIADO LEJOS

La semifinal del Campeonato de España 1918-19 emparejó al Barça con el Sevilla. Teóricamente, la ida debía disputarse en el Reina Victoria andaluz; la vuelta, en Les Corts. Pero al final ambos encuentros se celebraron en el campo del Atlético de Madrid, en la calle O'Donnell. ¿La razón? El FC Barcelona había alegado que el desplazamiento hasta Sevilla era demasiado largo y caro, y la Federación Española de Fútbol aprobó la petición azulgrana de cambio de escenario para desesperación del club andaluz, del que no consta que se hubiera quejado por los inconvenientes del viaje hasta la capital catalana.

Los encuentros se jugaron los días 27 y 29 de abril de 1919. Y el Barça se impuso en los dos, por 4-3 y 3-0, con Paulino Alcántara como estrella destacada. No se desplazó ningún aficionado barcelonista ni tampoco sevillista, aunque el Barça contó con el apoyo de un numeroso grupo de soldados catalanes destinados en Madrid. Como contrapartida, el público madrileño, que en teoría debía ser neutral, mostró una actitud marcadamente hostil hacia los futbolistas azulgranas.

89. DOS TAZAS DE MADRID

Si no quieres caldo, dos tazas. Eso debían pensar, recurriendo al refranero, los dirigentes del Sevilla un año después, cuando en el campeonato 1919-20 se repitió exactamente el mismo caso. O sea, semifinal en abril entre unos y otros; el Barça alegó que el viaje a Andalucía resultaba caro y agotador; y la Federación volvió a dictaminar que se juegue en el campo del Atlético de Madrid. Todo un *déjà vu*. Con pequeñas diferencias porque ahora el Sevilla, ya totalmente mosqueado, se negó en redondo a viajar hasta Madrid, decisión que le comportó la descalificación y una multa de mil pesetas. A pesar de estar hasta el gorro de la Federación, el club andaluz demostró cierto sentido del humor al alegar que no viajaban por estar celebrando la Feria de Abril. Y, claro, no podían jugar. A quien se le ocurre programar un partido de fútbol en fechas tan señaladas...

90. DERBI TERRORÍFICO

Posiblemente, aquel del 18 de enero de 1920 sería el derbi FC Barcelona-Espanyol más violento que registra la historia de nuestro fútbol. Campo de la calle Muntaner, entonces terreno españolista, y partido correspondiente al Campeonato de Cataluña. Acabaría ganando el Barça 0-1 con gol marcado por Vinyals de penalti. Si damos verosimilitud a la descarnada crónica escrita por el periodista Daniel Carbó, aquello debió ser Troya: cuatro expulsados (dos por cada bando) coronaron el dantesco cuadro.

Carbó no se anduvo con chiquitas: «En este partido, toda ley de abyecta maldad fue puesta en práctica y escarnecido y ultrajado el ideal deportivo. Los atributos de la nobleza fueron pisoteados y no quedó un sentimiento sin mancha de vilipendio. Una lucha repugnante, una batalla inhumana y terrible. Alcántara, hallándose caído, se vio brutalmente atropellado. El cinismo del causante de la valentía costó un penalti al Espanyol, que, lanzado por Vinyals, se convirtió en el único gol de la tarde. También el Barcelona, por manos de Coma, fue castigado con la máxima pena. Zamora, magistralmente, cerró la portería, manifestando después que, al impedir el gol, por las circunstancias en que el partido se había desarrollado, había experimentado la mayor satisfacción de su vida futbolística. Otro penalti contra el Espanyol lo erró Vinyals, tirando fuera la pelota. Fueron expulsados del campo Montesinos, Julià, López y Sancho. Este último lloró como una criatura. Evidentemente no era culpable. Se había defendido de una agresión cobarde e ignominiosa».

Menudo drama de derbi. Y recuerden que Zamora, aquel día portero del Barça, era *perico* de corazón. Valga el detalle para imaginar la atmósfera vivida.

91. LA FINAL (GUERRERA) DEL 22

A pesar de que el marcador final (5-1) pueda indicar que fue plácida y sin emoción, la final del Campeonato de España del 22, jugada el 14 de mayo en Vigo entre el Barça y el Real Unión de Irún, resultó un choque cargado de incidentes. Ya hablamos de la pelea entre el culé Surroca y el unionista Patricio, de la amenaza de retirada de los jugadores vascos y del intento de linchamiento de los futbolistas azulgranas y del árbitro por parte de algunos espectadores irundarras. Pero el clímax violento llegaría una vez terminado el lance. Una vez arribada la expedición barcelonista a su hotel, Ricardo Zamora puso el muñeco que le servía de mascota en la ventana de su habitación, justo enfrente de donde se alojaban los unionistas. Zamora tuvo la ocurrencia de colocar a su famosa mascota en actitud de burla. Por si faltaran detalles, el Divino lanzó un improvisado proyectil contra los cristales del hotel de los guipuzcoanos. Como era previsible, los enfurecidos futbolistas vascos asaltaron la sede de los azulgranas y, a partir de aquí, podéis imaginar la escena: golpes, sillas volando, bofetones… Finalmente, la federación castigó a los de la Real Unión como autores de la invasión. Zamora, el pillo, quedaría limpio, impune.

92. ALFA ROMEO

La llamada Copa Alfa Romeo fue un efímero trofeo disputado entre el Barça y el Nacional de Montevideo a un solo partido, celebrado en Les Corts el 12 de abril de 1925. Como fuera que el partido acabó con empate a dos y a nadie se le ocurrió una manera de desempatar, la copa se quedó sin propietario y en manos del representante de la marca italiana de automóviles que actuaba como patrocinador. Hoy, el nieto de aquel buen hombre disfruta aún del trofeo en su hogar. Noventa años sin moverse de la familia. Qué cosas tiene el fútbol.

93. VIVA SEVILLA… Y EL RESTO

En plena Edad de Oro azulgrana, el equipo consiguió el 10 de mayo de 1925 su sexto título como campeón de España tras ganar la final al Arenas de Getxo por 2-0. El duelo decisivo se celebró en el estadio sevillano Reina Victoria. Samitier y Sancho fueron los autores de los goles. Cuando Sami, siempre intuitivo con los gestos populistas, recogió la Copa de manos del infante Carlos de Borbón, gritó a pleno pulmón «¡Viva Sevilla y viva Cataluña!», exclamación recibida con grandes aplausos por el público andaluz.

El regreso a casa resultó apoteósico. Una multitud se congregó en el apeadero del paseo de Gracia, donde se concentraron, al margen de miles de aficionados culés, representantes de la junta directiva y de clubes catalanes como el Espanyol, el Europa, el Sabadell, el Martinenc o el Terrassa. Los futbolistas del Barça llegaron acompañados por sus compañeros del Júpiter, que habían obtenido el Campeonato de España B tras derrotar en Valencia al Athletic de Gijón por 4-1. Así pues, fue una celebración conjunta, con sendas aficiones hermanadas en sus cánticos. Destacaba esta cancioncilla que, aquel día, hizo fortuna. La traducimos del catalán (pese a que así deja de rimar):

> Alirón, alirón, el Barça es campeón.
> Y por dos a cero ganó el campeonato.
> Piera, Planas, Sancho y Samitier
> Walter, Torralba y Platko el gran portero,
> Sagi, Carulla, Alcántara y Arnau,
> del once grana y azul del triunfo llevamos la nave,
> y por todas partes
> el once seguiréis
> cantando en voz alta:
> alirón, alirón, el Barça es campeón.

Eso de las canciones eufóricas también viene de lejos...

94. LA VICTORIA DE UN HÚNGARO

Fue aquella una jornada de alegría que pronto quedaría oscurecida por nubarrones. La victoria del Barça en el Campeonato de España no fue bien digerida por más de uno, y el «¡Viva Cataluña!» gritado por Sami seguramente resultó un agravante. Soriano, periodista del diario madrileño *Informaciones* proclamó en su crónica, con fuertes dosis de mala uva, que «el Campeonato de España lo ha ganado un húngaro». Era una perversa referencia a la magistral actuación del portero barcelonista Férenc Plattkó. Poco podían imaginar Barça y Júpiter, unidos en la alegría de sus respectivas victorias, que un mes después vivirían juntos la pitada al himno español en el campo de Les Corts y la terrible represalia inmediata de la dictadura de Primo de Rivera.

95. Rutinas con el Espanyol

El Espanyol-Barça correspondiente al Campeonato de Cataluña, celebrado el 10 de octubre de 1926 en Sarrià, acabaría con victoria visitante por 2-3, con goles de Alcántara, Piera y Samitier. Tratándose de un derbi, impensable que no sucediera algo. La afición españolista no encajó nada bien la derrota e insultó a los seguidores azulgranas presentes, feo gesto que provocaría la airada reacción de Joaquim Isern, socio del Barça, y su posterior detención, junto con otro culé, por parte de la Guardia Civil. Los agentes encerraron a Isern y a su compañero en una pequeña habitación del chalet del estadio de Sarrià. Por suerte, más tarde intervino Arcadi Balaguer, presidente del Barça, que logró la liberación de ambos arrestados.

96. Tirar de cartera

La final de Santander del Campeonato de España de 1928, decidida tras tres encuentros con la Real Sociedad y que pasó a la historia por el extraordinario poema de Rafael Alberti dedicado a Plattkó, se jugó apenas dos años después de ser legalizado el profesionalismo en el fútbol español. Pese a ello, el Barça no concedió prima alguna a sus futbolistas, si bien la práctica totalidad de los directivos les dieron dinero de sus bolsillos, sin que trascendieran las cantidades. Entonces, ser directivo consistía, básicamente, en tirar de cartera, por lo que vemos y sabemos. El fútbol les debía de costar un riñón.

97. Primera victoria liguera

La consecución de la primera Liga española llegó el 30 de junio de 1929, tras ganar el visitante Barça en el difícil estadio del Arenas de Getxo por 0-2. Acabado el partido, la expedición barcelonista rechazó unas invitaciones de la asociación local de prensa y dos teatros de Santander para que presenciaran unos bailes de Carnaval. Aquella misma noche, el Barça emprendió viaje de regreso en tren hacia San Sebastián, donde llegaría en la noche del día siguiente.

98. Escándalo en el Patronato

Escándalo de los gordos fue el que se vivió en el bético campo del Patronato. En aquel estadio andaluz, ya desaparecido, se jugaba el 20 de abril de 1930 el partido de ida de los octavos de final del Campeonato de España entre los locales del Betis y los visitantes del Barça. En el descanso, empate a uno en el marcador, ya con los ánimos de la parroquia local subidos por las paredes a causa de la arbitraria actuación del juez madrileño, señor Ramón Melcón. Por lo que parece, el encargado de impartir justicia estaba teniendo una actuación descaradamente favorable al once catalán, con dos claros penaltis no pitados en el área azulgrana y con el gol del empate visitante, firmado por Arocha, en posible fuera de juego.

Para completar el poema, el colegiado no digirió bien la pitada general que le acompañó camino de vestuarios y dedicó al público gestos bastante groseros, que, no hace falta precisarlo, contribuyeron al aumento de la temperatura ambiental. No llegaron ni a descansar un solo minuto porque se lio parda. Seis u ocho sillas, según las fuentes, volaron desde las gradas a la caza del árbitro y una consiguió dar en la diana: se estrelló contra la boca del atrevido Melcón. De inmediato y por pura lógica, el enfrentamiento quedó suspendido. Más tarde, la Federación Española decidiría no celebrar la segunda mitad y dar por bueno el resultado de empate a uno, al margen de multar al Betis con quinientas pesetas.

99. ¿FÚTBOL? ¿Y ESO QUÉ ES?

11 de junio de 1935. Desempate del Campeonato de España entre el Barça y el Levante disputado en el campo de Torrero, en Zaragoza, tras sendos empates registrados en Les Corts y en Camino Hondo, feudo de los *granotes*. Aquel día, el periodista encargado de transmitir el partido por radio se puso enfermo y no quedó más remedio que aceptar los servicios de un locutor que no entendía ni jota de fútbol. Su transmisión resultó antológica. Basta fijarnos en el arranque: «Los equipos se han alineado de la manera siguiente. Barcelona: el portero en la puerta, dos defensas delante del portero, tres medios delante de los defensas y cinco delanteros en primera fila. El Levante presenta el mismo equipo de siempre: cinco delanteros, tres medios, dos defensas y un portero. Como pueden ver, las fuerzas parecen equilibradas». Vaya, aquello resultó como el viejo tópico «somos once contra once y puede

pasar de todo» estirado como un chicle. Más vale no imaginar cómo seguía la narración de los noventa minutos…

100. Humillados por un Segunda

Por cierto, debemos consignar que aquel encuentro radiado de manera tan peculiar acabaría con una inverosímil derrota azulgrana por 3-0 ante un Levante que militaba en Segunda. El Barça, pese a contar con figuras como Ramon Zabalo, Ramon Guzmán, Martí Vantolrà, Josep Escolà y el crac costarricense Alejandro Morera, era entonces un equipo errático e irregular. Para completar el cuadro, el autocar que debía trasladar de regreso a la expedición barcelonista se averió a medio camino y estuvo cinco horas parado…

101. ¿Y la Copa?

El 19 de marzo de 1936 se jugó en Les Corts un partido «a beneficio de los menesterosos» de la barriada de Sants. Marcador final: empate a uno entre Barça y Sants. Según puede leerse en la ficha oficial, «por haberse empatado se deja para disputar más adelante la Copa en litigio». Lo cierto es que nunca más se supo de esta enigmática copa, pero…, bueno, que los dos equipos aún están a tiempo de disputar el desempate ochenta y un años después… O desde Sants, reclamarla directamente para ponerla en las vitrinas de la histórica entidad de las tres franjas verdes. Cosas más extrañas se han visto. ¿Dónde debe estar aquella copa «de los menesterosos»?

102. Otras guerras del 36

El público y los futbolistas barceloneses parecían especialmente excitados durante los primeros tiempos de guerra, como si se hubieran contagiado del ambiente bélico. Veamos, pues, la cantidad de disturbios vividos en los terrenos de juego durante aquella trágica época:

8 de noviembre de 1936. Sarriá, partido del Campeonato de Cataluña: Espanyol, 1-Barça 2. Invasión del campo en la segunda mitad a causa de una jugada confusa en el área del portero barcelonista Urquiaga.

6 de diciembre de 1936. Les Corts, Campeonato de Cataluña: Barça, 2-Granollers, 4. Iniciado el segundo tiempo, Balmanya

fue expulsado por insultar al colegiado Ribas y, poco después, Bayo también se fue a la calle por agresión al pobre árbitro.

103. Y EN EL 37, SEGUIMOS IGUAL

Los incidentes continuaron con el paso del tiempo, aunque, por desgracia, los futbolistas y aficionados se hubieran acostumbrado a la conflagración. Seguimos...

31 de enero de 1937. Les Corts, Liga Mediterránea: Barça, 3-Valencia, 2. En el segundo tiempo, invasión del público, obligando a la interrupción del juego durante catorce minutos.

25 de abril de 1937. Les Corts. Liga Mediterránea: Barça, 2-Espanyol, 0. A los veinticinco minutos de la segunda mitad, el árbitro Andreu castiga con falta a Lecuona, jugador del Espanyol, quien replica, protesta, insulta y lanza el balón fuera. El colegiado le expulsa y sus compañeros blanquiazules, solidarios con Lecuona, no dejan sacar la falta. Pasados unos minutos y comprobado que el Espanyol mantiene su actitud de indisciplina, el señor Andreu suspende el partido.

27 de junio de 1937, gira mexicana, campo del Asturias: Atlante, 1-Barça, 2. Expulsión del futbolista azulgrana García en el minuto 29.

11 de julio de 1937, gira mexicana, campo del Necaxa: Necaxa, 2-Barça, 4. Expulsión del portero Urquiaga en el minuto 65.

1 de agosto de 1937, gira mexicana, campo del España: América, 2-Barça, 3. Gual es expulsado en el minuto 75.

22 de agosto de 1937, gira mexicana, campo del Necaxa: México, 3-Barça, 1. En la segunda parte y para evitar incidentes, Munlloch es sustituido por Pagès tras realizar un gesto grosero a la tribuna.

Ochenta años después, resulta sencillo bromear deseando que hubieran cambiado el agua milagrosa por tila bien cargada, pero, teniendo en cuenta el contexto histórico, se puede decir que, en realidad, pasaron pocas cosas y leves. Con la tensión que acumulaban, los pobres...

104. NEW YORK, NEW YORK...

En septiembre de 1937, el Barça jugó cuatro amistosos en Nueva York como epílogo a la gira salvadora que, en plena guerra civil, le había llevado hasta tierras mexicanas. El cuarteto de equipos yanquis (Brooklyn Hispano, New York, Selección American Soccer League y Selección Hebrea) que se enfrentaron a Balmanya, Escolà y compañía no parecían nada del otro jueves; el conjunto azulgrana se impuso en los cuatro compromisos con marcadores de 2-4, 3-4, 0-2 y 0-3, respectivamente. Años después, Josep Escolà confesaría que, a pesar de todo, al Barça le había resultado bastante difícil marcar goles ante estos equipos tan poco experimentados. Y no, la razón no fue el típico *catenaccio* del once que se sabe inferior y quiere evitar una paliza. Simplemente, según Escolà, habían jugado en *diamantes* de béisbol, estadios que, justo enfrente de cada portería, contaban con el típico montículo de arena endurecida desde donde lanza el *pitcher*. Si lo pensamos bien, un obstáculo tan impensable como inesperado para los delanteros.

105. 11-1 DEL SEVILLA

Sí, existe en la historia otro 11-1 que casi nadie recuerda. Pasó a la posteridad el marcador encajado por el Barça en Madrid en la Copa del 43, pero del precedente vivido tres años antes no quedó ni una simple cita. Era el 29 de septiembre del 40, primera jornada de Liga en el campo de Nervión, con el Sevilla como anfitrión. E idéntico resultado, tan escandaloso como ciertamente adverso: 11-1. Aquel infausto día, la famosa delantera de los *Stuka* hizo cuanto quiso con un Barça absolutamente desorientado. Ya sabéis que en la posguerra, y prácticamente hasta llegar a la década de los setenta, resultaba bastante común apodar con nombres legendarios (y bien hallados en su mayoría) las líneas de cualquier equipo que deslumbrara a su afición y estimulara la imaginación popular y periodística. *Stuka*, en este caso, era un modelo de avión bombardero alemán de combate, devastador por rápido en su vuelo en picado, que inmortalizó a la delantera sevillista integrada por López, Torrontegui, Campanal, Raimundo y Berrocal, con Pepillo como estupendo «sexto hombre».

Aquella jornada dejaría otras dos curiosidades reseñables. La primera, que aquel día el once azulgrana se adelantaría en el marcador, con gol de Valle, a diferencia del 11-1 de Chamartín, cuando Mariano Martín salvó el honor al firmar el último tanto de aquella negra tarde. Y la segunda, que en ambas goleadas el portero del Barça fue el pobre Lluís Miró, que arrastraría para siempre la etiqueta del doble once encajado.

106. UNA CAMPAÑA MOVIDA

En la campaña 41-42, el Barça realizó una actuación realmente deficiente en la Liga, aunque el final de curso resultara feliz. El 21 de junio del 42 se adjudicaría la Copa de España tras doblegar en la final, jugada en Madrid, al Athletic Club por 4-3. Como es bien sabido, poco después, el 28 de junio, el Barça se salvaría de bajar a Segunda al vencer en la promoción al Real Murcia por 5-1: *match* histórico y decisivo que se celebró también en la capital española. Conjugadas ambas victorias trascendentes, un periodista vasco escribió que, en las calles de Bilbao, la gente seguía con angustia las evoluciones del Barça en la promoción. Al confirmarse la victoria, el personal suspiraba «menos mal» tras saber que los azulgranas se habían librado del descenso. ¿A santo de qué tanto miedo? Los aficionados del Athletic no hubieran podido soportar la vergüenza de perder la Copa ante un equipo que, apenas una semana después, cayera a Segunda. Ya dicen que hay gente para todo.

107. LO NUNCA VISTO

2 de diciembre del 45: Les Corts es escenario de un hecho insólito. Aquel día se enfrentaban Barça y Hércules, partido de Liga resuelto con triunfo local por 5-3. Más allá de las imprevistas dificultades de los chicos de Pepe Samitier para batir al correoso conjunto alicantino, nada anormal... Si no fuera porque, tras el pitido final, la parroquia culé decidió despedir al árbitro, señor Arqué Martín, con una ruidosa ovación. Por lo visto, el colegiado andaba especialmente inspirado y lúcido, siguiendo el juego de cerca, cortando las brusquedades de raíz y no dejando pasar la menor infracción ni fuera de juego. Una maravilla de arbitraje, vaya, aunque pitara penalti por mano involuntaria de un defensa herculano, quizá para demostrar que nadie es perfecto. En cualquier caso, como escribieron en *El Mundo Deportivo*, el arbitraje de Arqué «fue algo así como una delicada flor en un páramo», en aquellos tiempos de jueces nefastos para los intereses azulgranas

como eran Gojenuri, Fombona o Mazagatos, por citar tres colegiados bastante «apreciados» entre nuestros abuelos.

108. CUATRO POR EL PRECIO DE UNO

Histórica fecha la del 11 de abril del 48. En la última jornada, el Barça ganaba la Liga 47-48 tras vencer por 3-0 al Athletic de Bilbao en Les Corts. El equipo azulgrana acababa así con tres puntos más en la clasificación que el Valencia, segundo de aquella campaña. Cuatro días después se celebrarían las protocolarias celebraciones institucionales propias de aquellos días. A saber: Salve en la basílica de la Mercè, recepción en el Gobierno Civil y Diputación, traslado al Ayuntamiento, discursos en la plaza Sant Jaume y fotografía de familia en el Saló de Cent del consistorio barcelonés.

Esta serie de obligadas reverencias a las autoridades culminaría con un solemne banquete oficial, que estaba decorado en su cabecera con una gran bandera española a la que acompañaban, por un lado, las del Barça y el Gimnàstic de Tarragona, y, por el otro, las de Espanyol y Sabadell. Es decir, los cuatro equipos catalanes que habían jugado en primera división aquella temporada. Decoración un tanto extraña, la verdad. La bandera del aguilucho franquista estaba ahí por imperativo legal, vale; pero ¿qué pintaban las del resto del Principado? Nos encantaría, también en este caso, preguntárselo a los organizadores: ¿qué lógica seguían? Nos contestamos solos: cualquier excusa era buena para diluir un éxito barcelonista. Incluso, mezclar por medio a los otros clubes de la tierra.

109. EXPULSADOS, PERO FRATERNOS

Volvemos con aquellos señores que antes vestían de negro. El 6 de febrero del 49, el Barça venció al Sabadell en Liga por 4-1. La noticia en Les Corts no radicó en el previsible marcador final (aunque al descanso dominaran los arlequinados por 0-1), sino en el deplorable arbitraje del señor Aurré Larrea, quien con su inicial tolerancia facilitó que las entradas degeneraran impunemente en violencia. Después, cuando pretendía arreglarlo, aún fue peor, ya que decidió expulsar al azulgrana Calvet y al vallesano Vázquez tras una acción sin importancia. Ya en la ducha, Calvet dejaría caer esta viril perla con su franqueza de payés: «Entre Vázquez y yo no ha pasado absoluta-mente nada. Si hubiéramos tenido algún rifirrafe, cuando nos íbamos juntos al vestuario nos habríamos sacudido en el túnel, porque estábamos solos». Queda claro, Francesc...

110. El Valladolid y César

En la triunfal Liga 1948-49, el Barça goleó en Les Corts al Real Valladolid por un nítido 6-0, con tres goles de Canal y uno de Nicolau, Seguer y el pucelano Busquet en propia meta. Era el 3 de abril de 1949. César Rodríguez sumó vein-ticuatro goles en veintisiete partidos ligueros, aunque aquel día se quedara con las ganas. Le otorgamos dispensa absoluta. Antes de comenzar el duelo, el entrenador del Valladolid, nuestro viejo conocido Helenio Herrera, alentó a sus defen-sas con una consigna tajante: «Sobre todo, marcad a César».

Los disciplinados defensas Busquet, Babot y Soler obede-cieron cual soldados a su general, y se dedicaron a perseguir al crac leonés como perros de presa, sin dejarlo ni respirar. Como previsible consecuencia, César lució poco aunque, como contrapartida, sus compinches de delantera realizaron maravillas aprovechando los espacios libres. Helenio He-rrera, que ya sabemos cómo las gastaba, no se rindió a la evi-dencia, pese a ir perdiendo 3-0 a los quince minutos de juego. Terco como nadie, se pasó los noventa minutos repitiendo la misma canción, recogida por la prensa en sus crónicas: «¡No dejéis a César! ¡No lo dejéis!».

111. Protocampeones de Europa

Gran fecha, la del 3 de julio de 1949. En la final de la primera Copa Latina disputada en el estadio madrileño de Chamartín, el Barça derrotó al Sporting de Lisboa por 2-1, goles de Se-guer y Basora. Así, los azulgranas se proclamaban protocam-peones del Viejo Continente, ya que la Copa Latina, como es sabido, fue la precursora de la Copa de Europa.

Una vez consumado el triunfo, los futbolistas del Barça dieron la vuelta de honor al campo, ofreciendo el trofeo al pú-blico de Chamartín (obviamente madridista en su mayoría), que les aclamó ruidosamente. De hecho, durante los últimos minutos del lance, cuando se temía por la exigua victoria, los aficionados madrileños habían animado al equipo con el grito unánime de «¡Barcelona!, ¡Barcelona!» (no consta que gritaran «¡Barça!»). Que aquello sucediera en terreno merengue implicaba algo insólito, y más teniendo en cuenta que apenas seis años antes, el 13 de junio de 1943, con ocasión del infausto escándalo del 11-1 de Chamartín, el público madridista chillaba «¡rojos!, ¡separatistas!, ¡perros catalanes!» y lanzaba objetos a los espantados jugadores barcelonistas. Como dicen los payeses, ya obraba bien la vieja que no quería morir... La vida (y también el fútbol) siempre te ofrece alguna sorpresa con la que no contabas.

112. ALONSO, OVACIONADO

Conste que Laurie Cunningham no fue el primer futbolista del Madrid ovacionado por el público culé tras su fantástica actuación en el Camp Nou, resuelta con un 0-2 sin paliativos el 10 de febrero de 1982. Como mínimo, existe un precedente histórico, el 24 de septiembre del año 50. Aquel día, Barça y Madrid afrontaban en Les Corts la tercera jornada de la Liga 1950-51 bastante escarmentados, ya que ambos venían de encajar un tenístico *set* en la jornada anterior. Los azulgranas habían perdido 6-4 en casa del Atlético de Madrid; los blancos, 6-2 contra la Real Sociedad.

El Barça se resarció aquel día de la Mercè al meterle un 7-2 bastante escandaloso a los propietarios de Chamartín. Aunque parezca mentira, y como escribieron en la revista *Vida Deportiva*, «del Real Madrid sobresalió un hombre, el guardameta Alonso. Si no llega a defender la portería madrileña, el Barcelona deja el marcador en 11. Precisamente en once». Comprobamos que los redactores de este semanario deportivo barcelonés mostraban cierta memoria histórica y recordaban el 11-1 en Chamartín de 1943, quizá porque aún supuraba. Terminado el clásico, y a pesar de los siete goles recibidos, la afición de Les Corts despidió a Alonso con una clamorosa y sincera ovación. Sin un atisbo de ironía, conste.

113. EL PRIMERO DE SANTPEDOR

25 de noviembre de 1951. No nos queda la menor duda de que el delantero Jordi Vila, el primer *Noi de Santpedor*, le

pegó aquel día el susto de su vida al bueno de Ladislao Kubala. Jugaba el Barça en el Sardinero un choque muy trabado ante un correoso Racing de Santander, que, en el minuto ochenta, aguantaba el 0-0 inicial. En aquel momento, Szegedi daba una asistencia de gol a Vila, que estrenaba el marcador de chut raso. Vencido por la emoción (aquel día era el de su debut oficial con el Barça), el de Santpedor apenas pudo murmurar un imperceptible «gol» antes de caer desmayado. Entonces llegó Kubala con la cara desencajada, gesticulando y gritando en italiano: «*É morto, é morto!*». Para tranquilidad de Laci, Vila recuperó rápido la conciencia gracias al agua milagrosa del masajista Ángel Mur y la jornada acabaría felizmente, con redonda y tardía victoria azulgrana por 0-3.

114. SAN MAMÉS, A CERO

El Barça de las Cinco Copas acabó con la maldición de San Mamés. Situémonos: desde la primera edición de la Liga, temporada 1928-29, los barcelonistas habían disputado veinte partidos de esta competición en la Catedral vizcaína, con un balance de dos victorias y dieciocho derrotas: treinta y seis goles a favor y ochenta y uno en contra. Y los vascos habían marcado siempre. El mal fario de San Mamés quedó hecho trizas el 6 de enero de 1952 con un sensacional triunfo por 0-3, con tantos de Basora (2) y Vila, así como con una gran actuación de Ramallets, capaz de conseguir que, por vez primera en la historia de la Liga, el Athletic se quedara a cero en casa ante el Barça. Curiosamente, Kubala, lesionado, no jugó aquel día.

115. ¡QUÉ RECIBIMIENTO!

29 de junio del 52. Después de que el Barça ganara en París la final de la Copa Latina contra el Niza, el paroxismo se desató en Cataluña. A pesar de que la prensa, seguramente por censura, no publicó ninguna cifra de la multitud, los contemporáneos calcularon que más de un millón de personas dieron la bienvenida al equipo en su triunfal regreso a tierras catalanas. Se vieron obligados a hacer múltiples paradas tras cruzar la frontera, con pueblos enteros en la calle. El

Barça de Kubala había conseguido un gran éxito internacional y se le podía considerar el *oficioso* campeón de Europa. Quizá no sería exagerado calificarlo de mejor equipo mundial del momento. Además, desde que terminara la guerra, el FC Barcelona ya era «más que un club» para muchísima gente, con connotaciones que iban mucho más allá del ámbito deportivo. Eran tiempos en que las únicas manifestaciones permitidas eran las deportivas, y el club azulgrana albergaba un potencial simbólico que no es necesario detallar, vista la situación de Cataluña.

Significativamente, el gobernador civil de Barcelona, Felipe Acedo Colunga, había autorizado la caravana barcelonista con estas palabras: «Todo lo que sea una manifestación de alegría de este pueblo barcelonés puede ser autorizada con la seguridad de que la corrección y el buen gusto presidirán el acto».

116. EL LLAMAMIENTO OFICIAL

No desvelamos ningún secreto si decimos que, en aquella época miserable y oscura, los catalanes tenían que tragar sapos a diario. Vemos un ejemplo nítido de tal premisa en la triple (y un poco esquizofrénica) convocatoria del consejo directivo para recibir a los campeones, publicada en la prensa al día siguiente de la victoria en París. Y conste que hemos respetado el tamaño tipográfico original, sin exagerar ni un ápice:

ESPAÑOL: El equipo que representando a España ha ganado la Copa Latina llegará el miércoles por la tarde, alrededor de las 7 y 1/2, por el paseo de Gracia y Vía Layetana. Acude a recibirle.

BARCELONÉS: El equipo representativo de nuestra ciudad, campeón de Liga y Copa de S. E. el Generalísimo, que acaba de ganar la Copa Latina, llegará el miércoles, alrededor de las 7 y 1/2, por el paseo de Gracia y Vía Layetana. No faltes al apoteósico recibimiento.

BARCELONISTA: Los jugadores de nuestro equipo que han realizado la más brillante temporada de nuestro historial deportivo llegarán el miércoles por la tarde, alrededor de las 7 y 1/2. Demuestra tu entusiasmo barcelonista sumándote al recibimiento que les prepara la ciudad.

En el anuncio quedaba clara la hora y el lugar de llegada de los campeones... Y también quién mandaba aquí entonces.

117. CONTRA LOS EUROPEOS

30 de septiembre del 53. La FIFA había elegido al Barça como rival de la selección europea en el amistoso organizado en Ámsterdam. Lejos de ser un compromiso sin importancia, aquel Barça-Europa hoy olvidado supondría, de hecho, la consagración definitiva del equipo de Kubala. El partido era de preparación para el combinado continental de cara al que debía disputar el 21 de octubre contra Inglaterra en Wembley. En aquella época eran habituales estos enfrentamientos Inglaterra-Europa, que solían generar gran expectación entre los aficionados del continente. La victoria correspondió a la selección europea por 5-2 (goles barcelonistas marcados por César y Moreno), aunque resultara un marcador engañoso. El árbitro Karel van der Meer anuló dos goles válidos a los azulgranas, protagonistas de una actuación sensacional, con muchas ocasiones y dos balones estrellados por Basora contra el palo. El público holandés reconoció el gran rendimiento del Barça y se puso claramente de su lado.

118. INOLVIDABLE...

Por su parte, a resultas de tan «dulce derrota», los periodistas deportivos coincidieron en repartir elogios hacia el equipo dirigido por Daučik. Así, Carles Sentís, consciente de la proyección internacional lograda por el Barça, escribió: «Para la gloria del FC Barcelona, este día cuenta más que diez años». Y el corresponsal de *France-Soir* también lo reflejaría sin reservas: «Este será un partido que recordaré toda mi vida. Fútbol puro. El Barcelona ha merecido empatar o ganar, pero el resultado ha tenido relativa importancia. A pesar del 5-2, el Barcelona ha estado deslumbrante a menudo. Velocidad, flexibilidad, fantasía, potencia en el tiro, todo con la garra de un entusiasta fútbol latino». Después, añadiría unas líricas palabras dedicadas a la figura del encuentro: «Kubala cubre el balón de forma excepcional, parece surgir como un tanque en mitad del terreno. Pero cuando conviene, el toro se vuelve ninfa». Y remataría la jugada escrita con esta frase memorable: «El dios Kubala tiene en César al más eficaz de sus profetas».

119. ¿ISRAEL? BUFFF...

La historia de las relaciones del Barça con Israel tiene su miga. Todo empezaría el 12 de mayo del 55, cuando el FC Barcelona declinaba una oferta para la disputa de dos o tres partidos en Tel-Aviv, oficialmente por problemas de calendario, idéntica razón a la esgrimida el 3 de noviembre del mismo año, en este caso para rechazar una gira por Grecia, Turquía, Chipre, Egipto, Israel, Líbano y Siria. Problemas de agenda y también, suponemos, que la región no era precisamente un oasis de paz, como quedaría patente con la llamada Guerra del Sinaí, entre Israel y Egipto, en octubre-noviembre del 56.

Posteriormente, a comienzos de 1961, parecía que la situación había cambiado, ya que el Barça estaba negociando dos amistosos en Israel. Finalmente, todo quedaría, otra vez, en agua de borrajas porque el régimen franquista lo prohibió directamente, asustado ante cualquier tipo de colaboración con lo que llamaban en su propaganda «contubernio judeomasónico». A la postre, el primer encuentro del Barça en tierras israelíes no se jugaría hasta el 3 de febrero del 76, con el dictador Franco ya muerto. Ese día, el equipo azulgrana de baloncesto venció por 117-126 al Hapoel de Tel Aviv en partido correspondiente a la Copa Korac.

120. EL GOL DEL COJO

El 29 de mayo de 1955, el defensa vasco Canito se lesionó en el minuto veinticinco en un partido de Copa en San Mamés contra el Barça. Colocado en la posición de extremo izquierdo, en el minuto cincuenta marcó el llamado «gol del cojo», cuando, desafiando su maltrecha condición física, cazó un balón perdido en el área para superar a Ramallets.

Permítannos la confesión: a pesar del largo tiempo transcurrido desde la aparición de las sustituciones en el fútbol, aún sentimos cierta nostalgia épica por aquellos goles logrados por los lesionados, que no podían hacer otra cosa que permanecer sobre el césped para no dejar a los suyos en inferioridad numérica. Bastantes futbolistas, encima, no se conformaban con representar el papel de «figuras decorativas», tal como los bautizaba un argot futbolístico que hoy suena a puro anacronismo.

121. Unos artistas

El 5 de febrero de 1956, el Barça doblegó en Riazor al Deportivo de La Coruña por un abrumador 0-7, marcador que reflejaba a las claras el potencial de aquel Barça que lucía a Ramallets, Biosca, Segarra, Villaverde y Kubala como principales figuras. El Barça tejió una exhibición tan extraordinaria que, acabado el duelo, el público gallego tributó una gran ovación a los visitantes, que se retiraron a los vestuarios entre felicitaciones de sus adversarios. Hay que destacar el último gol barcelonista, logrado por Kubala al transformar un penal en el minuto 88. Lo lanzó con tanta maestría que el portero deportivista Gantes ni se movió.

Tras el lance, el defensa barcelonista Josep Seguer comentó la goleada con estas palabras, barnizadas de cierta envidia: «Siete goles, siete goles… ¿y nosotros, qué? ¿Es que un cero no tiene también un poco de valor?». A pesar del recital en Galicia, el Athletic de Bilbao se llevó aquella Liga con un punto de margen sobre el Barça.

122. Homenaje… blanco

La pregunta es obligada: ¿en aquella época se jugaban partidos de este tipo? Pues sí, el 1 de septiembre de 1956, Les Corts fue escenario de un homenaje al Real Madrid por la conquista de su primera Copa de Europa. Una selección de la ciudad de Barcelona, formada por jugadores del Barça y del Espanyol, cayó derrotada por el Realísimo por 3-7, después de que al descanso se llegara con victoria del combinado por 3-1. Aunque parezca mentira, más de cincuenta mil espectadores presenciaron el espectáculo, perpetrado con nocturnidad. Según las crónicas, el personal asistente mostró una corrección extrema. Mejor así.

123. Derbi de estreno

El 17 de noviembre de 1957 se celebró el primer derbi entre Barça y Espanyol en el Camp Nou. El resultado final de 3-1 no reflejaba exactamente lo sucedido en el campo, ya que el once culé hizo méritos para alcanzar una diferencia de cuatro o cinco goles. El culpable de que no fuera así era el árbitro del partido, señor Birigay, que se tragó cuatro penaltis clarísimos, tres en el área españolista y uno en la azulgrana. Como consecuencia, a Birigay le correspondió el dudoso honor de llevarse el primer abucheo general en la historia del Camp Nou. En tal sentido, resultó antológico el diálogo entre dos aficionados barcelonistas que un periodista pilló al vuelo:

—¿Cómo se llama este árbitro, Birigay o Guirigay?

—Como se llame no tiene importancia. Lo que hay que ver es lo que le llaman.

124. ANÓNIMO INTERNO

2 de febrero del 58, todo un Barça-Madrid en el flamante Camp Nou. Horas antes, la plantilla barcelonista, concentrada en Caldes de Montbui, recibió un anónimo presuntamente escrito por uno de sus propios integrantes, aunque nunca se llegaría a saber la identidad del redactor. El texto llamaba a la rebelión contra los extranjeros Kubala y Evaristo, «que cobran más y a los que se les complace en todos sus caprichos», como, por ejemplo, «no asistir a los entrenamientos», licencia que, por lo que parece, caía fatal entre los futbolistas surgidos de casa. Según recordaba el anónimo, si los chicos de fama inferior actuaban así, «nos postergan al banquillo de los suplentes o nos ceden al Lérida como chatarra».

El anónimo demostraba memoria suficiente como para recordar un sorprendente episodio vivido por compañeros como Gonzalvo III, Basora o Moreno, que fueron cedidos al Lleida el Día de los Inocentes del 55, cuando los azulados militaban en el llamado Grupo Norte de Segunda División y los aficionados locales pensaban que tan sorprendente noticia era una tomadura de pelo ideada por la prensa local, propia de la tradicional jornada. No siempre recibes tres internacionales de una tacada, eso seguro. En este caso, el peculiar entrenador Férenc Plattkó los mantenía apartados del equipo y el astuto presidente del Lleida, Josep Servat, aprovechó la amistad que mantenía con Miró-Sans para llevárselos a casa. Y sin soltar un duro, que el Barça continuaba pagando la ficha del trío.

125. *No-Do* BLANCO

Aunque los jugadores barcelonistas expresaron su rechazo al anónimo y perjuraron que el texto no los había afectado en absoluto, lo cierto es que el Barça perdió aquel partido por 0-2. Los goles blancos llegaron en el primer tiempo. El primero lo anotó Marsal de contragolpe en el minuto treinta y cinco, apenas después de que el árbitro Ortiz de Mendíbil se tragara una caída de Eulogio Martínez en el área madridista. Curiosamente, el *No-Do* interpretó erróneamente la pañolada de protesta del público del Camp Nou por el penalti no señalado, asegurando que se trataba de «muestras de entusiasmo por el sensacional gol madridista». Mira por dónde. Así iban las cosas, y las manipulaciones, en aquellos tiempos...

126. COPA DE FERIAS EN LA VITRINA

Celebrada a doble partido, la final de la I Copa de Ferias la ganó el FC Barcelona ante la selección de Londres: 2-2 en Stamford Bridge y 6-0 en el Camp Nou (el 1 de mayo de 1958). Por lo visto, aquel galardón no despertó excesivo entusiasmo entre la afición barcelonista. Así, la revista *Barça* publicó: «Nos hubiera gustado más euforia, más alegría al proclamarse los azulgranas vencedores de un torneo en el que han participado once ciudades de diversos países, valores indiscutibles en la escala del fútbol mundial». Después dirán... Si aún no estaban acostumbrados a valorar un título europeo, ¿qué esperaban?

127. PELÉ SE EXHIBE

El 28 de junio de 1959, el Santos de Brasil pasó como una apisonadora por encima del Barça, al que derrotó por 1-5 en amistoso en el Camp Nou, con goles de Evaristo para los locales y Pelé (2), Dorval (2) y Coutinho para los visitantes. El conjunto azulgrana venía de ganar Liga y Copa con Helenio Herrera, quien aquella tarde delegó en su segundo entrenador, Enric Rabassa. El técnico catalán presentó un once repleto de suplentes, con los españolistas Bartolí y Recamán reforzando el equipo y con Villaverde, Kocsis, Evaristo y Czibor como principales activos. Por parte visitante, destacó un jovencito de dieciocho años llamado Edson Arantes Do Nascimento, *Pelé*, y el veterano Jair, quien, con treinta y ocho años, aún guardaba mucho fútbol en sus botas. Acabado el paseo, Luis Alonso, entrenador del Santos, declaró que el tal Pelé «solo ha rendido a un veinte por ciento de sus posibilidades». Vaya, por algo le llamaban *O Rei*...

128. César es mucho César

El 10 de enero de 1960, César Rodríguez, entrenador-jugador del Elche, regresó a Barcelona encabezando la expedición ilicitana. César, mítico goleador azulgrana durante tantos años y figura idolatrada por la afición culé, jugó aquel Barça-Elche como, curiosamente, defensa central y no como delantero. Ya era un veterano que había retrasado su posición en el campo. El Barça ganó sin problemas por 2-0, con goles de Sándor Kocsis y Luisito Suárez, pero lo sucedido aquel día en el Camp Nou resultaría digno de consulta psiquiátrica. Los barcelonistas, que venían de perder consecutivamente en La Romareda y San Mamés, fueron recibidos con una pitada por su propia parroquia, mientras el Elche de César era ovacionado. Después, los visitantes pusieron el autobús en su área y la afición se dedicó a gritar a Suárez, en una salida de tono que empezaba a ser habitual. Acabado aquel desangelado duelo, se repetirían los pitidos a los locales y el aplauso a los foráneos. En aquella época, a ninguna directiva se le habría ocurrido hablar de la afición azulgrana como la más entregada del mundo. Exigente, en cambio, seguramente sí. Durante largo tiempo no dejaría pasar ni una a sus jugadores, diana de tanta frustración colectiva por la falta de éxitos continuados.

129. Doscientos a prueba de todo

Como sabe el lector, el FC Barcelona disputó su primera final de Copa de Europa el 31 de mayo de 1961 en Berna (Suiza), contra el Benfica de Lisboa. Perdió por 3-2 (goles de Kocsis y Czibor) en una desgraciada velada, marcada, entre otras calamidades, por los cinco remates a los palos cuadrados defendidos por los portugueses y el gol en propia meta encajado por un deslumbrado Ramallets. Se ha escrito millones de veces, y con razón, que el Barça mereció sobradamente la victoria. Y todavía hoy quedan detalles desconocidos por revelar. Por ejemplo, nadie recuerda a los doscientos incondicionales que acudieron al aeropuerto de El Prat para recibir a la derrotada expedición azulgrana de regreso a casa: los vitorearon hasta la extenuación.

La historia es inamovible, pero imaginad por un momento la magnitud que habría alcanzado el recibimiento si el Barça hubiera ganado aquella primera Copa de Europa tras las cinco victorias consecutivas del Madrid en el arranque de esta competición. Nueve años antes, tras obtener la Copa Latina del 52 en París, se calcula que una multitud superior al millón de personas se lanzó a la calle para homenajear a los ganadores, aunque la censura de prensa vigente impidió la publicación de cualquier cifra estimativa en los diarios españoles. Resulta evidente que, aún hoy y en caso de triunfo, los culés recitarían de memoria y con orgullo el once titular de aquel día, integrado por Ramallets; Foncho, Gensana, Gràcia; Vergés, Garay; Kubala, Kocsis, Evaristo, Suárez y Czibor.

130. EL MURO DE BERLÍN

El 20 de septiembre de 1961, escasas semanas después de la construcción del funesto «muro de la Vergüenza», construido contrarreloj el 13 de agosto, el Barça jugó en Berlín Oeste un partido de Copa de Ferias contra una selección formada por los mejores jugadores de la ciudad. El marcador fue de 1-0 favorable al combinado de Berlín.

El capitán de los alemanes era el famoso cirujano Günther Schüller. De hecho, todos los rivales eran amateurs. Había de todo: un empleado de empresa textil, un camionero, dos trabajadores de comercio, un mecánico, un albañil, un pastelero... Pese a ello, aquellos berlineses, aunque del Oeste, derrotaron a la quintaesencia del profesionalismo capitalista.

131. LA TRAGEDIA DEL VALLÈS

Los primeros encuentros de tipo benéfico en el Camp Nou se disputaron el 24 de octubre de 1962. Aquel día se jugaron un par de amistosos, el primero entre un combinado europeo y otro sudamericano (1-1), y el otro, entre el FC Barcelona y el Mantova de Italia (1-0). Doble sesión a beneficio de los damnificados por las terribles inundaciones del Vallès que, un mes antes, provocaron unos ochocientos muertos entre la población más humilde, la mayoría arrastrados por las aguas desbordadas, que inundaron carreteras y casas. Meses más tarde, el 9 de enero de 1963, el Estadi acogió un partido benéfico con idéntico fin, en este caso entre las selecciones de España y Francia (0-0).

132. PASATIEMPO ETERNO

Existen constantes mantenidas como la tradición más apreciada, incapaces de cambiar pese a la evolución de los tiempos. Y esta es una muy clara. Apelando de nuevo a la complicidad del lector, convertiremos esta anécdota en un pasatiempo dedicado a la memoria histórica. Cuando hayáis terminado la cita, os explicaremos las reglas de este juego que acabamos de inventarnos. Nos situamos en el 22 de noviembre de 1965. Leed el informe redactado por el directivo Florenci Coll tras la decepcionante derrota del Barça en la Liga, en el campo del Elche por 1-0: «El juego de nuestro equipo en el campo de Altabix el domingo 21 de noviembre de 1965 fue desastroso en toda la acepción de dicha palabra. Faltos de fe, de entusiasmo, de fuerza y forma física, nuestros jugadores fueron batidos por un Elche de ínfima calidad, que para conseguir la victoria no esgrimió otras armas que un coraje y tesón sin límites. En conjunto el Barcelona dio una sensación de impotencia y ridículo que no puede ni debe ser tolerada ni un solo minuto más. Salvamos solamente de esta impresión general el buen momento de Pesudo, la fuerza y el batallar constante de Eladio y Torres, y el incansable aunque totalmente inútil bregar de Zaldúa. Por el contrario, nuestra repulsa más absoluta va para Re y Vicente, jugadores que volvieron a deshonrar ayer nuestra camiseta».

Como ya podéis sospechar, el pasatiempo que os proponemos consistiría en dejar vacías la fecha, el nombre del campo, del equipo contrario y de los jugadores propios. Y ya tendríamos, mira por dónde, un texto estándar, una especie de molde fijo para describir y explayarnos sobre un buen montón de aquellas tardes incomprensibles que el Barça ha generado en el transcurso de su historia. En aquellos años sesenta, por ejemplo, de modo constante. Últimamente, por suerte, el equipo no se prodiga en disparates. Y cruzamos los dedos rogando para que no regresen las malas costumbres de antaño.

133. NI LA NOVIA...

Como decía el directivo Coll, una de las excepciones salvables en aquel infausto partido de Altabix fue el central ilerdense Antoni Torres, uno de los típicos jugadores ascendidos de la cantera, culé de toda la vida, de aquellos que sienten los colores y ofrecen siempre un rendimiento regular y eficiente. Torres, que entonces tenía una novia en Alicante, había conseguido permiso del club ante su petición de permanecer allí tras el encuentro. Toni quería cenar con su chica, la cosa más normal del mundo. A última hora, la pobre se quedó con un palmo de narices porque Torres alegó que el mal partido y el resultado adverso le habían afectado de tal manera que prefirió volver solo a la habitación de su hotel y recluirse allí. Ni con la novia. Como los culés que no cenaban por el disgusto en caso de derrota. Aunque en versión futbolista, detalle que no debería sorprendernos..., pero nos sorprende.

134. ESTRENO MATINAL

Apunten la fecha: día de Navidad del 65, a las doce del mediodía. Primera vez que el Barça jugaba partido matinal de Liga en el Camp Nou. Aquel 25 de diciembre, el Barcelona batía a la UD Las Palmas por 3-2, con goles de Müller, Benítez (penalti) y Eladio. El técnico barcelonista Roque Olsen presentó esta alineación: Pesudo; Benítez, Olivella, Eladio; Vergés, Torres; Rifé, Müller, Zaldúa, Fusté y Zaballa.

La jornada había arrancado a las 10.15 con un duelo entre el Condal, filial barcelonista, y el Langreo. Este fue el once condalista: Rodés; Ortí, Navarro, Mur; Borràs, Albert; Rexach, Mas, Feliu, Martí Filosia y Giralt. El partido acabó con victoria local por un demoledor 8-1, con goles de Feliu (5), Martí Filosia, Giralt y Navarro. El entrenador del Condal era Miquel Colomer. Por cierto, el autor del repóquer era Enric Feliu, malogrado hermano de la popular cantante Núria Feliu. Enric fallecería en 1980, a los treinta y cuatro años. Si repasáis el equipo del Condal y os suenan un montón de nombres, señal de que sois buenos aficionados al fútbol, en general, y a la historia del Barça, en particular.

135. EL 600 DE PUJOLET

El 21 de septiembre de 1966, el Barça conquistó la Copa de Ferias tras derrotar en el partido de vuelta de la final al Zaragoza a domicilio por 2-4, con tres goles de Lluís Pujol, tras haber perdido en la ida por 0-1 en el Camp Nou. Entonces, el joven extremo no era consciente de que aquella sería su mejor noche azulgrana. Pujol era distinguible por su costumbre de jugar con las medias caídas, sin protección en las tibias. Cándido como aún era, cuando el partido acabó con él como héroe del título, Pujolet declararía: «Me gustaría celebrar la victoria comprándome un 600». Seguro que, gracias a la prima obtenida, podría adquirir aquel popularísimo coche al contado y no a plazos, tal como acostumbraban a hacer miles de familias de la creciente clase media durante aquella década.

136. IRIBAR, EL IMBATIBLE

José Ángel Iribar fue el portero del Athletic entre 1963 y 1980. En San Mamés, el Chopo se erigió en muro infranqueable para los delanteros barcelonistas durante largo tiempo, ya que hasta el minuto cincuenta del partido de Liga jugado el 18 de enero de 1970, el Barça no consiguió batirle en la Catedral. El encargado fue Lluís Pujol tras rematar a la red un córner lanzado por Rexach y peinado por Alfonseda. Quedaban atrás los quinientos noventa minutos de imbatibilidad de Iribar, con cinco partidos de Liga y uno de Copa en los que se encargó de dejar a cero el marcador del Barça.

137. NOSTALGIA DE NAVIDAD… CON FÚTBOL

En la actualidad, la única oportunidad (local) de que disponen los aficionados culés para ver fútbol de alto nivel durante las fiestas navideñas consiste en el amistoso de la selección catalana que, desde principios del siglo XXI, se acostumbra a celebrar en el Camp Nou. De todos modos, durante muchísimos años, el campo del Barça fue escenario del partido de Navidad, tradición que se remonta, ni más ni menos, al año de fundación del club y que acabó en 1970. De hecho, el primer partido navideño fue el segundo en la historia del Barça; se celebró el 24 de diciembre de 1899 en el antiguo velódromo de la Bonanova. Aquel día, el Barça derrotó al desaparecido equipo barcelonés del Català por 3-1.

Aunque con intermitencias, esta tradición matinal se consolidó a partir de la década de los veinte, con la disputa en 1921 de dos encuentros contra el Sparta de Praga, entonces considerado el mejor equipo europeo, ante una multitud apiñada en el campo de La Foixarda, lo que sirvió para convencer a Joan Gamper sobre la necesidad de construir el estadio de Les Corts, tal como aumentaba exponencialmente la afición al fútbol.

Desde entonces y hasta el final de los sesenta, en un total de treinta fiestas de Navidad los aficionados pudieron gozar de los correspondientes amistosos. Esta tradición resultó posible porque, en aquellos tiempos, no existía saturación de competiciones y, por lo tanto, alentaba una celebración, que, víctima de los nuevos tiempos y calendario, acabaría desapareciendo. De hecho, no todos estaban de acuerdo con esta tradición, y valga aquí como ejemplo la andanada que el diario *La Prensa* lanzó el 20 de diciembre de 1968 contra los partidos de Navidad en el Camp Nou: acusaron al Barça de marchar «de espaldas a realidades de esta hora».

Un año después de esta crítica, en la revista *Barça* aún podíamos leer: «El fútbol navideño, en nuestra opinión, debe mantenerse. El Barcelona es un club tradicional. La fidelidad a estas convicciones es una de sus virtudes. Y en la mañana de Navidad, mientras la «escudella» hierve y el pavo se dora, no puede faltar la sesión de fútbol». Palabras demasiado optimistas, ya que el último partido de Navidad de la historia barcelonista se jugó en el Camp Nou el 25 de diciembre de 1970. Aquel día, los reservas del Barça cayeron ante el CSKA de Sofía por 1-4. Por cierto, ese día se jugó el primer encuentro de fútbol femenino en el Camp Nou.

138. ¡LO DAN POR LA TELE!

En la gloriosa Liga 73-74, los aficionados barcelonistas pudieron disfrutar siete veces de la transmisión televisiva de los partidos del Barça. Lástima que tres de ellos fueran en el primer tramo del campeonato, cuando el equipo aún no contaba con Cruyff y deambulaba por la competición con más pena que gloria, tal y como indican los resultados: Barça, 0-Racing, 0; Real Sociedad, 2-Barça, 1; Barça, 0-Real Madrid, 0. Después, ya con Johan como formidable revulsivo, la televisión ofreció a millones de espectadores exhibiciones como: Valencia, 0-Barça 2; Barça, 5-Celta, 2; Real Madrid, 0-Barça 5. Sí, el célebre 0-5 se vio en toda España…

Antes de seguir, precisemos que entonces, con solo dos canales públicos entre los que escoger, TVE ofrecía un partido por jornada de Liga y basta. Para el resto, tenías que conformarte con resúmenes filmados que se ofrecían el lunes por la noche, en programas que barrían hacia lo blanco sin manías.

El último partido televisado del Barça en aquella Liga se jugó el domingo 24 de marzo del 74 a las ocho de la tarde en San Mamés. Empate a cero en Bilbao en un encuentro que pasó a la historia, pese a la ausencia de goles, por el puñetazo que el centrocampista local Ángel María Villar (sí, el sempiterno presidente de la RFEF) arreó en el rostro de un Johan Cruyff, que le había sacado de quicio, regateándole sin compasión. Por suerte, la agresión se vio nítidamente por pantalla. Tal como iba entonces la cosa, sin tal testimonio se hubiera dicho que el holandés había hecho teatro y que el vasco ni le había tocado…

139. MÁS ESTRELLAS QUE EN EL CIELO

Como ha quedado escrito, el 31 de octubre del 73 el Camp Nou fue escenario del I Día Mundial del Fútbol, con la disputa de un amistoso organizado por la FIFA con fines benéficos entre las selecciones de América y Europa. Tras noventa minutos de fútbol trepidante y sin ninguna precaución defensiva, el marcador reflejaba un espectacular empate a cuatro, con tantos de Eusebio, Keita, Asensi y Jara, por parte europea, y Sotil, Cubillas, Brindisi y Chumpitaz para los americanos, ganadores del trofeo en juego tras la decisiva tanda de penaltis.

Aquella noche, un diverso puñado de estrellas iluminó el Camp Nou. Un repaso de nombres traerá buenos recuerdos a los aficionados de cierta edad. El equipo europeo estaba integrado por Viktor (Iribar); Krivocuka (Kapsi), Sol (Dimitru),

Paulovic, Fachetti; Keita (Nene), Eusebio (Odermatt), Asensi; Bene (Edström), Cruyff (Pirri) y Jara. El seleccionador era Ladislao Kubala, que en aquella época dirigía a la Roja, pese a que la selección española aún no se llamara así por razones estrictamente políticas. Era imposible que una dictadura fascista loara el color emblemático de los comunistas...

El combinado americano tampoco era poca cosa, futbolísticamente hablando: Santoro (Carnevali); Wolff (Arrúa) (Morena), Pereira, Chumpitaz, Marco Antonio; Espárrago, Brindisi (Laso), Cubillas (Borja); Paulo César (Caszely), Sotil (Ortiz) y Rivelino. El argentino Omar Sívori era su entrenador. En la velada participarían tres barcelonistas: Johan Cruyff (quien tres días antes había debutado en partido oficial en el mismo Camp Nou), el alicantino Juan Manuel Asensi y el peruano Hugo Sotil.

140. UNA VEZ Y BASTA

La idea de la FIFA consistía en realizar anualmente este evento del fútbol mundial en un escenario distinto y ya se había elegido Perú como sede de la segunda edición. De todos modos, no se volvería a celebrar, sin que se dieran explicaciones oficiales. Cabe decir que la afición barcelonista tampoco respondió y unos escasos veinticinco mil espectadores se congregaron en el Camp Nou, quizá porque el partido fue televisado. Curiosamente, pensando en la posteridad, han quedado dos lecturas contrastadas de aquella jornada. Por un parte, tal vez la negativa, buena parte de los medios de comunicación europeos dieron cera a los anfitriones, hasta el punto de publicar la hipótesis de que el triste panorama de las gradas servía para demostrar que, en España, más que afición pura al fútbol, se vivía este deporte a partir de la bruta pasión y el partidismo descarado entre clubes antagónicos.

Con el vaso medio lleno, aquellos que disfrutaron de la velada, asistiendo a un enorme recital de una constelación de figuras que, por entonces, resultaba casi inverosímil reunir en dos equipos. Y, de propina, los noventa minutos fueron una delicia para *gourmets*. Transcurridas cuatro décadas, diríamos que el recuerdo ha quedado sublimado, precioso, favorable a los optimistas.

141. ¿CAMINO DE PARÍS?

«El camino de París.» Así titulaba el boletín oficial del FC Barcelona su editorial del número 47, correspondiente a abril del 75, en referencia a la ciudad anfitriona de la final de la Copa de Europa. Entonces, el barcelonismo estaba pendiente del choque de vuelta de las semifinales de la competición europea que el Barça debía jugar en el Camp Nou, precisamente en la festividad de Sant Jordi. Seguramente, el duelo más importante desde la final de Berna a nivel europeo, aunque no se tratara de una final.

El enfrentamiento era contra el Leeds United, campeón inglés que llevaba mínima ventaja de la ida (2-1). Los noventa minutos en casa acabaron con empate a uno; ello privó a los culés de plaza en su segunda final de la máxima competición europea. Casualidades del destino, treinta y un años después, en 2006, este mismo lema, «Camino de París», encabezó una masiva movilización que regresó de la capital francesa con la segunda Champions League bajo el brazo.

142. CAMISETA PARA LA FOTO

El 18 de junio de 1981, el Barça conquistó la Copa del Rey tras derrotar en la final, disputada en el Vicente Calderón, al Sporting de Gijón por 3-1. El trofeo fue recogido de manos del rey Juan Carlos I por el capitán azulgrana Antonio Olmo…, que no vestía de azulgrana, sino con la camiseta blanquirroja del Sporting. Olmo la había cambiado previamente con un futbolista rival. La imagen resultaba un tanto surrealista y enojó a más de un aficionado barcelonista. Situémonos en el contexto histórico para recordar que, en aquellas décadas, no importaba apenas alcanzar glorias sin los colores distintivos, pero aquella noche resultaba un despropósito, ya que ninguno de los jugadores celebró la victoria en el césped del Calderón llevando la zamarra azulgrana.

Pero siempre hay una excepción; en este caso, aquel verso libre conocido por Bernd Schuster tenía que proseguir con la tradición personal de ir a su aire. El centrocampista alemán fue el único que aguantó la velada vestido con los colores tradicionales. No penséis que aquel día daba una ejemplar lección de amor culé, porque, siete años después, no hizo ascos a vestir de blanco. Esta peculiar situación de no poder reconocer los colores ganadores se acabaría para siempre en Wembley 92. En la noche del gol de Koeman, el Barça vistió de naranja, aunque llegada la hora de recoger la primera Copa de Europa, todos lucieron camiseta azulgrana. En aquel momento, ya quedaba plenamente asumida la lección del valor icónico de la imagen.

143. STOICHKOV EN LA CATEDRAL

Hristo Stoichkov vivió su tarde de gloria el domingo 10 de marzo de 1991, cuando el Barça derrotó al Athletic en San Mamés por 0-6, con cuatro goles firmados por el temperamental delantero. El tercer gol del búlgaro fue superlativo y debería figurar en el manual del perfecto contragolpe: Zubizarreta blocó por alto el lanzamiento de un córner y envió rápido y largo con la mano a Goikoetxea, que evitó el fuera de banda y cedió a Stoichkov. El búlgaro se fue como una bala, se deshizo por el camino de Andrinúa y Lakabeg y batió al meta Iru con un chut ajustado al palo derecho. Un golazo que los culés nunca olvidarán.

144. EL ETERNO DJUKIĆ

Al final, aquello le costó la Liga a su equipo, pero justo es reconocer el coraje para dar un paso adelante como aquel. Así, el error en el lanzamiento de penalti del jugador deportivista Miroslav Djukić en el Deportivo-Valencia en Riazor, jornada final de la Liga 93-94, fue plenamente justificado desde el bando barcelonista. El entrenador barcelonista Johan Cruyff dijo: «Tenemos que quitarnos el sombrero ante gente que tiene la determinación de Djukić». Por su parte, el delantero Txiki Begiristain se sinceró: «Si yo fuera Djukić, también me habrían temblado las piernas».

145. COMO EL PADRE

El 18 de junio de 1995, Athletic y Barça disputaban en San Mamés la última jornada de Liga. La trayectoria barcelonista no había sido buena y la única aspiración posible, la clasificación para la Copa de la UEFA, se consiguió gracias a la victoria por 0-2 ante los vascos. El segundo gol, marcado en el minuto 77, fue una obra maestra de Jordi Cruyff. Arrancando en campo propio, dribló a Larrazábal antes de efectuar una larga internada llena de fuerza por la banda derecha, culminada con un remate dentro del área ante la salida de Valencia. Por un día, Jordi Cruyff había imitado a su padre a la perfección.

146. Expulsados a porrillo

El récord del mayor número de jugadores expulsados en un solo partido de Liga corresponde al Espanyol-Barça (1-3) del 13 de diciembre de 2003, cuando Pino Zamorano envió a los vestuarios de Montjuïc ni más ni menos que a seis jugadores, tres españolistas (De la Peña, Lopo y Soldevila) y tres barcelonistas (Márquez, Quaresma y Cocu). Como reza el tópico, el árbitro se cargó el partido porque, realmente, no fue un partido que justificase media docena de viajes a la ducha antes de tiempo. Por mucho derbi que fuera…

147. El pie que calza

El 20 de abril de 2011, el Barça perdió en Valencia la final de la Copa del Rey ante el Real Madrid por 1-0, con gol de Cristiano Ronaldo en la prórroga. Fue el típico clásico cargado de tensión y peleas en el campo, circunstancia desgraciadamente característica en tantos y tantos Barça-Madrid. En este caso, la adrenalina estaba disparada por la presencia de Jose Mourinho en el banquillo blanco. Leed, si no, la peculiar arenga que Mou lanzó a sus jugadores en los vestuarios de Mestalla antes de comenzar la final: «Ustedes no tienen nada en común con el Barça. Yo he vivido muchos años en Barcelona y soy muy consciente de la cultura local y la educación que reciben los niños catalanes. A la gente como Puyol, Busquets, Xavi o Piqué se les ha enseñado desde pequeños a distanciarse de los españoles como Casillas, Ramos y Arbeloa». Con perdón, a eso se le llama coloquialmente mear fuera de tiesto. Dejémoslo ahí. O confirmemos que, en efecto, ya nos conocemos todos, que el mundo es muy pequeño. Y el del fútbol, aún más…

148. La salsa del fútbol

Ya que dicen que los goles son la salsa del fútbol, hablemos de los récords goleadores del Barça en un solo partido. O dicho de otra manera, de aquellos días en que el instinto asesino prevalecía sobre la piedad ante el equipo contrario. Si reparamos solo en las competiciones oficiales, la mayor goleada se registró hace un montón de años. Concretamente el 17 de marzo de 1901, cuando el Barça derrotó al Tarragona (no confundir con el Nàstic) por 0-18 en partido correspondiente a la Copa Macaya. Aquel día, Joan Gamper marcó él solito nueve goles, la mitad de la cosecha.

Por lo que respecta a las competiciones oficiales de alcance español, el Barça luce un doble 10-1 en casa como goleadas más amplias: uno conseguido en Liga en Les Corts ante el Gimnàstic de Tarragona (ahora sí) el 11 de septiembre de 1949, y el otro, ante el Basconia en el Camp Nou, en partido de Copa disputado el 8 de abril de 1962. Como goleadores destacados, Navarro II (cinco goles) en el lance contra el Nàstic y Szalay, con un *hat-trick* a los vascos, que contaban entonces con el mítico Iribar como portero.

¿Y en Europa? La historia registra un par de encuentros en el Camp Nou acabados con un 8-0, el primero en la Recopa 82-83 ante el Apollon Limassol de Chipre (con triplete de Maradona) y el segundo en la Copa de la UEFA 2003-04, con el equipo eslovaco del Matador Puchov como víctima propiciatoria y tres golitos de Ronaldinho.

149. POBRE SMILDE

Ahora bien, si hablamos en términos absolutos sobre la mayor goleada que el Barça ha conseguido nunca (es decir, incluidos también los amistosos), entonces la plusmarca la tiene el partido de pretemporada en Holanda jugado el 6 de agosto del 92 ante el equipo neerlandés del Smilde. Aquello fue un paseo militar para los hombres de Johan Cruyff. El estrepitoso marcador fue: 1-20. Julio Salinas fue el máximo goleador con seis goles.

3

Los jugadores

*F*utbolistas, los auténticos protagonistas del juego. Un lugar común aceptado. Son ellos quienes motivan el desplazamiento al campo, el pago de la entrada (nada barata desde tiempos inmemoriales), el seguimiento detallado, vivir pendiente de cada gesto suyo durante noventa minutos, las emociones singulares despertadas por su actuación. Hoy (en el momento de redactar esta nota, como dirían en el periodismo ya fenecido), 2.298 jugadores han tenido el honor de vestir tan distintiva camiseta, fuera en partidos de tipo oficial o amistoso. Y, entre ellos, hubo de todo, en diversas y numerosas categorías. Pongámonos en su piel, forcémonos a eso tan humano, y a veces ignorado, de empatizar con sus sentimientos. Entre estos dos mil y pico, ¿cuántos podrían ocupar plaza en el durísimo listado que despacha el tópico «sin pena ni gloria»? Una incalculable legión de reservas, suplentes, gente que siguió la pauta de Andy Warhol con sus quince minutos de fama y basta, sin continuidad ni reconocimiento. Aquellos que se encontraron ahí por casualidades de la vida, los de primera hora, y aquellos que accedieron ya cuando Les Corts o el Estadi impresionaban y los hacían sentir, como dicen de los músicos estadounidenses del sur que llegaban para tocar en Nueva York, con una manzana en plena garganta, imposible de tragar. La responsabilidad de pertenecer al Futbol Club Barcelona. Los abatidos bajo el peso del escudo, bajo la simbología representada en la camiseta, vencidos como un boxeador antiguo que tira la toalla, doblegados bajo la inhumana exigencia. La presión continua. Porque es el Barça y aquí hay que ganar siempre. Siempre. Y, encima, hacerlo bonito, ser regular, maravillar y mostrar condiciones de semihéroe mitológico, inasequible a las humanas limitaciones.

Si habías costado dinero de traspaso, aún peor. O en caso de que te precediera la fama y te tildasen de «refuerzo» o «revulsivo», con la carga de retranca que comportan tales conceptos. No hablemos, pues, de aquellos nacidos en la tierra, surgidos de la propia cantera, perseguida según las rachas, tolerada en otras épocas y solo valorada como merece cuando se ha comenzado a coleccionar títulos, hace cuatro días. Los porteros a los que no se les permitía un solo fallo, pues su debilidad se convierte en gol encajado. Ya dicen que ellos son distintos, hay quien apunta incluso a la falta de algún tornillo para ponerse uno bajo los tres palos, cuando se equivale a la diana donde se clavan los dardos de la crítica feroz, sea desde las gradas o en papel impreso. ¿Qué valores convierten a un futbolista en respetado y admirado? Las proyecciones del aficionado podrían resumirse de manera primaria: debes luchar como él lo haría, sudar hasta la última gota en defensa de los queridos colores y, ya puestos y siendo exigentes, rendir como en un sueño imposible. ¿Por qué los amamos o rechazamos? Pensad en el carisma de jugadores situados de arranque en un altar gracias a volátiles motivos peleados con la razón. A ellos se les perdona lo que otros deben penar, así ha sido desde el comienzo, cuando la parroquia, comencemos con algunos nombres propios, estimaba a Vinyals, Reñé o Forns, mientras refunfuñaba, y que nos perdone desde el cielo, cada vez que veía a Garchitorena en acción. ¿Qué les daba George Pattullo, hoy desconocido, para contentarles? Al margen de goles, imagen, compromiso, condición de *sportsman*, virtud ahora desaparecida en la relación de consideraciones valiosas. Vete a saber. Insondables misterios del juego. Será que se nos atrapa por minucias como estas. El valor de lo inexplicable.

Acabada la Gran Guerra, el enriquecimiento del país propulsa el fútbol a categoría de deporte de masas y el profesionalismo acaba instalado de manera definitiva. Samitier y Zamora, ídolos de multitudes, popularísimos, rodeados de un puñado de notables personalidades, fueron los que facilitaron la primera Edad de Oro. El amor incondicional por César Rodríguez en la posguerra (aquel culé de León capaz de decir que al Barça volvería siempre, aunque fuera de conserje); la pasión puntual, huidiza, con Betancourt, el mulato que hablaba catalán. La práctica canonización de Kubala y tantos, tantos otros en el recorrido. Al final, hemos conseguido encapsular a los privilegiados, a los santos de la religión, y así, en restringido club, Sami llegaría a Mago del balón; Kubala fue quien retornó la autoestima a los catalanes derrotados por la guerra; Cruyff significó el avance de la anhelada democracia; y Ronaldinho nos devolvió la sonrisa. Con Messi, claro, se nos terminaron, exhaustos, los adjetivos. ¿Qué habría podido ofrecer un Ronaldo con recorrido azulgrana? ¿Por qué continuamos sin valorar a Rivaldo o el paso de Maradona, esa «vaca sagrada»? En efecto, no acabaríamos nunca.

Entonces, resumamos en la gran alegría que provoca haber lucido en casa a cuatro de los cinco jugadores que forman un restringido Olimpo de su oficio, categoría aceptada por la inmensa mayoría de aficionados planetarios. El Barça ha tenido a Di Stéfano (y no es preciso extenderse en lo obvio), Cruyff, Maradona y el rey de reyes, el número uno más genial que hayan visto los tiempos, Leo Messi. A Pelé, la excepción a una regla que impresiona, se lo quedaron en Brasil en plenitud, declarado «patrimonio nacional». Imaginad la cantidad de poderosas entidades que ni siquiera han tenido a una gloria como consuelo. Y aquí, en cambio, el orgullo de montar un imaginario tenderete con infinidad de nombres y apellidos para dar, escoger, seleccionar y, en algunos casos, regalar gustosos entre el inacabable género de nuestra tienda. Un sinfín de futbolistas como para llenar cinco, diez, quince, las que deseéis, alineaciones imaginarias que, a buen seguro, acercarían la felicidad hasta las yemas de cualquier culé. Ellos darían para llenar una enciclopedia, muchos merecerían ese libro biográfico que nadie les ha escrito aún. Por ejemplo, una obra sobre los pioneros olvidados, como Ossó, Witty o Steinberg. O sobre los jugadores que han luchado o han sufrido alguna guerra en el siglo XX, que no son pocos. Nosotros nos conformamos, agradecidos, con ofrecer este capítulo, ahora y aquí, a un grupo selecto de estos 2.298 jugadores.

150. LLUÍS D'OSSÓ

Todos sabemos que Joan Gamper fue el factótum de la fundación del Barça y que Walter Wild fue su primer presidente. Los dos compañeros suizos son los personajes más conocidos en el arranque de la historia barcelonista. Hicieron méritos sobrados. De todos modos, si somos rigurosos y fieles a la memoria histórica, debemos concluir que, realmente, la figura clave de aquellos primeros años de vida fue el catalán Lluís d'Ossó i Serra, hoy en día injustamente olvidado.

Nacido en Barcelona en 1877, Ossó era, cuando se fundó el club, un joven de grandes bigotes que le daban apariencia de hombre de negocios. Hijo de una familia con profundas convicciones católicas originaria de Vinebre (Tarragona), su tío, Enric d'Ossó i Cervelló, fue el fundador de la Compañía de Santa Teresa de Jesús y fue canonizado en 1993. Pero Lluís era un caso aparte, ya que toda su vida convivió con su pareja sin contraer matrimonio, lo que en la sociedad de su época era considerado un pecado grave. Cazador empedernido y ciclista entusiasta, también practicaba hípica, patinaje y deportes náuticos. Fue socio del Skating-Ring, el Real Club Náutico, el Real Club de Regatas y el Club Velocipédico. Abandonó esas aficiones y asociaciones para dedicarse de lleno al FC Barcelona desde el preciso instante en que, el 22 de octubre de 1899, leyó el anuncio publicado en el semanario *Los Deportes*.

151. Ossó y el dinero

Ya fundado el Football Club Barcelona, Ossó fue nombrado secretario, cargo que ocuparía hasta el 25 de noviembre de 1901. Gracias a su trabajo, el club pudo sobrevivir en los primeros y difíciles meses de existencia, cuando los constantes problemas económicos eran resueltos con su directa y eficaz intervención. Dinero no le faltaba, ya que era propietario de una próspera empresa de artes gráficas que distribuía sus libros desde una librería de la Ronda Universitat de Barcelona.

Por otra parte, además de comportarse como un auténtico mecenas, Ossó también suministraba el material de oficina, se encargaba gratis de la publicidad de los partidos y del reclutamiento de nuevos socios. El incansable Ossó también se convirtió en el primer historiador del Barça y del fútbol catalán e hizo de periodista en *Los Deportes* bajo la firma «Un Delantero». Sus crónicas de los primeros partidos del Barça, llenas de pintorescas expresiones propias de la época, tienen mucho valor.

152. Encima, goleador

Entre tantas ocupaciones, Ossó también halló tiempo para jugar al fútbol. Capitán del equipo, era un delantero que destacaba por su velocidad y fuerza. Entre el 8 de diciembre de 1899 (el primer partido en la historia del Barça) y el 26 de marzo de 1905 jugó cincuenta y ocho partidos con la camiseta azulgrana, marcando cuarenta y nueve goles. Su palmarés incluye la Copa Macaya 1901-02, la Copa Barcelona 1902-03 y el Campeonato de Cataluña 1904-05. Aún siguió vinculado al club hasta el 6 de octubre de 1905, día en que abandonó el cargo de directivo que ostentaba bajo la presidencia de Arthur Witty.

Cabe señalar que su periplo barcelonista no fue enteramente idílico, ya que tras la fundación del FC Barcelona mantuvo ciertas discrepancias con Joan Gamper, quien quería que el equipo estuviera formado por una amalgama de futbolistas catalanes y extranjeros, mientras Ossó prefería un *team* formado exclusivamente por jugadores de la tierra. Finalmente se impuso el criterio de Gamper, aunque Ossó no quiso ahondar en divergencias y optó por la creación de un segundo equipo compuesto por gente nacida en el principado.

153. Culé de los buenos

En cualquier caso, las diferencias con su amigo Joan Gamper no le restaron a Lluís d'Ossó ni un gramo de barcelonismo, a prueba de cualquier contingencia. En cierta ocasión, un amigo que jugaba en el Espanyol, conocedor de las tensiones existentes entre los dos antiguos compañeros del Gimnàs Solé, le propuso enrolarse en las filas del equipo españolista, con garantía de titularidad asegurada. Su respuesta resultó categórica: «Yo nunca abandonaré el Barça. No entendería el fútbol fuera de mi club. Antes jugaría en el tercer equipo, entre los míos, que en un primero de otra entidad».

Ossó dejó este mundo con apenas cincuenta y tres años, el 1 de febrero de 1931. Un día bajo una fuerte lluvia, tras enterrar a su hermano Santiago, pilló una pulmonía. Poco antes de morir aún preguntaba por los éxitos de su estimado Barça, aquel club que comenzó con doce afiliados y que tiró adelante gracias, en gran medida, a su desinteresado esfuerzo personal.

154. EL TURNO DE WITTY

Arthur Witty nació en Barcelona el 16 de agosto de 1878. Sus padres eran ingleses y habían llegado cinco años antes por motivos profesionales. Se formó en la prestigiosa Merchant's Taylor School de Merseyside, donde adquirió un enorme amor por el deporte. Paradigma del típico *sportsman* inglés, fue un excelente jugador de fútbol, rugby, golf y tenis. Fue uno de los fundadores, en 1899, del Barcelona Lawn-Tennis Club, precursor del Real Club de Tenis Barcelona, del que también fue presidente (1906-08), y también del Club de Golf Pedralbes. Era hermano de Ernest Witty, asimismo jugador y directivo del Barça.

Arthur fue uno de los primeros jugadores del club, entre los más destacados y polivalentes. Tenía el carné de socio número 2 y alternó la capitanía del equipo con Gamper. Jugó con el Barça entre 1899 y 1905, ocupando diversas posiciones en las dos primeras temporadas. Desde medio centro a la delantera, en la que llegó a ocupar todas los lugares posibles. Entre 1902 y 1905 se consolidó como defensa izquierdo, posición que no abandonaría hasta su retirada. Entre el 17 de septiembre de 1903 y el 6 octubre de 1905 compatibilizó su papel como futbolista con el de presidente del club, época en que afrontó el traslado del estadio a la calle Muntaner, inaugurado el 26 de febrero de 1905. Bajo su mandato se produjo el primer encuentro internacional, viajaron por vez primera fuera de España (a Toulouse, Francia) y se instalaron las primeras redes en las porterías. Durante muchos años, la familia Witty regentó un emblemático negocio de material deportivo en Barcelona.

155. LAS CUATRO REGLAS

Arthur Witty era un fervoroso partidario del juego limpio, si creemos en su fidelidad a las cuatro reglas de oro del fútbol que él afirmaba seguir a pies juntillas:

—Juega bien y nada más. Nunca hables, y mucho menos hables o discutas con un árbitro.

—Si pierdes, es porque el otro equipo ha jugado mejor, así que dales la mano.

—Si te hacen daño, te levantas. Sigue adelante.

—Actúa como un caballero en todo momento.

Cuatro reglas o consejos que, ojalá, mantuvieran plena vigencia y aplicación hoy en día. Sí, somos unos románticos utópicos, lo reconocemos.

156. LA PRUEBA DE STEINBERG

Udo Steinberg era todo un personaje. En su Alemania natal había fundado el Britannia Chemnitz y había participado en la creación de la Federación Alemana de Fútbol. Autor de muchos escritos sobre fútbol en su país, en noviembre de 1901, días después de llegar a Barcelona, se ofreció a Joan Gamper para jugar en el Barça. Se le veía fuerte, aunque era más bien regordete y no lucía aspecto de jugador, con una barba que le hacía mayor. Un escéptico Gamper lo presentó a Lluís d'Ossó, que capitaneaba el recién creado segundo equipo del Barça. Pactaron que le harían una prueba en el partido que los cadetes barcelonistas debían disputar contra el primer equipo del Espanyol, el 15 de diciembre de 1901. El equipo azulgrana fue derrotado por 4-0, pero Steinberg demostró una habilidad y maestría fuera de lo común, con unos remates formidables. Tenía una velocidad extraordinaria porque era especialista en los cien metros lisos. Incluso era capaz de competir en concursos atléticos antes de los partidos… y después jugar como si nada.

Días después de la prueba fue admitido en el primer equipo y debutó el 22 de diciembre en la Copa Macaya, de nuevo ante el Espanyol, aunque esta vez los «mayores» se impusieron por 7-0. Steinberg firmó tres goles.

157. UNA PEÑA EN VIENA…

Así, el alemán Steinberg se convirtió en un futbolista valioso que se compenetraba a la perfección con Gamper. Fue alineado con asiduidad hasta 1905, cuando sus obligaciones laborales aumentaron el grado de exigencia, si bien continuó jugando de modo esporádico hasta 1910. Curiosamente, algunos partidos los disputó bajo el seudónimo de *Shooter* (Chutador). Steinberg era ingeniero mecánico y trabajaba para la Compañía de Tranvías. Su obra más importante fue la construcción de la línea que llegaba a la carretera de la Arrabassada.

También fue directivo entre el 5 de septiembre de 1902 y el 6 de noviembre de 1907. Desde diciembre de 1905 al mismo mes de 1906, presidió la Asociación Catalana de Clubes, antecedente de la actual federación, de la que fue impulsor, como también de la Federación Española y del Comité de Árbitros. Además, fue uno de los fundadores del Barcelona Lawn-Tennis Club, precursor del Real Club de Tenis Barcelona. Steinberg también fue uno de los primeros redactores de *El Mundo Deportivo*.

Por su personalidad, caballerosidad y conocimiento, Steinberg fue siempre muy respetado. Murió prematuramente (43 años) el 25 de diciembre de 1919 en Barcelona. Décadas después, el 27 de septiembre de 2010, fue legalizada la Peña Barcelonista Udo Steinberg de Viena, caso insólito de una peña dedicada a un futbolista tan antiguo. Como tantos otros pioneros, Steinberg fue un completo deportista, destacado especialmente en pruebas de natación a mar abierto, así como futbolista y atleta.

158. Y un homenaje en Alemania...

Recientemente, el 18 de junio de 2015, el Chemnitzer FC, club sucesor de aquel Britannia Chemnitz fundado por Udo Steinberg y antiguamente uno de los clubes potentes de la extinta RDA, inauguró un nuevo estadio con la ilusión de un próximo renacimiento. Ese día, Steinberg recibió un merecido homenaje gracias a la colocación de un mural de honor con su imagen y los nombres de las entidades de las que formó parte, entre ellas el FC Barcelona. El presidente Josep Maria Bartomeu envió un mensaje oficial de saludo al Chemnitzer FC en el que expresaba reconocimiento hacia la figura de Steinberg y daba la enhorabuena por la inauguración del nuevo estadio. Los alemanes quedaron más que satisfechos, aunque alguien, con cierto sentido del humor, dejó caer que lo ideal hubiera sido que el escrito también llegara firmado por Leo Messi, «el actual Udo Steinberg del Barça».

159. Aquellas vestimentas

¿Cómo vestían los futbolistas del FC Barcelona, allá por el alba del siglo XX? Disponemos de una deliciosa descripción de Alberto Maluquer, secretario general azulgrana y uno de los primeros historiadores del Barça. Es importante recalcar que lo escribió en 1944, algunas décadas después: «Los jugadores salían de sus respectivas casas vestidos para el juego, con un ligero abrigo o *sweater* de chillones colores, que escondía el uniforme de lanilla. El pantalón corto (más largo que las rodillas) era de lana. Las medias, buenas, también de lana. Los zapatos se adquirían en el extranjero. Estaban construidos de piel blanca, o cromados, color gris muy claro. Para sujetarse el pantalón se llevaban cinturones, también extranjeros, de tela fuerte parecida a lona y de unos cinco centímetros de ancho. Todo, desde luego, pagado por los propios jugadores, que, dicho sea de paso, eran en su casi totalidad gente de dinero y de elevada posición económica e industrial». Bastante detallista, este Maluquer.

160. CÓMO DEBÍA SER AQUELLO...

Narcís Deop, barcelonista de primera hora, rememoraba en un artículo de 1929 cómo era el juego de los futbolistas en aquellos primeros pasos del Barça: «Reíd de la dureza del juego actual. Ni de lejos puede compararse con el de antaño. Aquel era más macho. Los jugadores no iban, como ahora, a la caza del tobillo, sino a la brega del atleta contra el ingenio o del atleta contra el atleta. En este último caso, el cariz era emocionante. El vencido rodaba por tierra probando la hiel de las piedras puntiagudas del campo, en lugar de la alfombra verde de hoy, y en su corazón estallaba el deseo de venganza, mientras que hoy es indiferencia. No es de extrañar, pues, que a los viejos jugadores de mi tiempo no les quedara aliento para concurrir al cabaret una vez terminado el partido. Preferían irse a dormir». Francamente, el panorama espanta con solo imaginarlo.

161. RECTIFICO CORRIENDO

Continuamos con sustos de aquellos pioneros. La primera crítica sobre el juego duro realizada en una crónica periodística sobre el Barça fue publicada en *La Vanguardia* el 4 de febrero de 1900. Se trataba de una reseña dedicada al Barça - FC Escocés, equipo integrado por escoceses que trabajaban en la fábrica de la empresa Fabra i Coats en Sant Andreu. El partido se había disputado dos días antes en el antiguo Velódromo de la Bonanova. El periodista Albert Serra convirtió en diana de sus críticas al jugador inglés del Barça Fitzmaurice, a quien recriminó: «Este señor perdió algunos puntos de cargo para su bando, debido a su juego poco limpio». No entendemos qué quería denunciar, pero Fitzmaurice se molestó y exigió una rectificación pública del autor. Serra, asustado por la reacción inesperada del futbolista, escribió al día siguiente en su diario este descarnado ejemplo de decir Diego donde dije digo: «En nuestra reseña de *foot-ball* publicada ayer, apareció el señor Fitzmaurice como jugador poco limpio en dicho partido jugado el viernes, debiendo ser otro de los jugadores del Barcelona F.B. [sic] el responsable de la falta, pues aquel jugó precisamente con acierto». Curiosamente, Serra también realizaba a veces tareas como árbitro. Desconocemos si con el silbato en la boca mostraba mayor personalidad que como voluble periodista.

162. EL SUSCEPTIBLE FITZMAURICE

El susceptible Fitzmaurice también estuvo presente en el siguiente partido del Barça, jugado el 11 de febrero de 1900, otra vez en el viejo Velódromo de la Bonanova, ante un Català que ya había olvidado su veto a los extranjeros y alineaba hasta seis escoceses. En esta ocasión, el *match* pasó a la posteridad azulgrana como el primero que registró una pelea entre jugadores. Sucedió que Gold, escocés del Català, se enfadó de veras por una fuerte entrada del barcelonista Harris, inglés para mayor inri, al que arreó un puñetazo. La agresión fue repelida y se generalizó un buen jaleo pese a los enérgicos esfuerzos del árbitro, señor Mauchan, para impedirlo. Como consecuencia, Gold y Harris se fueron a la calle, en la que fue la primera expulsión de un jugador en la historia del Barça.

Aquel día, Albert Serra, cronista de *La Vanguardia*, escarmentado por la reprimenda sufrida días antes, demostró que llevaba la lección aprendida al destacar «la admirable limpieza» de la actuación de Fitzmaurice. Quizá para compensar, le daba un tirón de orejas global a los azulgrana: «Séame permitido indicar a los jugadores del Barcelona FC en general que deberían moderar sus ímpetus, con lo cual ganaría mayor arraigo y simpatías un juego que algunos ven ya con prevención». No hacía falta que el señor cronista se molestara haciendo de oráculo. El fútbol tenía garantizado un espléndido porvenir a pesar de las ocasionales peleas entre sus practicantes.

163. EL SACERDOTE

Ricard Negre solo jugó un partido con el Barça, concretamente el primer derbi barcelonés de la historia, un FC Barcelona-Sociedad Española de Fútbol (futuro R. C. D Espanyol), disputado en el campo del hotel Casanovas el 23 de diciembre de 1900. Después, Negre jugaría con el Iberia (una especie de filial barcelonista) hasta 1906, cuando abandonó el bullicioso y mundanal fútbol. Dedicado a la vida religiosa, fue ordenado sacerdote jesuita en 1918. Hasta hoy, ha sido el único caso de un futbolista culé que se convierte en cura.

164. EL AMIGO DE EINSTEIN

Hablamos de Bernat Lassaletta, rapidísimo extremo izquierdo que jugó en el Barça entre 1901 y 1904 para ser, también, directivo en la campaña 04-05. De todos modos, dejó el mundo del balón con apenas veintitrés años para entregarse a sus actividades académicas. Un respeto, ya que fue miembro numerario de la Real Academia de Ciencias y Artes y catedrático de Ingeniería Industrial en la Universidad de Barcelona. El 25 de febrero de 1923, Lassaletta integró la comitiva que acompañó a Albert Einstein en su visita al monasterio de Poblet. Suponemos que para entonces ya no le llamaban «Esquirol» (Ardilla), el alias que le pusieron sus compañeros cuando era jugador del Barça. Básicamente, porque estaba en todas partes y se metía por cualquier sitio.

165. QUIRANTE, EL DURO

Josep Quirante fue un referente del Barça en los años 1901-09 y 1910-11, sobre todo como centrocampista, aunque también jugaba en la defensa. Y era duro, muy duro. Durante los dos primeros años, cuando actuaba en la parte de atrás, Quirante parecía un seguro de vida para el portero Vicenç Roig, que le estimaba como si de su padre se tratara. Cuando el delantero contrario llegaba por el centro con la pelota controlada, Roig se protegía detrás de Quirante mientras le gritaba «¡aguanta!». En aquel preciso instante, el público gritaba «¡auuup!» y el defensa, sin complejo alguno, se llevaba por delante a su infeliz oponente. No hace falta ni recordar cómo era aquel fútbol prehistórico, en el que la fuerza física más brutal predominaba y costaba Dios y ayuda que el referí pitara alguna falta.

166. UN BEBÉ

Albert Almasqué es el futbolista más joven que ha disputado nunca un partido oficial con el Barça. Nació el día de Navidad de 1888 en Barcelona; cuando no había cumplido aún los catorce años, el 30 de noviembre de 1902, Almasqué ocupó una plaza en la defensa azulgrana durante el duelo jugado en el campo del Hispania, correspondiente a la Copa Macaya. El Barça venció 0-2. Así pues, se puede deducir que aquel mocoso no lo debía de hacer nada mal cortando balones atrás. Al final, el bebé Almasqué se retiraría del fútbol con apenas veinte años. La vida, que es así: partió para hacer las Américas, donde se convirtió en empresario de éxito; presidió la multinacional Nestlé en Chile, Bolivia y Cuba, de donde se exilió con la llegada de la revolución castrista. Almasqué murió en Miami en 1976.

167. JUGADORES COMBATIENTES

El defensa inglés Charles Hereford militó de azulgrana en 1903. Antes había luchado con el ejército británico en la guerra anglobóer de Sudáfrica (1899-1902). Hereford abría así la triste relación de jugadores azulgranas que han combatido en algún conflicto bélico a lo largo de la historia, una lista que, desde 1945, se ha quedado en treinta y cuatro componentes. Obviamente, esperamos que siga así para siempre.

En la Primera Guerra Mundial (1914-18), combatieron los franceses René Víctor Fenouillère y Jim Carlier; el inglés Jack Smith; el filipino de padre inglés Henry Morris; y los escoceses George Pattullo i Alexander Steel (Ejército inglés); el polaco Walter Rozitsky (Ejército imperial alemán) y el húngaro Franz Plattkó (Ejército austro-húngaro). El frío balance es este: Fenouillère cayó en combate en 1916; de Smith, Carlier y Steel no hay noticias; Pattullo fue intoxicado con gases venenosos; Morris fue herido, y Plattkó y Rozitsky salieron ilesos, aunque este último moriría más tarde en la guerra ruso-polaca (1919-21).

Cabe destacar a René Victor Fenouillère, futbolista internacional francés, nacido en Portbail (Normandía) el 22 de octubre del 1882. Cayó al norte de Reims ante los alemanes, el

4 de noviembre de 1916. Como homenaje, el estadio del US Avranches lleva su nombre. Además, en las instalaciones del club se alza una estatua en su honor con una inscripción donde consta que jugó en el FC Barcelona.

168. LOS NUESTROS, EN BATALLA

Por lo que respecta a «nuestras» guerras, Josep Coma estrenó la lista con su participación en el conflicto de Marruecos con el Ejército español, en 1921. Como no podía ser de otro modo, la guerra civil española (1936-39) se lleva la palma, con tres futbolistas, que sepamos, enrolados en las filas franquistas: Ángel Arocha, Paulino Alcántara y Luis Zabala; el primero murió en la batalla del Ebro. En la otra trinchera, como mínimo dieciocho milicianos o soldados republicanos fueron, antes o después, jugadores del Barça: Josep Aubach, Joan Font, Ramon Llorens, Manuel Oro, Salvador Artigas, Juli Munlloch, Pedro Areso, Antoni Gràcia, Josep Valle, Lluís Miró, Juli Gonzalvo, Josep Gonzalvo, Marià Gonzalvo, Josep Bayo, Francesc Ribas, José García Nieto, Manuel Va y Manuel Rosalén. Font falleció en combate.

Por último, en la Segunda Guerra Mundial, el alemán Emil Walter fue sargento del ejército hitleriano, mientras que el canario José Padrón se unió en Francia a la resistencia antinazi y entró en París con la división Leclerc. Además, un resistente como el checo Jiri Hanke, aquí conocido como «Jorge», jugador del Barça de 1952 a 1956, se unió en los últimos días de guerra (mayo de 1945) a la lucha de sus compatriotas contra el ocupante germano de Praga.

169. GEORGE NOBLE

Nacido en la capital catalana, George Noble era un delantero que apareció por el Barça entre 1903 y 1906. Además de ser experimentado futbolista, también destacaba como tenista. Su biografía podría figurar entre las más apasionantes de la historia culé (y hay unas cuantas). Noble fue uno de los promotores en la instalación de la corriente eléctrica en España. Digamos también que su prima hermana, Clara Noble, fue esposa del gran poeta modernista Joan Maragall y, por tanto, abuela del expresidente de la Generalitat, Pasqual Maragall.

El empuje familiar no acaba aquí: el hermano de George,

Royston Noble, fue uno de los fundadores de Radio Barcelona y propietario de la primera fábrica de radios de Cataluña. Royston también jugó en el Barça, aunque solo lo hizo en algún amistoso.

170. EL PRIMER «AGENTE DOBLE»

El primer jugador que actuó tanto en el Madrid como en el Barça fue el francés Henry Normand (1877-1955). De 1904 a 1908 vistió de blanco, jugó de azulgrana la temporada 1908-09, y en 1915 volvió al equipo de la capital de España. Nacido en Valladolid, de padres franceses, era ingeniero industrial y trabajaba para la Hacienda pública, trabajo que le obligó a residir en diversas ciudades. También fue directivo del Betis.

171. LLUÍS REÑÉ

El 10 de julio de 1912, el señor Reñé, propietario de la pastelería La Suïssa Reñé y padre del portero del FC Barcelona, hizo donación al club de un espléndido regalo. Nada más y nada menos que quinientos (sí, sí, quinientos) paquetes de bombones, destinados a la fiesta de clausura de la temporada que se debía celebrar en el campo de Indústria.

Lluís Reñé, el primer gran portero de la historia del Barcelona, quería ser pintor desde muy pequeño, pero topó con la oposición frontal de la familia y se conformó con el fútbol, su segunda vocación. Alto y desgarbado, destacaba en los balones aéreos y por sus ágiles estiradas. Reñé defendería la portería azulgrana entre 1911 y 1914 y en la final del Campeonato de España de 1913, disputada contra la Real Sociedad y resuelta en tres partidos. Aquel día, Reñé ofreció un recital: fue aclamado como un héroe por su afición. Apasionado del deporte, también destacaba en atletismo; llegó a proclamarse campeón de Cataluña en lanzamiento de disco.

172. PASTELES Y PINCELES

Cuando tenía veinticuatro años, el padre de Reñé, aquel hombre tan generoso con los bombones, le reclamó para el negocio familiar. Así, en 1914, Lluís colgaba los guantes para siempre cuando aún le quedaban incontables paradas por realizar.

Tras casi cuarenta años absorbido por la confitería familiar,

Reñé pudo dedicarse, por fin, a su primera vocación: la pintura. Con unos papeles, unos tinteros y un trozo de caña rota que él mismo creaba, empezó a realizar dibujos rebosantes de fuerza y vitalidad. Se especializó en imágenes urbanas de Barcelona. Y llegaría a ser un pintor de éxito.

173. PINTORES Y DIBUJANTES

Ya que estamos, ¿queréis saber cuántos futbolistas del Barça han sido pintores o dibujantes? Pues sí, tenemos el dato. Un total de seis, empezando por Carles Comamala (jugador azulgrana entre 1903 y 1911) y siguiendo por Reñé (1911-14), Fèlix de Pomés (1913-14), José Gimeno (1920-22), Jaume Rigual (1937-39) y José María Martín (1950-53). Y también podríamos incluir en esta relación de artistas al jugador de baloncesto Andrés Jiménez (1986-98), que firmaba sus dibujos con el nombre de *Jimix*.

174. EL ÚLTIMO DE FILIPINAS

En Filipinas, el fútbol no destaca por su popularidad. Desde siempre, el baloncesto ha sido allí deporte mayoritario entre los nativos. Hoy, la incipiente afición futbolística empieza a surgir de las catacumbas, aunque el nivel de los jugadores filipinos sea aún mediocre.

En la actualidad, los nuevos aficionados filipinos al fútbol se topan con la sorpresa de descubrir que el máximo goleador en la historia del Barça durante muchos años fue un compatriota suyo. Paulino Alcántara fue finalmente superado por Messi, aunque mantiene la consideración de mejor jugador asiático de todos los tiempos. El llamado Romperredes nació en 1896 en Ilo-Ilo y jugó con el Barça desde 1912 hasta 1927, marcando la muy respetable cifra de 395 goles en 399 partidos. No resulta extraña, pues, la campaña popular que se lleva a cabo en Filipinas para recuperar su memoria, con propuestas como erigirle un monumento en su localidad natal.

175. MEDALLAS EN LA ASAMBLEA

Durante los años diez del pasado siglo, se acostumbraba a repartir las medallas acreditativas de campeón entre los futbolistas cuando se celebraba la asamblea ordinaria de socios azulgranas. Desde la presidencia, se iba llamando uno por uno a los distinguidos; los asistentes aplaudían al galardonado según la simpatía que despertara. Imaginad el lío si hoy lo hicieran así. Daría para largos días de tertulias y portadas.

176. ALFRED MASSANA, EL IMPETUOSO

Alfred Massana fue un extraordinario centrocampista del Barça en los años 1911-16, alto como una torre, de mucha clase y tremendamente impetuoso. Era hermano de Santiago Massana, futbolista del Espanyol en los años 1909-15, y abuelo del famoso pianista Tete Montoliu. Durante aquellos años, se hizo muy famosa la estampa de Alfred Massana corriendo desaforado por el campo de Indústria mientras gritaba «¡Voy! ¡Cuidado!», una sutil manera de avisar a los contrarios. Era como decirles: «O os apartáis o tendréis un problema».

177. POR SUERTE, SON HERMANOS...

A pesar de que en la temporada 1915-16 llegaron a coincidir en el Barça, y con Santiago de capitán, parece ser que los hermanos Massana no se llevaban demasiado bien. O quizá sentían los colores de sus respectivos equipos con demasiada pasión. En cualquier caso, el 5 de julio de 1914, un partido Barça-Espanyol de la Copa Cataluña fue suspendido por el árbitro a causa de un brutal encontronazo entre los Massana. Cada cual a lo suyo, sin respetar lazos de sangre. No consta que los padres de tan violentos hermanitos se hallaran en las gradas del campo neutral del España cuando se produjeron tales hechos. Y mejor: se ahorraron tan cruda escena fratricida.

Queda claro que Santiago Massana era algo pendenciero. El 6 de diciembre de aquel 1914 repitió el jaleo en un presunto «amistoso» Barça-Espanyol; esta vez fue el azulgrana Tarré su adversario pugilístico. Aquel derbi fue coherente con lo que se estilaba en la época. Acabó con invasión de campo y reparto de mamporros entre el público.

178. SANTIAGO MASSANA, EL POLIFACÉTICO

Hay que ver las vueltas que da la vida. Santiago Massana, el antiguo perico y terror de los jugadores azulgranas, defensa y capitán del Barça en la campaña 1915-16, lideró la retirada del equipo en aquel infausto partido de Copa contra el Madrid, el 15 de abril de 1916, como medida de protesta ante el escandaloso arbitraje de Berraondo. Pero Massana, al margen de un extraordinario y voluble futbolista, fue también un sensacional atleta, especialista en lanzamiento de peso, disco y jabalina. Hombre de carácter aventurero, partió primero a Suiza y después al Brasil, país donde el Gobierno le cedió una isla en exclusiva en el estado de Paraná para su explotación. Así pudo cosechar una enorme fortuna. Durante muchos años, una estatua suya decoró la fachada del estadio de Montjuïc. Ahora puede verse en el Museo Olímpico de Barcelona.

179. Santiago se entrena

La última de Santiago Massana. En agosto de 1915 desvelaba cuál era su sistema de entrenamiento; se pueden hacer las inevitables comparaciones con lo que se acostumbra a realizar un siglo después: «Me entreno tres veces por semana. Saltos de cuerda, cien y cuatrocientos metros, y de cuatro a diez vueltas al campo de juego. Duchas frías y comida ligera esos días». Un sistema que no procedía de ningún tratado teórico, entonces inexistente, pero que a él le daba resultado. O eso creía el interesado. En cualquier caso, la pregunta sería: ¿se entrenaba Massana al margen de las sesiones que marcaba el técnico Jack Greenwell? ¿Y cómo debían ser los entrenamientos «oficiales»?

180. ¿Eso es entrenar?

Con franqueza, nos resulta difícil imaginar cómo debían ser los entrenamientos del Barça en 1915. Ahora bien, tenemos un ligero indicio tras conocer los que se realizaban trece años después, cuando Romà Forns era el técnico. El siempre agudo *Xut!* publicó este artículo, medio en serio, medio en guasa, el 20 de noviembre de 1928: «El entrenamiento más complicado y difícil es el que realizan los jugadores del Barça. Los lunes les dejan tomarse fiesta, pero los días restantes deben ir desde las tres hasta que oscurece. Los sábados no corren ni saltan. Solo firman la hoja, hablan de política, sueltan pestes de los directivos y pierden el tiempo de esta manera». Nos ha quedado la duda y la curiosidad de saber qué hacían martes, miércoles, jueves y viernes. ¿También hablaban de política o preferían otros temas?

181. TORERO, TAMBIÉN

El 2 de diciembre de 1915, la revista *Foot-ball* publicaba unas declaraciones del centrocampista azulgrana Francisco Baonza, quien, además de excelente futbolista, era un destacado pertiguista, como él mismo demostraba al repasar su palmarés: «Poseo, entre otros premios de atletismo, los campeonatos de España de salto con pértiga de 1906, 1907, 1908, 1909, 1910, 1911 y 1912; he ganado la Copa Ciudad Lineal y otros trofeos. Y además… tengo tres orejas ganadas en buena lid…». Sí, Baonza también era torero… Como dirían los clásicos, hay gente para todo. Y que no falte de nada en la historia del Barça. Ni toreros.

182. SANCHO, CON PANZA

Agustí Sancho era un centrocampista infatigable y con voluntad de hierro, de los que nunca dan un balón por perdido. Llegó al Barça en 1916 procedente del Sants y pronto formó el famoso trío Torralba-Sancho-Baonza, que resultó la primera gran línea en el centro del campo que tuvo el equipo azulgrana. Sancho fue tan querido por el barcelonismo que el club le rindió dos homenajes, el primero en el campo de Indústria, el 1 de febrero del 21, y el segundo en Las Corts con motivo de su retirada, el 17 de junio de 1928. Conviene señalar que, en apariencia, Sancho no lucía gran aspecto de futbolista, dada su tendencia al sobrepeso y la panza prominente. A pesar de ello, su extraordinaria resistencia física le capacitaba para disputar encuentros de fiesta mayor por los pueblos de Cataluña entre semana, a título particular y con permiso del club, naturalmente.

Una de las acciones preferidas por Sancho consistía en detener el balón con el pecho, dejarlo rodar suavemente por la barriga, cazarla al iniciar el descenso y efectuar un pase rápido al compañero mejor situado. Los contrarios no acertaban a contrarrestar este singular malabarismo. Como declaró uno de ellos a la prensa, «yo puedo quitarle la pelota del pie a cualquier jugador, pero sacarla de la barriga es tarea imposible…». En cierta ocasión, en un amistoso de los años veinte contra el Sparta de Praga, Sancho perdió la legendaria boina que solía usar en los terrenos de juego. Años después se enteró que su boina había aparecido en Praga. Más concretamente, en la vitrina de trofeos del Sparta…

183. DE TACAÑO, NADA

Alrededor de Agustí Sancho, el gran medio del equipo de la Edad de Oro, se tejió una leyenda de tacañería que él mismo se encargaría de desmentir años más tarde, una vez retirado del fútbol. Entonces, Sancho, aquel gordito que tanto entusiasmaba a los bisabuelos culés, era el encargado de abastecer una tradición personal muy celebrada en los encuentros de viejas glorias. Los «jubilados» del Barça acostumbraban a reunirse para jugar un poquito, excusa para poder saborear después unas señoras barbacoas. Sancho siempre llevaba un par de cajas de champán caro. Y las pagaba encantado, por si había dudas.

184. DEBUT DE DOS MITOS

En mayo de 1919, Ricardo Zamora y Josep Samitier debutaron juntos en el primer equipo del Barça. De inmediato, ambos iniciaron una estrecha amistad de las que duran toda una vida. Pero el primer paso no resultó fácil, ni mucho menos. Se habían conocido meses antes, en un partido disputado en el campo de Indústria, entre los cuartos equipos del Barça y del Internacional, donde militaban Zamora y Sami, respectivamente. En aquel momento, Samitier era conocido futbolísticamente por el apodo de Peart, en homenaje a un delantero inglés del Notts County que, en 1914, le había metido ocho goles al Barça en la victoria de su equipo por un inverosímil 3-10. Pues bien, en aquel Barça-Internacional de jovenzuelos, Zamora, que era un año mayor, se acercó a Samitier con aquella pose *pavera* (como se decía entonces) tan suya y le soltó: «Veremos, Peart, si eres tan hábil como dicen. Pero te advierto que si chocas conmigo se te caerá el pelo, chaval». A eso se le llama empezar con el pie izquierdo.

185. ENEMIGOS ÍNTIMOS

Aquella férrea amistad entre Josep Samitier y Ricardo Zamora duró toda la vida, aunque se convertía en rivalidad encarnizada en el terreno de juego cuando uno lucía la camisola del Barça y el otro defendía la portería del Espanyol. Una vez vestidos de corto, ni se conocían. En cierta ocasión, en el campo de Les Corts, los dos mitos discutieron de manera apasionada y el conflicto derivó en insultos y empujones. Parte del público, conocedor de su relación, reaccionó gritándoles «¡no disimuléis, no disimuléis!», convencidos de que estaban interpretando su papel. Ahora bien, concluida la pelea y el partido, la prensa publicó que el Divino y Sami se fueron juntos a cenar. El conflicto se quedaba en el campo, según reza el tópico que el fútbol acuñaría décadas después de la retirada de tan ilustres protagonistas.

186. PENSANDO LA MANERA

Otra de este par de legendarios amigos, también ocurrida en el viejo estadio de Les Corts durante los años veinte. Aquella tarde, Zamora se mostraba intratable, no había manera de batirle y sacaba de quicio a Samitier. En pleno partido, Sami enfila el vestuario. Le preguntan desde la grada si anda lesionado. Él lo niega y responde sobre la marcha a los curiosos: «No me pasa nada, es que quiero marcarle un gol a Zamora y me lo para todo… Espera, ya está». El mito azulgrana no llega ni a los vestuarios. De repente, pega media vuelta, regresa al campo y clava en el fondo de la red españolista el primer balón que toca tras el breve receso. Anécdotas irrepetibles de aquellos tiempos.

187. ENTRENAMIENTO A DESTIEMPO

Hacia 1919, los futbolistas azulgranas se entrenaban prácticamente de madrugada, ya que la mayoría iban después a trabajar en sus respectivas ocupaciones. Al final de las sesiones, se reunían y organizaban unos espectaculares campeonatos de ingesta de huevos fritos y *phoscao*, alimento compuesto de azúcar vainillado, cacao soluble, harina de cebada y magnesia. Los más glotones podían llegar a zamparse entre diez y doce huevos. En efecto, no tenían dietistas modernos en nómina…

188. AQUEL GOL DE SAMI

Ya lo contamos en *Barca inédito*, pero vale la pena recrearlo para redondear algún detalle pendiente. La fecha, 16 de febrero de 1925. Lugar, campo del Europa, sede de un Espanyol-Barça del Campeonato de Cataluña celebrado en Gràcia, al estar Sarrià en obras. Allí se produjo el antológico gol de Josep Samitier, uno de los mejores de la historia culé. El Mago del Balón protagonizó un sensacional e inacabable eslalon que dejó atrás a medio equipo contrario antes de plantarse delante de su íntimo Zamora y batirlo como quien pone la guinda al fantástico pastel. Un gol tipo Messi, vaya. O tipo César, que también firmó uno similar en Les Corts.

Y aquí, el detalle: conviene saber que, en el transcurso del *match*, antes de rubricar esta inolvidable obra de arte, Samitier había permanecido largo tiempo lesionado, tras un percance que precisó la atención de médicos y la retirada a los vestuarios. Tras un lapso prolongado, Sami volvió al campo; no hace falta reiterar que lo hizo en plenitud de facultades.

189. Así era Zamora

A la postre, aquel gol de Samitier fue definitivo, ya que significó el 0-1 final; también marcó el desenlace del campeonato catalán a falta de una sola jornada. Consciente de tal transcendencia, cuando aún quedaban diez minutos para el término del lance, un alocado Zamora abandonó la portería para instalarse como delantero a la desesperada captura del gol del empate que no llegaría. Aquello resultó la versión corregida y aumentada hasta el límite de lo que hoy protagonizan los porteros en los partidos decisivos, cuando sus equipos pierden por la mínima, solo queda la última jugada y suben a rematar el córner o la falta. Nos consta que, aquel día, la afición culé presente en el campo del Europa reaccionó con burlas y befas hacia este insólito gesto de amor propio del Divino.

190. Sangre y alma

Estas chocantes situaciones acostumbraban a ser habituales cuando se juntaban un par de personajes tan extrovertidos y peculiares como Samitier y Lluís Sabaté, aquel *Mossèn Lletuga* culé empedernido, casi el sacerdote «oficial» del Barça en la Edad de Oro del club. La anécdota que relatamos se vivió en Les Corts, también en los años veinte. En el descanso de un partido, el Barça perdía tras una actuación desangelada. Iracundo, el popular clérigo bajó a vestuarios para lanzar una filípica a los futbolistas:

—Chicos, parece que os habéis olvidado que lleváis el escudo del Barça en el pecho —soltó de entrada Sabaté.

—¿Y qué quiere decir con eso? —le replicó un mosqueado Samitier.

—Pues quiero decir que si no jugáis con sangre, no haréis nada.

Finalmente, el Barça acabaría ganando el duelo. Una vez el árbitro pitó el final, Samitier se fue directo a la localidad del cura para mostrarle una brecha sangrienta que lucía en la ceja, secuela de un encontronazo con un fogoso contrario. Sami no se mordió la lengua:

—Ya puede estar contento. ¡Se ha ganado y ha habido sangre!

No ha quedado constancia sobre la hipotética réplica del capellán. Ay, eso de hablar con los futbolistas desde la localidad como si fueran de la familia… Hace siglos que pasó a la historia.

191. PARERA, DECISIVO EN LA LIGA

Manuel Parera, destacado extremo izquierdo entre 1926 y 1933, ha pasado a la historia azulgrana como autor del primer gol del Barça en la Liga, el 12 de febrero de 1929, ante el Racing de Santander en El Sardinero. También hizo el segundo, el que supuso el definitivo 0-2. Y también el tercero, el primero de Liga en Les Corts ante el Real Madrid. Y ya puestos, también marcó los dos goles azulgranas en la decisiva victoria del Barça en el último partido de Liga, en Getxo.

Parera alternaba el fútbol con su trabajo como electricista; el suyo es uno de tantos ejemplos de cómo ha cambiado este mundo. Muchos sábados, antes de un partido en Les Corts, iba al cine por la noche y por las mañanas bailaba sardanas. Y por la tarde, a las tres, fútbol, como si nada.

192. CARAY, GOIBURU…

Venga, más derbis. 20 de octubre de 1929, choque en Sarrià del Campeonato de Cataluña entre Espanyol y Barça. Los pericos ganan 1-0 a poco del final. El nerviosismo de los azulgrana es evidente. Sus ataques resultan precipitados, poco precisos; el empate no llega. De repente, el árbitro Escartín pita penalti a favor del FC Barcelona por unas manos dentro del área local. La ejecución de la pena máxima se demora unos minutos, no parece que ningún barcelonista quiera asumir la responsabilidad del lanzamiento. Todos se desentienden hasta que el marrón recae en Severiano Goiburu. El delantero navarro lo afronta hecho un flan. Encima, el astuto Zamora lo acaba de descentrar con unos teatrales saltitos. Previsible desenlace: Goiburu patea y el balón se va a las nubes…, y adiós, empate…

193. SENTENCIA DE PERIODISTA

Ya que hablamos de Severiano Goiburu, su hermano menor, Estanislao, también jugó en el Barça, aunque solo en las categorías inferiores, entre 1929 y 1931. Apenas disputaría tres amistosos con el primer equipo. Todo el mundo comentaba que Estanislao era el Goiburu «malo» y le apodaban Goiburete. De hecho, era mejor virtuoso con la guitarra que con el balón y llegaba al extremo de acudir a los entrenamientos instrumento en mano, aprovechando cualquier pausa para tocar un poco. Como escribiría un perspicaz periodista, de aquellos con el colmillo retorcido: «En los descansos, Goiburete cantaba soleares y fandanguillos, pero cuando llegaba el partido se salía por peteneras». Estanislao Goiburu sufrió un trágico final: falleció en la guerra civil el 27 de noviembre de 1937, en la navarra Leiza, en unas circunstancias nunca aclaradas.

194. ¡SAMI, SAMI, SAMI!

En enero de 1933, cuando su impropia salida del Barça era ya un hecho, Josep Samitier definió su larga etapa en el club (1919-32) como «futbolismo catalanista». Fue el periodista Josep Maria Planes quien explicó, en las páginas de la revista *Mirador*, el significado de tan singular frase: «Samitier, mitad por convicción y mitad por la fuerza de las circunstancias, ha sido algo más que un futbolista excepcional. Durante los años de la dictadura, cuando hacíamos política con las sardanas, con las traducciones de la Fundació Bernat Metge, con el teatro, con la pintura y con el fútbol, Samitier fue el hombre que, desde un punto de vista popular, resumió ante los ojos de España toda una inquietud patriótica que se agitaba y densificaba bajo la bota del general Barrera [capitán general de Cataluña durante los años 1924-30]. Los que, desde siempre o temporalmente, habéis sido aficionados al fútbol, recordaréis sin duda aquellas heroicas salidas del FC Barcelona por tierras del Norte, de Castilla o Andalucía. Los jugadores azulgranas eran entonces los destinados a recoger de una manera directa todo el odio y antipatía hacia Cataluña. Samitier, en su calidad de atleta genial, concentraba en su persona las iras y patadas de los hermanos de Iberia». Si lo dejó escrito el gran Planes, nada de llevarle la contraria.

195. ¿SAMI, SAMI, SAMI?

Es posible que Samitier tuviera en su juventud alguna veleidad catalanista y que, con posterioridad, la conservara en el fondo de su conciencia. De hecho, en verano de 1959, cuando era secretario técnico del Madrid, Sami se abrazó calurosamente a Josep Tarradellas, presidente de la Generalitat en el exilio, aprovechando la gira que el equipo blanco realizaba entonces por Colombia. Muy emocionado, le soltó un sentido «vuelva pronto». No obstante, resulta bien sabido que Samitier fue un personaje bastante ambiguo y acomodaticio, capaz de tener amistad con el dictador Franco, mostrarla en las audiencias del Pardo y tener el cuajo de decirle: «Excelencia, estamos echando barriguita, ¿eh?».

196. EL FRANCO QUE TRABAJABA

En la década de los treinta, el profesionalismo se había impuesto, pero los futbolistas aún podían compaginar las patadas al balón con otros menesteres. Es el caso, por ejemplo, del medio ilerdense Antonio Franco, trabajador de banca que pasó diez años en el Barça, entre 1934 y 1944. El 19 de diciembre de 1935, quedó escrito en acta de junta: «Se da cuenta del traslado a la sucursal del Banco de España en Palma de Mallorca como funcionario de nuestro jugador, sr. Antonio Franco, y de la posibilidad de que pueda permutar el destino por el de otro funcionario que actúa en la sucursal de Barcelona». Y solucionado, que no era cuestión de perder una pieza de la categoría del capitán Franco. Ojo, capitán del Barça sobre el césped, no confundamos términos.

197. BERKESSY, UN PERSONAJE

Emil Berkessy fue una buena fuente de anécdotas. El 11 de junio de 1935, el Barça tuvo que jugar un desempate con el Levante en los cuartos de final del Campeonato de España, tras dos encuentros resueltos con sendos empates. El escenario, el campo neutral de Torrero, en Zaragoza. El centrocampista húngaro, desconocedor de la nomenclatura de los estadios de fútbol españoles, se emocionó al oír el nombre del campo del Real Zaragoza y exclamó con alegría: «¡Torrero! ¡Yo quiero ver *torreros*!». No, Emil, no se trataba de eso.

198. PRIMAS PARA BERKESSY

No coló, pero conste que lo intentó. El 5 de marzo de 1936, la junta acordó «desestimar la petición formulada por escrito por el jugador señor Berkessy en el sentido que le sean abonadas las primas correspondientes a los partidos ganados por el primer equipo, celebrados durante el tiempo en que él estuvo enfermo y que, por tanto, no ha jugado, para evitar un precedente que sería hondamente perjudicial para el club». Muy astuto Berkessy, intentando cobrar los triunfos obtenidos sin su participación...

199. PERRO ASESINO

Emil Berkessy coincidió en el Barça con el delantero uruguayo Enrique Fernández durante la campaña 1935-36. Los dos se hicieron buenos amigos. Berkessy tenía un perro fox terrier, y Fernández, dos loros. Por desgracia, un día estalló la tragedia, ya que, en un descuido, el can del húngaro mató a uno de los pájaros del uruguayo. A partir de entonces, Fernández se dedicó en cuerpo y alma a enseñar al loro superviviente las palabras «¡perro húngaro, asesino!». Cuando consiguió su objetivo, llevó al loro cada día al entrenamiento para que Berkessy viviera atormentado por el remordimiento. Menudo carácter. Con amigos así...

200. ANTES DE LA TRAGEDIA

El choque de clausura de la campaña 1935-36 fue un amistoso disputado en Les Corts el 28 de junio, veinte días antes de estallar la guerra civil, entre el Barça y el Racing de Santander. Aquel día debutaron el portero Joaquín Urquiaga, fichado del Betis, y el centrocampista Fernando García, que llegaba precisamente del Racing. También jugó a prueba el delantero peruano Raúl Rubén Villalba, quien, durante los meses de agosto y septiembre, jugó cuatro partidos más antes de que se le perdiera la pista.

201. ENRIQUE FERNÁNDEZ

El delantero uruguayo Enrique Fernández aterrizó en el Barça en mayo de 1935, procedente del Nacional de Montevideo. Había firmado por dos años, hasta terminar la temporada 1936-37. No obstante, en marzo del 36, Fernández manifestó a la directiva su deseo de retornar a Uruguay alegando razones sentimentales, familiares y deportivas, pero el presidente Suñol rechazó la petición al considerar que el club no podía desprenderse de un futbolista de tal valía. Todo cambió el 4 de junio, cuando el Barça autorizó a Fernández «porque con motivo de su boda pueda trasladarse a su país el día 3 de julio con la obligación de encontrarse de nuevo en nuestra ciudad los últimos días de agosto, en que comenzarán los entrenamientos para la próxima temporada».

Ya sabemos que, al final, todo quedó en nada, porque, desde el 18 de julio, España pasó a ser un país en guerra y se precisaba madera de héroe para regresar bajo aquellas condiciones. Por tanto, el 26 de agosto, la directiva planteó dos opciones a Fernández, quien entonces se hallaba en luna de miel: «Ante la situación actual, el club aceptará la determinación que piense tomar, sea la de retornar a nuestra ciudad y atender a la reorganización futbolística de nuestro club, o bien quedarse en América y jugar en otro club de ese lugar, para lo que sería autorizado sin perjuicio de ningún tipo para el Barcelona, ni otros derechos por parte del jugador». Fernández prefirió regresar al Nacional de Montevideo. Después, desde 1947 a 1950, sería entrenador barcelonista, donde ganó las Ligas 47-48 y 48-49 y la Copa Latina de 1949.

202. ¿ZAMORA, FUSILADO?

Al comenzar la guerra civil circuló el rumor de que Ricardo Zamora, persona de ideología conservadora, había sido fusilado por elementos anarquistas. Corrían tiempos de propaganda desatada desde ambos bandos, que perseguían minar la moral del adversario y querían hacerlo culpable de los males de este mundo. El hipotético fusilamiento de Zamora significó un notición por su fama y al saber todo el mundo de qué pie calzaba en ideología. Es cierto que el Divino permaneció detenido unos días en la prisión Modelo de Madrid, donde fue protegido por un miliciano aficionado al fútbol que evitó cualquier tipo de locura.

Solo salir de prisión, donde no recibió ningún tipo de acusación, Zamora fue amparado por la embajada argentina; así salió por piernas camino de Francia, donde jugó y entrenó. Terminada la contienda, y como sucedería con tantos compatriotas, regresó unos días a prisión, en este caso a la de Porlier, encerrado por las nuevas autoridades franquistas, que le echaban en cara haber retrasado el regreso a casa y no haberse sumado, pues, a la sublevación militar. Por tan fútil motivo, fue inhabilitado durante seis meses. Ya reintegrado a la vida civil sin mayores problemas, Ricardo se convirtió en técnico e hizo campeón de Liga al Atlético Aviación, que era el nombre en los primeros años franquistas del tradicional Atlético de Madrid.

203. MUERTES TRÁGICAS

Durante la guerra civil, más de ocho mil personas fueron asesinadas por motivos políticos en la retaguardia republicana de Cataluña. Entre ellas figuraban dos antiguos futbolistas del FC Barcelona: Áureo Comamala y Matías Colmenares.

Nacido en 1879 en la localidad navarra de Estella, feudo del carlismo tradicionalista, Matías Colmenares estudió Arquitectura en Barcelona, donde obtuvo el título en 1910. Antes había jugado de delantero en el Barça tres encuentros del Campeonato de Cataluña 1906-07. En 1923 cambiaría de «bando» para convertirse en el arquitecto del estadio del R. C. D. Espanyol en la carretera de Sarrià. De ideología de extrema derecha y anticatalanista, en 1935 presidió el partido de nueva creación Frente Españolista. El 15 de febrero de 1937 fue detenido por milicianos antifascistas y asesinado en el cementerio de Cerdanyola del Vallès.

Áureo Comamala, hermano de los también futbolistas azulgrana Arseni y Carles (este último diseñador del primer escudo del club), jugó como defensa tres temporadas en el FC Barcelona entre 1909 y 1912, aunque solo disputó un partido oficial en el Campeonato de Cataluña de 1910-11 y cinco amistosos más. Fue asesinado por miembros de la Federación Anarquista Ibérica (FAI), el 9 de septiembre de 1936 en Puigcerdà, donde había sido concejal de la Unión Patriótica, el partido del antiguo dictador Miguel Primo de Rivera.

204. CANARIO SIN SUERTE

Francisco Ceballos era un portero canario que fichó por el Barça en 1936, aunque poco después estallaría la guerra y no pudo jugar ningún encuentro con el equipo azulgrana. Ceballos luchó enrolado en el bando sublevado en el frente del norte y quedó mutilado de una pierna por un tiro. Acabó vendiendo lotería en su Telde natal, provincia de Gran Canaria.

205. OLLÉ, AVISADO A TIEMPO

Salvador Ollé Massuet había disputado algunos amistosos con el Barça en los años veinte. Era de filiación derechista; cuando estalló la guerra, tuvo que huir de Barcelona. Los milicianos anarquistas fueron en su busca al hotel Colón con la intención de «pasearlo» (el cruel eufemismo que sustituía entonces al asesinato a sangre fría por razones de divergencia política). No lo encontraron. Cuando más tarde Ollé llegó, el conserje le avisó para que huyera de inmediato, informándole de que ya se habían llevado su coche del garaje y que del domicilio de sus padres habían cogido documentación y carnets. Gracias a aquel «soplo», Ollé salvó la vida.

206. EL ATREVIDO GUAL

El 2 de marzo de 1937, el Comité de Empleados del FC Barcelona decidió comunicar al jugador Miquel Gual que cursara por escrito la petición que verbalmente había realizado para que el club le fuera fiador de unos muebles que pensaba adquirir con motivo de su boda, fijando el importe de este crédito.

Hay que reconocer que Gual y su novia no escogieron la mejor época para esposarse, en plena guerra civil y con el futbolista cobrando trescientas pesetas al mes. Una semana después, en el acta de reunión del comité se podía leer: «Se da lectura a una carta del jugador Miquel Gual por la que pide un préstamo de 1.500 pesetas con motivo de su boda, cantidad que el club podría recuperar en la forma que considere más conveniente. Se autoriza al compañero Pedrol para que comunique a Gual las diversas dificultades que privan de complacer aquella petición». O sea, Gual, no nos pidas la Luna. En cualquier caso, el 16 de marzo, el mismo comité dictaminó la solución para esta cuestión: «Una vez escuchados los informes de los delegados en el tema relacionado con el jugador Gual, se acuerda que el club le haga un préstamo, con motivo de su boda, de 500 pesetas que el jugador de referencia reintegrará en la cantidad de 125 pesetas mensuales, que se le descontarán del sueldo». Así pues, tema resuelto.

Algo más sobre Miquel Gual, buen delantero vinculado al Barça en dos etapas (1931-33 y 1936-37), en las que acreditó una estupenda media de ochenta y ocho goles en ochenta y dos participaciones, si bien muchos los firmara contra rivales modestos en amistosos. Gual participó en la gira de 1937 por México, y allí permaneció hasta el final de la guerra, cuando regresó a Cataluña. Tras cumplir la pertinente sanción como «desafecto al régimen», jugó en el Sabadell a partir de 1940. Triunfó como entrenador, dirigiendo a equipos como el Mallorca, Osasuna y Racing. En el Barça se especializó en la dirección técnica de equipos filiales, como La España Industrial (1947-56), Condal (1956-57, en Primera División) y el Atlético Cataluña (1968-70).

207. O SOLDADO O FUTBOLISTA

El delantero Josep Pagès no fue alineado en el duelo contra el Espanyol en Sarrià del 7 de marzo de 1937, correspondiente a la Liga Mediterránea. Pagés, que simultaneaba su condición de futbolista azulgrana con la de soldado republicano, estaba aquel día arrestado en el cuartel.

208. LA LEYENDA DE MUNLLOCH

Siempre se había dicho que el extremo izquierdo barcelonista Juli Munlloch se había quedado en México una vez acabada la gira americana de 1937, pero no es cierto. En realidad, Munlloch, soldado republicano hasta abril del 37, completó la gira con los partidos disputados en Estados Unidos y después retornó sin novedad a Barcelona; jugó con los azulgranas cinco encuentros del Campeonato de Cataluña entre el 17 de octubre y el 12 de diciembre del 37. Al año siguiente volvió al frente y después partió a Francia, donde jugó la temporada 38-39 con el

Olympique de Marsella. Después sí cruzó el Atlántico y jugó en los equipos mexicanos del Asturias y el Atlante, donde se retiró en 1942, con solo veinticinco años, aunque en 1945 se planteara seriamente volver al FC Barcelona, opción finalmente descartada. Establecido definitivamente en México, se convirtió en importante industrial que amasó una buena fortuna. A partir de entonces, Munlloch se comportó como un gran embajador barcelonista en tierras aztecas.

209. LA DESGRACIA DE CARULLA

Nacido el día de Navidad de 1903, Domènec Carulla fue uno de los futbolistas destacados del Barça de la Edad de Oro. Centrocampista con gran técnica y empuje, participó en doscientos setenta y cinco partidos entre 1923 y 1930. Hasta el 30 de junio de 1926 había vivido en un habitáculo del campo de la calle Indústria, pero lo tuvo que abandonar ya que ese día terminó el contrato de alquiler que tenía firmado el club con el propietario del terreno.

Antes de abandonar el FC Barcelona, Carulla ya había recibido un homenaje en Les Corts el 1 de enero del 29, pero el club volvió a acordarse de él el 15 de agosto del 37, librándole la recaudación recogida en las bandejas colocadas en el estadio durante el amistoso celebrado contra el Avenç. Además, el Comité de Empleados acordó gestionar su traslado desde el Hospital Clínico, donde estaba internado, gravemente enfermo de tuberculosis, al Sanatorio Antituberculoso de Santa Fe del Montseny, centro más adecuado para su curación. Finalmente, el paciente fue a parar al Sanatorio Màxim Gorki, nombre con el que la CNT había rebautizado el Hospital del Espíritu Santo de Santa Coloma de Gramenet. La situación de Carulla era extremadamente difícil, ya que a su enfermedad se unía una misérrima condición económica que la guerra había agravado y que las bandejas del amistoso contra el Avenç a duras penas paliaron. Pero el Barça no desfallecía en su apoyo: el 31 de agosto decidió dirigirse por escrito a diversos socios pidiendo ayuda para su vieja gloria.

La colecta pro Carulla no tuvo excesivo éxito, en esa época de gran precariedad económica. Por lo tanto, el 2 de noviembre, el Comité de Empleados registró la petición de su esposa, Antònia Comas, para trabajar en las oficinas del club. La situación de la familia era tan desesperada que, el 22 de agosto de 1938, la junta directiva acordó realizar un préstamo reintegrable de mil doscientas pesetas a la señora Comas. Un largo año después de su ingreso, Carulla proseguía hospitalizado. Finalmente, falleció en 1940, a los treinta y seis años.

210. GONZALVOS EN PRISIÓN

En enero de 1939, con las tropas republicanas en desbandada, los hermanos Josep y Marià Gonzalvo, míticos futbolistas del Barça en los años cuarenta, intentaban resistir el ya imparable avance franquista en el río Llobregat. Josep, Gonzalvo II, acabó prisionero en un penal de Ceuta; Juli, el pequeño, se vio obligado a fichar por el Espanyol en la posguerra para liberar a su hermano.

211. PRISIONEROS EN L'ESCALA

Acabada la contienda, dos batallones de prisioneros fueron llevados a Empúries, a las excavaciones de la ciudad griega de Esculapio, y obligados forzosamente a trabajar en el yacimiento bajo terribles condiciones. Entre los presos se hallaba alguien conocido: Josep Bayo, que había sido jugador del Barça entre 1935 y 1937; durante la guerra combatió en el bando republicano. La presencia del futbolista despertó la simpatía de los pescadores de L'Escala, que cada mañana le llevaban a él y a otros prisioneros el pescado excedente de su trabajo diario, por lo general sardinas o caballa que solían preparar en parrillas hechas con materiales improvisados antes de iniciar la tarea.

Incluso se disputaron partidos de fútbol entre el equipo de L'Escala y uno formado por los prisioneros republicanos que eran futbolistas profesionales o aficionados, integrado, entre otros, por Ricardo (Real Madrid), Català (Poble Sec), Bolòs (Levante), Piqueras (Peña Saprissa), Guardiola (Alicante), Valle (España), Salart y Bayo (FC Barcelona), Del Río (Tres Torres), Anglés (Sants), Esteruela (Mont-roig) i Secariano. Además, se permitió que Bayo y Guardiola jugaran con el equipo de L'Escala en el campo de la U. D. Figueres el 11 de abril de 1942.

212. LAS PENURIAS DE AUBACH

Nacido en Montoliu (Lérida) el 11 de marzo de 1917, Josep Aubach fue un defensa derecho fuerte y contundente que estuvo en el Barça la temporada 1935-36. Al parecer, sufría algunas dificultades económicas porque, el 6 de enero de 1936, la junta barcelonista tomó nota «de la petición hecha por parte del jugador sr. Aubach de que se le busque trabajo en Barcelona».

Una vez iniciada la guerra, Aubach llegó a disputar cuatro amistosos con la camiseta azulgrana, aunque en enero de 1937 partió al frente para luchar como voluntario en las Milicias Antifascistas. Acabada la guerra, pasó catorce meses preso en un campo de concentración, condenado a trabajos forzados.

El 8 de mayo de 1999, el FC Barcelona y la U. E. Lleida tributaron en el Camp d'Esports ilerdense un homenaje conjunto a todos los futbolistas del Barça nacidos en aquella provincia. Asistieron Josep Aubach, Josep Vila, Enric Gensana, Enric Ribelles, Josep Maria Fusté y Antoni Torres, entre otros.

213. EL ALCALDE CULÉ

Nacido en Les Masies de Roda (1916), Francesc Ribas Sanglas luchó con el ejército de la República; tras la derrota fue confinado en un campo de concentración. Jugador del Barça entre enero y junio de 1940, en 1969, sorprendentemente, el gobernador civil de Barcelona lo nombró alcalde de su pueblo natal, y seguiría siéndolo hasta 2002, desde 1979 por vía democrática. Conocido por todos como *Quiquet*, fue el anfitrión de la comisión redactora del Estatut de Catalunya en el pantano de Sau en aquel 1979. Ribas falleció a los noventa años en 2009, cuando era el exjugador de mayor edad del Barça.

214. CASADOS CON PRIVILEGIOS

Acuerdo de la junta directiva del 4 de septiembre de 1940: «Conceder una invitación de localidad a cada uno de los jugadores profesionales del club, casados, para que sus esposas puedan presenciar los partidos en que aquellos participen en el campo de Las Corts». Casados y por la Iglesia, como Dios manda, se entiende.

215. CONCENTRADOS, PARECE...

Resolución de la junta del 23 de octubre de 1940: «A partir del día 3 de noviembre próximo, citar a los jugadores profesionales para que los días de partido en el campo de Las Corts se hallen en el club a las 11.30 horas, a fin de almorzar en el restaurante del campo, sin salir nuevamente a la calle hasta después de celebrar el partido». O sea, una especie de miniconcentración previa a los choques para fomentar el compañerismo.

Posteriormente, el 5 de diciembre de 1940, la directiva decidió «estudiar la forma más conveniente de obsequiar a los jugadores con dos comidas a la semana». ¿Pasaban hambre los futbolistas? Al margen de ironías, en aquellos días de extrema precariedad en todos los sentidos no sería nada extraño.

216. Querido Betancourt

El delantero barcelonés Francesc Betancourt jugó poco en el Barça, apenas catorce partidos oficiales entre 1942 y 1944, pero se convirtió en ídolo de los seguidores culés. En él se combinaban varios factores: carismático, muy simpático, dotado de una gran calidad técnica que le convertía en un malabarista del balón y, sobre todo, llamaba la atención por su color de piel. Betancourt era mulato, hijo de padre cubano, y hablaba catalán al haber nacido en la barcelonesa calle Ausiàs March. Triunfó en el Badalona antes de consagrarse en el Sabadell y acabar en el Barça, ya con veintinueve años, durante una época en la que no se veían futbolistas de color por estos pagos.

De hecho, Betancourt sería el primer jugador negro que disputaría partidos oficiales con el Barça. Recordemos que dos brasileños, Jaguaré Bezerra y Fausto dos Santos, habían jugado algunos partidos amistosos en 1931 y fueron los pioneros en la diversidad racial, ahora ya tan asumida.

217. «El maestro» Escolà

Algo especial debía poseer el gran Escolà para ganarse los apodos de Catedrático del Fútbol y el Maestro. Josep Escolà (1934-37 y 1940-49) recibió dos homenajes del FC Barcelona, ambos en Les Corts, uno el 24 de diciembre de 1944, y el otro, el 12 de junio de 1949. Sin embargo, el primero fue un fracaso, ya que la asistencia al Barça-Sabadell (4-1) fue tan escasa que el homenaje generó pérdidas. De esta manera, la junta decidió «en atención al eficaz rendimiento y buena conducta de dicho jugador, concederle una gratificación de 25.000 ptas. y sufragar, además, las pérdidas ocasionadas en dicho encuentro». Menos mal.

218. LA FÓRMULA CÉSAR

César Rodríguez era la indiscutible figura del Barça durante la década de los cuarenta, el ojito derecho de la afición culé por sus excelsas cualidades. En especial, por su legendario remate de cabeza. ¿Queréis un rápido resumen de las virtudes del gran César? Aquí lo tenéis en forma de ecuación matemática redactada por los traviesos chicos de *El Once* en enero de 1945: «Velocidad + acrobacia aérea + autorregate + prodigalidad en el chut + oportunismo + alegría + resistencia física + constante vuelta al ruedo + "siempre tan fresco" = César». Queda claro, ¿no?

219. POR SI ACASO

Vivir bajo una dictadura fascista que no permite expresarte en tu propio idioma puede comportar situaciones tan peculiares como la que detallaremos ahora. La selección española que participó en el Mundial de Brasil de 1950 contaba con los azulgranas Ramallets, Gonzalvo II, Gonzalvo III, Basora y César. Los cuatro primeros eran catalanes, y catalán era la lengua en que hablaban siempre entre ellos, incluso cuando César estaba presente, ya que el delantero leonés lo comprendía perfectamente. En cambio, en la concentración de la selección se cambiaban al castellano, incluso cuando estaban solos. ¿Razón? Fácil de entender, por desgracia. Simplemente, el miedo que tenían: intentaban evitar que algún «controlador» del régimen los pillara hablando su lengua, el peor de los pecados en aquellos tiempos de represión y del totalitario «hable en cristiano, la lengua del Imperio». Así de triste era el panorama.

220. LOS TUMBOS DE CHECHÉ

José María, *Cheché*, Martín fue titular del fabuloso equipo de Las Cinco Copas en la temporada 1951-52, formando una histórica línea defensiva con Gustau Biosca y Josep Seguer. Martín era un auténtico trotamundos del fútbol, ya que, en lugar de iniciar su carrera deportiva en su Galicia natal, lo hizo en Sudamérica. Pero conste que no fue por placer: cuando tenía solo diez años, los rebeldes franquistas fusilaron a su padre, secretario del Ayuntamiento de La Coruña. La tragedia se produjo el 31 de agosto de 1936, al comienzo de la guerra civil. Tras este trago cruel, la familia optó por el exilio. Su periplo los llevaría primero a Argentina, donde empezó a despuntar como futbolista, y más tarde a Venezuela y Francia. Cansado de rodar como una peonza, en 1948, cuando tenía veinticuatro años, volvió a casa y fichó por el Deportivo, a pesar del estigma de ser hijo de un «rojo» y del terrible trance de ver a los asesinos de su padre paseando impunemente por las calles. Pero Martín se centró exclusivamente en el trabajo de futbolista hasta fichar, en 1950, por el Barça, donde jugaría tres años con excelente rendimiento.

221. EL DEFENSA PINTOR

Cheché Martín fue definido como un futbolista con alma de pintor, pues la pintura era la otra pasión de su vida. De hecho, una de las razones que le decidieron a fichar por el Barça era el ambiente artístico que se respiraba en la capital catalana, ideal si aspiraba a desarrollar su vocación pictórica. Su compañero Gustau Biosca recordaba que, en las concentraciones, pintaba paisajes y dibujaba caricaturas de los jugadores y del entrenador, Ferdinand Daučik. Ya retirado, se dedicó plenamente a la pintura y llegó a destacar como gran artista.

222. LA FIGURA DEL SÁBADO

Justo Tejada fue un símbolo azulgrana durante bastante tiempo. Formado en las categorías inferiores, este sensacional extremo derecho barcelonés deslumbraba en el filial España Industrial durante la campaña 51-52, cuando Kubala maravillaba con el primer equipo. En aquella época, si Kubala solía ser «la figura del domingo», Tejada era «la figura del sábado», cuando La España Industrial celebraba sus encuentros. El bueno de Justo triunfó en el Barça entre el 53 y el 61, año en que recibió la baja del club a pesar de que le quedaba mucho fútbol en las botas. Fue entonces cuando, avalado por Alfredo Di Stéfano, ficharía por el Real Madrid, donde permanecería dos temporadas. Para completar el recorrido, en 1963 marcharía al Espanyol y allí estaría hasta su retirada, un par de años después. Conste que los culés nunca le recriminaron ese par de «pecados». De hecho, la cafetería que montó (y que aún existe) al colgar las botas se convirtió en concurrido punto de reunión barcelonista.

223. TEJADA Y TEJEDOR

El caso de Joaquim Tejedor parece muy similar al de Tejada, con el que, además, mantenía una sorprendente similitud fonética en su apellido. El centrocampista Tejedor jugaría dos temporadas en el Barça sin triunfar plenamente (50-52), para pasar después al Espanyol, donde permanecería los tres cursos siguientes. Hizo aquello que, durante décadas, la prensa barcelonesa llamaba «cruzar la Diagonal» para ir de Sarrià a Les Corts o al Camp Nou. O realizar el camino inverso, según los casos. No era cosa habitual, pero tampoco parecía extraño, ni siquiera esporádico. El propio Tejedor añadía un poco de picante al caso cuando definía su corazón como de color *blanquiazulgrana*.

224. EL ÚLTIMO SUPERVIVIENTE

Joaquim Tejedor falleció en la madrugada del 23 de septiembre de 2016, ya cumplidos los ochenta y seis años. Con su desaparición, ya solo quedaba un superviviente de la mítica plantilla de las Cinco Copas, Miquel Ferrer, de ochenta y tres años.

Curiosamente, el 16 de octubre de 2002, el Barça había celebrado el quincuagésimo aniversario de aquel legendario equipo de la campaña 51-52 con una cena a la que fueron invitados los quince supervivientes de entonces: Ramallets, Gonzalvo III, Biosca, Rosselló, Gràcia, Seguer, Tejedor, Torra, Vila, Aloy, Basora, Manchón, Llebaria, Ferrer y Escudero. De ellos solo faltó Ferrer, el único que quedaba catorce años después. Es, simplemente, ley de vida de inexorable cumplimiento. Si no fuera por eso, parecería que aquella cena estuvo gafada.

225. UN TÁNDEM MARAVILLOSO

Los aficionados veteranos lo recordarán como si fuera ayer. En el viejo campo de Les Corts, el tándem formado por Basora y César llegaba a ser prácticamente infalible. Ambos protagonizaron una rutina, repetida en incontables ocasiones, prevista con expectación y recibida por sistema con gran alegría. La acción iba así, en resumen: Basora lanzaba un córner y César marcaba de cabeza. Una y mil veces. Normalmente, Estanislau la tiraba corta, cerca del primer palo, y el Pelucas corría como una fiera por el área llegando a tiempo de anticiparse en salto al defensa y girar la cabeza de manera precisa y preciosista. Salvo en una famosa ocasión que recordaremos ahora…

4 de enero de 1953. Partido de Liga en casa contra el Valladolid. El Barça se hartó de tirar córneres, llegando a la estratosférica cifra de diecinueve. Cada cuatro minutos, a la esquina, vaya. Aquella tarde, empero, Basora y César no acertaron ni una ni media en su especialidad y el equipo apenas venció por 2-1, con dos goles de Manchón y una sensacional actuación del meta visitante Francisco Goicolea, recital que le procuró el fichaje por el FC Barcelona meses después, donde sería suplente, casi perpetuo, de Ramallets.

226. UNA PASTA GANSA

Hablamos de jugosas retribuciones. Ya que era el crac de Las Cinco Copas, Laci Kubala cobró un total de 635.100 pesetas durante la gloriosa campaña 51-52. Una auténtica fortuna en aquellos días. En la lista de privilegiados, le seguía su entrenador y cuñado, Ferdinand Daučik, con 425.200 pesetas; el tercero en discordia era el portero Antonio Ramallets, que se embolsó 269.325 *pelas*. En cualquier caso, lo que generaba mayores dolores de cabeza al tesorero del Barça no era lo que ganaba Kubala, sino los impuestos, dicho así, de modo genérico. Según informaba el propio club en octubre de 1951, el FC Barcelona pagaba a diario más de 17.000 pesetas por imposiciones tributarias. Calculadora en mano, la multiplicación sale rápida: anualmente, el Barça pagaba 6.205.000 pesetas en impuestos, una barbaridad en tiempos de presión fiscal digamos que relajada por norma general.

227. EL TOPOLINO

En cualquier caso, aunque fuera cierto que los futbolistas se ganaban la vida de coña, tampoco llegaban, ni de lejos, al grado de ostentación actual. Valga la muestra. En aquel 1951, el automóvil de estrellas del equipo como Ramallets, Gonzalvo III o César era un Topolino, coche pequeño que no destacaba precisamente por su grandeza, ni estética ni de prestaciones. Más bien, parecía casi de juguete, como los Biscuter o los Iseta, que le eran coetáneos. Josep Puig, *Curta*, el viejo defensa del Barça entre el 42 y el 51, no se privó de criticar la decisión de sus compañeros proclamando que «no podrán ni estornudar. Una vez quise meterme en un Topolino y tuve que abrir un agujero en el techo». Y Curta no era ningún pívot de la NBA, para entendernos.

228. ENTRE GRIPE Y SECANTES

2 de marzo de 1952. Enorme partido de Liga en Les Corts entre el Barça y el Madrid. Para darle mayor atractivo, ambos equipos empatados a puntos al frente de la clasificación. Y resulta que llega tan esperado día con Kubala griposo, con mucha fiebre. Aquel domingo no se hablaba de otra cosa en la ciudad y todos esperaban que el crac causara baja. Pero poco conocían a Laci, a quien estas minucias de salud nada afectaban. Kubala jugó aquel día, aunque obviamente disminuido de facultades. De todas maneras, como el entrenador madridista Héctor Scarone no se fiaba, le puso un marcaje exagerado. De hecho, estaba tan bien cubierto, vigilado y tapado por tres pegajosos marcadores que puede que les contagiara la gripe.

Lástima para el Real que tanto marcaje sobre el húngaro dejara libre y campando a sus anchas a César, decisivo en la victoria por 4-2: marcó tres goles. Terminado el pulso y preguntado por la prensa, un Kubala que aún hablaba un castellano macarrónico, sería de lo más franco: «Yo encontrarme mal y yo jugar mal. Mal, mal, mal…Barcelona bien, menos un jugador: yo».

229. KUBALA Y LOS PENALTIS

Más de Kubala, quien podría llenar una enciclopedia con sus anécdotas. Como ya sabrá el lector, el fenómeno era un consumado especialista en el lanzamiento de penaltis y las cifras así lo demuestran. En diez años ejecutó veintiocho penas máximas con el Barça en la Liga y solo falló dos. La primera pifia se produjo tras cuatro aciertos. Hablaremos de ella: sucedió el 14 de septiembre de 1952, en Les Corts, ante el Deportivo de La Coruña. Kubala lanzó el penalti fuerte y muy pegado al palo; el portero visitante Otero hizo la estatua, consciente de que no llegaba. Pero el chut iba tan ajustado que salió escupido por la madera para volver a los pies del húngaro, que habría podido rematar a gol con facilidad. No corráis tanto: por desgracia, el reglamento de entonces prohibía marcar de penalti en segunda instancia, como en las tandas para desempatar los partidos de hoy en día. Segundos antes, Otero había suplicado en broma a Kubala: «¡Tíramelo a las manos!». Puede que fuera un truco para descentrarlo.

230. PALOS REDONDOS

Por cierto, aquel 14 de septiembre de 1952, Les Corts estrenaba palos ovalados en sus porterías; se sustituían los cuadrados que hasta entonces había habido. Claro, no faltó el oportunista dispuesto a mantener que el fallo de Kubala en el penalti había llegado por tal razón. Ojo al dato: ocho largos años después, viviríamos la final de Copa de Europa de Berna y los cinco balones estrellados por los delanteros barcelonistas contra los palos cuadrados. Si en Barcelona los cambiaron por motivos de seguridad, ¿cómo tardaron tanto para hacerlo en la avanzada Europa de entonces? Hasta investigar el dato que os presentamos, nunca nos lo habíamos planteado. Ahora, por desgracia, queda ya como una simple y triste ironía del destino.

231. EL RAPAZ GALLEGO

El 6 de diciembre de 1953, el Barça no tuvo piedad del Deportivo de La Coruña, al que barrió en Les Corts por un contundente 6-1. Aquel día se alineaba con los gallegos un chaval de dieciocho años llamado Luis Suárez, del que la prensa barcelonesa subrayó su condición de promesa y, ya puestos, que se comportaba como «un chavalillo que vemos más asustado ante las cuartillas de los periodistas que ante los defensas del Barcelona». A pesar del fiasco de su equipo, parece que el futuro Balón de Oro realizó una destacada actuación. Ladislao Kubala vio algo en Luisito. Mientras, aún en caliente, los directivos barcelonistas celebraban la victoria, Laci corrió a su encuentro, soltándoles sin reservas: «¡Es urgente fichar al 10!». La intuición del gran Kubala, secretario técnico por un día, no podía ser más acertada.

232. CAMPAÑAS ETERNAS

No inventamos la sopa de ajo si decimos que lo pronunciado por Pep Guardiola, el 27 de abril de 2011, sobre la Central Lechera no es invento reciente. Precedentes históricos de campañas mediáticas de corte antibarcelonista y orquestadas desde Madrid las ha habido a porrillo. Como muestra, recordamos lo escrito en una publicación del FC Barcelona el 26 de diciembre de 1953: «Vamos a ver, Ladislao: ¿usted le debe algo al redactor deportivo de *ABC*? Los amables lectores se preguntarán ¿a qué viene eso? Pues sencillamente, jamás hemos registrado una mayor tenacidad y fina sutileza de adversidad contra una persona, como la que, de hace tiempo, viene inspirando la pluma del redactor deportivo del tan ponderado y sesudo periódico de Madrid. Todo lo que respira a Kubala le hace perder los estribos». Suena a moderno...

233. ANTIKUBALISTAS

Hoy, que el personal se queja de campañas mediáticas contrarias y de las broncas que recibe Neymar en campo contrario, recordemos que el precedente de Kubala fue peor. Como denunció en público su compañero Ramallets, «a Kubala le tienen manía determinados espectadores. Su gran clase les molesta, su peligrosidad les alarma y les saca de quicio». ¿Un ejemplo? Estadio de San Juan, Pamplona. Partido Osasuna-Barça del 30 de diciembre de 1956. Jugada impresionante de Kubala, con un regate magistral seguido de un chut durísimo. Reacción del público: «¡Húngaro! ¡Sucio!»... y otros epítetos malsonantes que el cronista se abstuvo de transcribir por no entrar, suponemos, en conflicto con la censura de aquel tiempo, tan puritana. Y por lo que respecta a la despiadada persecución física de los contrarios que Laci sufrió en sus once años de azulgrana, nos remitimos a lo publicado por el enviado especial de *Vida Deportiva* en aquel mismo duelo de Pamplona: «Kubala, este es por lo visto su sino, provoca una especialísima y furibunda irritación entre cierto tipo de jugadores adversarios, que no hará falta decir, son siempre los adscritos a la catalogación de viriles, animosos y de técnica elemental». Vaya, vuelve a sonar la melodía actual...

234. LA TRAGEDIA DE GUZMÁN

El 1 de abril de 1954, quince meses después de aquel trágico alud humano sufrido en diciembre de 1952, Les Corts vivió un nuevo drama. Se disputaba un amistoso de veteranos entre el Barça y el Europa en homenaje a Marià Martínez, *Rini*, antiguo jugador del Sants y del Espanyol. A los cinco minutos, el barcelonista Ramon Guzmán sufrió un infarto y, al caer, se rompió una rótula. Horas después, fallecería en el hospital. Guzmán, con antecedentes de angina de pecho, solo tenía cuarenta y cinco años. En el Barça había sido jugador (1928-35) y entrenador (1941-42).

235. Villaverde y «la plata»

El uruguayo Ramón Alberto Villaverde (1954-63) ha sido uno de los jugadores sudamericanos del Barça más relevantes en la historia. Poseía un *dribbling* extraordinario y gran dominio del balón, hasta el punto de saber recortar al contrario sin llegar a tocar el esférico. La afición y sus compañeros le apreciaban mucho por su carácter sencillo y llano, que en ocasiones le llevaron a decir cosas tan excesivamente auténticas como esta: «Vamos a la cancha a darle a la bola, el público que chille, *pa* nosotros la plata». En la temporada 1963-64 aceptó pasar el último año de contrato cedido en el Racing de Santander bajo este razonamiento: «Aún no soy viejo para el fútbol, pero ya lo soy para jugar en el Barça».

236. Vecinos del Poble Sec

Ferran Olivella, uno de los grandes capitanes en la historia del Barça y bastión defensivo entre 1956 y 1969, nació en junio de 1936 en el barrio barcelonés del Poble Sec, concretamente en el número 109 de la calle Poeta Cabanyes. Un poco más allá, en el número 95, nacería Joan Manuel Serrat siete años y medio después, en diciembre del 43. Olivella solía jugar en la calle con Carlos Serrat, hermano mayor del futuro cantautor, entonces Juanito, el típico niño pequeño que siempre imploraba a los mayores que le dejaran jugar con ellos. Como rememoró Serrat en la canción *Mi niñez:* «Crucé por la niñez imitando a mi hermano», y rogando al tándem Carlos-Ferran participar en sus juegos de chapas y fútbol.

237. Pasar por caja

En noviembre del 58, el cajero Eusebi Carbonell se jubiló a sus setenta años, cuarenta de ellos pasados al servicio del club. En una entrevista a la revista *Barça*, el popular *padre* Carbonell desvelaría cómo afrontaban los jugadores el día de cobro de su mensualidad. Recordemos, por si alguien lo ha olvidado o es muy joven, que antiguamente la gente cobraba su salario pasando por la ventanilla de caja de empresas, oficinas o talleres, donde se entregaban los correspondientes sobres, cargados más o menos de billetes. Carbonell recordaba que José Bravo y César Rodríguez eran los futbolistas más ansiosos por cobrar. Cuando llegaba por la mañana del día de pago, ya le estaban esperando. En cambio, Luis Suárez era el más distraído a la hora de retirar sus haberes, hasta el punto de que a menudo eran los propios compañeros quienes le recordaban con sorna: «Luisito, ¿este mes no quieres cobrar?». Tampoco el doctor Joaquim Cabot parecía dar mucha importancia al dinero y le tenían que llevar el sueldo a casa, visto su persistente absentismo.

238. ¿QUIERE DECIR TRAVESTIS?

Volvamos a Kubala. El 20 de mayo de 1959, un indignado socio, reconvertido en espía, escribió una carta al presidente Miró-Sans para ponerlo en antecedentes sobre un hecho producido, según él, dieciocho días antes: «El sábado anterior al partido del Murcia, vi a Kubala y a Czibor a las dos de la mañana y con unas compañías nada aconsejables, o sea, dos personas del sexo femenino y dos del masculino pero pasadas al primero, supongo que usted ya me entenderá, y no muy serenos motivado por la cantidad de líquido absorbido». Hoy, la escena habría salido a la luz pública en cuestión de segundos. Vía redes sociales, si tenemos que apostar. En aquel tiempo, el delator aún andaba con eufemismos y sin llamar a las cosas por su nombre.

239. DIMINUTIVO

Andrés Parada Alvite, conocido futbolísticamente como Suco, era un delantero gallego que jugó en el Barça los años 1959-61, procedente del Racing de Ferrol. Su alias futbolístico procedía del diminutivo Andresuco, como le llamaban de niño. Curiosamente, a su hermano José Manuel, que también jugó en Primera, lo rebautizaron como Suco II. Suco jugó poquito, aunque tenía buena excusa: debía pelear por un lugar en la delantera dirigida por Helenio Herrera con el mejor ramillete de figuras que nunca haya reunido el Barça en ataque. Ni ningún otro equipo del mundo, si nos atrevemos a extrapolar. Cracs como Tejada, Kocsis, Evaristo, Villaverde, Kubala, Eulogio Martínez, Czibor, Ribelles, Luisito Suárez o Coll. Tan pronto como emigró, Suco gozó de mayor protagonismo en equipos como el Racing de Santander, el Valencia o el Deportivo. Aquí, debía superar diez altísimos obstáculos, con diminutivo o sin él.

240. ¿RECORDÁIS A PESUDO?

En 1961, el portero José Manuel Pesudo llegó a la plantilla azulgrana procedente del Valencia. Había nacido en 1936 en la población castellonense de Almassora. Curiosamente, durante su infancia era portero de balonmano, pero con dieciséis años le hicieron jugar (engañado) un partido de fútbol bajo palos en el equipo de su pueblo. Lo hizo tan bien que apenas un año después ya debutaba en segunda división con el Mestalla, filial del Valencia. Pesudo era sobrio y seguro, y llegó al Barça con la difícil misión de relevar a un mito como Antoni Ramallets. Le tocó luchar por la titularidad con Salvador Sadurní. De manera sorprendente, se fue en 1966 tras ganar el trofeo Zamora al portero menos goleado, con apenas quince goles encajados en veintidós partidos de la Liga 65-66.

241. RAMALLETS, BUEN TIPO

Hablando de Ramallets, no descubrimos nada si decimos que el legendario portero era un campeón en sensibilidad humana. Uno de los mejores ejemplos lo dio en su domicilio particular, a comienzos del año 62. Sonó el teléfono de Ramallets y se entabló este diálogo, después reproducido en la prensa:

—¿Diga?

—¿El señor Ramallets?

—Soy yo, dígame.

—Mire, usted no me conoce. Se trata de mi hijo. Anda loco por emular su fama como portero y les ha pedido a los Reyes un equipo completo. Mi situación económica no me lo permite…

—De acuerdo. Deme su dirección y el niño tendrá el equipo.

—No sé cómo agradecérselo…

—No se preocupe. Quizás el regalo no se lo hacemos al niño, sino al Barça en una fecha más o menos próxima.

242. SARITÍSIMA

El 7 de febrero de 1962, Gustau Biosca y Gonzalvo III recibieron juntos un más que merecido homenaje en el Camp Nou con el duelo entre el Barça y el Peñarol de Montevideo. Aquel día, vete a saber por qué, la encargada del saque de honor fue la popularísima cantante de cuplés y actriz Sara Montiel. Quede escrito que lanzó un chut esmirriado y que el zapato se le salió disparado. Biosca, muy amable, se lo volvió a poner y Sarita repitió el lanzamiento, esta vez con mejor estilo, ante la mirada inquisidora de la esposa del ya excentral, conocedora a fondo del carácter donjuanesco de su marido, famoso entre otros detalles por el intenso romance que había mantenido con Lola Flores.

243. MEDIA VIRTUD

No es novela negra, pero poco le falta. En el transcurso de los cincuenta y sesenta, el Barça, por lo que parece, sentía debilidad por la contratación de detectives que siguieran al dedillo la agitada vida noctámbula (o no) de ciertos futbolistas. Así, pasaron por tan curiosa prueba del algodón desde Kubala a Pereda, pasando por César, Biosca, Villaverde, Czibor, Benítez o Szalay. Resulta realmente curioso el informe del sabueso encargado del servicio de vigilancia sobre Tibor Szalay, delantero húngaro que estuvo en el Barça (jugar ya es otra cosa) durante la temporada 61-62. En el texto, fechado el 12 de febrero de 1962, podía leerse esta perla: «Szalay tiene una afición desmedida por las mujeres, podría decirse más bien que es una obsesión por ellas. Se ha podido comprobar que habla con ellas por teléfono, unas veces desde el restaurante donde habitualmente come y otras desde el bar de su compatriota Czibor. A este bar va con frecuencia con chicas, más bien jóvenes de esas llamadas medias virtudes que son hijas de familia y no profesionales de vida airada». Magistral definición, esa de las «jóvenes de medias virtudes». ¿Qué quería decir exactamente este espía metido a sociólogo? Bien, nos lo podemos imaginar, pero valdría la pena, seguro, escuchar hoy su explicación.

244. NO NOS CONFUNDAMOS

El 1 de julio de 1962, el Barça disputó un amistoso contra el Peñarol en Montevideo. Uno de los titulares azulgrana era el delantero cántabro Pedro Zaballa, nacido en Castro Urdiales. Aquel día, Zaballa gozaba del apoyo de un buen puñado de paisanos, que, en un determinado momento, comenzaron a gritar: «¡Aúpa Castro, aúpa Castro!». Al oír tal consigna, un uruguayo seguidor de los anfitriones se giró hacia ellos, muy alterado: «¡Eh! Cuidado con lo que dicen. ¡Esto es un partido de fútbol, no empecemos a politizar las cosas!». Aquel señor había confundido los hurras en honor de Castro Urdiales con una supuesta admiración hacia el líder cubano Fidel Castro. Por suerte, se lo aclararon...

Por cierto, Peru Zaballa fue el autor del gol dos mil del Barça en la Liga, el 12 de enero de 1964 contra el Valencia en el Camp Nou, conseguido en el minuto ocho de la segunda mitad.

245. EL CABALLERO ZABALLA

Ya que estamos, años después, cuando defendía los colores del C. E. Sabadell, Zaballa fue distinguido con el premio Fair-Play de la UNESCO, galardón poco habitual en nuestro fútbol. El organismo internacional quiso premiar así su extrema deportividad en un partido de Liga entre el Real Madrid y el Sabadell, disputado en el Santiago Bernabéu el 2 de noviembre de 1969. A los trece minutos de partido, aún con el 0-0 inicial, Zaballa envió el balón fuera a propósito en lugar de marcar a portería vacía para que fuera atendido el guardameta blanco Junquera, que estaba lesionado en el césped. Los arlequinados acabarían perdiendo aquel duelo por 1-0. En 1998, la Federación Española instituyó el Premio Zaballa, para distinguir a aquellas personas, instituciones o colectivos que se hayan significado en favor de los valores deportivos.

246. UNA SEÑORA FARRA

Durante julio de 1962, el Barça realizó una gira americana que le llevaría por Uruguay, Paraguay, Ecuador, Colombia y El Salvador. La despedida de la gira se realizó el día 29 en un hotel de San Salvador, con una fiesta multitudinaria en la que el whisky causaría estragos entre los Gràcia, Benítez, Vergés, Pereda y Olivella, entre otros, encabezados por el entrenador Kubala, consumado especialista en farras. Entre otras incidencias, Benítez se lanzó a la piscina del hotel sin saber nadar; oportunamente, sus compañeros lo rescataron. Y ya que desvelamos secretos, uno de los asistentes al aquelarre tuvo la ocurrencia de orinar en un vaso; Pereda, bastante tocado por el alcohol..., ya pueden imaginar el resto. El cachondeo acabaría en una casa cercana donde también se estaba liando parda. Allí, algunos futbolistas hicieron de músicos improvisados, con tanto entusiasmo que acabarían rompiendo algunos tambores. No hay que escandalizarse: ni era la primera... ni será la última...

247. ARREPENTIRSE RÁPIDO

El 19 de diciembre de 1962, Chus Pereda fue expulsado por agresión a un contrario en el Barça-Estrella Roja de Belgrado, encuentro de vuelta de la Copa de Ferias, disputada en el Camp Nou. Días después, el propio Pereda ofrecería su versión de los hechos: «Fue un momento de nervios. Kovacevic me agarró tres veces seguidas en la misma jugada. Me levanté del suelo con la intención de pegarle, pero por aquellas cosas cuando levanté el puño me fui arrepintiendo, hasta que mi mano llegó mansamente a la mejilla del contrario. Naturalmente, él se echó al suelo e hizo un poco de comedia». Y el árbitro expulsó a ambos jugadores. Medio siglo después, diríamos que los métodos de actuación se han sofisticado un poco y ahora parecen asignatura obligatoria entre los protagonistas. Para ganar, todo vale, dicen.

248. AHORA, IMPENSABLE

La anécdota queda situada en la década de los sesenta, cuando las relaciones entre los futbolistas azulgranas y los profesionales de la prensa eran casi antitéticas de las actuales. Lo que hoy es lejanía, era entonces proximidad. Un periodista del diario *Dicen...* obtuvo permiso de la directiva para entrenar con la plantilla y poder escribir así un original reportaje de primera mano, de aquellos que llevaban la etiqueta de «sobre el terreno». Una vez metido en harina, resultó que el periodista no la tocaba mal, aunque Julio César Benítez se riera de él. Con un peculiar sentido del humor, el malogrado lateral uruguayo le colgó en la espalda un cartel que decía: «Quiero ser pelotero, pero no me entra». Eran otros tiempos. Ahora, ni pagando un potosí podrías aspirar a un reportaje así. Imaginad el jaleo que se organizaría.

249. SIN MOVERSE DE CASA

El portero Salvador Sadurní fue jugador profesional del FC

Barcelona entre el 61 y el 76. Durante tan largo periodo, Sadurní no se movió de su lugar de origen, Arboç del Penedès, situado a cincuenta y tres kilómetros al sur de Barcelona. De esta manera, día sí, día también, Sadurní conducía más de cien kilómetros entre ida y vuelta al volante de su coche para asistir a los entrenamientos. Todavía mantiene que ya le iba bien así: «La gasolina era barata. Cuando empecé, costaba siete pesetas el litro. Al final, pagaba quince. Y así, podía estar con toda mi familia, que es lo más importante». Hoy, Sadurní sigue viviendo en su pueblo.

250. LA GRAN ESPERANZA BLANCA

En esta anécdota, hay que explicar forzosamente su contexto. La entidad vivía la larga travesía de los sesenta, una prolongada carencia de títulos que mantenía sediento al barcelonismo. No era posible fichar extranjeros porque las fronteras permanecían cerradas por decreto ley. El franquismo argumentaba, de modo discutible, que los foráneos quitaban el sitio a los nativos y de ello se resentía la selección. Además, mezclando ingredientes clave, el gol de sello español no se prodigaba. No dabas una patada al suelo y surgían treinta pichichis, para entendernos. Al contrario: la Liga estaba bien dotada de porteros y defensas, de bastantes medios, pero la parte de delante era bastante flojita. En especial, se carecía de goleadores con nivel.

Situado el panorama, el Barça fichó al delantero centro del Zaragoza a punto para disputar la Copa del Generalísimo de 1969. La promesa se llamaba Miguel Ángel Bustillo y, a sus veintitrés años, todos le pronosticaban un espléndido futuro. Su estilo era «internacional». No hablamos del típico nueve estático en el área. Le gustaba combinar, caer a las bandas y tenía un buen remate, con los pies y de cabeza. En el Zaragoza, que iniciaba el declive post Cinco Magníficos, habían reemplazado al legendario Marcelino y nadie se quejaba del relevo. Era, sin duda, «la gran esperanza blanca» del fútbol español. El refuerzo que precisaba el Barça si quería, por fin, alzar esa Liga negada durante toda la década.

El 14 de septiembre de 1969, el calendario empezaba juguetón, con un Madrid-Barça. Bustillo era titular y confirmó los mejores pronósticos al marcar dos goles, dos, en los primeros cinco minutos del encuentro. Los culés se restregaban los ojos para creerlo, pero, en la segunda mitad, Bustillo cayó gravemente lesionado a pies del defensa madridista Pedro de Felipe, que le entró de manera escalofriante con las dos piernas. Terrible. No exageramos al decir que fue con la clara intención de cazarlo, humillado en su orgullo de durísimo central por la exhibición del nuevo fichaje. Como si este libro fuera «multimedia», os recomendamos que busquéis la acción en YouTube y comprobaréis que no exageramos.

251. EL HILO DE SUTURA

Para rematar la faena, pitaba el árbitro del régimen, Ortiz de Mendíbil, que no señaló ni falta. Aquel día se estrenaba normativa, que permitía al juez no detener el partido si algún jugador caía sobre el césped. En teoría, querían evitar el teatro, aunque este no fuera el caso. Bustillo se quedó largo rato en el suelo con rotura de los ligamentos cruzados de la rodilla. Tras unos minutos interminables, no acudió ni la camilla y lo tuvieron que sacar del campo entre su compañero Pujol y el portero madridista Junquera.

Saltando en el tiempo, De Felipe nunca se disculpó con él; Bustillo, a pesar de lo que detallaremos a continuación, demostró una deportividad excesiva. Jamás le acusó de nada. Solo en los últimos años, recientemente, admitiría en público que existía voluntad de dañar en el central blanco. Bustillo tardó ocho meses y medio en reaparecer y, después de tres años en el Barça, apenas pudo actuar en ocho partidos antes de ir al Málaga en 1972. Ya no era, obviamente, aquella promesa. Además, puntualizando leyendas, Bustillo tendría pésima suerte. Lo que explicaremos permaneció entonces en secreto: sufría una alergia al hilo utilizado para coser los puntos de sutura, problema que le impidió recuperarse por completo. Los médicos lo ignoraban, y bastante costaba ya en aquel tiempo sanar a un futbolista con cruzados, que, por sistema, nunca regresaba en plenitud. Bustillo andaba cojo, aunque disimulara y callara siempre. Lo truncaron en el momento más prometedor de su vida profesional. ¿Y el barcelonismo? Sintió como se desvanecía, otra vez, la esperanza de mejora en la competitividad del equipo. De vuelta al fatalismo más negro y con la sensación general de que no había forma de acabar con la mala racha arrastrada tantos años, solo salvada con títulos puntuales.

252. Según de donde sea

Sigamos con Bustillo y regresemos al momento del «crimen». Para mayor inri, el Comité de Competición solo decretó una amonestación y multa a De Felipe. Nada más. Ante eso, el aficionado culé solo podía indignarse al recordar casos similares, como el de Cortizo, lateral del Zaragoza que en 1964 fue sancionado con veinticuatro partidos por lesionar gravemente al extremo del Atlético de Madrid Collar. Y más recientemente, en marzo del aquel 1969, a Guedes, jugador de la U. D. Las Palmas, que le habían caído doce partidos por romperle el peroné al zaragocista Planas. Y de nuevo reaparecía entre los azulgranas aquella enojosa sensación de estar luchando siempre contra «alguna cosa más».

Eran tiempos, situémonos de nuevo en las circunstancias del momento, de tremenda dureza en los campos de juego, estigma arrastrado desde el primer día en el fútbol español. La ausencia de cámaras parecía dar carta blanca a los violentos; los resúmenes televisivos, aún rodados en película, apenas ofrecían los goles y poca cosa más. Ir a según qué campos y enfrentarte a según qué carniceros, como ratificarán los futbolistas de élite más veteranos, equivalía a un pasaporte para jugarte las piernas, la carrera y el porvenir. Los árbitros tampoco estaban por la tarea de impartir justicia y barrían hacia casa sin disimulo. Por lo tanto, la prudencia dictaba aflojar, y si se perdía, alabado fuera Dios. Así se comprenden, en buena parte, tantas y tantas derrotas inexplicables del Barça de aquellos años. Tan triste como real. El punto final: Miguel Ángel Bustillo acabaría siendo empresario hotelero de éxito en la Costa Dorada y fallecería el 3 de septiembre de 2016, tras padecer una larga enfermedad. Su nombre quedará eternamente vinculado a una palmaria injusticia que acabó con la esperanzadora trayectoria de un gran delantero centro.

253. Detalles de Dueñas

El delantero Teófilo Dueñas debutó en un Valencia-Barcelona de Liga (1-1), el 28 de febrero del 71, a los veinticuatro años de edad. En la mañana de aquel día había fallecido su padre, Julián, pero sus familiares no quisieron notificárselo hasta acabar el estreno. El padre de Dueñas andaba muy delicado de salud y parece que la emoción ante el inminente debut de su hijo con el Barça agravó fatalmente su estado.

Ya que hablamos de Dueñas, se da la curiosa circunstancia de que las dos escritoras de *best-sellers,* y también amigas, María Dueñas y Matilde Asensi son sobrinas de Teófilo Dueñas y Juan Manuel Asensi, compañeros en el Barça, donde llegaron juntos en la campaña 70-71. Genética de futbolistas transformada en literaria, qué cosas tiene la vida…

254. EL ESCÁNDALO DE LOS ORIUNDOS

Como es sabido, en 1972 estallaría el formidable escándalo de los oriundos. El Barça comprobó que las autoridades no le concedían permiso para fichar a los delanteros argentinos Heredia y Cos, cuando muchos otros clubes habían contratado sin problemas a futbolistas americanos de origen presuntamente español, categoría en la que también figuraban los citados jugadores. Pero el Barça se topó con un muro que otros no sufrían, un agravio aún más flagrante cuando quedó demostrado, según un informe del propio club redactado por el abogado Miquel Roca Junyent, que la documentación presentada por cuarenta y seis de los sesenta oriundos del fútbol estatal era falsa o irregular.

Recordemos que, desde 1962, estaba prohibida la contratación de jugadores extranjeros, pero no la de oriundos. Este concepto, muy popular entonces, definía a los descendientes de españoles de cualquier lugar que se dedicaran a jugar al fútbol. En estos casos podían saltarse las fronteras, aunque ya dicen que hecha la ley, hecha la trampa: En algunos países sudamericanos comenzaron a falsear árboles genealógicos con absoluta alegría, haciendo pasar por oriundo a personal sin ninguna vinculación, ni de abuelos, ni de padres, ni de nada, con la piel de toro. La corruptela se extendió como una mancha de aceite.

El caso es que llovía sobre mojado porque, tres años antes, el club azulgrana ya había pasado por la amarga sensación de ser la oveja negra del fútbol español. En junio de 1969, el Barça tenía fichado al jugador paraguayo Severiano Irala, delantero que, en apariencia, cumplía con las dos condiciones que entonces requería un futbolista foráneo para ir a un equipo español: era oriundo y se decía que no había sido nunca internacional en su país de nacimiento, la otra norma para encontrar trabajo aquí. Pero, en realidad, sí había jugado con su selección. El encargado de levantar la liebre fue el propio Irala, quien, solo llegar al aeropuerto de El Prat, confesaría ingenuamente su internacionalidad paraguaya a preguntas de un periodista.

En lógica consecuencia, la Federación Española prohibió la inscripción de Irala como integrante del FC Barcelona. Hasta aquí, nada que decir. El problema radicaba en que el futbolista, bastante lenguaraz por cierto, una vez confesado su pecado, había citado a continuación los nombres de otros internacionales paraguayos en el fútbol español. Entre ellos, el de Sebastián Fleitas, fichado por el Real Madrid aquel mismo verano. Como fuere que Fleitas ya estaba inscrito al provenir del Málaga, la federación le dejó jugar sin problemas por una extraña política de hechos consumados, pero, en cambio, no mostró piedad con Irala. En definitiva, un capítulo más en la historia negra del Barça, preludio de lo que se escribiría en el 72 con el caso de los oriundos.

255. MÁRIO MARINHO

En el verano del 74, Mário Peres, *Marinho*, se hallaba en el mejor momento de su carrera. Con veintisiete años, este defensa había sido capitán de la selección brasileña en el Mundial de Alemania y destacaba por su gran visión de juego y una técnica depurada. Además, sabía aprovechar su capacidad aérea para subir al ataque y marcar goles de cabeza. Procedente del Santos de Pelé, Marinho ingresó en el Barça de Cruyff sin ocupar plaza de extranjero, ya que era hijo de madre española y, por lo tanto, se le consideraba oriundo. Aun así, la Federación Española, escarmentada por el escándalo anterior con los descendientes falsos de españoles, no le concedió autorización para disputar partidos oficiales hasta entrado noviembre. Después, las expectativas generadas no se cumplieron y, dos años después, fue traspasado al Internacional de Porto Alegre. Dejaba atrás treinta y siete partidos y seis goles con la camiseta azulgrana y ningún título que añadir a su palmarés. En cualquier caso, en su currículo consta una «medalla» que ningún otro jugador puede lucir. Él fue compañero de Pelé, primero, y después de Cruyff.

256. HABLE CON EL LINIER

La primera expulsión de Johan Cruyff en España se produjo el 9 de febrero de 1975 en el estadio malacitano de La Rosaleda, partido que el Barça perdió 3-2. Cruyff, capitán del equipo, reclamó al árbitro Orrantía Capelastegui tras el segundo gol local, ya que el juez de línea había levantado la banderola señalando fuera de juego. A Orrantía no le dio la gana de consultar a su ayudante y decidió que el gol era válido. El capitán azulgrana continuó insistiendo, por lo que vio tarjeta blanca, primero, y roja, después. Hagamos un paréntesis: las tarjetas de amonestación fueron implantadas en España en enero de 1971. Durante unos años fueron blancas, hasta que en verano del 76 se produjo la mutación cromática al amarillo, aún vigente.

Según manifestaría el propio Cruyff días después, cuando el colegiado le mostró la tarjeta blanca, él solo replicó: «Está bien, me saca la tarjeta y yo lo acepto, pero vaya a hablar con el linier». Más tarde, cuando ya le enseñó la roja, el tozudo Johan lo aceptó sin dejar de persistir: «Yo me voy, y estoy tranquilo. Ni nada enfadado. Pero usted vaya a ver al linier». El linier aún espera…

257. CRUYFF DE PELI

Johan Cruyff, mito del fútbol mundial, nos dejó el 24 de marzo de 2016. Meses después, el 9 de septiembre, la localidad tarraconense de Vallfogona de Riucorb le dedicó una calle. En vida, el hombre que cambió la historia del Barça fue protagonista de tres documentales dedicados a su figura. El primero, dirigido por el italiano Sandro Ciotti, data de 1976, cuando aún era jugador del FC Barcelona, y su título haría fortuna: *El profeta del gol*. Después, ya en 2004, se estrenaría el documental catalano-holandés de Ramon Gieling *En un momento dado*, título inspirado por la famosa coletilla del jugador y técnico holandés. Por último, en 2014, Jordi Marcos dirigió el excelente trabajo en catalán *L'últim partit* para conmemorar el cuadragésimo aniversario de la llegada de Johan Cruyff a Cataluña. Ya a título póstumo, en septiembre de 2016, se estrenó *Gràcies, Johan*, un documental donde el holandés, mediante una conversación con Jorge Valdano, explicaba su filosofía del fútbol.

Cruyff también inspiró alguna producción cinematográfica de calidad discutible, por decirlo suavemente. Así, en 1974, Tulio Demicheli dirigió la película *Bienvenido míster Krif*, una burda e infumable comedia paródica sobre el fichaje del holandés por el Barça protagonizada por Joe Rígoli, actor cómico argentino popular en la tele española de los setenta. Por cierto, el film fue rodado en la ciudad deportiva del Real Madrid y en el estadio Bernabéu, escrito quede sin segundas lecturas.

258. La espera de Bio

El delantero brasileño William Silvio Modesto Verissimo, conocido como Bio, fue jugador del FC Barcelona en 1978 y 1979, fugaz periodo de tiempo para un futbolista de gran clase que no llegaría a explotar sus notables aptitudes. Su vida profesional vivió un punto de inflexión el 23 de agosto del 75. Aquella tarde, el Barça de Cruyff jugaba un amistoso de pretemporada en Terrassa y el astro holandés quedó fascinado con el brasileño, incuestionable líder del ataque egarense. Johan presionó al presidente Agustí Montal para que lo fichara; sin embargo, como entonces solo se aceptaban dos extranjeros por plantilla, Bio tuvo que esperar casi tres años. Gracias a su matrimonio con una joven de Terrassa que le proporcionó la nacionalidad española, ingresó finalmente en el Camp Nou. El hombre mostró paciencia a raudales.

259. Bio... ¿qué?

Ya con la camiseta azulgrana, Bio encadenaría algunas actuaciones excelentes. En especial, el 7 de mayo de 1978, en el adiós de Cruyff en partido oficial. El delantero brasileño firmó el único gol del *match* de Liga contra el Valencia y cierto atrevido periodista tituló su crónica «Cruyff biodegradado», sugiriendo que Bio se convertiría en el sucesor del astro holandés, al que, aseguraba, había eclipsado en su despedida. Una apuesta desproporcionada que, obviamente, no se cumpliría en absoluto. La trayectoria del brasileño nacionalizado no resultaría afortunada, tanto en el ámbito futbolístico como en el vital, para su desgracia. Es lo que tiene escribir siguiendo el oportunismo del momento, convencido de que mañana el personal ya se habrá olvidado y, si toca y conviene, podrán mantener la tesis exactamente contraria. Cierto estilo de practicar el periodismo deportivo tan extendido como conocido.

260. Podéis fumar

En junio de 1978, a punto de iniciar las vacaciones de verano, los servicios médicos del club entregaron a los futbolistas una serie de consejos que seguir. Y por escrito, que conste. Entre otras consignas, destacaba la recomendación de pasar las vacaciones preferentemente en la montaña antes que en la playa y el consejo de evitar las bebidas alcohólicas que no fueran vino o cerveza porque «el alcohol afecta a la musculatura y favorece la tendencia a padecer desgarros». Como dato chocante, el texto destacaba una obviedad, asegurando que el tabaco era uno de los peores enemigos del futbolista, aunque sorprendentemente concluía que «un máximo de cuatro pitillos al día están permitidos». Y si fumaban cinco o seis, ¿cómo lo podían saber?

261. Para disimular

En 1982, Julio Alberto Moreno, lateral izquierdo asturiano, llegó al Barça procedente del Atlético de Madrid, equipo con el que debutaría en Primera División en la campaña 77-78. Cosas de la vida, su segundo partido como profesional había sido un Atlético-Barça de Liga, disputado en el Vicente Calderón el 12 de febrero de 1978. Julio Alberto, entonces un jovencito de dieciocho años, empezó en el banquillo, pero a los cinco minutos ya corría por el césped sustituyendo al lesionado Pereira. Para más inri, el técnico colchonero Luis Aragonés le encomendó la compleja misión de marcar a Johan Cruyff, casualmente su ídolo de infancia. Alucinado, Julio Alberto se vio incapaz de vigilar al crac holandés a pesar de las imprecaciones que Luis le lanzaba desde la banda («¡Niño, deja de mirarle y vete a por él!») y las nada sutiles órdenes de su compañero Benegas («¡Mátalo, mátalo!»). Nada, imposible. Julio Alberto no podía entrar de ningún modo a su idolatrado Cruyff. Eso sí, para que no le acusaran de defensa blando le dio una patadita a Rexach, quien, al parecer, no le imponía tanto respeto. Han pasado muchos años, pero cada vez que Charly ve a su amigo Julio Alberto aún le recuerda con ironía aquel día en que el asturiano le dio un toque para disimular...

262. La ayuda de Johan

Con los años, Cruyff y Julio Alberto coincidirían en el Barça durante el trienio 1988-91, el holandés en sus primeros años como técnico azulgrana y el asturiano en la recta final de su carrera como jugador barcelonista. Ambos llegaron a ser buenos amigos; cuando Julio Alberto sufrió graves problemas en su vida personal, Johan fue uno de los pocos que intentaría ayudarle, según confesó el propio exdefensa azulgrana.

263. Carreras para entrenar

Julio Alberto se hizo muy amigo del delantero cántabro Marcos Alonso, jugador barcelonista de 1982 a 1987. Ambos llegaban del Atlético de Madrid y compartían gusto por las travesuras. Una de ellas, bastante peligrosa. Los dos colegas vivían muy cerca del Camp Nou y montaban carreras de coches. Hablando por teléfono desde sus respectivos domicilios, realizaban una cuenta atrás, «¡tres, dos, uno, cero!», colgaban y salían disparados hacia sus respectivos Porsche, a ver quién llegaba antes al entrenamiento. Cierto día lograron un final de *foto finish*, llegaron prácticamente al alimón y chocaron entre ellos. Desde luego, tal pasión por las carreras no resulta muy edificante.

264. Él es así

El 13 de diciembre de 1981, Bernd Schuster cayó gravemente lesionado en San Mamés a pies del durísimo central Andoni Goikoetxea. El alemán sufrió la rotura total del ligamento lateral interno de la rodilla derecha y se perdió el resto de la temporada. El árbitro Soriano Aladrén ni siquiera enseñó tarjeta amarilla a Goikoetxea, quien se descolgó con estas curiosas declaraciones: «No toqué a Schuster. Todo es una invención de la prensa catalana». Típica reacción, coherente con el personaje. Dos años después, Goikoetxea se cargaría también a Maradona en el propio Camp Nou y nunca reconocería voluntad en la deliberada acción. Fue a dañar, en un caso y en el otro, al rubio y al de la melena rizada, aunque para el central vasco debían ser «lances del juego», el tópico que sirve como paraguas de excesos evidentes y les da carta blanca a los violentos.

265. UN VIAJE LEJANO

Dos días después de la fechoría, Schuster sería operado en Colonia por un especialista llamado Schneider. El medio alemán, otro tozudo, había decidido que pasaría por el quirófano en su país, sin atender a lógicas ni consejos. Se esperaba que lo curaran los doctores de los servicios médicos del club, Rafael González Adrio y Carles Bestit, pero no hubo manera. Schuster solo quería ser atendido por su compatriota. Por desgracia, después se comprobaría que la pierna de Schuster no había quedado bien; entonces, el rubio accedió finalmente a ponerse en manos de los doctores del club.

Escrito quede con el mayor respeto y como rotunda evidencia: el Schuster que tantos años jugaría aún tras la grave lesión y el de antes del percance se parecían como la noche y el día. Nunca recuperó la sensacional potencia que le caracterizaba y le hacía dominador del juego. En aquellos tiempos, aún, sufrir rotura de cruzados comportaba que el futbolista damnificado no volviera a ser el de antes. Por suerte, la medicina del deporte ha evolucionado increíblemente, en un sentido positivo. Ahora continúa siendo la peor noticia en materia de lesiones, pero lo superas. Antes de Schuster, iban directos a la retirada y suerte tenían si no quedaban cojos de por vida. Así de duro. Podríamos llenar una larga lista con casos históricos.

266. EL AMIGO DEL PELUSA

El caso del centrocampista argentino Oswaldo se nos antoja ciertamente curioso. Amigo personal de Diego Maradona, Oswaldo Daniel Dalla-Bouna llegó al Barça en 1982, procedente de Argentinos Juniors, por recomendación directa del Pelusa. Como Oswaldo no tenía nivel para jugar en el Barça, fue cedido al Sabadell; al año siguiente se integró en el Barça Atlètic. El 28 de mayo y el 3 de junio del 84, cuando ya estaba desvinculado del club, jugó en los dos partidos que el Barça disputaría en Estados Unidos contra el Cosmos de Nueva York y el Fluminense. Su participación en esta gira americana llegaría por expreso deseo de Maradona, que quería colocar a su amigo en el escaparate internacional para que algún club de nivel le fichara. No tuvo suerte, ya que Oswaldo, a sus veinticuatro años, acabó yendo a Italia, donde jugaría en equipos de tercera fila.

267. MARK HUGHES

El delantero galés Mark Hughes llegó al FC Barcelona en verano de 1986 gracias al técnico Terry Venables. Lo ficharon junto al inglés Gary Lineker con el sueño de formar una terrible pareja de goleadores de sello británico. A Hughes le firmaron un exagerado contrato por ocho años. Aunque era buen rematador y tenía un físico potente, nunca se adaptaría al equipo, ni rendiría al nivel de las formidables expectativas previas. En la temporada 1986-87, el galés disputó treinta y siete partidos oficiales con el Barça y apenas firmó cinco goles. Con este panorama, a comienzos de la 87-88 sería cedido al Bayern de Múnich; en el curso siguiente, acabaría definitivamente traspasado al Manchester United. Como cruel ironía, Hughes consiguió los dos goles de los *red devils* en la victoria por 2-1 de los ingleses en la final de Recopa del 91, disputada en Róterdam contra un Barça que, seguro, no esperaba tal revancha.

Tras este panorama, también sorprende por fuerza que, en aquella campaña 86-87, fuera precisamente Mark Hughes el futbolista mejor pagado del Barça. Entre contrato oficial y publicitario, Hughes se embolsaría un total de 50.527.500 pesetas, mientras el segundo, Gary Lineker, se quedaba en 47.933.600, a pesar de su muy superior rendimiento. En aquellos tiempos, sueldo y rendimiento debían andar peleados, pues el tercero de la lista fue el alemán Bernd Schuster, quien ingresó 45 millones de pesetas pese a permanecer toda la temporada en blanco, apartado del equipo por su enfrentamiento con el presidente Núñez.

Y ya que estamos, aún causa mayor sorpresa que, en la campaña siguiente, el mejor pagado volviera a ser Hughes, con 51.877.000 pesetas entre retribución oficial y de publicidad. Una cantidad abonada por el club al jugador, aunque estuviera cedido en el Bayern.

268. EL ÁNGEL VALLE

En *Barça inédito* ya escribíamos sobre el extraordinario ejemplo de Josep Valle, aquel extremo azulgrana de los cuarenta que, durante su dinámica vejez, fue conocido como «el ángel de la guarda de los veteranos» porque se dedicaba a visitar a antiguos compañeros que vivían en precarias condiciones. Decíamos que, a sus ochenta y un años, se encargó de localizar a todos los ex-futbolistas del Barça vivos de cara al encuentro de veteranos celebrado el 28 de abril de 1999, con motivo del centenario del club. Por desgracia, algunas viejas glorias no pudieron asistir por razones de edad y de salud a la fiesta y se quedaron sin su medalla conmemorativa.

Pero ningún problema, que allí estaba el ángel Valle para poner remedio. Durante semanas, y conduciendo su propio coche, Josep recorrió la geografía catalana para buscar a una larga lista de veteranos que no acudieron al encuentro: Josep Cardús, Josep Ricart, Vicenç Font, Manuel Cerveró, Vicenç Colino, Benito García, Josep Valero, Francesc Virgós, Josep Riba, Antoni Gràcia, Salvador Sagrera, Joaquim Navarro, Ramon Mayoral, Manuel Oró, Joan Zambudio Velasco y Domènec Balmanya. Valle nos dejó el 31 de diciembre de 2005. Fue uno de esos personajes generosos y entregados a la causa azulgrana que merecería un monumento en el Camp Nou.

269. RETORNO DEL HIJO PRÓDIGO

El 23 de octubre de 2000, Luis Figo jugó su primer partido en el Camp Nou tras fichar por el Madrid el 24 de julio. El Barça derrotó a su eterno rival por 2-0 en un duelo muy tenso, bajo un ambiente extremadamente hostil por parte de la afición hacia el futbolista portugués, con enormes abucheos, pancartas contra él y lanzamiento de objetos al campo. Aquella noche, Manel Vich, *speaker* del Estadi, hizo lo acostumbrado cuando llegaba un exazulgrana: guardar un breve silencio después de decir el nombre del jugador en cuestión, dejando que los espectadores se expresaran con libertad. Pero pasó lo que pasó: una monumental bronca como nunca se había oído antes en el Camp Nou. Y aquello fue Troya...

En Madrid acusaron al bueno de Vich de ser «instigador de la violencia y el provocador número uno del país». La situación se desbordó tanto que en su contestador automático dejaron todo tipo de mensajes, desde insultos graves a «eres el tío más cojonudo de Cataluña». Incluso un alto cargo gubernamental llamó al Barça pidiendo el despido de Vich, extremo que, obviamente, no se produjo.

270. UN PAYÉS RADICAL

El gerundense Narcís Comadira, poeta, pintor, dramaturgo, traductor, periodista y crítico literario, escribió una *Oda a Guardiola* en 2002, solo un año después de que el Noi de Santpedor abandonara el Barça como futbolista. Comadira, que nunca ha sido aficionado al fútbol, mostraba así su admiración por Pep, al que consideraba un «payés radical, payés impenitente», excelente por su lucidez e interpretación del fútbol. Un fragmento de la oda original dice así: «*Teixeixes les jugades / del teixit en fas veles que s'inflen / i en sostens l'entramat. / Salut, símbol del goig mental / de les ciències exactes*».

271. FICHAJE DE VETERANOS

Cuando, en enero de 2005, el Barça fichó al veterano centrocampista Demetrio Albertini a sus treinta y tres años, muchos aficionados no comprendieron las razones de tal incorporación. Máxime teniendo en cuenta que, al fin y al cabo, apenas disputaría seis partidos con la camiseta azulgrana, y de ellos solo dos en el once titular. De todos modos, la historia indica que Albertini no es el jugador más veterano que ha fichado el club. Desde tiempos inmemoriales, el récord lo ostenta el interior izquierdo Hilario Marrero, llegado en verano de 1939 con casi treinta y cuatro años tras haber destacado antes de la guerra con el Madrid. De hecho, el Barça lo tenía prácticamente fichado en 1932, pero el club blanco se metió por medio. Finalmente, en la temporada 1939-40, ya en la posguerra, los aficionados culés pudieron disfrutar de su clase y experiencia. También en pequeñas dosis: Marrero disputó seis partidos de Liga en aquel curso y marcó un gol. En 1940 se fue al Deportivo.

272. PICHICHI CON TRUCO

Diego Forlán ganó el Pichichi al máximo goleador de la Liga 2004-05, además de obtener la Bota de Oro como mejor anotador de las ligas europeas, por sus veinticinco dianas en treinta y ocho partidos. El delantero uruguayo del Villarreal consiguió superar en un gol al barcelonista Samuel Eto'o, que firmó veinticuatro en treinta y siete lances. Recordaréis que aquel Pichichi estuvo salpicado por la polémica, ya que, en la vigesimocuarta jornada (Barça-Mallorca), el diario *Marca*, que desde la temporada 1952-53 otorga el premio, concedió a Deco un gol que, según el acta arbitral del partido, fue anotado por Eto'o. De este modo, aunque finalmente la LFP concedió idéntica cantidad de goles a Eto'o y Forlán, el Pichichi sería entregado en exclusiva al delantero uruguayo.

273. LAS CAUSAS DE THURAM

El defensa francés Lilian Thuram militó en el Barça entre 2006 y 2008. Una vez manifestó: «Me gustaría hacer algo más allá del fútbol, tal vez político o como maestro, trabajar con otros para buenas causas. El fútbol te enseña cosas de la vida, pero no la sustituye. El mundo real existe, con problemas y conflictos reales». En la actualidad, la Fundación Lilian Thuram combate el racismo a través de la educación.

274. LA PASIÓN DE MANCHÓN

Eduard Manchón (1930-2010), integrante de la mítica delantera de la temporada 1952-53, aquella de los Basora, César, Kubala, Moreno y Manchón, ostenta el récord de longevidad futbolística entre todos los jugadores del Barça, si es que pretendemos dar un amplio sentido al concepto. Permaneció siete años en el primer equipo, hasta 1957, y colgó las botas al final de la campaña 1961-62 en las filas del C. E. L'Hospitalet, cuando tenía treinta y dos años. Hasta aquí, todo correcto, aunque lo mejor del caso consiste en que el bueno del Maestro, como le llamaban sus compañeros, no dejó de dar patadas a un balón, ahora en calidad de veterano, hasta los setenta y ocho años, que se dice pronto. Concretamente, hasta la edición de 2008 del torneo de fútbol playa que llevaba su nombre. Literalmente, el fútbol era su vida.

275. EL GOL 10.000

El 23 de febrero de 2016, el Barça venció al Arsenal en el Emirates Stadium por 0-2, goles de Leo Messi, encarrilando así la eliminatoria de octavos de final de la Champions League. Aquel día, el segundo gol del astro argentino significó que el FC Barcelona alcanzaba la cifra de diez mil goles conseguidos en competiciones oficiales en el transcurso de su prolongada historia, tanto en torneos catalanes como estatales e internacionales. Unos números redondos obtenidos en un total de 4.375 partidos, lo que daba una media de 2,28 goles por encuentro, capacidad goleadora envidiable a lo largo de esta singladura, iniciada con la disputa de la Copa Macaya en aquel ya lejano 1901.

Por lo que respecta a los goleadores en los partidos de tipo oficial, en primer y destacado lugar se hallaba en aquel conmemorativo día Leo Messi, con 441 dianas, cifra que continúa ampliando. La relación de los jugadores que seguían al argentino en goles marcados en duelos oficiales resulta un verdadero compendio de nombres gloriosos del FC Barcelona entre los años veinte y cincuenta: César Rodríguez (232 goles), Ladislao Kubala (194), Josep Samitier (184), Josep Escolà (167) y Paulino Alcántara (143).

276. EL PRIMER GOL

Ya que estamos en ello, rebobinemos la historia. El autor del primer gol azulgrana en partido oficial fue el delantero escocés George Girvan, el 20 de enero de 1901, en el *match* inaugural de la primera Copa Macaya, disputada en forma de liguilla y que fue el precedente del Campeonato de Cataluña. Girvan marcó el único gol del Barça, que perdió en el campo del hotel Casanovas por 1-2 ante el potente Hispania, ganador final de la competición.

277. PASTA GANSA

Casi todos nos pondríamos de acuerdo en señalar cuáles son las cuatro vacas sagradas del Olimpo azulgrana: Samitier, Kubala, Cruyff y Messi. ¿Queréis saber cómo el FC Barcelona ha recompensado económicamente las espléndidas prestaciones que estas rutilantes estrellas han dado a los culés en el transcurso de la historia? Muy fácil, tomaremos una temporada aleatoria y realizaremos la comparativa con el segundo clasificado en la lista de los mejor pagados en aquel ejercicio. Temporada 1925-26: Samitier, 50.000 pesetas (300,51 euros); Piera, 40.000 (240,40). Temporada 1952-53: Kubala, 2.542.500 pesetas (15.280,73 euros); César,

363.250 (2.183,18). Temporada 1975-76: Cruyff, 10.000.000 pesetas (60.101,21 euros); Neeskens, 5.000.000 (30.051,61).

Que cada cual saque sus conclusiones de estos fríos datos, que precisan ser situados en su contexto histórico para saber cuál era el coste de la vida en cada momento. ¿Queréis saber también cuánto cobra Messi por temporada? Aquí no hay ningún dato oficial, aunque convenga subrayar que no tenemos acceso a este tipo de información (ni queremos tenerlo). En el *Barça insólito*, como ya pasaba con el *Barça inédito*, no desvelamos ningún secreto. Nos limitamos a dar o recuperar datos extraídos del Centro de Documentación del club, abierto a todo el mundo y de libre consulta.

Ya que nos hemos liado con Messi, cogeremos la información publicada por *Sport* el 5 de octubre de 2016. Según este diario, el argentino era el mejor pagado en la plantilla del Barça de la temporada 2016-17, con 21,6 millones de euros, mientras que el segundo era Neymar, con 16 millones. Y ahora, ya se puede comparar con tiempos pretéritos…

278. AMOS DEL JUEGO LIMPIO

Desde hace muchos años, el Barça se ha definido por una filosofía basada en la posesión del balón, la fantasía y el juego limpio. Esta última premisa, el *fair play*, resulta básica y viene avalada por un dato definitivo. Resulta que, desde la temporada 1998-99, la Federación Española de Fútbol otorga el premio Juego Limpio al equipo con menos sanciones y tarjetas de la Liga, tanto en primera como en segunda división. Pues bien, el FC Barcelona ha ganado esta distinción en las temporadas 2005-06, 2008-09, 2010-11, 2011-12, 2012-13, 2013-14, 2014-15 y 2015-16. La cosa no acaba aquí: el Barça B consiguió el premio en segunda división en las campañas 1998-99, 2010-11, 2011-12, 2012-13 y 2013-14. O sea, en todas las sesiones en que ha militado en la categoría de plata, salvo la 2014-15. Ello quiere decir que se ha obtenido el «doblete» azulgrana del juego limpio cuatro veces consecutivas, en las Ligas 2010-11, 2011-12, 2012-13 y 2013-14. En ningún otro caso, un primer equipo y su filial han ganado el premio en primera y segunda durante la misma temporada. Huelgan más comentarios.

4

El cuerpo técnico

$\mathcal{H}$asta llegar a la contemporaneidad representada por Luis Enrique, el Barça ha tenido un total de cincuenta y seis entrenadores. Todos ellos cortados por el mismo patrón. O mejor, pendientes de idéntica ley inexorable, disyuntiva sin matices. O ganas los partidos, o pierdes el cargo. No es necesario ni memoria ni relato de lo que puedas haber conseguido antes. Un lugar de trabajo privilegiado, bien pagado y prestigioso, sí, aunque de un sadismo extremo. Lo dicta como dogma de fe aquel mandamiento que reza «el fútbol es así», la frase manida y exacta. El oficio se ha sofisticado de manera exponencial. Los primeros encargados se limitaban a poner un once y driblar la presión de la directiva en la medida de sus habilidades. Más tarde, cuando el panorama empezaba a complicarse, tuvieron que preocuparse por la preparación física, que los discípulos debían aguantar noventa minutos sin necesidad de sacar los pulmones por la boca. Después, culpa de los avanzados europeos, importaron cualquier dibujo de moda que certificara los éxitos ajenos y pudiera facilitar los propios. Que si el abandono de los dos defensas, la coherencia de la «WM» para ocupar mejor los espacios, el retroceso de los interiores, la desaparición de una especie codiciada que antes conocíamos como extremos y tantas otras sofisticaciones. Hoy, con el vídeo, el espionaje y las nuevas tecnologías, hay más equipo técnico que plantilla. Y esperad, que la metamorfosis del cargo continúa imparable.

Quizá tendríamos que agradecer a un par de entrenadores su contribución al modelo de éxito azulgrana, sin necesidad siquiera de haberse sentado en tan peculiar herramienta de tortura. Allá por 1947, imaginad si ha llovido, la dupla formada por Diego García y Pedro Omar llegaron a Les Corts como técnicos del mítico San Lorenzo de Almagro argentino, aquella orquesta liderada por el Terceto de Oro, formado por Farro, Pontoni y Martino. Eran años de posguerra, en los que el margen de maniobra con el balón en los pies quedaba limitado por la raza, la furia y similares conceptos ridículos, de pura limitación primaria. Y el Ciclón de Boedo la empezó a tocar a ras de suelo, con los jugadores bien juntos, en asociación, combinando, un puro espectáculo fascinante para nuestros abuelos, conmocionados ante la visión de aquel comando divino como si presenciaran un prodigio sobrenatural. A partir de aquí, calaría la sensación de que «algún día, el Barça debe jugar tan bien como estos». Ya sabemos que a los levantinos nos pierde la estética, lo afirmaba Unamuno, que no era ningún interior del Athletic Club. Como si buscara la piedra filosofal, la entidad (seguramente presionada por una parroquia con fino paladar) se lanzó a fondo a la caza de la fórmula mágica que posibilitara el milagro. Venga a buscar y buscar en vano. Finalmente, bastante lo sabemos, tardaría décadas en dar con ella. Por el camino, un paso adelante y dos atrás. A veces, se perseveraba. En otras, volvían a la casilla de salida, como en los juegos infantiles.

Y así, para citar los hallazgos más significados, Helenio Herrera nos aleccionaría con la cantera. El talento de portería, defensa y media podía provenir sin problemas del territorio catalán y, ya que no era fruto pródigo, el gol y el talento se deberían buscar en el extranjero. En los primeros setenta, Rinus Michels importó la escuela holandesa, teoría de tulipanes cultivada con anterioridad a la Segunda Guerra Mundial. Años después, un inglés de cliché como Terry Venables enseñaría la importancia de la presión para la recuperación rápida de pelota y posesión. Un visionario como Cruyff, con aquel léxico contundente desde la sencillez, nos aportaría un montón de recomendaciones básicas, lógicas hasta extremos. Ya sabéis, si la tenemos nosotros, no la tienen ellos, y si estamos lejos de la portería propia, no sufriremos: doble ejemplo entre una catarata de obviedades nunca formuladas antes del mismo modo. Por lo tanto, ignotas. Tanto gustaría la aportación que le pondrían a su equipo un apodo onírico por imposible: el Dream Team. En el recorrido histórico, largo como un día sin pan, el denominador común del ansia popular por el espectáculo. El Barça debe ganar, sí, pero hay que jugar bien.

De repente, como en el resultado de una conjunción astral, el círculo se cuadraría y se haría virtuoso hasta la perfección con el *Noi de Santpedor* en el banquillo. Se mostró al mundo un montón de vídeos como pruebas fehacientes de lo sublime hecho fútbol. Nadie antes había entendido y practicado un fútbol así, excelso y continuado en la plenitud del recital. Caían las comparaciones con glorias anteriores a nivel planetario, y el Futbol Club Barcelona pasaba a convertirse en referencia, admirado en cualquier lugar por pura exposición de manifiesta belleza. Con el modelo ya cerrado, eureka, ahora vivimos en la evolución aplicada por Luis Enrique, mientras perdura la hegemonía azulgrana… E intuimos que será así hasta que Messi no se canse o envejezca.

Desde que Pentland provocara que a los entrenadores se les conociera como «místers», han desfilado por Indústria, Les Corts o el Camp Nou un montón de singulares personalidades. No podía ser de otra manera, dado el complejo oficio que habían elegido. Algunos, pendientes de reivindicar, como el longevo Jack Greenwell o el «republicano» Patrick O'Connell. Otros, triunfadores en la difícil posguerra, como Pep Samitier, Enrique Fernández o Ferdinand Daučik. También, un puñado de retratos singulares que no supieron como traspasar su carácter al colectivo, tipo Roque Olsen, Vic Buckingham, Hennes Weisweiler, Udo Lattek o Bobby Robson. Gente de permanencia rápida como un relámpago que dejaron huella, a la manera de Laureano Ruiz. Filósofos de florida prosodia, y pensamos en Menotti, o completos fiascos, al margen de los áridos tiempos que les tocó manejar, como Sandro Puppo o Ferenc Plattkó. ¿Qué podemos decir de un cargo que no ha respetado ni a un mito de la talla de Kubala? Pues que puede llegar a ser el infierno en la Tierra, y aquí recordamos el desfile de catorce técnicos en solo quince años, alrededor de los insufribles años sesenta, cuando el puesto parecía una implacable trituradora y se apostaba a ciegas por mucha gente de la casa que sentían una angustia aún superior a la de los futbolistas, sin talento suficiente como para cargar toneladas de responsabilidad en las botas o las pizarras de trabajo.

Ahora, por aquello de la fórmula mágica hallada tras décadas, llegamos a la conclusión de que conviene confiar en gente que haya mamado largo tiempo el Barça y sepa deletrear el complejo abecedario de una peculiar y complicada institución, sean exjugadores o licenciados en el modelo con máster de especialización incluido. El Futbol Club Barcelona es tan especial que rompe moldes. Y así, con cierta ironía y sin nostalgia, convendría recordar a Enrique Orizaola, el entrenador que sustituyó de manera provisional al serbio Ljubiša Broćić llevando las riendas de una maravillosa plantilla (envejecida y sobrevalorada, también) hasta la final de la Copa de Europa de 1961, antes de caer por un simbólico barranco. Solo el Barça puede llegar a una anhelada final como aquella sin presidente y dirigido por una gestora, en práctica bancarrota económica, con el mito Kubala jugando con una hernia discal y con la gran estrella, Luisito Suárez, ya traspasada en un clamoroso error, el peor de la historia, futbolísticamente hablando. Claro, y el míster tenía que ser interino, no podía ser de otra manera si buscamos coherencia en esta situación tan fuera de lugar.

El chivo expiatorio, el saco de todos los golpes se sienta en el banquillo como norma futbolística. Así que antes de acabar la introducción al recuerdo dedicado a los profesionales de la estrategia que lo ven todo muy claro en teoría y se lían generalmente en la práctica, lanzaremos una de aquellas proyecciones que gustan tanto a los aficionados, dispuestos siempre a discutir sobre qué fue primero el huevo o la gallina: ¿se imaginan qué hubiera podido pasar si, en su momento, la directiva de turno hubiera optado por José Mourinho en lugar de apostar por Josep Guardiola? Si el oficio lleva la espada de Damocles incorporada de serie, igual entonces se nos habría caído encima con gran estrépito. Después dirán que los místers no son importantes, que la gloria es de los futbolistas, y la hiel, suya.

279. UNOS CUANTOS ENTRENADORES

Desde 1912 hasta hoy, el Barça ha tenido cincuenta y seis entrenadores. Si nos fijamos en su procedencia, veremos que catorce eran catalanes, once españoles, diez ingleses, cuatro holandeses, cuatro argentinos, tres húngaros, dos alemanes, dos serbios, un austriaco, un irlandés, un uruguayo, un eslovaco, un italiano y un francés. Por otra parte, veinticuatro de ellos habían sido antes jugadores azulgranas. Parezcan muchos o pocos, esto es lo que hay. En las épocas de zozobra deportiva, la directiva cambiaba rápido de inquilino en el banquillo. Si el viento soplaba a favor, continuidad asegurada. Tan viejo como el fútbol. Tampoco el Barça escapa a esta tradición.

280. MÁS VALE TARDE...

Aunque muy tarde, Jack Greenwell gozó de un merecido homenaje en Inglaterra, concretamente en Crook, su población natal. El 10 de agosto de 2016 se descubrió una placa conmemorativa, ilustrada con los escudos del Crook Town y del FC Barcelona. Como puede leerse en la placa, Greenwell fue olvidado por muchos, pero dejaría una marca indeleble en el deporte rey. Y dicho sea de paso, en el fútbol español.

Aún hoy, Greenwell es el entrenador que más temporadas ha permanecido en el Barça, un total de doce, divididas en dos etapas (1913-23 y 1931-33). El técnico inglés dirigió el equipo en 195 partidos oficiales, 135 de ellos acabados en victoria (prácticamente un 70%), con un palmarés de seis Campeonatos de Cataluña y dos de España. A sus órdenes desfilaron un montón de leyendas de la Edad de Oro, desde Zamora a Samitier, pasando por Alcántara, Sagi, Sancho, Piera y tantos otros. Una vez desligado del Barça, dirigiría al Sants, Castellón y Valencia, estaría tres años en el Espanyol y repetiría dos cursos más llevando la plantilla azulgrana, coincidiendo con los primeros tiempos de la República. Tras el reconocimiento logrado en Crook, queda pendiente ofrecerle el que corresponde desde aquí. Aunque también llegue tarde.

281. PATRICK O'CONNELL

Patrick O'Connell es una de tantas figuras históricas casi desconocidas por la gente azulgrana. Una lástima porque el irlandés merece reconocimiento especial por su gran valía profesional y humana. Más aún, si valoramos en contexto las trágicas circunstancias históricas en las que desarrolló su labor como futbolista y, después, entrenador.

O'Connell nació en Dublín el 8 de marzo de 1887, cuando Irlanda aún pertenecía al Reino Unido. Registró una larga trayectoria como futbolista en un puñado de equipos irlandeses e ingleses como el Strandville Junior Team Dublin, Belfast Celtic, Sheffield Wednesday, Hull City, Manchester United, Rochdale, Clapton Orient, Dumbarton y Ashington. Era aquella época de duro fútbol, poco que ver con el actual. Patrick vio como algunos compañeros morían en la Primera Guerra Mundial y, por desgracia, no sería este el único conflicto bélico que sufriría en su vida.

En 1922, cuando Irlanda padecía una cruenta guerra civil posterior a su independencia, O'Connell llegó al Racing de Santander para iniciar su dilatada carrera como técnico en España. El equipo cántabro (1922-29), el Oviedo (1929-32) y el Betis (1932-35) aprovecharon la enorme sapiencia de este hombre de pelo cano, un verdadero caballero que lucía la rara habilidad de no enfadarse nunca con nadie. Su prestigio aumentó en Sevilla, ya que, en la campaña 1934-35, dio al Betis su único título de Liga. Naturalmente, los béticos le profesaron gratitud eterna, que él correspondería con una mítica definición de la manera andaluza de entender la vida: «Sevilla es un lugar donde la gente vive como si se fuera a morir esta noche».

282. IRLANDÉS EN EL BANQUILLO

Año 1935. En plena recuperación de su grave crisis deportiva de los últimos años, el Barça contrata a Patrick O'Connell, entonces el técnico con mayor fama del fútbol español. Era presidente del club Josep Suñol i Garriga, que había jugado un papel fundamental en la revitalización del equipo post Edad de Oro, después trágicamente truncada por la guerra. El entrenador irlandés inició su etapa azulgrana cobrando 1.500 pesetas mensuales. Con él, el Barça consiguió el Campeonato de Cataluña 1935-36 (cobró mil pesetas extra como prima) y alcanzó la final del Campeonato de España, perdida ante el Madrid por 2-1, el 21 de junio de 1936.

Se estaban fijando los cimientos de un gran equipo, pero con el alzamiento militar del 18 de julio todo se fue al garete. El inicio de las hostilidades sorprendió a O'Connelll de vacaciones en Irlanda. El 24 de septiembre, el Barça le mandó una carta comunicándole que, vistas tan especiales circunstancias, quedaba libre para volver o no a la disciplina del club. Le avisaban de que, si decidía volver a Cataluña, no le podían garantizar que cobrara el sueldo pactado por contrato. O'Connell, que nunca escondió sus simpatías republicanas, no dudó un instante. Regresó a Barcelona sin que le importaran los honorarios. De hecho, él mismo recortó su salario de 1.500 a 1.000 pesetas mensuales. Fue entonces cuando, con buen humor irlandés, dijo que mientras hubiera patatas, él no se iría de la capital catalana, recordando la gran hambruna irlandesa del siglo XIX causada por la escasez de este alimento básico.

Mientras tanto, el equipo, a pesar de la conflagración, había reemprendido los entrenamientos el 26 de agosto y esperaba ansioso el retorno de su míster. La consigna, clara: la guerra no debía impedir que se jugara al fútbol. Así, el Barça de los Escolà, Balmanya, Vantolrà, Zabalo, Pedrol y Munlloch obtuvo en 1937 la Liga Mediterránea, una obligada versión reducida de la Liga. Ya que estamos, la Real Federación Española de Fútbol nunca ha reconocido el triunfo azulgrana en este campeonato disputado el primer año de guerra. Una vergüenza como otras tantas que prueba el nulo respeto de los dirigentes hacia la memoria histórica de este deporte.

283. COMPROMETIDO CON LA REPÚBLICA

Poco después, entre junio y septiembre de aquel mismo año, el Barça realizó una politizada gira por México y Estados Unidos en la que O'Connell no dudó en significarse como portavoz de la causa republicana. La diezmada expedición regresó a casa sin muchos de sus jugadores, exiliados en México y Francia, aunque O'Connell continuó fiel al club. De todos modos, en 1938, ante el terrible caos que se vivía entonces en Barcelona, decidió regresar a Irlanda.

Una vez concluida la guerra, el 22 de mayo de 1939, el Barça le transmitió que contaba con él para continuar en el cargo. Entonces, se reintegró al FC Barcelona, pero solo estuvo un año, ya que volvió al Betis en 1940, donde la afición le esperaba con los brazos abiertos. Permaneció dos años, cuando marchó al Sevilla (1942-45). Aún volvería a entrenar de nuevo al Betis en 1946. Cerró su larga carrera en el Racing de Santander (47-49). Patrick O'Connell, caballero y aventurero del fútbol, murió en Londres el 27 de febrero de 1959. Recientemente, un grupo de compatriotas irlandeses han emprendido con éxito la recuperación de la memoria de tan importante figura, tan desconocida en su país de origen como aquí, el de su adopción deportiva.

284. EL MAGO, EN EL BANQUILLO

En 1944, Pepe Samitier regresó como entrenador al FC Barcelona. Él mismo se encargó de explicar las razones en declaraciones a la prensa: «La pelota tiene este atractivo. Me había jurado no intervenir en fútbol, porque, afortunadamente, no me hace ninguna falta. Vivo perfectamente bien y en un plan que para mí no puede ser mejor. Pero no puedo olvidarme de que pertenecí al Barcelona y su requerimiento ha podido más que mis firmes propósitos de hacer el *dribbling* si venían a por el balón». Una muestra del habitual lenguaje metafórico de Samitier, siempre dispuesto a utilizar términos futbolísticos para hacerse entender entre los aficionados.

285. FERNÁNDEZ SE OFRECE

Antes versábamos sobre Enrique Fernández, aquel delantero uruguayo de enorme clase que había jugado en el Barça durante el bienio 1935-36. Una década después, el 31 de octubre de 1946, Fernández se ofreció como técnico al club azulgrana, a través de una carta dirigida desde Montevideo al entonces presidente, Agustí Montal Galobart. Como es natural, la junta declinó la oferta y decidió respetar el contrato en vigor que mantenía con Pepe Samitier, entrenador del equipo desde 1944. A pesar de que el equipo no iba bien en la Liga, la temporada acababa de empezar y el mínimo sentido común recomendaba no cambiar a un mito como Sami por el primer exjugador que presentara su candidatura como entrenador, por mucho que hubiera conseguido la Liga uruguaya con el Nacional de Montevideo. Pero, ay, el Barça acabó la Liga 46-47 en cuarta posición y caería en cuartos de final de la Copa a manos del Nàstic de Tarragona. Ante este fracaso deportivo, Samitier dejó el banquillo pese a los éxitos anteriores; pasaría a ser secretario técnico del club, una vez visto y comprobado que el cargo de «míster» quemaba demasiado y que tampoco aquí, como todo en el fútbol, había memoria. Fernández, ahora sí, fue elegido nuevo técnico del FC Barcelona. El uruguayo había sabido esperar su oportunidad.

286. ENRIQUE SE VA...

Cabe decir que el trabajo de Fernández fue como la seda en sus primeras temporadas, saldadas con dos Ligas, una Copa Latina y una Copa Eva Duarte. Por contraste, como todo se acaba en la vida y en el fútbol, la primera mitad de la campaña 1949-50 fue lo más parecido a un desastre. Con seis derrotas en trece partidos, el equipo azulgrana era sexto al final de la primera vuelta, a seis puntos del líder, el Real Madrid, que le había batido en la tercera jornada en Chamartín por un humillante 6-1. Encima, en la Copa Eva Duarte (precedente de la Supercopa de España), el Valencia había barrido al Barça por 7-4; eso sí, tras una prórroga. Con este panorama, el 5 de diciembre de 1949, al día siguiente de una dolorosa derrota en Les Corts ante el Espanyol (1-2), Fernández enviaría al presidente su carta de dimisión. El técnico uruguayo renunciaba «porque existe en mí la convicción de que mi permanencia al frente del equipo no traerá ninguna ventaja ni tampoco beneficios por más que ponga en mi labor todo el entusiasmo posible y conocimientos técnicos».

Inmediatamente después, explicaba en el texto las razones de su dimisión. Atención, que el hombre se despachó a gusto, a pesar de dar bastantes giros en la redacción. Pero se le entiende todo, aunque sea entre líneas. Su sinceridad, dado el caso, roza niveles de documento histórico: «Por causas injustificadas de acuerdo con mi manera de proceder en el trato con los jugadores, donde siempre he obrado con entera justicia, imparcialidad y corrección, encuentro falta de colaboración en algunos casos, tanto en la parte disciplinaria como deportiva, actitudes estas que me ponen en el compromiso de sancionar como corresponde a la buena marcha de la disciplina del club. Existen casos y hechos que son del conocimiento perfecto de usted y demás directivos, que por su claridad me reservo los nombres de estos. Señor presidente: la actuación del equipo en el partido de ayer me dejó casi el convencimiento de que hubo hombres que no pusieron el máximo de interés en el partido con el agregado que en ningún momento cumplieron con las órdenes recibidas. Cuando suceden estas cosas desagradables, la víctima resulta ser siempre la misma, el club, y esto es lo que quiero evitar sacrificando mi prestigio personal. Prefiero dejar en sus manos mi cargo de entrenador para que usted disponga como mejor le convenga a los intereses del club. Le ruego con toda sinceridad que acepte esta renuncia, porque todo sería en vano cuando se trabaja entre tinieblas.»

La explicación, de traca. Y por si fuera poco, cinco días después, Fernández insistiría en su renuncia «indeclinable», en sus propias palabras. Y esta vez aportaba un nuevo factor decisivo: la flagrante injerencia en su labor por parte de Samitier, que «menoscaba mi autoridad como entrenador responsable». Según parece, el secretario técnico debía considerar que una de sus atribuciones consistía en sacar de quicio al técnico uruguayo. El final de esta historia sería involuntariamente cómico, ya que el 14 de diciembre la junta rechazó la dimisión de Fernández. El técnico, harto, insistiría una vez más en su voluntad pasadas las fiestas de Navidad, el 25 de enero de 1950, enviando otra carta insistiendo en que quería irse. El club, por fin, ya no tuvo valor para denegar la renuncia del entrenador por segunda ocasión en tan escasas semanas. Y el Barça, bajo la dirección técnica del interino Ramon Llorens, terminaría la Liga 1949-50 en una discretísima quinta posición.

287. Excusa de Daučik

Ferdinand Daučik, cuñado de Ladislao Kubala y preparador barcelonista desde el verano de 1950, ya se había ofrecido como entrenador al Barça el 9 de diciembre del 49, cuando su antecesor uruguayo suspiraba por dejar la plaza vacante. Tras la triunfal campaña 1951-52, la de las Cinco Copas, cuando el Barça lo ganó absolutamente todo, los problemas comenzarían a surgir solo arrancar la siguiente temporada. Así, Daučik recibió el 9 de septiembre de 1952 una concisa nota interna del club, donde se le informaba sobre lo que tenía que decir en caso de que algún suspicaz periodista le preguntara por qué Gustau Biosca no había jugado en Les Corts contra el Deportivo. Según la comunicación escrita, el míster eslovaco debía responder en estos exactos términos: «No ha jugado porque considero que su preparación física no ha alcanzado el nivel de los demás jugadores, debido a que no ha realizado el trabajo de entrenamiento que han efectuado estos». En realidad, el travieso Biosca estaba apartado del equipo por sus ausencias injustificadas en los entrenamientos y por no haberse presentado a la convocatoria del partido amistoso disputado en Palma de Mallorca el 3 de septiembre, aunque sorprende este miedo enfermizo del club exigiendo a Daučik que no se apartara del guion establecido, un modo obsesivo de esconder la verdad. ¿Era necesario llegar al extremo de pasarle un guion con lo que debía decir en el caso de Biosca?

288. INTERFERENCIAS

Seguramente, detalles como el que acabamos de expresar, de aquellos que no agradan a nadie con mínimo criterio propio, acabarían desgastando la paciencia del míster. De hecho, en octubre de 1953, Daučik estuvo a punto de abandonar el banquillo azulgrana. Con el ambiente completamente enrarecido por la nefasta resolución del «caso Di Stéfano», el club estaba sin presidente, dirigido por una comisión gestora, y el entrenador eslovaco se quejaba abiertamente a la prensa, denunciando que algún directivo «se inmiscuye en mi labor, siendo todas mis decisiones censuradas con una anticipación tal, que causan un enorme perjuicio al club». Finalmente, la intervención personal de Agustí Montal, expresidente y miembro de la comisión gestora, consiguió parar el golpe y Daučik continuó dirigiendo al Barça hasta el término de la temporada 1953-54. Por desgracia, para entonces los laureles del equipo de las Cinco Copas ya se habían marchitado ante el empuje del nuevo Madrid de Di Stéfano.

289. EL PREPARADOR FÍSICO

El primer preparador físico contratado por el FC Barcelona fue Felipe Olalla Mariscal, nombrado por la junta el 12 de marzo de 1953 para que se pusiera a disposición del entrenador, Ferdinand Daučik, bajo la denominación oficial de «profesor de cultura física». Olalla falleció en Barcelona en el más estricto anonimato en julio de 2013, a los noventa y dos años de edad.

290. NO QUERÍAN A PLATTKÓ

Acabada la temporada 1955-56, Ferenc Plattkó alcanzó un acuerdo con el Barça para rescindir su contrato como entrenador. El ejercicio se había cerrado sin títulos, con el equipo segundo en la Liga, a solo un punto del campeón, el Athletic Club, y eliminado en la Copa por el Espanyol. De todos modos, esta no fue la razón primordial para el adiós del técnico húngaro, según se desprendía de una carta que el secretario técnico, Josep Samitier, mandó al presidente Miró-Sans el 19 de mayo de 1956. Samitier explicaba que el hecho de mayor gravedad era «la falta absoluta de estimación a que Plattkó se ha hecho acreedor por parte de los jugadores, debido a su particular forma de ser, que no encaja en manera alguna en el trato correcto y paternal que debe presidir todos los actos de un señor que dirige un equipo de la categoría del nuestro. Las reacciones más extremas, desde las bromas de mal gusto hasta las reprimendas sin ton ni son, se han venido repitiendo, creando con ello un clima irrespirable entre jugadores y entrenador».

291. Sin diplomacia

Samitier hablaba con conocimiento de causa. Plattkó lucía un carácter irascible y solía reñir a jugadores y empleados por los motivos más banales, lo que provocaba una atmósfera de tensión nada recomendable. En cierta ocasión le pidió a Francesc Anguera que retirara unas tazas de café. Al parecer, el Papi no le entendió y Plattkó soltó: «Usted es una mierda y yo no digo dos veces una orden».

Además de airado, el antiguo portero azulgrana era un entrenador arbitrario y déspota. Entre otras perlas, Plattkó hacía que los jugadores le pagaran los taxis y el cine. Otra: cuando el Barça jugó en Valencia, el 25 de marzo de 1956, la expedición se alojó en el hotel Inglés. Ante los problemas surgidos en el momento de distribuir las habitaciones de los jugadores, Plattkó, sin pensarlo dos veces, cogió su llave el primero antes de irse gritando: «¡Los demás, que se arreglen!». Por encima de estos ejemplos de escasa educación, lo peor, a efectos prácticos, eran sus comentarios a los futbolistas en el vestuario durante los prolegómenos de los partidos. En vez de animarlos, les recordaba que, si perdían, él dejaría de ganar mucho dinero. Curiosa manera de motivar, desde luego.

292. Chicos, al cine...

Una de tantas del inefable Helenio Herrera, entrenador en el bienio 1958-60. A veces, H. H. se llevaba a sus jugadores al cine para desintoxicarlos un rato del fútbol. Y repetía cierto ritual. El técnico les preguntaba qué película preferían, si de «tiros», de amor, cómica…, pero la respuesta de los futbolistas importaba poco, porque Herrera ya había comprado las entradas con antelación. Incluso, llevado por su obsesión de controlarlo todo, ya había visto previamente el film para comprobar si era adecuado para sus pupilos.

293. EL PLANTE DE LA BERZOSA

El 17 de abril de 1960, el Barça se proclamó campeón de liga tras derrotar por 5-0 al Zaragoza en la última jornada, cerrando así una apasionante lucha con el Real Madrid. Cuatro días después, el equipo que entrenaba Helenio Herrera debía jugar la ida de semifinales de la Copa de Europa 1959-60 en Chamartín ante el cuadro merengue, que había ganado las cuatro primeras ediciones del máximo torneo continental. Según ha explicado siempre la historia oficial, poco antes del primer partido, cuando la expedición azulgrana estaba concentrada en la localidad madrileña de La Berzosa, algunos futbolistas, alentados por H. H., exigieron una prima superior a la estipulada, hecho recordado como el Plante de la Berzosa. Y se organizó un escándalo de campeonato, claro. Con el ambiente muy enrarecido, el Barça perdió 3-1 y repitió derrota por 1-3 en la vuelta en el Camp Nou. Una vez eliminado el equipo de la Copa de Europa, Helenio Herrera fue destituido. H. H, deprisa y corriendo, se fue al Inter de Milán.

294. HISTORIA ALTERNATIVA

Sin embargo, existe una versión alternativa a esta historia. Según publicó *RB* el 11 de febrero de 1981, un personaje muy vinculado a la plantilla de 1960 declaró que, desde el Gobierno español, se presionó a Miró-Sans para que el Madrid llegara a la final de la Copa de Europa. La idea consistía en que el equipo blanco ganara la final de Glasgow, como así fue; de esta manera, España tendría dos representantes en la siguiente edición de la competición europea. Siempre según esta versión, el falangista Miró-Sans no solo no se escandalizó por tan indecorosa propuesta, sino que, al contrario, la recibió como una cuestión patriótica y la aprobó sin reservas, enseguida. Un periodista de la

Revista Barcelonista le preguntó directamente a Helenio Herrera su opinión sobre tan explosiva revelación; la respuesta de H. H., dos décadas después de los hechos, no hacía más que añadir leña al fuego: «Es muy posible que sucediera tal y como usted dice que le han contado, porque ese presidente de aquel entonces, estando concentrados en Madrid vino para decirnos que retiraba la prima establecida para esta eliminatoria, ya que esta no interesaba. Algo muy raro, por cierto». Pues sí, muy extraño. Un episodio ciertamente oscuro.

295. Curioso ritual...

Ya que hablamos de rarezas, hagamos un apunte sobre los peculiares métodos de Helenio Herrera, técnico de controvertida personalidad y verdadero precursor en la preparación psicológica de los futbolistas, forzados a protagonizar singulares rituales de motivación en el vestuario. Antes de los partidos, los chicos gritaban a coro contundentes consignas. En mayo de 1960, según confesaría Zoltán Czibor (quien, dicho sea de paso, aborrecía a H. H.), la ceremonia consistía en que todos los jugadores tocaban a la vez un balón de fútbol mientras chillaban: «¡Ganaremos! ¡Ganaremos! ¡Ganaremos! ¡Somos mejores! ¡Somos mejores! ¡Somos mejores! ¡Los mataremos! ¡Los mataremos! ¡Los mataremos! ¡Les romperemos las piernas!». Tras esta extrema liturgia, casi propia de unos marines norteamericanos de película, se suponía que los jugadores salían al campo motivadísimos, dispuestos a comerse la hierba.

296. H. H. infinito

Nunca nos cansaríamos de explicar batallitas de Helenio Herrera, aquella auténtica mina de anécdotas. En este caso, se trata de una peculiar travesura *made in H. H.* Según confesó en cierta ocasión Josep Sales, conductor del autocar del Barça, Herrera era tan puntual que hacía arrancar el bus desde el hotel de concentración al Camp Nou a la hora convenida en punto, cronómetro en mano, sin perdonar ni un segundo. Así, si algún jugador no había subido aún, no le quedaba otro remedio que realizar el trayecto en taxi. Pero hay más. H. H. obligaba a Sales a quedarse en el Camp Nou, con el autocar a punto, hasta que el Barça marcaba el tercer gol. Cuando el equipo no conseguía más de dos, tocaba volver al hotel en autocar como castigo. De todas maneras, aquel equipo fabuloso de su primera época en el banquillo, a finales de los cincuenta, mostraba en el Camp Nou una prodigiosa capacidad goleadora, como lo certifica el hecho de que, en cuarenta y siete partidos jugados de local con Herrera dirigiendo, los futbolistas solo pasaron en siete ocasiones por el peculiar trance de no poder volver a casa y tener que prolongar la concentración.

297. Broćić se explica

El serbio Ljubiša Broćić era el nuevo entrenador para la temporada 1960-61, pero apenas duró medio año en el banquillo. A pesar de dirigir una plantilla maravillosa, el 12 de enero de 1961, tras empatar en el Camp Nou ante el Athletic, Broćić dimitió de su cargo. En aquel momento, el Madrid llevaba siete puntos de ventaja en la Liga. Una vez más, la dictadura de los resultados había sido implacable y, como sucede a menudo, la sustitución de Broćić por su segundo, Enrique Orizaola, no serviría de nada, porque finalmente el Barça acabaría el campeonato en cuarta posición, a veinte puntos de los blancos.

Meses después, en septiembre de aquel 1961, cuando ya dirigía al Tenerife, Broćić pudo desahogarse a gusto en declaraciones a la revista *Barça*: «Yo llegué en un momento muy crítico para el Barcelona, quizás el más crítico de toda su historia. La lucha entre los directivos era manifiesta. Más que trabajar por el club, se trabajaba por los propios intereses. El directivo de abajo atacaba a los directivos más altos, aspirando, quizás, a ocupar él aquel mejor cargo. Un verdadero caos. Este ambiente creó una situación realmente insoportable». Chico, menudo panorama…

298. Kubala, «detective»

Una de las víctimas de aquella convulsa etapa del banquillo barcelonista que significó la década de los sesenta fue el mítico exfutbolista Ladislao Kubala. Una vez retirado como jugador del Barça en verano de 1961, Laci dirigió brevemente (apenas cinco meses) la Escuela de Futbolistas del FC Barcelona, pasando a entrenar al primer equipo desde noviembre del 61 hasta su destitución por malos resultados, en enero del 63. Kubala guardaba aún demasiado fresca su etapa como futbolista y pagó la novatada, aunque no pueda decirse que su fracaso viniera dado por un exceso de rigidez en el trato hacia sus pupilos. Conste que había firmado contrato para dirigir dos años aquella *proto-Masia*, con una cláusula que le preservaba de entrenar al primer equipo durante ese tiempo, alegando inexperiencia y tener un contacto demasiado cercano con los que habían sido sus compañeros. Pero las «urgencias históricas» pesaron más y el presidente Llaudet lo utilizó como escudo cuando la crisis acuciaba y necesitaba un nombre que animara a la afición.

Al mismo tiempo, y reforzada por el paso del tiempo, resulta curiosa la confesión realizada por Enric Llaudet a los senadores del club el 6 de diciembre de 1961: «Cada día, Kubala obliga a sus jugadores a que se acuesten a las once de la noche, y de vez en cuando hace comprobaciones. El otro día me decía un jugador: "Vino Kubala a casa a las doce de la noche y me encontró en la cama". A lo que yo le contesté: "Menos mal, porque, si no, ay de ti"». Impensable que sucediera tal cosa hoy. Conviene recordar que, en sus tiempos como mítico futbolista, el Barça colocó detectives para seguir las andanzas del húngaro. De noche y de día, a toda hora, como figura en los informes preservados en el club.

299. EL SOCIO KUBALA

El 8 de enero de 1963, Ladislao Kubala fue destituido como entrenador del Barça, víctima, como acostumbra a pasar, de los flojos resultados deportivos. En principio, parecía que el mito húngaro aceptaba sin problemas la decisión tomada por la directiva presidida por Llaudet. Incluso, al día siguiente de perder el cargo, se hizo socio del Barça, junto con su esposa, Ana-Viola Daučikova, y sus hijos Branko, Ladislao y Carlos. Al certificar este curioso detalle, sorprende que Laci no fuera socio mucho tiempo antes, vista la revolución que protagonizó en el club y en el fútbol español a partir de su llegada, trece años antes.

300. LA «TRAICIÓN»

No obstante, meses después de ser destituido, Kubala experimentaría una sensación creciente de amargura, generada por el sentimiento de recibir un trato injusto por parte de la junta de

Enric Llaudet. Al viejo héroe azulgrana le molestaba en especial la disolución de «su» Escuela de Futbolistas, que había llevado con ilusión en 1961, tras colgar aparentemente las botas. Una vez defenestrado, en enero de 1963, Kubala se encontró con que la escuela había desaparecido a causa de los problemas económicos que atravesaba la entidad por la construcción del Camp Nou. Total, que se vio sin destino en la que consideraba su casa.

Y como parecía recuperado de los problemas físicos que tanto le habían lastrado durante sus últimos años en activo, Kubala pidió a Llaudet reincorporarse a los terrenos de juego. El presidente consideró tal oferta una absoluta locura, un capricho, y Laci se sintió definitivamente humillado. Total, que el final de la historia resulta conocido, al menos para los lectores con largas horas de vuelo culé. A sus treinta y seis años, Laci acabaría fichando como jugador por el Espanyol, en el verano de 1963, noticia bomba que sería interpretada por la *culerada* como una grave traición, prácticamente una deserción en tiempo de guerra. Aún debemos añadir otra motivación íntima: Kubala, tan nómada de niño y joven, no quería mover a su familia de Barcelona, de ninguna de las maneras. Y, por lo tanto, escogió un club cercano, aun sabiendo que era el enemigo local irreconciliable. Pero la opinión pública no entendió sus razonamientos y prefirió quedarse con el sentimiento de traición sin escrúpulos. Y a partir de aquí se sucedieron todo tipo de reacciones de lo más visceral. Lean, si no, el incendiario editorial publicado en la revista *Barça* el 5 de septiembre del 63. Agárrense que vienen curvas:

«En los hombres importantes, el rencor, si existe, tiene que guardarse para devolver la pelota con dignidad, nobleza y categoría. Olvidarse de que tiene ya muchos años, de que engaña a todos con sus hipotéticas posibilidades de juego, del adiós que parecía definitivo a una afición que le adoró, para cometer la bajeza (¡sí, la bajeza!) de fichar por el Español, demuestra que aquella calidad humana que le suponíamos está absolutamente ausente del corazón y la cabeza del as. Kubala demuestra ahora que la inteligencia de los pies no tiene nada que ver con la otra, con la auténtica. Kubala demuestra que no es inteligente. Ha jugado una carta falsa y nadie en el futuro creerá en él. Creemos que lo mejor que puede hacer es hacer pronto las maletas y marcharse, porque su final será estrepitoso. En España tenemos muchos defectos, pero algunas virtudes. Entre ellas, la repugnancia instintiva al que tiene pasta de traidor».

El caso recuerda forzosamente al protagonizado años después por Luis Figo, quien también era socio del Barça al fichar por el Madrid, aunque con una diferencia sustancial. A Kubala, la afición barcelonista lo acabaría perdonando..., y dudamos que eso suceda nunca con el jugador portugués.

301. SARGENTO DE HIERRO

El argentino Roque Olsen disfrutaría de una larga carrera como entrenador, iniciada en 1962 con el Córdoba C. F. y cerrada tres décadas después en la U. D. Las Palmas, pocos meses antes de su muerte. Como técnico mostraba buenas cualidades, aunque, para su desgracia, le cayó la dirección del FC Barcelona cuando la travesía del desierto comenzaba a endurecerse, allá por 1965. Permanecería dos temporadas en el Camp Nou, y bastante hizo con ganar la Copa de Ferias 1965-66, aquella del *hat-trick* de Lluís Pujol en La Romareda. Eso sí, tenía un carácter fuerte, equiparable al de Michels o Van Gaal, por hallar dos paralelismos contemporáneos. Fiel a su significativo apodo como «sargento de hierro», Olsen no toleraba la menor indisciplina entre sus jugadores. Pueden dar fe de ello Cayetano Re y Vicente González, apartados del equipo en noviembre de 1965, o Carles Rexach, que no jugaría ni un minuto en la liga 66-67. Lean lo que escribió el directivo Florenci Coll en un informe de noviembre de 1965: «El clima de terror implantado por Olsen ha acabado con la moral de nuestro equipo, que sale al campo asustado, sin ánimo, temiendo en cada momento que el más mínimo fallo provoque la repulsa, burla o vejación de nuestro entrenador».

Por el contrario, Juan Carlos, *Milonguita*, Heredia, jugador barcelonista (1974-80) que estuvo bajo las órdenes de Olsen cuando dirigía al Elche en el 73-74, ofreció una descripción bien diferente de su personalidad: «Era una persona extraordinaria, lo que no quita que fuera un hijo de puta con los hijos de puta, como solemos decir en Argentina».

302. DE AVIADOR A MÍSTER

Salvador Artigas jugó en el Barça entre 1932 y 1934. Durante la guerra, defendió la legalidad republicana en el Ejército del Aire hasta el postrer instante. Y esa no es solo una frase retórica, ya que pilotó el último aeroplano republicano que abandonó el territorio español antes de la completa victoria de Franco. Al aterrizar en Francia fue a parar al campo de Gurs, acompañado por el también exfutbolista azulgrana Domènec Torredeflot, apodado Chevrolet por su velocidad y porque poseía un automóvil de tal marca. Artigas llegó a ser miembro de la Resistencia francesa y, a pesar de sus extremas vicisitudes, nunca perdió su proverbial humanidad y trato amable. Años después, cuando le tocó ser entrenador del Barça en época difícil (1967-69), sus detractores, partidarios de la línea dura, le solían llamar con ironía y de manera injusta Míster Sonrisitas.

303. A técnico por año

La síntesis de lo que significó para el Barça la llamada «travesía del desierto» de los sesenta y comienzos de los setenta radica en este dato, muy significativo. Entre 1959 y 1974, el once azulgrana tuvo catorce entrenadores: Helenio Herrera, Enric Rabassa, Ljubiša Broćić, Enrique Orizaola, Lluís Miró, Ladislau Kubala, Josep Gonzalvo, César Rodríguez, Vicenç Sasot, Roque Olsen, Salvador Artigas, Josep Seguer, Vic Buckingham y Marinus Michels. Cada cual con su personalidad y metodología, unidos bajo el denominador común de sentir muchísima presión desde directivas sin rumbo, proyecto ni paciencia. Total, siete títulos (dos Ligas, tres Copas y dos Copas de Ferias), en catorce años. Como cruel contraste, en aquel idéntico periodo temporal el Real Madrid solo tuvo un entrenador, Miguel Muñoz, que sumó catorce títulos (nueve Ligas, dos Copas, dos Copas de Europa y una Copa Intercontinental). «También cansa comer cada día jamón de pata negra», dijo Muñoz el día de su destitución en el Real Madrid. Y los máximos rivales, a dieta espartana y pasando un hambre atroz.

304. El trato de Muñoz

Josep Samitier, como secretario técnico del club, desvelaría algunos de los secretos que justificaban el éxito de Miguel Muñoz en el banquillo madridista. Sami redactó un informe a la directiva el 29 de enero de 1963 que no debía agradar mucho, por comparación, a los responsables de la gestión azulgrana, entonces tan deficitaria en todos los sentidos, incluido el deportivo: «Muñoz conoce el trato que debe dar a cada uno de sus jugadores y no se asusta de ninguno de ellos cuando a veces llega el momento en que hay que decirle cosas amargas. El entreno lo efectúa bien y tiene memoria exacta de los fallos que han tenido cada uno de los que ha jugado el último domingo. Sabe explicárselos hablando despacio y sin gritos. Esto tiene más importancia de lo que muchos pueden creer». De paso, una indirecta muy directa dirigida al entrenador Josep Gonzalvo, apenas dos días después de una traumática derrota en el Camp Nou ante el Real Madrid por 1-5.

305. Lógica de Laureano

Laureano Ruiz, el técnico que, en la década de los setenta, introdujo el *rondo* en los entrenamientos del Barça, lo tiene claro: «El arte del entrenador consiste en colocar a los jugadores en la posición donde mejor rindan. Si tuvieras once Maradonas, no tendrías un buen equipo. Porque yo, por ejemplo, he entrenado a Migueli, el mejor defensa con el que he trabajado. Si a Migueli le hubiera hecho jugar de Schuster, como organizador, con suerte habría jugado en Segunda B». Una lógica aplastante, a poco que nos fijemos.

306. El mimado del presi

El extremo Francisco José, *Lobo*, Carrasco debutó en el Barça con diecinueve años en un derbi en Sarrià, resuelto con victoria azulgrana por 0-2 (17 de diciembre de 1978). Hasta aquí, todo normal, pero atención a lo confesado años después por el técnico barcelonista Lucien Müller: «Carrasco habría debutado mucho antes. Estaba a punto, pero me negué. Cada domingo, el presidente Núñez anunciaba su debut a los periódicos. Eso me indignaba. Finalmente le dije que yo era el entrenador y que Carrasco no entraría en el equipo hasta que no acabara con aquel juego. Evidentemente, cumplí mi palabra». Cuando Müller fue destituido, en abril del 79, llevaba largo tiempo sin hablarse con Núñez, aunque hay que precisar que el equipo tenía una trayectoria muy deficiente en la Liga, con diez derrotas en catorce partidos como visitante.

307. Un año de traca

La temporada 1980-81 fue cualquier cosa menos aburrida. De entrada, y como pasaba por costumbre en aquellos largos años, las altas expectativas iniciales quedaron frustradas por un arranque nada lucido en la Liga y una dolorosa eliminación en la Copa de la UEFA a manos del Colonia, el 5 de noviembre de 1980, con un devastador 0-4 en el Camp Nou. Esta hecatombe provocó la destitución de Ladislao Kubala como técnico en su segunda etapa, de nuevo fracasada, en el banquillo azulgrana. La reacción llegaría gracias a dos revulsivos muy distintos. Uno, en el campo, con Bernd Schuster, fantástico centrocampista alemán llegado del propio Colonia, y otro, en el banquillo, un golpe de efecto a pesar de su ya avanzada edad. El inefable y locuaz Helenio Herrera volvía a dirigir el equipo, provocando euforia en un sector de viejos aficionados culés y la estupefacción de otros ante el nuevo giro de rumbo propiciado por Josep Lluís Núñez, errático por definición en su proyecto deportivo.

Ya sabéis que H. H. había triunfado en el Barça durante los años 58-60, generando admiradores incondicionales y también radicales detractores a su manera de hacer y entender el trabajo. Después, en el último tramo de la campaña 79-80, había regresado con el encargo de clasificar al equipo para la Copa de la UEFA, por aquel entonces el último clavo donde agarrarse. Ahora se hacía cargo del Barça por tercera vez y conservando todavía algunas de sus facultades psicológicas para conducir grupos. Así, cuando le iban a presentar a su desmoralizada plantilla, Herrera debutó con un conejo sacado de la chistera escrito en la pizarra del vestuario: «Seremos campeones». No tuvo bastante con ello e hizo repetir, uno por uno, esta consigna en voz alta a todos los integrantes de la plantilla para que se lo creyeran.

308. El efecto H. H.

Pronto se vería que el Barça era otro equipo, como quedaría patente en el primer partido de la nueva época, disputado el 9 de noviembre contra el líder Atlético de Madrid, equipo que le llevaba ocho puntos de ventaja. No obstante, el Barça consiguió una brillante victoria por 4-2. Los colchoneros, intratables hasta entonces en Liga (siete victorias y dos empates), tuvieron que claudicar ante un once transformado por la dirección de Herrera y el excelente liderazgo de Schuster.

Aquel día, como pasaba cíclicamente, la euforia volvió al Camp Nou. Terminado el *match*, centenares de aficionados aguardaron la salida de Helenio Herrera en la puerta principal de tribuna y lo cargaron a hombros. Escena idéntica a la que se había producido en 1960, justo cuando antes de marcharse al Inter, el técnico había sido paseado por Las Ramblas. Como cantaba Carlos Gardel, otro ilustre culé, «veinte años no es nada».

Finalmente, aquella Liga se escapó hacia San Sebastián por el lío organizado con el secuestro de Quini, aunque el Barça acabaría consiguiendo la Copa del Rey, precisamente contra los asturianos del Sporting, el exequipo del goleador. Así, al cabo de dos decenios, H. H. volvía a levantar un trofeo al frente del equipo azulgrana.

309. H. H. Y JUANITO

Día 30 de noviembre de 1980. Se disputa un Barça-Madrid de Liga en el Camp Nou, con las tensiones inherentes a un evento como este desde tiempos inmemoriales. Helenio Herrera se había encargado de calentar la previa al manifestar que «Juanito se marca solo», refiriéndose al temperamental y malogrado extremo madridista, cuyo espíritu algunos «merengues» no dejan descansar cuando apelan a la heroica para remontadas épicas. En el minuto veintitrés de aquel intenso duelo, Juanito marcaría el momentáneo 1-1 tras una monumental cantada del portero azulgrana Artola, a quien se le escapó el balón de las manos. El autor del gol corrió enloquecido hacia el banquillo local mientras chillaba: «¡Viejo, vete al asilo!». Finalmente, un gol de Quini en la segunda mitad daría la victoria al Barça, lo que permitiría que el especial H. H. se desfogara en la rueda de prensa posterior: «No sé por qué gritaba Juanito, si el gol lo ha marcado de churro. A mí me hubiera dado vergüenza dedicar un gol tan birrioso». Cosas de un Barça-Madrid, ya se sabe…, y bastante experiencia histórica acumulamos.

310. PIFIA CON RUBIO

Como el lector sabe, Herrera escondía su edad y nadie sabía a ciencia cierta cuántas velas soplaba en su pastel de aniversario.

Que superaba los setenta años resultaba evidente, así como que teñía su cabello para esconder canas. Uno de los autores de este libro vivió el 16 de marzo de 1980 una impagable anécdota en El Plantío, campo del Burgos donde el Barça se había desplazado para un lance de Liga. El equipo salió a comprobar cómo andaba el césped, lamentable en aquel invierno, y del grupo se había descolgado el centrocampista manchego Julián Rubio, con cara de pocos amigos. O, sin ambages, con rostro de considerable malhumor.

Al preguntarle el porqué de aquel semblante, él, que era persona de sonrisa perenne, estalló: «¿Que qué me pasa? Pues que esta mañana, entra el Viejo en mi habitación del hotel y me empieza a decir "usted entre por aquí, vigile a este, haga lo otro". Me había hecho ilusiones de que volvía al equipo titular, y ahora llego aquí y resulta que me ha confundido con Sánchez. ¡No sabe ni con quién habla!». Obviamente, El Viejo era el apodo íntimo con el que los alumnos denominaban al maestro en el vestuario…

311. Consignas peculiares

Hay que reconocer que, de regreso al Barça en los primeros ochenta, aquel Helenio Herrera ya mayor no mostraba las dotes de oratoria que le hicieran único cuando era referencia de entrenadores. 15 de marzo del 81, descanso en El Helmántico, con el Barça perdiendo ante el Salamanca por 1-0. El equipo precisaba un revulsivo para la segunda mitad y el escogido fue Carles Rexach. Aunque H. H. no fue demasiado explícito en sus consignas a Charly: «Usted salga y arrégleme eso de ahí». Conste que Rexach hizo lo que pudo; pero, a pesar de una buena actuación, el Barça acabaría derrotado por 2-1.

312. El psicólogo

Para ser justos, hay que reconocer que algunas veces el veterano Helenio Herrera sabía cómo mentalizar a sus jugadores. En la vuelta de la semifinal de Copa 80-81, disputada en San Mamés el 13 de junio de 1981, al joven defensa del filial Manuel Martínez, *Manolo*, le tocaba la difícil papeleta de marcar al experimentado Dani, extremo goleador del Athletic. Poco antes de iniciar el lance, el nerviosismo del joven lateral izquierdo era harto visible, pero H. H. tuvo la ocurrencia de calmarlo así: «Me acabo de enterar de que Dani jugará con treinta y ocho grados de fiebre, así que como sé que no te va a costar nada anularlo, espero que subas al ataque, eches una mano a tus compañeros de la parte ofensiva y marques algún gol». En realidad, Dani andaba fresco como una rosa, pero Manolo, tranquilizado, completó un partidazo y secó por completo al delantero vasco. Y el Barça ganó por 1-2, clasificándose para la final.

313. YA LO PAGO YO

El 9 de mayo de 1981, el prestigioso técnico Udo Lattek firmó contrato con el Barça. El alemán, que había conseguido grandes éxitos con equipos como el Bayern de Múnich, el Borussia Mönchengladbach y el Borussia Dortmund, tuvo pronto un gesto que le honraría. Pocos días después de la firma del contrato, el club intentó hacerse cargo del IRPF de Lattek, pero este rechazó el ofrecimiento al indicar de manera categórica que «los impuestos serán satisfechos por mí». Debió de dejarlos con la boca abierta. Igual los directivos no estaban acostumbrados a gestos así...

314. MIRAR A LOS OJOS

El técnico madrileño Luis Aragonés demostró su fuerte carácter en los meses que entrenaría al Barça durante la complicada temporada 87-88, rematada con el escándalo del Motín del Hesperia. De hecho, Luis fue el único entrenador capaz de hacer pasar por el tubo a un jugador tan díscolo como Schuster. Bregado en mil tipos de batallas futbolísticas, el llamado Sabio de Hortaleza se limitaba a mirar fijamente a la cara del alemán mientras le decía: «Míreme a los ojitos. Usted va a hacer lo que yo le diga». Y aunque parezca mentira, lo conseguía.

315. VASCOS AL POR MAYOR

Cuando Johan Cruyff regresó al Barça como entrenador en 1988, se dio cuenta de que necesitaba valentía entre los jugadores para romper la tradicional mentalidad derrotista. Entonces, como que el holandés mantenía la firme creencia de que, por lo general, los catalanes no eran tan lanzados como los vascos, optó por fichar jugadores vascos y navarros como Begiristain,

Bakero, López Rekarte, Julio Salinas, Valverde, Goikoetxea y Unzué. En adelante, Cruyff evolucionó hasta equiparar el supuesto arrojo de catalanes y vascos.

Conste que este numeroso grupo originario de Euskadi había sido recomendado, en su mayoría, por Javier Clemente a Josep Lluís Núñez. Clemente andaba medio convencido de que sería el elegido para dirigir al Barça, aunque, al final, el constructor optó por jugársela a la desesperada con la carta ganadora de Cruyff. Sabía que el fútbol defensivo y nada espectacular del técnico que convirtió al Athletic en doble campeón de Liga no sería del agrado de la parroquia culé, siempre dispuesta a exigir espectáculo y con un paladar muy sibarita para disfrutar del fútbol.

316. GUERRA POR CARTA

El 18 de mayo de 1996 resultó una jornada traumática para el barcelonismo. Aquel día, Johan Cruyff fue destituido de forma fulminante como técnico del Barça a causa de los malos resultados deportivos. De manera automática y visceral, la masa social había quedado dividida entre dos *ismos* irreconciliables, dos maneras antitéticas de ver el fútbol y entender qué debía ser el Barça. Los culés se dividieron entre *nuñistas* y *cruyffistas*.

El cisma fue tan exacerbado y extremo que las cartas de socios y simpatizantes a favor y en contra de la destitución de Cruyff inundaron las oficinas del club, prácticamente a partes iguales. Y, como no podía ser de otro modo, junto con mensajes educados y razonados que expresaban su opinión en uno u otro sentido de manera ponderada (la mayoría), también se podían hallar insultos, descalificaciones personales y un variado repertorio de salidas de tono. En este caso, también a partes iguales entre los dos bandos enfrentados. Conste que no exageramos al usar un lenguaje bélico, por otra parte tan habitual en el fútbol, porque lo vivido en aquel momento parecía una auténtica guerra fratricida.

317. FUEGO AMIGO

¿Un par de ejemplos de cartas carentes de la educación más elemental? El 24 de mayo, un socio cayó en la pura difamación al describir a Johan Cruyff como un «enfermo de paranoia aguda». Y no, no era ningún psiquiatra especializado en tal enfermedad mental, sino un abogado. El hombre tuvo la ocurrencia de adjuntar en la carta una fotocopia extraída de una enciclopedia para dar mayor fuerza a su disparate. Parecía que el volumen había sido publicado por la Conferencia Episcopal de los años cuarenta, ya que definía la paranoia como «causada por una aberración del instinto sexual como es el homosexualismo». En cualquier caso, el abogado metido a psiquiatra de pacotilla acababa diciendo con la mayor seriedad del mundo: «Me permito recomendar a los parientes y amigos más próximos al señor Cruyff tomen las medidas oportunas para tratar el tema, inclusive la posibilidad de un psiquiatra o institución adecuada para tratar los temas mentales». Poco después, el presidente Núñez enviaría una lacónica respuesta epistolar a tan singular socio: «Muy agradecido por sus palabras de apoyo».

En el otro extremo, diametralmente opuesto, repasamos el texto de una incendiaria aficionada, sin pelos en la lengua, que mandaría esta misiva al presidente azulgrana. No fue muy delicada, debemos avisar: «Tenga huevos y lea, le escribo desde el fondo de mi corazón. Me gustaría saber por qué cojones le cae mal Cruyff, puesto que fue usted el que empezó a faltarle al respeto. Decirle que ante todo yo siempre defenderé al Barça, pero no a usted, ni al nuevo entrenador, sea quien sea. Si la próxima temporada el Barça gana algún título con otro entrenador, me acordaré de Cruyff y no creo que pueda festejarlo, además le deseo lo peor al sustituto de Johan Cruyff, y si Johan se va a otro club, ojalá triunfe y gane muchos títulos, y se lo desearía aunque se fuese al Real Madrid o al Espanyol. Si me desea llamar para insultarme o lo que sea le dejo mi teléfono». Hay que ver, menudo panorama…

318. AGRADECIDO

Entre extremos exacerbados como los mencionados, también cabían cartas como esta. El autor se limitaba a tributar un homenaje al hombre que había retornado la ilusión al Barça tras años de decepciones:

«Es de bien nacidos ser agradecidos y, sin duda, el barcelonismo siempre ha sabido corresponder a quienes han logrado llenar el espíritu del Camp Nou. Cruyff, en eso, como en otras cosas, es un líder incuestionable y merece agradecimiento. De quienes disfrutamos con su irrepetible talento como jugador y también de los que solo han conocido su faceta de entrenador. Él, como nadie, ha sabido interpretar el fútbol más adecuado para el coliseo azulgrana. El inolvidable Dream Team no solo sigue vivo en las videotecas, sino también en la memoria reciente. Por ese placer hay que darle las gracias a Cruyff, por ser como es y por darle al Barça lo que nunca tuvo: alma de vencedor».

319. ES LO QUE HAY

El 19 de enero de 1997, el Barça se impondría al Betis en el Benito Villamarín por 2-4, después de que los andaluces se avanzaran con un 2-0. Tras los noventa minutos, los periodistas pidieron al técnico azulgrana, Bobby Robson, que realizara un resumen del partido. La respuesta fue definitiva: «Uno-cero, dos-cero, dos-uno, dos-dos, dos-tres, dos-cuatro. Ganamos». En ocasiones, no dominar un idioma lleva a situaciones tan evidentes como esta. Y la cara que se les debió quedar a los periodistas tras esta sentida y rotunda declaración…

320. SIN MÍSTER

Una mañana de la temporada 1996-97, el autocar de los jugadores del FC Barcelona partió desde la explanada de tribuna del Estadi en dirección al hotel de concentración. Al cabo de unos instantes, cuando el vehículo marchaba por la avenida Joan XXIII hacia la Diagonal, Bobby Robson salió a la carrera por una puerta del Camp Nou. El míster inglés, sin aliento, gritaba como un loco que le esperaran, pero su esfuerzo era inútil porque el autocar ya se había alejado. Finalmente, el desliz quedó solucionado gracias a un empleado del club, que llevó al atribulado Robson en su coche particular a la caza de unos jugadores tan despistados como para largarse sin él. Hombre, la autogestión puede estar bien en un momento dado, pero no hasta este extremo…

321. TAMBIÉN SON VALORES

El técnico holandés Louis van Gaal se ganó una merecida fama de antipático entre los periodistas durante sus dos etapas azulgranas (1997-2000 y 2002-03). Eso, de cara a la galería, aunque aquellos que le trataron en la intimidad del trabajo acostumbran a destacar su vertiente humana. Y, en especial, el profundo respeto que siempre mostró hacia las personas de estatus profesional inferior. En cierta ocasión, un jugador dejó sus botas tiradas en medio del vestuario. Van Gaal le ordenó que las recogiera y las pusiera en su sitio: «Al que le toque limpiártelas te las dejará relucientes, pero no tiene por qué ir por ahí recogiéndotelas». Otro modo de demostrar y extender valores humanos.

322. «EL ESPÍA» LANGA

En su época como entrenador del Barça B, en tercera división, temporada 2007-08, Josep Guardiola solía pedir datos sobre los conjuntos rivales a Jaume Langa, el fisioterapeuta del equipo. Durante toda su vida, Langa había visto infinidad de partidos de Tercera y sabía un montón de jugadores y campos, al margen de haber atendido a muchos de aquellos futbolistas en su consulta privada. Con posterioridad, el «espía» Langa repetiría experiencia durante la etapa de Luis Enrique al frente del filial barcelonista (2008-11). Otra vez, a facilitar informes sobre rivales, futbolistas y campos adversarios. Precisemos que Langa había ingresado como masajista del primer equipo en verano de 1981, pero en 2004 pasó al filial, donde permaneció hasta su jubilación en 2014.

323. MOTIVACIÓN

Josep Guardiola era, y es, un reconocido maestro en el arte de motivar a sus jugadores. Antes de la final de Champions de 2009, el técnico catalán mostró a sus pupilos un vídeo en el que se les comparaba con aguerridos gladiadores romanos, que luchaban con pasión en el campo de juego. El resultado de tan peculiar terapia es harto conocido: el Barça consiguió su tercera Champions venciendo al Manchester United por 2-0.

Según la filosofía de Guardiola, una de las máximas fundamentales consiste en recordar siempre que un equipo solo es fuerte si está unido. De esta manera, antes del partido decisivo contra el Valladolid en la postrera jornada de la Liga 2009-10, Pep inspiró a los jugadores con un vídeo donde se mostraban sus jugadas colectivas, las asistencias de gol al compañero e, incluso, las celebraciones de grupo. El marcador final fue de 4-0 para el Barça, que obtuvo así el título.

324. EL MEJOR ENTRENADOR

Sin ninguna duda, Josep Guardiola ha sido el mejor entrenador en la historia del Barça. Pep consiguió ganar catorce títulos de los diecinueve posibles en sus cuatro temporadas en el banquillo del primer equipo. Más allá de las frías estadísticas, el equipo deslumbró a todos (incluidos sus adversarios), gracias a su juego espectacular, basado en la posesión del balón, el talento, la fantasía, la combinación y la velocidad. Ese estilo de juego fue calificado en cierta ocasión como de «mariposa y escorpión». También le podríamos aplicar las palabras que, en la década de los cincuenta, un periodista dedicó a Luisito Suárez: «terciopelo y obús». En definitiva, preciosismo y contundencia.

325. DIFÍCIL DE ENTENDER

Con tal hoja de servicios, Pep Guardiola debería ser figura idolatrada de manera unánime por el barcelonismo, pero por desgracia no es así. El 20 de junio de 2016, Domènec Torrent, ayudante del técnico de Santpedor, se quejaba amargamente de algunos comentarios periodísticos contrarios a Guardiola: «Me molesta porque no lo entiendo. No entiendo que una persona que es catalana, que se ha mojado políticamente, que nos ha dado lo que nos ha dado con el Barça, que ha sido respetuosa con todos, que ha estado en La Masía desde los doce años… Si miras lo que ha dejado aquí y las declaraciones que ha hecho…, a ver si encuentras una que haya sido irrespetuosa con alguien. No lo entiendo. Sé lo que ha hecho, sé cómo trabaja, cuán culé es y cómo sufre por el Barça. Siento estas noticias… Sé que la afición está dividida. No lo entiendo».

5

La gente azulgrana

*A*frontamos esta introducción al capítulo dedicado a la *gent blaugrana* con una precisión necesaria. Aquí hallaréis presidentes, directivos, trabajadores de la casa, jugadores que prolongaron contribución y estancia en la institución, famosos de otros sectores también conocidos por su amor a los colores azulgrana y algún que otro aficionado singular. Apenas simples pinceladas dedicadas a personas que, en algunos casos, merecerían un cuadro completo de dimensiones considerables o, incluso, un museo dedicado a su memoria. Sentimos especial debilidad hacia aquellos hombres sencillos de antaño que, literalmente, entregaron su vida para hacer más grande aún al Futbol Club Barcelona sin esperar nada a cambio. Solo, por convicción y valores. En *Barça inédito* nos surgió casi una imperiosa necesidad de rescatar a algunos de ese pozo negro sin fondo conocido como olvido. Ellos no se lo merecen y nos toca a cuantos les conocimos y apreciamos, en especial por su calidad humana, sacarlos de la injusta omisión habitual. Y así, aún hoy y de paso, debemos citar a los Ángel Mur (en saga), a *Papi* Anguera, a la telefonista Trini Turmo, a Pere Cusola y a otros que continúan muy presentes para los autores de este volumen. Mencionaremos un par más. El aragonés Manel Torres, a quien todos conocieron como *L'Avi* (el abuelo), casi el cuidador eterno de Les Corts, que andaba como un sacerdote por el santuario de Les Corts y representaba un montón de papeles en la función, él y su familia. O Modesto Amorós, el utillero que facilitaba la tarea a los futbolistas; estos, en gesto de entrañable reconocimiento, le compensaban situándole en las fotos de formaciones, aquel ritual de imprescindible cumplimiento antes de iniciar los partidos que, de manera indefectible, salía en la prensa al día siguiente.

Es una de las analogías que atrapan de niño y ya no abandonan el álbum del aficionado. Primero eran fotografías, y ahora, reportajes casi obligados. La expedición del Barça camino de cualquier lugar para disputar un encuentro y al lado de las figuras «de civil», algún anónimo que carretea una montaña de baúles, de trastos voluminosos, donde reposan, amorosamente organizadas, las herramientas de trabajo, toda la indumentaria y simbología que requieren los futbolistas para realizar su trabajo. Unos han marcado los goles; los otros, no albergamos duda, han ayudado a crear las precisas condiciones para favorecerlos, como si empujaran la jugada de gol con su aliento y sudor. En ascenso desde pie de campo hasta el palco, repasaremos algunos nombres ilustres para confirmar, a modo de ejemplo, que la integración de Gamper en Cataluña fue total, también en la intimidad familiar. Hablaremos sobre dos sagas directivas de padres e hijos que reclaman todavía una visión a fondo de su tiempo azulgrana, de su égida y aportación, comenzando por los Montal y siguiendo por los Llaudet. En uno y otro caso, protagonistas de tiempos singulares sin que sepamos aún a ciencia cierta cómo se manejaron en su contexto. Si alguien merece ese estudio detallado, riguroso y fiable sobre sus decisiones desde la presidencia es Francesc Miró-Sans, sin ir más lejos. O un Josep Lluís Núñez que ya es historia y precisa, de manera imperativa, el correspondiente análisis, a fondo y objetivo, sobre la evolución vivida por el club bajo su largo mandato, el más sostenido de la historia.

Os hablaremos de personajes únicos, como Eugeni Xammar, el prohombre que, en su tierna adolescencia, ya era secretario de la directiva, joven promesa que se revelaría después como intelectual maduro y referencia social en la Cataluña de su tiempo. O, saltando a otra rama de este frondoso árbol, de las tradiciones perdidas que hoy generan sorpresa genuina. Como el detalle de entregar un bocadillo de jamón a los niños que asistían a los partidos de la calle Indústria. Regalo hoy impensable (de no tratarse de una promoción comercial, claro). O los ruegos y oraciones de un grupo de abuelas simpatizantes del Barça en pleno desierto de Los Monegros. El césped cuidado con mimo y auténtica devoción por Ramon Clariana. La extensión de los tentáculos de aquella representación franquista conocida como Luis de Galin-soga en terreno barcelonista. El hombre del marcador, Juan Gili, ocupa un lugar al lado de los invidentes que mejor han intuido el juego del Barça. Hay de todo, también locutores celebrados o *speakers* eternos de reciente fallecimiento, como Manel Vich, elevado a la categoría de «voz del Estadi». Hablaremos de Ramon Llorens, aquel portero que prolongó su estancia en la casa con una larga colección de anécdotas. Y también, de Manolo Escobar, representación de aquellos recién llegados de cualquier lugar que acabaron embrujados por el influjo de este fenómeno.

Los singulares personajes procedentes de diversos sectores que hemos reunido en la «gente azulgrana» merecerían un libro sobre sus vivencias y aportaciones. Y sería voluminoso, sin duda. Solo hemos querido recordarles con el afecto y el reconocimiento debidos, en la inmensa mayoría de los casos. Antes de proceder a la lectura del capítulo a ellos dedicado, nos viene a la memoria un detalle que sintetiza el espíritu y la dimensión de esta relación entre personas e institución que escapa a la razón. Años atrás, Tete Montoliu, el mejor *jazzman* catalán, único en su trono de excelencia especializada, reconocía a uno de los coautores una anécdota íntima que ahora compartimos con los lectores. Culé a machamartillo, casi fanático, Tete no se perdía nunca un partido del Barça. Invidente como era, celebraba el detalle de aquellos locutores radiofónicos capaces de explicar cada momento del juego, hábiles para precisar donde estaba la pelota, con un talento sensacional para modular su voz y hacerte sentir si se acercaba la alegría de un gol, una ocasión desperdiciada o el peligro protagonizado por el bando adversario.

Pues bien, a Tete Montoliu le tocó actuar muchas veces en diversas salas de concierto mientras también jugaba el Barça. Y este genio del piano interpretaba su música con el transistor en el bolsillo y un auricular en la oreja menos visible para el público. El recital marchaba según fuera el Barça, nos confesaba Tete. Incluso, los músicos que le acompañaban sabían del resultado sin necesidad de cantar el marcador, solo por el tono, el ritmo, las sensaciones que sabe transmitir el jazz. En caso de victoria, alegría musical y aires de *jam session*. Si el panorama andaba complicado, los compases surgían barrocos, pesaban. Y si pintaba mal la cosa, ay, malo, porque la sesión se impregnaba de compases sombríos. Si de un grano de arena podemos extrapolar el universo, con esta anécdota relatada por el propio protagonista ya nos hallamos en condiciones de seguir camino. El universo de la *gent blaugrana*.

326. CAN TUNIS

En Barcelona se empezó a jugar al fútbol en 1892, en el hipódromo de Can Tunis, al final del actual paseo de la Zona Franca, en los terrenos portuarios situados bajo la montaña de Montjuïc. Era la época de la denominada Sociedad Foot-ball de Barcelona, formada casi de manera exclusiva por jugadores ingleses que se enfrentaban entre ellos, divididos entre un equipo rojo y otro azul. En la S. F. Barcelona solo jugaban tres catalanes: Figueras, Lluís Tuñí y Albert Serra. Tuñí fue posteriormente socio del FC Barcelona, mientras que Serra, periodista de *La Vanguardia*, publicaría la crónica del primer partido en la historia del Barça, el 9 de diciembre de 1899, y dos meses después sufriría aquel problema mencionado páginas atrás con el jugador barcelonista Fitzmaurice.

327. GAMPER Y EL CATALÁN

Joan Gamper aprendió a hablar catalán antes que castellano, idioma con el que siempre mostraría alguna dificultad. En la intimidad familiar, sus hijos fueron educados en catalán. Así lo manifestó públicamente su hijo, Joan Gamper Pilloud: «En casa se hablaba con preferencia el catalán. A partir del momento en que mi padre fijó su residencia en Barcelona, su mayor preocupación fue convertirse en un catalán más. Ello le llevó a aprender el catalán de manera perfecta, lo hablaba y escribía correctamente. A nosotros nos educó en catalán, por lo que podemos decir que nuestra lengua materna es el catalán. No llegaría a dominar igual el castellano, lo que provocó que la prensa hablara de él como el "suizo catalán" o el "catalán suizo". A veces, en casa, hablábamos en alemán o francés, aunque creo que mis padres lo hacían para que sus hijos conociéramos estos dos idiomas».

328. DE BUENA FAMILIA

En los primeros tiempos del Barça, todos los jugadores pertenecían a buenas familias, con una posición económica acomodada.

No obstante, a nadie se le caían los anillos en el momento de afrontar las penurias que implicaba la práctica de un deporte como el fútbol, en el que se debían mover sin ayuda. Al margen del conocido y obligado ritual de montar y desmontar las porterías y marcar las líneas del campo, debían traerse de casa zapatos, medias, camisetas, pantalones y toallas. Ya en tiempos de la carretera de Horta (1901-05), Udo Steinberg tuvo el detalle, una tarde en que el Barça jugaba contra el Hispania, de llevar un paquete de toallas, las primeras que constaron como propiedad del FC Barcelona. Algunos de sus compañeros realizarían gestos similares. Así, Alfonso Albéniz aportaría unas perchas para evitar que los pantalones se arrugaran; Josep Llobet contribuyó con cuatro jarras de loza y sus correspondientes palanganas; y Joan Gamper colaboró con unos cepillos y un arca para guardarlos bajo llave. ¿Os imagináis que este material se hubiera conservado hasta hoy? Sería la estrella del Museu...

329. EL SECRETARIO XAMMAR

Eugeni Xammar Puigventós (1888-1973) fue un diplomático, periodista y escritor de altísimo nivel. El 17 de septiembre de 1903, cuando apenas tenía quince años, fue elegido secretario de la junta directiva del Barça presidida por Arthur Witty, cargo que compaginaba con su trabajo como dependiente de comercio. Aquel adolescente que, con los años, se convertiría en prestigioso periodista, era entonces un chiquillo precoz muy espabilado que militaba en la Unió Catalanista y cultivaba la amistad de Josep Carner, el gran autor *noucentista* que, en cierta ocasión, dedicaría un poema al FC Barcelona.

330. ¡MENUDA MERIENDA!

Venga, ahora que ya hemos ahondado en la complicidad con el lector, seguro que esta anécdota la explicarán a amigos en general y culés en particular. Según confesó el viejo aficionado Jacint Soler Comas a la revista *Barça* en marzo de 1965, los niños que iban al campo de la calle Indústria (1909-22) eran obsequiados para que merendaran con un bocadillo de jamón serrano. Los porteros y acomodadores se encargaban de repartirlos en la entrada.

Esta es muy buena... y difícilmente repetible, también. Imágenes entrañables de tiempos lejanos, equiparables a la del socio

El gran Barça de la campaña 20-21, sin Josep Samitier ni Ricardo Zamora. De izquierda a derecha: Agustí Sancho, Salvador Martínez Surroca, Josep Planas, Vicenç Piera, Vicenç Martínez, Climent Gràcia, Paulino Alcántara, Emili Sagi, Francesc Vinyals y el mister Jack Greenwell. Y un perro mascota…

Imagen habitual de aquel tiempo: un grupo de guardias civiles, en la puerta de Les Corts durante la dictadura de Primo de Rivera (1923-30). En junio del 25, el club fue clausurado seis meses por el abucheo a la Marcha Real.

Arriba, tarde de lluvia torrencial en uno de los goles de Les Corts, allá por 1930. Todos de pie y con su paraguas, formando una barrera impenetrable al agua. Abajo, un jugador azulgrana de la sección de rugby es agarrado por un contrario durante el FC Barcelona-Stade Toulousain, disputado ante una multitud en Les Corts el 3 de junio de 1926.

La polifacética Anna Maria
Martínez Sagi fue la primera
directiva blaugrana en 1934.
Arriba, lanzando la jabalina en el
Campeonato de Catalunya de
Atletismo del 31. En la foto
pequeña, Edelmira Calvetó,
primera socia femenina del Barça
en 1913, a pesar de la expresa
prohibición de los estatutos del club.

A la izquierda, reveladora fotografía de las gradas del estadio de Les Corts tomada en 1955 por Català-Roca. Con los espectadores peligrosamente acumulados en escaleras sin barandilla, la falta de seguridad era terrible. Arriba, multitud de aficionados barcelonistas en la plaza Sant Jaume para recibir a los campeones de Copa de 1942. La tristeza de aquella negra época de posguerra se refleja en el ambiente general, frío y desangelado, nada parecido a lo que debería ser una celebración.

Los campeones de Liga 51-52, acompañados por el encargado de material
Modesto Amorós (de rodillas, a la izquierda) y el masajista Ángel Mur, con
un jersey distintivo. Abajo, *l'Avi* Torres, a los 82 años, en Les Corts con
Leopold *Poldi* Hofmann, técnico del First de Viena, el día de Navidad de 1956.

Panorámica de Les Corts ya con iluminación artificial, estrenada en el año 1956, pocos meses antes de la inauguración del Camp Nou. Esta tardía novedad provocó suspicacias entre la masa social barcelonista.

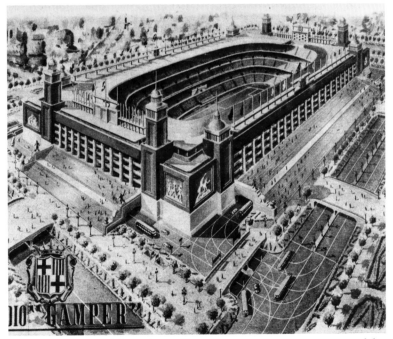

Faraónico proyecto del arquitecto Sixto Illescas para un nuevo campo del Barcelona (estadio Gamper) capaz de albergar 150.000 espectadores, según el reportaje publicado en *Vida Deportiva* el 17 de noviembre de 1952.

En enero de 1957, el popular actor Alberto Closas (1921-1994) observa cómo será el Camp Nou, tras una visita a las obras de construcción del nuevo estadio. La visitada maqueta del proyecto pesaba tres toneladas.

Gesto muy gráfico, sea espontáneo o preparado, de Ladislao Kubala en el banquillo azulgrana. Imagen tomada en 1962, cuando el mito húngaro era entrenador del equipo durante una época difícil y tormentosa para el club.

Narcís Deop saliendo en el descanso al campo cargado con una bandeja repleta de limones para repartirlos entre los futbolistas de ambos equipos. Y para redondear el cuadro pintoresco de antiguas tradiciones hoy olvidadas, recordemos que los futbolistas del Barça regalaban ramos de flores a las señoras espectadoras en cada partido de clausura de temporada.

331. EL ABUELO PROTECTOR

Manuel Torres, l'*Avi* Torres, el entrañable conserje del campo de Indústria y del estadio de Les Corts, era de natural bonachón y campechano, pero si sacaba el genio era mejor apartarse. Sobre todo, que no le tocaran a «sus» jugadores, a los que quería como si fueran sus hijos. En el campo de Indústria, cuando algún futbolista era insultado por el público y Torres comprobaba quién había sido el autor de la ofensa, saltaba como un muelle con intenciones poco amigables. El atrevido espectador ya podía salir por piernas, si no quería que la ira del abuelo Torres cayera sobre él.

332. ... CUIDADO CON ÉL

Durante cierto Barça-Espanyol de segundos equipos, celebrado también en la calle Indústria, se organizó un gran follón. El escándalo comenzó en tribuna, degenerando en batalla campal, con sillas volando incluidas. Manuel Torres observó que cuatro folloneros vocacionales habían iniciado la pelea. Ya los tenía fichados. Sin cortarse ni un pelo, los pilló uno a uno a base de repartir empujones y puñetazos. A continuación, los encerró en la habitación del lavadero del campo.

Cuando reunió a los gamberros en aquel calabozo improvisado, Torres se encerró con ellos provisto de un buen madero. Pim, pam, pim, pam... Empezó a repartir estopa (con perdón a los estómagos sensibles y políticamente correctos), sin que le importara que fueran cuatro contra uno. Al fin y al cabo, él era un robusto aragonés de unos cuarenta años que había trabajado muy duro en la vida, y aquellos cuatro mocosos no llegaban ni a la suela del zapato de los feroces *mambises* que, como soldado español, había combatido durante la guerra de Cuba, a finales del siglo XIX.

Al enterarse Joan Gamper del jaleo, fue corriendo hasta golpear la puerta del lavadero, sin obtener más respuesta que los *ays* y *uys* de los cuatro gamberros. Finalmente, Gamper, que también tenía su presencia, forzó la puerta a empujones para encontrarse a Torres, que salía tranquilamente con un cigarro en la boca mientras le decía:

—He querido darle su merecido a estos cuatro valientes, a los que ya conozco de siempre. No pase usted cuidado, señor Gamper, no les he roto ningún hueso… Y verá usted como estos no se acercan más por aquí.

Lo que usted diga, mande y sea menester, señor Torres…

333. Un *avi* valiente… y listo

Ratifiquemos que Manuel Torres era muy, muy valiente. En cierta ocasión, durante un Barça-Espanyol de cuartos equipos, se produjo el ya tradicional jaleo, aunque esta vez con un agravante terrible, ya que uno de los pendencieros sacó una pistola. L'Avi Torres no se lo pensó dos veces y arremetió con toda su furia contra el eventual pistolero, que salió por piernas de allí, arma incluida.

Y también era listo y astuto, que conste. En el campo de la calle Indústria, cuando el balón volaba por encima de la tapia (sí, la famosa tapia de los culés), el resultado era previsible: los niños que jugaban fuera se la llevaban gratis. Pero Torres acabaría rápidamente con el problema al comentarles que el encargado de devolver el esférico podría entrar gratis al fútbol: nunca más volvió a desaparecer ninguna pelota.

334. Llenar el buche

Joan Boix, socio barcelonista desde 1911 y directivo en dos ocasiones durante aquella década, explicaba que los asociados del Barça de los tiempos heroicos eran muy fanáticos. Tanto era así, decía Boix, que muchos no abandonaban el campo acabado el partido y comían en la tribuna de la calle Indústria. Encargaban algún bocadillo a L'Avi Torres o a un tal Quimet de Canaletes, y lo engullían mirando el terreno de juego, mientras comentaban las acciones vividas minutos antes.

335. Masajistas espontáneos

El señor Boix también revelaba que, en el descanso de los partidos del Barça en la calle Indústria, algunos intrépidos aficionados se metían en los vestuarios y daban masajes a los futbolistas. Unas friegas *sui generis* porque ninguno de aquellos seguidores era fisioterapeuta y nadie sabía cómo dar masajes a una pierna o espalda de jugador. Voluntad de colaboración con la causa no les faltaba, de eso no dudamos…

336. ¡GRAN OFERTA!

El 9 de febrero de 1914, el vicepresidente Peris de Vargas, militar de carrera conocido por su talante autoritario, leyó a sus compañeros de junta una circular de la Academia Militar Reina Victoria ofreciendo «ventajosas condiciones a los socios del club que tengan necesidad de aprender la instrucción militar». Por desgracia, ignoramos cuántos socios corrieron a apuntarse para aprovechar la ganga. Peris era aquel que, una vez, tuvo el cuajo, por no escribir otra cosa, de gritarle al mismísimo Gamper: «El Barcelona soy yo». Y sin arquear siquiera una ceja.

337. TRABAJO FAMILIAR

Nacido en 1899 en Olesa de Montserrat, Ricard Combas empezó a trabajar en el Barça como controlador de puerta justo el día de la inauguración del campo de Les Corts, el 20 de mayo de 1922. Posteriormente, Combas fue jefe de personal durante cuatro décadas, hasta 1975, cuando le pasó el relevo a su hijo Eduard (1925-1998). Una vez jubilado, Ricard Combas continuó yendo al Camp Nou hasta poco antes de su fallecimiento, el 12 de septiembre de 1978. Al día siguiente, en el choque de Recopa Barça - Shaktar Donetsk, se guardaría un minuto de silencio en su memoria. El tercer miembro de la familia, Eduard Combas hijo, nacido en 1963, fue jefe de Secretaría desde 1994 hasta el 2003. Todo queda en casa en la familia culé. En este caso, podemos decir aquello de: vivan las tradiciones.

338. LA CATALANIZACIÓN DE GRAELLS

Ricard Graells Miró fue presidente del FC Barcelona en la temporada 1919-20. Bajo su égida, el club aceleró el proceso de catalanización y el 11 de septiembre de 1919 participó por vez primera en su historia en la conmemoración de la Diada Nacional de Catalunya, con una ofrenda floral al monumento a Rafael

Casanova. El Barça iniciaba su primera Edad de Oro deportiva, completamente fiel a sus raíces, ya que, entonces, de los ochenta y seis jugadores incluidos en sus equipos de fútbol, sesenta y tres eran catalanes y apenas veintitrés habían nacido lejos del principado: ocho vascos, cinco gallegos, cuatro asturianos, dos madrileños, un filipino y tres andaluces. Y hablando de andaluces, se da la curiosa circunstancia de que Jordi, hermano de Ricard Graells, que había partido para trabajar en Andalucía, se convirtió en presidente del Sevilla en la campaña 1921-22.

339. LA SAGA LLAUDET

Josep Llaudet fue directivo del Barça en la década de los veinte durante tres etapas presidenciales distintas, en los años de Gaspar Rosés (1920-21), Joan Gamper (1924-25) y Arcadi Balaguer (1925-27). Fue testigo de la primera Edad de Oro del club, pero también de episodios aciagos como la clausura del club durante medio año a causa de la pitada al himno español en el campo de Les Corts, en 1925. Mientras tanto, su hijo Enric, nacido en 1916, se impregnaba de barcelonismo a su lado. Muchos años después, el 7 de junio de 1961, Enric Llaudet alcanzaría la presidencia del Barça en una época muy dura a causa de la persistente crisis económica y deportiva. De hecho, ya había sido directivo desde el año 1953, bajo la convulsa presidencia de Miró-Sans, pero en 1959 había dimitido por desavenencias con el presidente. Llaudet hijo, muy buen conocedor del peculiar talante barcelonista, pronunciaría en diciembre de 1961 una frase lapidaria que, aún hoy, podría definir perfectamente la personalidad típica del culé: «el socio es como una pelota de goma, porque se hincha y se deshincha con mucha facilidad».

340. SE BUSCA MÉDICO

En el número siete del boletín del FC Barcelona, correspondiente a agosto de 1921, salió publicado un curioso texto encabezado por esta frase: «Bases para el nombramiento de un médico oficial para el FC Barcelona». La directiva de entonces creyó oportuno publicar este llamamiento para contratar a un doctor responsable de los servicios médicos del club. Divididas en once puntos, la entidad repasaba las condiciones *sine qua non* para los candidatos que pretendieran optar a la plaza. El primer punto rezaba así: «Los concursantes a la plaza de médico vacante del FC Barcelona deberán tener el título que acredite su profesión; ser socios del FCB con un año de antigüedad y haber cumplido los veinticinco años y tener menos de cincuenta y cinco». Está claro, así evitaban que se colara algún *perico*...

341. RAMON LLORENS, LA CARA...

Ramon Llorens Pujades responde plenamente al paradigma del típico personaje barcelonista de corazón que toda su vida estuvo vinculado de una manera u otra al Barça. El hombre sacrificado que pasa casi desapercibido, sin llamar la atención, pero que realiza una tarea tan eficaz como impagable al servicio de la causa. Portero del primer equipo en los años veinte y treinta, Llorens fue entrenador de promesas en los cuarenta, siempre haciendo gala de un barcelonismo generoso, sin que le importara el dinero ni la proyección pública.

Llorens nació en Barcelona el 1 de noviembre de 1906. Desde pequeño, a pesar de su corta estatura (1,64), prefirió la posición de portero. Se convertiría en el guardameta más bajo en la historia profesional del club. Sus primeros contactos con el Barça arrancan en 1921. Entonces, con catorce años, se hizo socio del club, paso previo indispensable en aquel tiempo si querías integrarte en cualquiera de los equipos inferiores azulgrana. Como portero, se unió a los amateurs y, poco a poco, iría ascendiendo hasta llegar al primer equipo. Su debut tuvo lugar el 5 de abril del 26 en un amistoso en el campo del Europa.

Por desgracia, siempre quedaría en segundo plano, a la sombra de porteros de la categoría de Ferenc Plattkó o Josep Nogués. Pero todos los entrenadores sabían que tenerlo en el banquillo resultaba una garantía en caso de lesión del titular. Solo es necesario recordar su gran actuación en las famosas tres finales de Santander ante la Real Sociedad en el Campeonato de España de 1928. Durante aquellas jornadas, Rafael Alberti inmortalizaría la gesta del portero húngaro en la célebre *Oda a Platko*, al glosar que regresara bajo palos con la cabeza vendada y unos cuantos puntos de sutura en la testa. Lo que la gente olvida de manera injusta es que Llorens lo sustituyó en el segundo y tercer partido. Si, finalmente, el Barça consiguió aquel legendario título fue gracias a las magistrales paradas de Llorens, que estuvo sensacional en una final que se prolongaría dos meses en el tiempo a causa de la participación de diversos jugadores donostiarras en los Juegos Olímpicos de Ámsterdam de 1928.

342. ... Y LA CRUZ

Llorens también sufriría momentos tristes. Especialmente doloroso fue el 12-1 encajado en San Mamés ante el Athletic Club el 8 de febrero de 1931, en un partido en el que buena parte del equipo jugó de manera deliberadamente pasiva, representando sin disimulo una especie de «huelga de piernas caídas» para forzar un aumento de sueldo ante la directiva. Él desconocía la conjura de sus compañeros, hecho que le libera de culpas en la peor paliza nunca recibida por el Barça en su historia. Aquella tarde, simplemente, la defensa no existía.

Curiosamente, y como muestra palpable de las vueltas que puede dar (también) la vida del fútbol, en el choque de la primera vuelta, disputado en Les Corts el 7 de diciembre de 1930, el Barça se lució de veras, pasando por encima de los vizcaínos con un claro 6-3. A pesar de los tres goles encajados, aquel día Llorens fue el auténtico héroe de la jornada, con un repertorio de paradas de antología. Tan enorme fue el recital que, terminado el lance, un público entusiasmado le lanzó habanos, sombreros e, incluso, americanas y otras piezas de ropa. Vamos, como si de un torero se tratara. Los más fanáticos le sacaron del campo a hombros, paseándolo así hasta la plaza del Centre, en el barrio de Sants.

343. MÁS PAPELES EN LA FUNCIÓN

Continuamos con Llorens. En 1933, el Barça le daría la carta de libertad y él replicó colgando las botas. De inmediato, reflexionó: quería continuar en el equipo como aficionado, sin cobrar nada a cambio. Así siguió tres años más, hasta el estallido de la guerra, en julio de 1936, trágico hecho que truncó su carrera futbolística, como sucediera con tantos y tantos deportistas de todo el estado. Llegaba la hora del balance: había sido portero del FC Barcelona entre 1926 y 1936, con un total de 156 encuentros disputados. Larga hoja de servicios a caballo entre la etapa final de la primera Edad de Oro del FC Barcelona (1919-29) y la profunda crisis deportiva de los treinta. Su palmarés con el Barça incluía una Liga, un Campeonato de España y ocho Campeonatos de Cataluña.

Iniciado el conflicto bélico, Llorens luchó durante cierto tiempo en el frente de Aragón con el bando republicano. Regresado del combate sin novedad, resultó herido durante un bombardeo fascista perpetrado el 16 de marzo de 1937. Recuperado satisfactoriamente al cabo de tres semanas, aún mostró ánimos para ocupar la portería barcelonista en partidos jugados en circunstancias extremas entre el 29 de agosto de 1937 y el 4 de diciembre de 1938, que valieron para ganar el Campeonato de Cataluña 1937-38 y la Liga Catalana de 1938.

344. LA ÚLTIMA DE LLORENS

En 1939, terminada la guerra, Llorens, ya casi con treinta y tres años, no pudo volver a jugar. La Federación Española le sancionó con una inhabilitación por ocho años como futbolista profesional, aunque quedaría finalmente exonerado el 29 de enero de 1942. Él había colgado definitivamente los guantes y se quedó en el paro hasta que, en la temporada 45-46, ocuparía un puesto en el Barça como entrenador de los aficionados. Con el tiempo se convertiría en un sagaz descubridor de promesas, con la promoción de chicos del talento de Lluís Aloy, Gustau Biosca, Eduard Manchón o Andreu Bosch. También, aunque fuera de modo efímero, entrenaría al primer equipo en 1950 como técnico puente entre Enrique Fernández y Ferninand Daučik.

Trayectoria tan prolongada tenía que merecer por fuerza sinceros homenajes. Así, el 15 de junio del 52, se celebró el primero en un duelo disputado en Les Corts entre el FC Barcelona y el Olympique de Niza (8-2). Años más tarde, el 28 de diciembre de 1975, con ocasión del choque de Liga en el Camp Nou entre el FC Barcelona y el Real Madrid (2-1), recibió una placa conmemorativa por su largo servicio al Barça. Tres años antes, el 3 de octubre de 1972, había firmado un contrato vitalicio con el club que estuvo vigente hasta su muerte, el 4 de febrero de 1985. En la actualidad, la memoria de Ramon Llorens perdura gracias a la peña barcelonista que lleva su nombre, fundada en Rubí en 1960.

345. PROFECÍA DE GAMPER

El 20 de mayo de 1922, día de inauguración de Les Corts,

Joan Gamper fue interpelado por un periodista en el palco presidencial:

—¿Cree que este estadio durará mucho?

—Depende de muchas cosas… Creo que menos de cincuenta años.

—¿Qué le da miedo?

—Que el profesionalismo, que todo lo corrompe, nos deshaga nuestro club.

Si nos ponemos meticulosos, profecía cumplida a medias, porque Les Corts duró treinta y cinco años como campo oficial del Barça. En caso de entrar en terreno digno de Nostradamus, aún puede pasar que el profesionalismo exagerado deshaga al Barça. Según se mire, claro, no faltarán argumentos que anuncien la hecatombe. Tarde o temprano, podría llegar…

346. CONSEJO DE PADRE

Sí, Gamper odiaba el profesionalismo, aunque también era plenamente consciente de que acabaría imponiéndose, sin remedio ni alternativa, en el mundo del fútbol. La cuestión le preocupaba tanto que, cierto día, cogió a su hijo Joan Ricard Gamper, joven jugador de los cuartos equipos del Barça, y le soltó: «Hijo mío, pronto el fútbol será profesional y no hará falta saber leer ni escribir, ni quizá hacer ninguna otra cosa. Cambiará totalmente, y como no será precisamente una carrera, aunque proporcione muchos beneficios, te pido que te dediques a otra cosa». Joan Ricard le hizo caso y dejó el fútbol. Con el tiempo llegaría a ser un nadador destacado y jugador de waterpolo. Ya mayor, en los años setenta, Joan Ricard volvería a la casa fundada por el padre, esta vez como directivo.

347. MODESTO, COMO EL NOMBRE

Texto de pura justicia dedicado a Modesto Amorós, un *clásico* entre los históricos cuidadores del equipo. Todos le conocían por su nombre de pila, Modesto. Este aragonés de La Franja formó parte del escogido puñado de empleados azulgranas que dejaron una profunda huella en sucesivas generaciones de futbolistas, entrenadores, directivos y trabajadores. Durante medio siglo, Modesto realizó su trabajo en los vestuarios, discreto e imprescindible, con completa abnegación y humildad.

Nacido en Alcampell (Huesca) en 1894, Modesto Amorós Sancho ingresó en el FC Barcelona en 1922 gracias a las gestiones de un amigo del mítico Samitier. En el entonces flamante campo de Les Corts, Modesto se convirtió en empleado polivalente que se ocupaba de todo. Además de distribuir las indumentarias del primer equipo, y del reserva, el segundo, el tercero y el cuarto, también trabajaba como improvisado zapatero, iba a las agencias de viajes a recoger los billetes de cada expedición, disponía los alojamientos y cargaba las maletas con los uniformes. Y siempre sin una protesta, con una sonrisa en los labios. Las diversas generaciones de futbolistas que pasaron por el club durante aquellos años le profesaban una profunda estima, ya que el solícito Modesto sabía hacer de amigo y psicólogo de aquellos jóvenes recién aterrizados que podían sentirse desplazados del grupo.

Su proximidad resultó universal, ya que durante largo tiempo los jugadores y los pocos aficionados que viajaban con el equipo compartían vehículo y formaban una auténtica familia bajo el sólido vínculo de la filiación barcelonista. Hasta el extremo de que Modesto solía dar pan con aceite y embutidos a los seguidores, mientras dejaba caer la broma de nombrar a Domènec Balmanya «encargado oficial de las botas de vino».

348. EL JUGADOR N.º 12

Aunque, por talante, quería mantenerse en un discreto segundo plano, Modesto salió mucho en la foto, literalmente. En muchísimas ocasiones posó con el once inicial del Barça antes de comenzar los partidos, instantánea indefectiblemente publicada en la prensa durante larguísimo tiempo hasta que, hace cuatro días, se acabó la tradición. Conste que era un detalle de los propios futbolistas. Querían que aquel empleado cercano que tanto les facilitaba la existencia quedara inmortalizado a su lado.

Si los lectores más veteranos lo recuerdan, Modesto compartía en ocasiones el privilegio de salir en la foto del equipo con el masajista Ángel Mur Navarro, su entrañable amigo, con quien tantas peripecias vivió. Compañeros de fatigas en la gira americana de 1937, Mur hizo todo lo posible gracias a sus dotes fisioterapéuticas para mitigar las consecuencias del ataque de apoplejía que Modesto sufriría en 1953. Por desgracia, el encargado de material siempre dispuesto a echar una mano no volvería nunca a ser el mismo, aunque no quiso jubilarse, ni cuando le tocaba por edad. Su ayudante, Claudio Pellegero, le iría sustituyendo, pero Modesto permanecía allá como parte básica del paisanaje azulgrana. El Barça era su vida. Modesto falleció en Barcelona el 6 de junio de 1968. A su entierro asistió la plantilla del Barça en su totalidad y muchas viejas glorias. Todos eran sus amigos.

349. CLAUDIO, EL SUCESOR

El sucesor de Modesto, Claudio Pellegero, era hermano de Marià Pellegero, miembro del Comité de Empleados del FC Barcelona durante la guerra civil. Claudio cuidó del primer equipo de fútbol hasta la temporada 72-73, cuando lo sustituyó Francesc, *Papi*, Anguera, otro de los inolvidables trabajadores que, gracias a su especial humanidad, merecen ser recordados con afecto y agradecimiento. Puros ejemplos de una imbatible manera de entender y servir al club.

350. FESTIVAL INFANTIL

El FC Barcelona organizó el 24 de abril de 1924 un festival infantil dedicado a los niños y niñas de los colegios humildes de la ciudad, incluidos los internos del hospicio y los pequeños enfermos del hospital de Sant Joan de Déu. Unos quince mil infantes llenaron más de dos tercios de Les Corts gracias a esta loable iniciativa de la directiva encabezada por Enric Cardona.

Los niños se lo pasaron de maravilla. Primero presenciaron una exhibición de atletismo y, como plato fuerte, la disputa de un partido entre dos equipos del Barça, incluidas las figuras de Sancho, Piera, Sagi, Alcántara… Todas excepto Samitier, que estaba enfermo. La clausura debía consistir en la elevación de veintidós enormes globos de papel con las caras de cada uno de los jugadores que habían intervenido en el amistoso, aunque el fuerte viento les hizo una jugarreta. Los globos se quedaron en tierra, hechos trizas. Pero daba igual porque la fiesta resultó un éxito. El club, previsor, había provisto a los niños asistentes con bolsas de merienda que contenían un bocadillo, un paquete de galletas y una naranja. Además, el Barça regaló un par de cántaros decorados con los colores azulgranas a cada escuela, recuerdo de la jornada. En definitiva, el acontecimiento resultó un ejemplo de generosidad y altruismo por parte del FC Barcelona. A la salida de la fiesta, un maestro, muy emocionado, dejó caer una afortunada frase, después publicada: «La mejor prueba de que el Barcelona es grande es que se acuerda de los pequeños».

351. PROVEEDOR DE INSIGNIAS

En la segunda mitad de los años veinte, después de que las autoridades militares le prohibieran ocupar ningún cargo directivo en su querido Barça, las relaciones de Gamper con el club se redujeron a la esfera estrictamente comercial. Entonces, el fundador del FC Barcelona gestionaba un taller metalúrgico que fabricaba insignias para diversas entidades, una de ellas el Barça, como quedó reflejado en el acta de reunión de la junta del 9 de julio de 1926: «Se toma el acuerdo de encomendar a los sres. Gamper y Mir un pedido de dos mil insignias pequeñas de metal esmaltado, media de botón y media de imperdible ajustados al precio de 48 céntimos por insignia».

Bienvenidas las 960 pesetas porque, en aquella dura época personal, Joan Gamper se había convertido en un absoluto marginado de la vida social del Barça, como si la directiva presidida por el monárquico Arcadi Balaguer quisiera ganar puntos ante la dictadura con la infame postergación del suizo. Este lamentable proceso culminaría el 20 de septiembre de 1928, cuando la junta presidida por Balaguer acordó quitarle el asiento vitalicio que, como fundador, le correspondía en el palco de Les Corts, en una de las decisiones más ignominiosas de la historia del Barça.

352. DEMASIADO CARO, SEÑORES…

Arcadi Balaguer fue presidente del FC Barcelona desde el 17 de diciembre del 25 hasta el 23 de marzo de 1929. Unas semanas después de dejarlo, el 18 de abril, la directiva del nuevo presidente, Tomàs Rosés, le ofreció una cena de homenaje abierta a todos los azulgranas. No obstante, los empleados del club no estuvieron presentes, ya que «los precios fijados para el cubierto no están al alcance de los medios económicos de la mayoría, razón por la cual, en compañía, nos vemos todos imposibilitados de asistir, con la natural contrariedad», como los propios empleados puntualizaron en una nota colectiva en la que dejaron patente su adhesión al acto de homenaje a Balaguer. Los empleados de entonces no podían ser tantos. ¿Ningún directivo podía ser mínimamente generoso?

353. NAUDÓN Y LAS SECCIONES

Francesc Naudón fue directivo del FC Barcelona en dos etapas distintas. La primera, bajo la presidencia de Gaspar Rosés, los años 1930-31, y posteriormente entre 1948 y 1952, con Agustí Montal Galobart al frente de la nave. Hombre lleno de entusiasmo y vitalidad, en su segunda etapa fue el encargado de las secciones deportivas, que, bajo su mandato, experimentaron un fuerte empuje. Naudón siempre decía que las secciones eran un tesoro, ya que daban realce y categoría al club.

354. MUY A PECHO

En muchas ocasiones, Naudón ejercería funciones de delegado del equipo de fútbol, tarea que servía para poner a prueba sus nervios, fanático barcelonista como era. El señor delegado sentía tanto los colores que durante los partidos, presa de la excitación, se mordía los pulgares hasta llegar a sangrar. El masajista Ángel Mur halló la solución a tal problema: antes de salir al campo le ponía un trozo de esparadrapo en cada dedo.

355. TRÁGICO DESTINO

El 24 de septiembre de 1932, el expresidente Gaspar Rosés falleció en accidente de tráfico junto a su esposa e hija. Como ya sabéis, Rosés había sido impulsor decisivo de la catalanización del club cuando, en julio de 1916, decidió que el catalán fuera el idioma oficial del FC Barcelona. Este proceso de identificación del Barça con su tierra lo había estrenado el fundador Joan Gamper en diciembre de 1908, cuando asumió por primera vez la presidencia de la entidad. Gamper se suicidaría el 30 de julio de 1930. Por su parte, Josep Suñol, diputado de ERC y presidente del Barça en la temporada 1935-36, fue fusilado por soldados franquistas el 6 de agosto de 1936. Viendo el trágico destino de los presidentes azulgranas más marcadamente catalanistas, uno podría creer en supersticiones.

356. Silencio sobre Suñol

Como el lector sabe, una vez terminada la guerra civil, un espeso manto de silencio cayó sobre Josep Suñol, el presidente del Barça asesinado por soldados fascistas el 6 de agosto del 36. De hecho, la primera alusión desde 1939 a su dramática muerte no la hallamos hasta tres largas décadas después. Concretamente, el 25 de octubre de 1969, día en que la revista *Triunfo* publicó el ya mencionado artículo de Manuel Vázquez Montalbán titulado «*Barça! Barça! Barça!*», donde se podía leer esta frase: «Un presidente del Barça, José Sunyol Barriga [sic], murió en el frente del Jarama».

La errata de Vázquez Montalbán al transcribir el nombre completo del presidente Suñol se repetiría tres años después en el estupendo libro de Joan Josep Artells, «*Barça, Barça, Barça*», en el que primero se le denomina Josep Sunyol i Garriga, y después se dice: «El presidente Sunoy [sic], muerto en el frente del Guadarrama cuando, en calidad de diputado de Esquerra, realizaba una visita a los combatientes republicanos». Recordemos que M. V. M. ha sido el mejor teórico que nunca haya tenido el barcelonismo y que Artells es un autor de referencia entre la montaña de libros publicados sobre el fenómeno azulgrana. Por lo tanto, si autores de tamaño prestigio erraban con Suñol, es fácil imaginar el grado de desconocimiento absoluto que, en aquel tiempo, mostraban los culés sobre la figura del presidente asesinado.

357. El cuadro de Tàpies

Todavía en vida del dictador Franco y con motivo del 75 aniversario del FC Barcelona, Antoni Tàpies pintó en 1974 un cuadro titulado *Al otro Barça*, donde se puede ver una *senyera* y una relación de nombres e instituciones ilustres, como Ramon Llull o Pau i Treva (paz y tregua). Debajo de las cuatro barras, destacado con un trazo más grueso y negro, aparece el nombre de Josep Sunyol i Garriga. Un homenaje del todo explícito.

Curiosamente, el advenimiento de la democracia no significó una recuperación inmediata de la figura histórica de Suñol. La autocensura de aquellos dispuestos a olvidarlo todo a cambio de democracia, que marcaría la transición para no pasar cuentas con los golpistas, aún perduraría largo tiempo. Bajo tal panorama, en agosto de 1986, cuando se cumplía medio siglo del asesinato de Suñol, nadie se acordó de celebrar la efeméride, ni en el club, ni prácticamente en toda Cataluña. No sería hasta 1996, ya transcurridas dos décadas desde la muerte del dictador, cuando se efectuaron las primeras tentativas de recuperación de la figura de Josep Suñol i Garriga, con la inauguración de un monolito conmemorativo en la sierra de Guadarrama y la creación de un espacio dedicado a su memoria en el Museu del FC Barcelona.

358. EL MARQUÉS

El 13 de marzo de 1940, la comisión gestora que dirigía el club desde el final de la guerra civil daba paso al madrileño Enrique Pyñeiro, marqués de la Mesa de Asta, como presidente del Barça, nombrado a dedo por la Federación Española. Aclararemos, por si quedaba alguna duda, que Pyñeiro era un franquista incondicional. Aristócrata y militar de carrera, durante el conflicto fratricida había llegado a ser capitán de caballería y ayudante de campo del general José Moscardó en la campaña de Cataluña, donde coincidió en el mismo bando con el futuro presidente madridista Santiago Bernabéu. Tras la caída de Barcelona a manos de las tropas franquistas, el marqués había sido adscrito a la secretaría particular del Gobierno Militar de la ciudad. En aquel 1940, todo ello era currículo suficiente para ser presidente del Barça, sin que fuera relevante en absoluto que Pyñeiro no fuera culé, ni le importara un pimiento el fútbol.

359. NI SOCIO

De hecho, cuando le nombraron presidente, el marqués de la Mesa de Asta no era ni socio del Barça. Ello no implicaba ningún problema en aquella época, como bien estipulaban los estatutos de 1940 en su artículo dieciocho, cuando afirmaba que los directivos barcelonistas podían ser socios del club «o personas ajenas al mismo». Por un elemental sentido común, el mismo artículo concedía que los nuevos directivos no socios «en el momento de ser nombrados estarán obligados a solicitar el alta correspondiente». Es lo que haría Pyñeiro, quien rellenó su solicitud de ingreso el 8 de marzo de 1940. Doce días después era admitido como socio del Barça..., cuando ya llevaba una semana en el cargo de presidente.

360. ¡QUÉ ORATORIA!

Leído hoy, el discurso de toma de posesión de Enrique Pyñeiro podría parecer incluso cómico, pero no conviene olvidar que la retórica oficial de aquella negra época era así de barroca. Ya de entrada, el presidente anunciaba que sus palabras serían breves, «porque creo mayoritariamente en la elocuencia de los hechos, más que en las grecas y serpentinas de la oratoria». Tras tan singular introducción, Pyñeiro proclamaba que veía su mandato «como un servicio a la causa del engrandecimiento de España». El club debía recuperar su prestigio y potencia deportiva del pasado, pero «dentro de las líneas generales que presiden el enderezamiento de todas las actividades españolas». Y para disipar dudas, recalcaba que el Barça «no necesitará de acicates bastardos para trabajar honda y sinceramente para la mayor gloria de unos colores», frase que mostraba su significado meridianamente claro. Al final, el marqués se dirigía a sus compañeros de junta con un resumen de su alocución: «Ahora, y como condensación de todo lo que dejo manifestado, decid conmigo: ¡Franco, Franco, Franco! ¡¡Arriba España!! ¡¡¡Viva España!!!». Muy sutil no era, no.

361. PEQUEÑOS MILAGROS

En cierta ocasión, durante los cuarenta, Nicolau Casaus y Josep Samitier cruzaban en coche el desierto aragonés de los Monegros cuando se quedaron sin agua. Casaus detuvo el automóvil cerca de una casa, a la que se acercaron con una lata a la captura del líquido elemento. Cuando llegaron, vieron por la ventana a un grupo de ancianas rezando el rosario. Por educación, esperaron a que terminaran antes de llamar. La sorpresa llegó al escuchar el final de las plegarias: «Y ahora recemos una avemaría para que el Barça sea campeón».

362. POBRE BERDOMÀS

Como hemos dicho antes, el 21 de junio de 1942, el Barça conquistó la Copa al vencer en la final, disputada en Madrid, al Athletic Club por 4-3. El día antes, el socio barcelonista Ramon Berdomàs se dirigió al hotel madrileño donde le habían dicho que le entregarían las localidades asignadas. Una vez allí, resultó que el señor Maristany, encargado del taquillaje del FC Barcelona, se había puesto enfermo, por lo que un directivo delegó el reparto de entradas en Berdomàs. Y el pobre socio, que solo venía a recoger su entrada, se vio convertido en taquillero improvisado. Encima, terminada la tarea, las cuentas no le cuadraban. Berdomàs tuvo que poner quince pesetas de su bolsillo para hacer las paces. La broma le salió cara. Por suerte, ganaron...

363. SI LA PRENSA LO DICE

Lluís Permanyer, padre del destacado periodista y cronista de Barcelona de igual nombre, fue nombrado directivo del Barça sin consulta previa en julio de 1948. Permanyer se encontraba en la sala de espera de un oculista, donde había ido acompañando a un familiar, cuando, hojeando las páginas deportivas de *El Noticiero Universal*, se enteró de la noticia. En cualquier caso, parece que no le importó mucho aquella falta de comunicación, ya que permaneció en la directiva hasta 1953, y después fue presidente de la Comisión de Disciplina del club hasta su muerte, en 1970.

364. SOLO UN MOMENTO, NENE

La fe azulgrana de Permanyer se remontaba a los tiempos de la calle Indústria cuando, siendo niño, su padre le dejó entrar a curiosear el ambiente con la condición de que volviera con él tras echar una ojeada. Pero Lluís se quedaría tan prendado por el espectáculo que saldría hora y media después. O sea, el chico vio el partido prácticamente entero.

Tiempo después, en 1914, cuando el futuro directivo tenía doce años, el aparentemente inflexible padre le autorizó a hacerse socio del club «solo un trimestre». Como es fácil de prever, Permanyer fue socio del Barça toda su vida.

365. COLAR DE MATUTE

Permanyer entró a formar parte de la directiva cuando Les Corts estaba ya completamente desbordado en su capacidad de cuarenta y ocho mil espectadores. En aquella época, los dirigentes barcelonistas eran constantemente asediados por familiares, amigos y conocidos en busca de una entrada (pagando), para ahorrarse largas colas ante las taquillas del chalet de Méndez Vigo. De este modo, días antes de cada partido el empleado del club Enric Henry (quien, por cierto, en la primera mitad de la década de los cuarenta había sido entrenador del baloncesto femenino azulgrana) entregaba a los directivos las entradas que les permitían satisfacer tales demandas populares. En ocasiones especiales, cuando alguien cercano se quedaba sin entrada, Permanyer lo citaba en la puerta principal de la tribuna de Les Corts para hacerle *passar de ros*. Que lo colaba por la cara, vamos. Todos los porteros conocían al directivo, que solo tenía que hacer un gesto con la mano para conseguir que su acompañante accediera al estadio sin ningún tipo de entrada. *Passar de ros,* algo así como «colar de matute»: preciosa metáfora ya desaparecida, en ambos idiomas, de nuestro lenguaje coloquial.

366. CARTAS A LA DIRECTIVA

Durante largos años, mucho antes de la eclosión de las redes sociales, un considerable número de socios y aficionados se dedicaban a dirigir cartas a la directiva, en especial después de cada partido. En ellas exponían opiniones, se felicitaba al equipo o se criticaba al presidente, al entrenador o a tal jugador, según marchara el club. Un día de diciembre de 1948 se presentó una persona con la pretensión de instalar un pequeño puesto al lado de la entrada del chalet del pasaje Méndez Vigo, entonces sede social del FC Barcelona. Y entabló este diálogo con el conserje, Josep Cubells:

—Quisiera pedir permiso para instalar un puesto.

—Mire, este no es el mejor lugar para vender cacahuetes y avellanas.

—No, no es eso. Es que ahora, como ya no existen los memorialistas de la Virreina, quería poner un puesto al servicio de los que deseen enviar cartas a la directiva.

Explicación para los no iniciados: los memorialistas eran aquellos que trabajaban escribiendo cartas por encargo de las personas analfabetas, que se las tenían que dictar. Este era un oficio más propio del siglo XIX, aunque perduraba a comienzos del siglo pasado, dado el alto porcentaje de analfabetismo que persistía en nuestra sociedad. Bien pensado, aquel hombre era un emprendedor con buena vista para los negocios.

367. COMO SARDINAS EN LATA

Al final de los cuarenta, Les Corts era una auténtica lata de sardinas y los llenos hasta la bandera se sucedían constantemente. Era evidente que su aforo, cifrado en 48.000 espectadores (14.000 de asiento y 34.000 de pie), resultaba absolutamente insuficiente ante la imparable afición que generaba el Barça. Con su figura César Rodríguez al frente, el equipo acababa de conseguir su segunda Liga consecutiva y en Les Corts ya no cabía ni un alfiler. Y esto no es una frase hecha, sino una realidad palmaria fácilmente demostrable con solo mirar las fotos de aquella época. De hecho, un clásico de la observación azulgrana como el dibujante Valentí Castanys acostumbraba a reflejar el estadio a la manera de las latas de conserva, rematadas con el caracol de latón formado tras usar el correspondiente abridor. También, las nuevas generaciones se quedaran en *orsay* con esta definición, pero los mayores ya nos entendemos...

Como resulta fácil de suponer, el peor punto negro entre los accesos a la vieja catedral se encontraba en la entrada reservada a quienes portaban pases de favor. Ya sabemos que el ingenio humano no conoce límites, y aquí la *picaresca* siempre ha sido deporte practicado por muchos incondicionales. El tapón humano que se organizaba allí por sistema era considerable. La culpa, siempre de los mismos, aquellos que querían ver el partido gratis esgrimiendo ante los atónitos ojos del portero correspondiente una cartilla de racionamiento, un certificado del alcalde de barrio o un carné de la Falange. Fácil imaginar que las tensiones y discusiones eran constantes, por lo que un guardia civil a caballo se encargaba de poner orden en tan conflictiva cola. Hasta que un día de febrero de 1949, un valiente intentó colarse pasando entre las patas del caballo, con tan mala fortuna que, al sacar la cabeza, se hirió la mejilla con la espuela de la bota del guardia: así puso punto final a su arriesgada aventura.

368. Demasiado caro

En mayo de 1949, el presidente Agustí Montal Galobart reconocía como principal preocupación de su junta la insuficiente capacidad de Les Corts, aunque todavía era partidario de ampliar el campo en lugar de construir un estadio. Según el criterio de Montal, el principal inconveniente para erigir un nuevo campo consistía en el excesivo gasto económico que comportaría: «Hay que pensar que solo la compra del solar importaría, como mínimo, unos diez millones de pesetas, además de reunir malas comunicaciones, puesto que debería instalarse forzosamente lejos del centro de la ciudad. La construcción no bajaría de cuarenta millones de pesetas, lo que representaría el pago de más de diecinueve millones de pesetas de intereses en una operación de veinte años, más la devolución de los cincuenta millones… Es decir, una muy gravosa carga que repercutiría sobre el club durante un cuarto de siglo, en contraposición a nuestra saneada hacienda actual».

369. ¿NOS LO PODEMOS PERMITIR?

Curioso, muy curioso. En 1949, el presidente Montal pensaba que un gasto de cincuenta millones de pesetas para levantar un nuevo campo resultaba excesivo, indicando que las secuelas de tan cara operación gravarían al club durante veinticinco años. La historia que seguiría ya es conocida. En 1955, la empresa constructora del Camp Nou presentó un presupuesto de 66.620.000 pesetas, cantidad que después se dispararía, por razones aún desconocidas, hasta los 288 millones. Si cincuenta millones según Montal hipotecaban al club durante un cuarto de siglo, ¿qué iba a pasar con 288? Mejor no pensarlo. Ya se sufrió bastante: unos cuantos años con el club ahogado, sin un real y en riesgo de quiebra.

370. ESTIRARLO AL MÁXIMO

De esta manera, para Montal quedaba claro que la única alternativa consistía en una nueva ampliación de Les Corts: «En cambio, puede ampliarse el aforo de Las Corts hasta sesenta mil espectadores, sin comprometer nuestras finanzas. Actualmente se están efectuando los estudios necesarios para proyectar una monumental gradería, frente a la tribuna, compuesta de dos pisos, cuyos brazos descansarían por encima de las graderías ya ampliadas de los goles norte y sur. Una fachada de proporciones colosales, con cuatro grandes torreones que servirían para otras tantas escaleras exteriores (además de las muchas interiores), sería el complemento de esta atrevida obra en estudio, cuyos bocetos están ya presentados. Y frente a esta fachada de más de ciento treinta metros de longitud, una inmensa plaza, según proyecto presentado al Ayuntamiento, para orgullo de la Barcelona monumental...». Nada, todo muy bonito y espectacular, pero imposible de construir. Al final se rindieron a la evidencia de que Les Corts ya no daba más de sí. Se barruntaba la ineludible construcción de un campo nuevo, pero por desgracia las cosas no se hicieron bien.

371. Valdivieso

Miguel Ángel Valdivieso (1926-1988) fue uno de los mejores locutores futbolísticos de radio en castellano. Era por méritos propios el locutor del Barça con mayúsculas, ya que retransmitió por Radio Nacional de España y Radio Peninsular todos los partidos del once azulgrana desde 1951 hasta comienzos de los años ochenta. También se dedicó al doblaje de películas; fue muy conocido por haber prestado la voz a Jerry Lewis, Woody Allen y el robot C3PO de *La guerra de las galaxias*. Su estilo, incansable y minucioso, de dicción cuidada y muy profesional, marcaría camino en aquella época. De sus primeros partidos radiados en Les Corts, campo entrañable y próximo, los aficionados más veteranos recordarán detalles pintorescos como este: «En este momento, Modesto acaba de darme una rodaja de limón. Muchas gracias a Modesto, el simpático cuidador azulgrana».

Valdivieso también es recordado por el invariable colofón a todas sus transmisiones futbolísticas: «Nuestro saludo más cordial, especialmente a los enfermos, imposibilitados y simpáticos miembros de la Organización Nacional de Ciegos». El locutor mostraba una especial sensibilidad en favor del colectivo de personas ciegas. Tanto es así que muchas veces sentaba a su lado a Tete Montoliu, el genial pianista invidente, un empedernido seguidor culé.

372. La intuición

Lluís Marchan era otro invidente, ferviente partidario del Barça. A mediados de los cincuenta, Marchan seguía los partidos del Barça en Les Corts desde su localidad en el gol «de arriba». Sus acompañantes le explicaban las jugadas con todo detalle, tal como hacían los antiguos locutores radiofónicos. Entonces se decía que Lluís mostraba una habilidad especial para presentir cuando iban a marcar un gol.

373. LUIS DE GALINSOGA

El 9 de abril de 1953, la directiva decidió el nombramiento de una comisión formada por el propio presidente, Enric Martí Carretó, y los directivos Narcís de Carreras, Antoni Julià de Capmany, Rossend Peitx y Josep Vergés. Su misión, rendir visita al director de *La Vanguardia* (entonces *La Vanguardia Española*), Luis de Galinsoga, con el fin de protestar enérgicamente por la manifiesta parcialidad antibarcelonista del rotativo barcelonés. Galinsoga, como los lectores veteranos recordarán perfectamente, era un siniestro personaje que había sido nombrado director de *La Vanguardia* directamente por la dictadura en mayo de 1939. Se hizo tristemente famoso el 21 de junio de 1959 cuando gritó «¡todos los catalanes son una mierda!» en la iglesia de Sant Ildefons, enfurecido porque la homilía se hacía en catalán. La repulsa popular resultó fortísima, hasta el punto de conseguir que, el 5 de febrero de 1960, el Gobierno español destituyera a Galinsoga, el mismo que, en abril de 1953, había sido recriminado por los directivos culés a causa de su descarado antibarcelonismo. Conste que Martí Carretó y compañía poco consiguieron. Solo cuatro meses después, el 27 de agosto, la directiva acordó la retirada de publicidad y las localidades de favor a nombre del periódico al certificar la persistencia de las malas pulgas de su sección de deportes en relación con el Barça.

374. COMO UN LIBRO SIN HOJAS

A mediados de octubre de 1953, Francesc Miró-Sans era precandidato a las elecciones presidenciales del FC Barcelona, que se celebrarían el 14 de noviembre. De todos modos, parecía no mostrar empuje ni ambición. Al menos, eso se desprendía de sus vacías respuestas en la entrevista realizada para el «programa oficial» del partido contra el Valencia del 17 de octubre. Ya de entrada, en el texto publicado se negaba de manera explícita a ser interrogado, alegando que los únicos con derecho a conocer sus pensamientos y planes eran los socios, en ningún caso el público en general. Pero cambió de idea cuando el periodista le recordó que aquella era una publicación oficial del club. Bien pensado, quizás habría sido mejor no imprimir la entrevista; en definitiva, un ejemplo palmario de cómo contestar preguntas sin decir absolutamente nada:

«—¿Su programa?

—Me guardaré mucho de hacer demagogia, prometiendo cosas que luego no se pueden cumplir, aunque, de momento, puedan favorecerme con un buen puñado de votos. Y, en segundo lugar, no sería prudente que ahora, así de repente, le exponga nada menos que un programa electoral. ¡Soy joven pero no impulsivo!

—¿Cree que todo debe seguir igual?

—¡En modo alguno! ¡Hay que renovarse! Pero la prudencia aconseja moderación en mis palabras. Cualquier idea podría parecer una crítica a los que han llevado el peso del club anteriormente.

—¿Nada, nada?

—En concreto, nada. Como idea… en «lo exterior», procurar que nuestro club ocupe el lugar que le corresponda y deba contarse con él para todo. En «lo interior», procurar que tanto su parte deportiva, como administrativa, o económica, funcione en forma ejemplar, cosa muy fácil, si me veo asistido (como espero) por los elementos idóneos cuyo concurso solicitaría…»

Solemne ejercicio de retórica vacía, como podemos comprobar.

375. MORAL DE VICTORIA

Aunque parezca mentira tras leer estas declaraciones, Miró-Sans fue elegido presidente del Barça en aquellas elecciones del 14 de noviembre. Sí, aquellos comicios que muchos tildaron de «democráticos», aunque el voto femenino estuviera prohibido y los hombres pudieran votar tantas veces como carnés de socio llevaran encima. De hecho, la adscripción falangista de Miró-Sans lo convertía en el candidato del régimen franquista, que lo prefería a su adversario, el muy tenuemente catalanista Amat Casajoana. Así, las sospechas de pucherazo electoral en favor de Miró-Sans flotaron en el ambiente. Por cierto, las primeras declaraciones del nuevo presidente seguían en idéntica línea de vaguedad dialéctica: «Mi preocupación más perentoria (sin olvidar las demás) es la de dar a nuestro equipo aquella moral de victoria que es indispensable para vencer. Nuestros jugadores me han prometido algo. Y yo no dudo que lo cumplirán».

376. Depresión profunda

De todas maneras, la llamada a la «moral de victoria» hecha por Miró-Sans no resultaba gratuita, ya que en aquella época el club en general y el equipo en particular estaban sumidos en una profunda depresión. La funesta resolución del caso Di Stéfano había dejado al FC Barcelona bajo estado de *shock* y sin norte. La dictadura acababa de dar un puñetazo sobre la mesa para demostrar con crudeza al Barça quien mandaba allí. Los gloriosos tiempos de las Cinco Copas parecían ahora muy lejanos en el tiempo, como un recuerdo difuso y oscuro. El nuevo Madrid de Alfredo Di Stéfano se hallaba en disposición de ser amo del fútbol español y europeo. Para demostrarlo, el 25 de octubre de 1953, había goleado al Barça en Chamartín por un nítido 5-0.

En tal estado de cosas, Albert Maluquer, secretario general del club, quiso alentar a los socios azulgranas con la publicación de una electrizante arenga para conseguir que animaran al equipo: «Querido consocio. El secretario general, el último de los funcionarios del club, se dirige a usted. Si ama los colores de nuestro glorioso club (cosa que no dudo), no deje que los jugadores se crean abandonados o, lo que es peor, que vean que ustedes les increpan por un resultado (que son los primeros en lamentar) obtenido en campo contrario, contra el líder del actual campeonato y en una tarde que, según los propios madridistas, hacía muchos años que no habían igualado. ¡Hagan lo posible para que se crean en casa; si les ovacionaron en los días de gloria, acompáñeles en estos momentos de depresión!… ¡Un aplauso cerrado para los jugadores!… ¡Que cada socio se haga sentir!… Nuestro equipo es nuestro club y todos nos debemos a nuestros colores… ¡Por favor, en estos momentos difíciles para nuestro club que nadie tome caminos diferentes! Demostremos que todos formamos un solo bloque. Apreciado consocio: el domingo ha de «actuar» el socio al salir nuestro equipo. Y dirigiéndome a cada uno de ustedes les pido por favor un aliento para nuestros jugadores… y si no les cree merecedores del aplauso lance el grito que nos une a todos: ¡Barça! ¡¡Barça!! ¡¡¡Barça!!!».

377. Pseudodemocracia

La experiencia pseudodemocrática del 14 de noviembre de 1953 (elecciones a la presidencia sin contar con el voto femenino), no volvería a repetirse bajo la dictadura. Hasta el final del régimen, el sistema de elección del presidente del Barça se realizaría mediante el encorsetado sistema de votos de los socios compromisarios elegidos mediante sorteo, a los que se unían los socios de mérito y los expresidentes. Tan restrictiva fórmula permitió que Miró-Sans renovara su mandato en 1958, tras sacar 158 votos contra los 55 sumados por su rival, Antoni Palés. En 1961, Enric Llaudet llegaría a la presidencia con 122 votos por 98 de Jaume Fuset.

Cuatro años después, Llaudet sería ratificado por la asamblea de compromisarios con 164 votos por 35 de Josep Maria Vendrell. Dimitido Llaudet, la grave crisis padecida por el club generó que se buscara un hombre de consenso. Así, en enero del 68, Narcís de Carreras sería elegido presidente como en los viejos tiempos, por simple aclamación. Pero De Carreras dimitiría el 5 de noviembre del 69, y el 18 de diciembre, Agustí Montal Costa y Pere Baret se enfrentarían en unos comicios tremendamente tensos, resueltos a favor del primero por 126 votos a 112. El 18 de diciembre de 1973, Montal Costa renovaba su mandato presidencial tras obtener 902 votos contra los 340 conseguidos por Lluís Casacuberta. Aquellas fueron las últimas elecciones mediante compromisarios en la historia del Barça.

378. ¿EN REPRESENTACIÓN?

Obviamente, números tan esmirriados resultaban poco representativos de la masa social barcelonista de aquellos años. Las matemáticas no engañan: cuando, en 1958, Miró-Sans fue reelegido presidente con 158 votos, el número de socios era de 50.145, lo que implica que apenas le votó el 0,31%. En años sucesivos, las cifras serían igualmente ridículas. Llaudet fue votado en 1961 por un 0,23 % de los socios (122 compromisarios entre 52.791 socios) y reelegido en el 65 con un 0,36 % de apoyo popular efectivo (164 votantes y 45.776 asociados). En 1969, Montal Costa se quedó con un 0,23% de aprobación real. Le votaron 126 compromisarios, pero los socios ya eran 54.769. El panorama cambiaría un poco (aunque no mucho) en 1973, en las últimas elecciones por sistema de compromisarios, que ya no era tan restringido. Montal obtuvo el «astronómico» respaldo de 902 electores, lo que, teniendo en cuenta que los socios eran

60.447, hizo subir la adhesión popular al «montalismo» hasta el 1,49%. Conste que, entre el 40 y el 53, el sistema aún había resultado peor, ya que entonces no se puso ninguna urna para elegir a los presidentes del Barça.

379. Tentación rechazada

En 1955, Santiago Bernabéu le hizo una excelente oferta a Ángel Mur padre para que se convirtiera en masajista del Real Madrid. La respuesta fue contundente: «Yo soy culé y no me muevo del Barça». Y no, no se movió hasta la jubilación, dieciocho años después, cuando cedió el relevo a su hijo Àngel. A la postre, la dinastía Mur se encargó de la fisioterapia azulgrana durante sesenta y nueve años, entre 1937 y 2006.

380. El Águila de Toledo

Federico Martín Bahamontes, aquel extraordinario ciclista toledano que ganó el Tour de Francia en 1959, es un barcelonista de cabeza a pies. Cuando pasaba por Barcelona, el Águila de Toledo se dejaba caer por la Penya Solera para saludar a sus amigos César, Ramallets, Biosca, Bravo y Samitier. Tan enorme era su fervor barcelonista y barcelonés que, en 1955, corrió para el equipo ciclista de la Penya Solera y llegó a vivir dos años en el barrio de Gràcia. Bahamontes, que posee el escudo de oro y brillantes del FC Barcelona, siente devoción por Andrés Iniesta, manchego como él, pero siempre que puede dice que el mejor jugador azulgrana de todos los tiempos fue su gran amigo César Rodríguez.

381. El hombre del marcador

El 30 de diciembre de 1955, la revista *Barça* puso rostro al encargado del marcador de Les Corts. Se llamaba Juan Gili y trabajaba en el club desde 1922, poco después de casarse. Era socio del Barça desde pequeño, pero, como su mujer le prohibió ir al fútbol, no tuvo más remedio que emplearse en el Barça para esgrimir una buena excusa. A pesar del tiempo transcurrido, a sus sesenta y cuatro años, el señor Gili no había podido convencer a su esposa, que continuaba siendo acérrima enemiga del fútbol. En cualquier caso, el hombre se ganaba la vida con un quiosco de periódicos instalado en la Via Laietana, esquina con la calle Princesa. Al final de la entrevista, Gili, sin constar que estuviera enfermo, se despedía con estas palabras: «A mí ya me queda poco... Cuando hayan inaugurado el nuevo campo ya me podré morir«». Recordemos que, realmente, la esperanza de vida entre las clases populares durante aquella época resultaba bastante exigua.

382. Cuota infantil

Como resulta sabido, los hombres que, a partir de 1939, se hicieron socios del Barça y en la guerra habían militado al lado de Franco solo pagaban cuota infantil, que entonces era de siete pesetas y media, mientras que un socio adulto que no había empuñado las armas «por Dios y por España» pagaba quince pesetas, justo el doble. En 1957 alguna cosa había cambiado, aunque a favor de los «excombatientes nacionales», ya que entonces los socios adultos pagaban veintiuna pesetas de cuota anual, los infantiles quince y los «excombatientes»..., doce, es decir, aún menos que los niños. Quizás esta nueva concesión incluida en el privilegio era debida a la adscripción falangista del presidente Miró-Sans, vete a saber.

383. El estadio Gamper

En septiembre de 1957, pocos días antes de la inauguración del Camp Nou, un sorprendido aficionado llamó a la redacción de *El Once* para hacerles esta pregunta:

—¿Ustedes saben por qué en el año 1953, por estas fechas, todos los periódicos publicaban «Estadio Juan Gamper» y ahora incluso se oculta el nombre del fundador del C. de F. Barcelona?

—*El Once* sigue publicándolo. No tenemos respuesta.

—Pero ¿por qué no se habla ya de «Estadio Juan Gamper»?

—Hable usted con el pasaje Méndez Vigo.

No sabemos si el socio hizo caso a la sugerencia de *El Once* y si en la sede social del Barça le dirigieron al teniente general Moscardó, aquel que, en 1955, le había dicho al presidente Miró-Sans «que se le quite a usted de la cabeza» poner el nombre de Gamper al nuevo Estadi. Bastante atrevidos eran ya en la revista satírica publicando pullas tan espinosas como esta.

384. Los protectores

Tradicionalmente, la directiva podía distinguir a las personas que creía merecedoras de la condición de socios protectores en atención a sus aportaciones económicas al club. Echando un repaso a la historia azulgrana, tal medida fue adoptada de manera masiva en 1957, cuando los abonados al futuro Camp Nou (inaugurado aquel año) tuvieron que pagar en anticipo cierta cantidad de dinero durante treinta meses, proporcional al tipo de abono elegido. Estas cantidades oscilaban desde las once pesetas del abonado de general hasta las ciento cuarenta del de tribuna principal.

Posteriormente, en 1978, el presidente Núñez solicitó el anticipo de un año de abono a los socios para paliar la crisis económica que sufría el club y otorgó el título de «protector» a quienes renunciaron a la devolución de este dinero, que debía ser retornado en cinco años. En cambio, en 1982, con motivo de la ampliación del Camp Nou no se contemplaría tal posibilidad. La figura del socio protector desapareció del redactado en los últimos estatutos del club, en 2013.

385. RAMON CLARIANA

Merecidísimo homenaje hacia Ramon Clariana, cuidador del césped de Les Corts y del Camp Nou durante más de cuatro décadas. Había recogido el testigo de su padre, que empezaría su labor en el viejo campo. Con el tiempo, Clariana consiguió gran prestigio y era reclamado por diversos clubes, dispuestos a recuperar sus maltrechos céspedes gracias a él. Así, por ejemplo, el Málaga y la Federación Española de Fútbol requirieron sus servicios para el partido internacional España-Grecia, disputado en La Rosaleda el 21 de febrero de 1973. Clariana fue recomendado por el seleccionador español, Ladislao Kubala, quien deseaba que el estadio del Málaga fuera una alfombra y recordaba su buen trabajo de cuidador en el Camp Nou. Por desgracia, hoy prácticamente nadie recuerda a Ramon Clariana, con todo lo que llegó a contribuir para el despliegue de un buen fútbol en *Can Barça*.

386. JOAN COSP

Joan Cosp es uno de los personajes históricos que mejor cumple con el paradigma de servicio hasta el límite a los colores azulgranas. Nacido en 1891, en julio de 1909 se hizo socio del club y el 27 de junio de 1915, con apenas veintitrés años, fue nombrado directivo en la junta presidida por Rafael Llopart. A partir de entonces y hasta 1952, estuvo presente en siete consejos directivos distintos, con los presidentes Llopart (1915-16), Ricard Graells (1919-20), Gaspar Rosés (1920-21), de nuevo Gaspar Rosés (1931), Antoni Oliver (1931), Joan Coma (1931-33) y Agustí Montal Galobart (1946-52). Fue también uno de los impulsores de la Agrupació de Veterans y se le nombró «socio de mérito», detalle obligado visto su impresionante currículo. Murió en 1972.

En marzo de 1958, Joan Cosp, con la autoridad que le otorgaba su dilatada experiencia, aseguraba que los jugadores de aquella época eran gente callada y obediente, nada que ver con los que convivieron con él en sus primeros años de directivo: «Antes, un equipo de fútbol era un temporal desatado. En algunos hoteles ni siquiera querían admitirlos porque temían que se produjeran desperfectos y escándalos».

387. MANEL VICH

Nacido en Barcelona el 12 de marzo de 1938, Manel Vich Sánchez se hizo socio del Barça a los quince años, el 7 de mayo de 1953. Se ganó la vida como representante del comercio textil, pero su afición visceral siempre fue el FC Barcelona; su sueño dorado, dedicarse profesionalmente a la locución radiofónica. No pudo cumplir su deseo, aunque llegara a transmitir partidos del Barça en el programa *La Veu de Catalunya*, de Radio Hospitalet. De todos modos, su nombre ha quedado indisolublemente unido a la historia azulgrana desde 1958.

Sucedió en la noche del 10 de septiembre de 1958, en el campo de Les Corts. El mítico delantero César Rodríguez era homenajeado en un partido entre Barça y Elche, y, de pronto, en el descanso, un joven de veinte años anunció por la megafonía del viejo estadio los regalos que César había recibido. La voz pertenecía a Manel Vich, que accedió al encargo de Ricard Combas, jefe de personal del club. La experiencia le gustó. De esta manera, Combas le ofreció dar la bienvenida a los aficionados en cada partido que el Barça jugaría desde entonces en el Camp Nou. Apenas en cuatro ocasiones faltó a esa cita y fue a raíz de una intervención quirúrgica, de la boda de su hija y de su enfermedad final. Manel Vich supo crear un estilo propio de comunicación con los aficionados, basado en el respeto, la educación y la responsabilidad. Sus palabras servían para dar las alineaciones, informar de un cambio o realizar una llamada de servicio, pero también para dar paso a un respetuoso minuto de silencio.

388. EL LOCUTOR ETERNO

A Vich le dieron un susto en el trofeo Gamper de 2002, cuando el FC Barcelona tuvo la «brillante» idea de sustituirlo por dos *speakers*, presuntamente más modernos y juveniles. Una potente campaña popular y mediática evitó el disparate y Manel Vich volvió a su puesto.

Por fin, el 25 de octubre de 2008, tras el partido entre el Barça y el Almería, el FC Barcelona reconoció los cincuenta años de Manel Vich como voz del Estadi con la entrega de una placa conmemorativa. Vich falleció el 29 de abril de 2016. Al día siguiente, en el partido de Liga Betis-Barça, unos jóvenes aficionados barcelonistas quisieron homenajearlo con una pancarta con el lema «Manel Vich, eterno». No obstante, la seguridad del Benito Villamarín les vetó la entrada de la pancarta. La explicación que recibieron fue: «No, y punto». Olé.

389. EL TETE

Todo el mundo le conocía por «Tete» por su costumbre de dirigirse invariablemente a su interlocutor, sea quien fuere, con este afectuoso apelativo. Nacido en 1932, Manuel Marbán trabajó en el FC Barcelona desde la inauguración del Camp Nou en 1957. Se encargaba de vigilar el aparcamiento de los coches, y también procuraba que nadie no autorizado se colara en los entrenamientos de los jugadores. De carácter abierto y sencillo, era muy apreciado por los futbolistas, ya que era la primera persona que veían cuando llegaban por la mañana a los entrenamientos. Jubilado en 1977, falleció el 26 de febrero de 2014. La vieja guardia de los empleados del Barça aún le recuerda.

390. EL MINGUI

Josep Minguillón Tort, *Mingui*, trabajador del FC Barcelona entre 1957 y 1988, es otra de las figuras de la intrahistoria que merece ser rescatado. Nacido el 3 de agosto de 1923 en Barcelona, fue un culé visceral y empedernido que se hizo socio del club en octubre de 1954. Su historia azulgrana empezó cuando el Barça le contrató como acomodador en el reciente- mente inaugurado Camp Nou. Debutó en un Barça-Athletic de Bilbao, el 3 de noviembre de 1957. En los setenta pasaría al Palau de Gel y, desde 1980, formó parte del equipo de limpieza del Palau Blaugrana. En las paredes del pequeño cuarto que usaba para cambiarse de ropa coleccionaba carteles y banderi- nes de todos los equipos que habían pasado por el Palau con una singular excepción: el Real Madrid. Por lo que parece, Minguillón no era un «culé defectuoso», de aquellos que no sienten ni frío ni calor cuando les ponen a los blancos delante, según les define el admirado Sergi Pàmies...

Mingui se hizo famoso por sus rápidas y artísticas incur- siones en el parqué del Palau para secar el sudor de los juga- dores caídos. Un buen día decidió rubricar su tarea realizando arabescos con el mocho, simplemente porque aquella fue la única manera que se le ocurrió de agradecer al público los aplausos que le dedicaba. Le dio vergüenza levantar la mano para saludar «porque yo no soy nadie», según confesaba hu- mildemente. Josep Minguillón murió a los ochenta y nueve años, el 16 de diciembre de 2012.

391. EL HOMBRE DEL AUTOCAR

Josep Sales Montoliu (1923-2011) nunca fue empleado del FC Barcelona, aunque su empresa Sales Barcelona tuviera contrato con el club durante muchos años. Sales era el hombre que, desde el 58 hasta el 84, llevó a todas partes al primer equipo del Barça con sus autocares, conviviendo con un montón de ases azul- grana durante veintiséis temporadas, desde Kubala a Maradona, que se dice pronto. Otro personaje de la intrahistoria azulgrana desvanecido en el olvido, como tantos otros, aunque viviera en primera persona una colección de pintorescas anécdotas. Expli- caremos un par de ellas.

392. RÁPIDO COMO EL BUS

Sales comenzó en el club con su propio Ford de ocho cilindros, un autobús que acumulaba ya unos cuantos kilómetros y proce- día del ejército. O sea, una auténtica tartana de segunda mano más que amortizada. Aquel cacharro iba tan lento que, cierta noche, atravesando la comarca aragonesa de los Monegros, un jugador bromeó desde el fondo del bus con una frase lapidaria: «Oye, Sales, ¿te das cuenta que llevas detrás a un hombre que nos pide paso con una linterna?».

393. DE TODOS LOS COLORES

En un día señalado, Sales pasó las de Caín al volante de su autocar. Fue el 17 de mayo del 79, de regreso a casa tras conquistar la Recopa de Basilea. El pobre conductor tardó cuatro horas interminables para cubrir el trayecto desde el aeropuerto, tras recoger a los triunfadores, hasta la plaza Sant Jaume, donde aguardaba la celebración popular. En aquellas horas infernales (para su trabajo, precisemos), los aficionados culés, enloquecidos de alegría, se colgaban de los retrovisores y se subían al techo del autocar. Llegando ya a la plaza, alguien, completamente fuera de sí, se tumbó en el asfalto ante el vehículo mientras gritaba: «¡Ya puedes pasarme por encima!». En el inolvidable trayecto, Sales reconocía haber pasado del miedo a la emoción cuando vio a un viejo sacerdote llorando como un niño y chillando a pleno pulmón «¡Barça, Barça!» en una esquina de Via Laietana.

394. VELADA DE BOXEO

Realicemos un salto atrás para irnos a una mañana de la campaña 60-61, cuando se organizó una peculiar velada de boxeo en los vestuarios del Camp Nou, antes de empezar la sesión de entrenamiento de los futbolistas del Barça. La idea había surgido de Evaristo, y los circunstanciales púgiles fueron Gensana y el joven empleado del bar, un chico que repartía bebidas y bocadillos entre los jugadores, que le tenían gran aprecio. El combate, con guantes reglamentarios incluidos, fue visto y no visto como un K. O. en el primer asalto, ya que, poco después de empezar la pelea, el serbio Ljubiša Broćić entró en el vestuario. El técnico detuvo enseguida la gresca, enviando a los jugadores al campo de manera expeditiva. Hoy, solo conocemos la reacción del chico del bar. Al verse solo en el vestuario del Estadi, aprovechó para bañarse en la piscina, tan feliz.

395. NI UN DURO

A principios de 1961, la situación económica del FC Barcelona era sencillamente catastrófica. Así, el 16 de febrero se publicaron en la prensa unas descarnadas y sinceras declaraciones del secretario de la junta, Joaquim Viola, en las que aseguraba que si el club no vendía rápidamente el campo de Les Corts (con «urgencia enormísima», decía), la bancarrota sería un hecho, sin que se pudieran pagar las nóminas a los jugadores siquiera. Y añadía que, en este último caso, la única solución consistiría en que cada peña azulgrana aportara al club un millón de pesetas a fondo perdido. Ante tan terrible perspectiva, y siendo todo el mundo consciente de que la solución para Les Corts iba para largo, a nadie le extrañó que, doce días después, el presidente Miró-Sans presentara la dimisión. Cuando el nuevo presidente accidental, Antoni Julià de Capmany, comprobó el estado de las finanzas se llevó las manos a la cabeza para manifestar de manera apocalíptica que «una entidad de tan noble propósito deportivo corre el trance gravísimo de su hundimiento». Y así, con este panorama casi dantesco, el 26 de mayo, Luisito Suárez fue traspasado al Inter de Milán por veinticinco millones de pesetas. El pésimo estado de caja había condicionado la peor decisión deportiva en la historia del Barça.

396. SENADO DEL FC BARCELONA

El *Senat* (Senado) del FC Barcelona fue constituido por el presidente Enric Llaudet el 23 de octubre de 1961. Cumplía así con uno de los puntos de su programa electoral: «Creación de un Senado, donde estén representados todos los socios, con el fin de darles una participación activa en la vida de la entidad». A pesar de lo ampuloso del enunciado, en realidad este órgano consultivo no sirvió para nada. Simplemente, para que unos cuantos socios de clase selecta se reunieran en siete ocasiones entre 1961 y 1964 para escuchar al presidente y soltar su opinión quien quisiera, aunque sin ninguna capacidad de decisión.

El Senado estaba integrado por los expresidentes del club, los socios de mérito, una representación del primer centenar de asociados y otra proporcional de cada una de las diez décimas partes en que estaban divididos los socios con más de cuatro años de antigüedad. A la postre, uno de los hechos más destacados en la breve y anodina historia del Senado azulgrana sucedió al comienzo del parlamento de Llaudet en la reunión inaugural, cuando el presidente destacó la deferencia del delegado gubernativo, que autorizó a los reunidos a hablar en catalán. Curiosamente, el acta de la reunión está transcrita en castellano, hecho que nos lleva a la conclusión de que, para las dictaduras, el lenguaje escrito es más peligroso que el hablado.

397. SENADO 2.0 (O NO)

Una nueva versión de este antiguo Senado quedó constituida el 14 de diciembre de 1989, ahora bajo los auspicios del presidente Núñez. En puridad, no era una resurrección del antiguo, ya que el nuevo Senado nuñista simplemente estaba formado por los mil socios con mayor antigüedad, aunque, como su antecesor, se trataba de un órgano «colegiado y honorífico de carácter consultivo y no vinculante». Como en el caso de Llaudet con el antiguo Senado, también había sido una promesa electoral de Núñez, en este caso pensando en las presidenciales del 1 de abril de 1989, si bien en el proyecto original se contemplaba que este órgano tuviera una cabeza visible y un consejo directivo, postulado que después quedaría abandonado. Este senado aún existe hoy.

398. EL BOLSILLO DE LLAUDET

A mediados de enero de 1963, las aguas bajaban bastante turbias por Can Barça. Kubala había sido defenestrado como técnico azulgrana a causa de la crisis deportiva; además, la situación financiera era calamitosa. Incluso se rumoreaba que el muy vehemente Llaudet estaba a punto de dimitir. De todos modos, en una entrevista concedida a la revista *Barça*, el presidente desmintió que pensara tirar la toalla, a pesar de los vituperios que debía aguantar de una parte de la afición azulgrana, como en el caso de aquel socio que, en el último partido en el Camp Nou contra el Mallorca, le había gritado «¡ladrón!» en su propia cara. Según manifestó Llaudet, aquel resultaba un insulto especialmente injusto, ya que, desde su entrada en el club como directivo en 1953, «llevo gastados en el Barcelona unos cuatro millones de pesetas de mi cartera, cuando lo más seguro es que no los recupere nunca».

399. GAFAS OSCURAS

La perla más sabrosa de aquella entrevista quedaba expresada tras una confesión chocante. Llaudet reconocía que, cierta vez, le había dicho a Kubala que le impondría una multa de diez mil pesetas cada vez que le viera con gafas oscuras, aunque nunca tuvo finalmente ocasión de sancionarle. Debemos suponer que el sagaz dirigente azulgrana, buen conocedor de la tendencia noctámbula del entrenador húngaro, equiparaba el uso de gafas oscuras con la falta de sueño como infalible sinónimo. Menos mal que Kubala no sufrió conjuntivitis ni tampoco fotofobia en aquella época. Con la fama que arrastraba, nadie le hubiera creído, seguro.

400. PABLO PARA TODO

En 1963 entró a trabajar en el FC Barcelona un joven cordobés de veintitrés años que se llamaba Pablo Gómez. Lo hizo en calidad de externo, como empleado de una empresa encargada del mantenimiento del Camp Nou. Transcurridos ocho años, cierto día se planteó establecerse por su cuenta, pero no lo hizo por la sencilla razón de que Ricard Combas, el jefe de personal, lo llevó a su despacho, dio un puñetazo sobre la mesa y le gritó: «¡Usted no se mueve de aquí!». Y el bueno de Pablo se quedó en el Barça, donde le ingresaron en plantilla, hasta su jubilación, en 2005.

Ahora bien, su trabajo cambió radicalmente, ya que pasó a ser responsable de la zona de Tribuna del Estadi, eufemismo cuya práctica consistía en hacer de todo: quedarse noches enteras en el Camp Nou si se producía algún reventón de cañerías, convertirse en chófer de Núñez o Casaus si no estaba el conductor titular, Miquel Cañadas, ir a la Botiga en búsqueda de algún artículo para algún jugador… Además, instaló las duchas en los vestuarios del fútbol base y el sistema de riego de los campos de entrenamiento de tierra. En su pequeño habitáculo, al pie de las escalinatas que conducían a los vestuarios, guardaba todas las llaves de cualquier dependencia del Camp Nou, excepto, claro, la caja de caudales. Al fin y al cabo, Pablo Gómez siempre estuvo a disposición de todos, con la sencillez y amabilidad por divisa. Una vez, el gerente Antón Parera le soltó: «Pablo, aunque venga un socio y se cague en tu madre, tú no le repliques». El exabrupto sobraba porque Pablo nunca tuvo problemas con nadie.

401. COMO LOS TOREROS

El presidente Enric Llaudet (1961-68) ha pasado a la posteridad como una de las personalidades más singulares del barcelonismo. Impulsivo, arrebatado, visceralmente antiespañolista (deportivamente hablando, precisemos), en un principio solía caer bien entre la masa social barcelonista por su pose populista y desacomplejada, pero la sequía de títulos vivida en la travesía del desierto de los sesenta le condenó. Quede para la historia que, a veces, no mostraba manías para sentarse en el banquillo junto al entrenador y que fue el único presidente en la historia del Barça que tuvo las narices de despedirse desde el centro del campo, sometiéndose al veredicto del respetable, como los toreros sin miedo.

402. PROMOCIÓN DE ENTRADA

En 1965 se abriría un periodo de admisión de socios con exención de derechos de entrada. Por lo tanto, ante oferta tan tentadora, el número de asociados subió como la espuma, pasando de 45.776 a 58.252. Aquella fue una brillante idea del presidente Enric Llaudet. De todos modos, nadie podría argumentar que el aumento de socios fuera motivado por la euforia deportiva, precisamente…

403. UN MISTERIO

El «Libro n.º 1 de actas» dedicadas a las asambleas de compromisarios del FC Barcelona alberga una singular particularidad que, aún hoy, no ha podido ser aclarada. El acta de la asamblea ordinaria del club del 1 de septiembre de 1967, redactada en castellano, acaba de modo abrupto con estas palabras: «Se refiere a la vacante del sr. Gich al cesar voluntariamente como secretario general del club. Explica cuanto ocurrió con el sr. Osés, que reunía condiciones para ocupar dicho cargo, pero hechos ocurridos que todos conocemos motivados por cierta oposición que tuvo lugar en esta misma casa, cristalizaron en declaraciones».

Es evidente que la frase está cortada. ¿Qué pasó? Lo desconocemos. A continuación, con otro tipo de letra, más descuidada, se puede leer lo siguiente: «Diligencia para hacer constar que el presente libro me fue entregado el 2 de julio de 1978 tal como está escrito». Firman el presidente Núñez y el secretario de la junta Muntañola.

A continuación, ya en catalán, se puede leer el acta de

la asamblea del 17 de agosto de 1978. En conclusión, el FC Barcelona no conserva las actas de los cónclaves de compromisarios celebrados entre el 1 de septiembre de 1967 y el 17 de agosto de 1978. O sea, las épocas de los presidentes Narcís de Carreras, Agustí Montal Costa y Raimon Carrasco. Todo un misterio.

404. Café y copa

Durante largo tiempo, en el vestuario azulgrana no faltaban nunca ni los cafés bien cargados ni la botella de brandy. Solo hay que recordar los carajillos que Ángel Mur padre daba a los chicos con deseo de prepararles para la batalla. Por su parte, aún en la década de los sesenta, Carles Rexach confesaba que ya sabía lo que le tocaba cuando el entonces secretario técnico, Domènec Balmanya, aparecía por el vestuario antes del partido. Indefectiblemente, Mingo le decía: «tómate esto, chaval, que te dará fuerzas y ánimos». Y le acercaba un whisky.

405. Socio número uno

El día de la fundación del FC Barcelona, 29 de noviembre de 1899, el socio número uno del club fue el suizo Walter Wild, en calidad de primer presidente. Pero Wild dejó el cargo el 25 de abril de 1901, ya que debía fijar su residencia en Inglaterra por motivos profesionales, y se dio de baja como socio. Así, el número uno pasó a su compatriota Joan Gamper, el verdadero factótum del Barça, quien, a pesar de sus vicisitudes vitales, conservó el carné hasta su trágica desaparición, el 30 de julio de 1930. Entonces, fue Arthur Witty, otro miembro de la vieja guardia barcelonista y presidente entre 1903 y 1905, quien pasó a ser el socio más antiguo. La muerte de Witty, acaecida el 9 de septiembre de 1969, dio paso a August Santamans, que mantuvo tal distinción hasta su defunción, el 14 de febrero de 1993. Santamans se dio de alta en el Barça en 1910, cuando apenas contaba catorce años de edad.

406. Santamans, el fiel

Ejemplo de fidelidad azulgrana, Santamans permaneció al pie del cañón hasta el fin de sus días. Asiduo en el palco del Camp Nou, a pesar de su avanzada edad no temía ni partidos nocturnos ni viajes con el equipo. En este último caso, los empleados cuidaban de él hasta el menor detalle, si bien se perdió dos veces en el estadio Santiago Bernabéu. La primera fue en la final de Copa del Rey de 1984, cuando fue al lavabo y no atinó a regresar a su localidad. Le hallaron tras diez minutos de búsqueda. Cuatro años después, otra vez en Chamartín y en otra final copera, se volvió a extraviar, esta vez durante hora y media. Algunos encontraron una explicación rápida y plausible a las desorientaciones del señor Santamans: alguien que era socio del Barça desde 1910 se tenía que perder por fuerza en el estadio madridista…

407. LECCIONES DEL FUNDADOR

El 21 de octubre de 1969, Joan Ricard Gamper ofrecía estas jugosas confesiones a la revista *RB*, en las que describía el talante de su padre: «Existe un acuerdo de asamblea general en el que se acordó la reserva de un palco a la familia Gamper, acuerdo que no se ha cumplido. Pero no importa, materialmente hablando, porque mi padre jamás consintió, en vida, que ningún miembro de su familia asistiera gratuitamente a los partidos; a tal respecto nos ponía un ejemplo: "Si el fabricante de caramelos consume personalmente su producción, poco negocio hará". No obstante, compraba entradas que, posteriormente, regalaba a los chiquillos que se las solicitaban. Papá, además, cedió cincuenta plazas de primera fila en el córner norte, lado derecho, al asilo de San Juan de Dios».

408. EL OPOSITOR

A finales de los sesenta, las aguas bajaban muy turbias por Can Barça, con los ánimos de los culés extremadamente encrespados a causa de la prolongada y persistente crisis deportiva. Nicolau Casaus ya llevaba años erigido en una especie de jefe de la oposición permanente a las directivas, pero había cargado las tintas y extremado posiciones contra la gestión de Enric Llaudet. A la junta le inspiraba un profundo temor el llamado «mejor orador del barcelonismo militante». Por lo menos, el futuro vicepresidente con Núñez guardaba las formas. En cambio, el chófer de Llaudet le profesaba una manía extrema y soltaba sin pudor barbaridades como: «Si Casaus pasara por delante y yo tuviera una escopeta, le pegaría una perdigonada». Ay, las eternas bajas pasiones que acostumbra a despertar el Barça…

409. LA REPESCA DE H. H.

Por desgracia, tal disparate no era solo la típica *boutade* surgida de la mente de un exaltado. Hasta cierto punto, también era sintomático del ambiente que existía en aquellos tristes tiempos. Las carencias deportivas generaban malestar a porrillo, es evidente. Así, el 13 de junio de 1969 se produjeron graves incidentes alrededor de las oficinas de La Masia. El periodista Alfredo Rueda y el corresponsal italiano Alfredo Giorgi fueron agredidos por un puñado de fanáticos que les rompieron los cristales del coche. La intervención de la policía les salvó de males mayores, pero no pudieron evitar que el fotógrafo Enrique Pérez de Rozas recibiera una pedrada en la frente. Los culpables de la agresión fueron unos socios enfurecidos por la no contratación de Helenio Herrera como nuevo técnico del equipo, noticia que se había dado por confirmada días antes. Finalmente, la junta directiva, muy dividida en esta cuestión y bajo presión de una gran oposición popular, había decidido desestimar el retorno del técnico, quien, recordemos, no había tenido una salida honrosa tras su primera etapa en el club.

El panorama aún se enrarecería más. Se solucionó en falso este «caso H. H.», con la dimisión de algunos directivos, las heridas internas agravadas y el entrenador, Salvador Artigas, menoscabado en su autoridad. Añadamos al descontrol que las negociaciones con Herrera se habían realizado escasos días después de la renovación de contrato con Artigas.

De este modo, a nadie le extrañó que el técnico catalán dimitiera tras la primera derrota en la Liga 69-70, vivida el 12 de octubre de 1969 ante la Real Sociedad en Atocha (1-0). Pocas semanas más tarde, el 4 de noviembre, se despedía el presidente Narcís de Carreras, harto de las sempiternas disensiones internas que vivía el club bajo su égida, pese a que, paradójicamente, había sido elegido por aclamación, convertido en hombre providencial que debía traer la anhelada unidad a la familia azulgrana. Se convocaron elecciones para el 18 de diciembre de aquel 1969, y automáticamente el club quedó polarizado de manera radical entre dos candidaturas opuestas: la continuista y catalanista de

Agustí Montal y la rupturista de Pere Baret. El primero no pensaba en Herrera. El segundo lo mantenía como mejor opción posible para el banquillo.

410. MÁS QUE EXALTADOS

La descomunal tensión acumulada en este proceso electoral acabaría generando hechos realmente graves. Como el intento de linchamiento sufrido por el directivo Josep Maria Azorín, al que apedrearon el coche durante un inacabable trayecto de quinientos metros. Para complicar la situación, tras él iba Baret al volante de su vehículo, repartiendo sonrisas a sus partidarios, voluntariamente ajeno a la agresión.

Otra de gran calibre: el 16 de noviembre, el periodista Alfredo Martínez Hinarejos, redactor de deportes del diario del Movimiento *La Prensa* y jefe de los servicios informativos de TVE en Barcelona, protagonizó en el palco presidencial del Camp Nou un grave enfrentamiento con Josep Vergés Matas, editor de la revista contestataria *Destino* y exdirectivo azulgrana. En el descanso del Barça-Celta, Martínez se acercó muy alterado a Vergés y le soltó: «Si *Destino* continúa con sus comentarios en la campaña electoral contra el señor Baret, acabarás recibiendo dos tiros en el vientre». Queda claro qué tipo de atmósfera, no ya enrarecida sino extrema, se vivía en el club a finales de los sesenta…

Vergés denunció tal hecho delictivo en las páginas de *Destino* sin mencionar el nombre de quien le había amenazado, detalle que sí precisaría en una carta enviada a su amigo Montal. La misiva acababa con estas amargas palabras: «Es una pena, apreciado Agustí, que el brillante historial de nuestro Barça se haya visto enturbiado, últimamente, por unos hechos que nunca habían ocurrido en su larga y limpia trayectoria. Pero ahora parece que existe un grupo que quiere llegar, sea como sea, al poder. Repetidamente se ha dicho que el jefe de este grupo, que todos sabemos quién es, lleva diez años preparándose para conseguir la presidencia del Barça. Antes, cuando estos grupos de presión no existían, las cosas del club se arreglaban deportivamente, siempre entre caballeros. Ahora no, ahora existe una minoría sin escrúpulos que tiene un plan que puede ser perjudicial para el Barcelona. De momento, se ha hecho perder al club el espíritu que le había caracterizado a lo largo de setenta años. Se habla demasiado de inmovilismo y de que es preciso una renovación. Todos queremos esa renovación, pero debe venir por el camino de la vía democrática, de la vía del juego limpio. Nunca por otros procedimientos». Palabras que aún hoy albergan la virtud de provocar reflexión. Más que nada, para seguir alerta y evitar que la historia pueda tener la tentación de repetirse por esta vía nada grata.

411. ANÓNIMOS A PORRILLO

Agustí Montal i Costa, el presidente del Barça en la época de transición entre el tardofranquismo y la democracia (1969-77), las vivió de todos colores. Partidario convencido de la estrecha vinculación del catalanismo con el FC Barcelona, el llamado *búnker* ultraderechista le colocó en su lista negra. Tanto es así que Montal llegaría a acumular en su despacho más de cien anónimos, uno de los cuales con bala incluida. Finalmente, y con buen criterio, su esposa, Anna Maria Prat, los hizo quemar.

412. EPÍLOGO A GURUCETA

La historia es harto conocida: el 6 de junio de 1970, en el transcurso de un Barça-Madrid de Copa jugado en el Estadi, el árbitro José Emilio Guruceta Muro pitó un penal inexistente contra el Barça tras una falta cometida por Rifé sobre Velázquez, producida claramente fuera del área. Y se organizó un alboroto de aúpa. El lance acabaría con la eliminación azulgrana, la invasión del terreno de juego por parte de algunos aficionados y la brutal intervención de la policía. La consecuencia del «caso Guruceta» consistiría en la recusación a perpetuidad del árbitro guipuzcoano, convertido para siempre en bestia negra del barcelonismo.

El caso tuvo un curioso epílogo, aún hoy desconocido. El 29 de noviembre de aquel 1970, el Barça se desplazó a San Sebastián para jugar contra la Real Sociedad en Liga. El presidente Agustí Montal encabezaba la expedición, pero no fue invitado por la directiva de la Real a ninguna comida oficial. Ni siquiera le ofrecieron plaza en el palco presidencial de Atocha, la deferencia mínima marcada por el protocolo. Hay que decir que, muy valiente, Montal ocupó una localidad entre el público, que le insultó, le zarandeó e incluso le pegó alguna que otra patadita. ¿La razón de tan descortés comportamiento? Los donostiarras estaban muy enfadados con el Barça por haber recusado a perpetuidad a un árbitro nacido en San Sebastián... Mira por dónde.

413. En bando cambiado

En todas partes hay fanáticos y algunos, ya lo sabemos, pierden el oremus cuando les ciega la pasión. Joaquim Maria Puyal, transmitía, desde 1968, los partidos del Barça en el Camp Nou por Radio Barcelona, aún en castellano, obviamente. Una vez, a inicios de los setenta, el Barça jugaba con el Sevilla y a Puyal le tocó cambiar de bando. Aquel día sustituyó a un locutor de Radio Sevilla que se había puesto enfermo.

Como es natural, Puyal tuvo que radiar pensando en el público sevillista y, por tanto, puso énfasis en las buenas acciones del equipo visitante. Poco esperaba que los culés a su alrededor no reaccionaran de buena gana. Al parecer, le dijeron de todo. Harto de los ataques, Puyal cerró el micrófono y, cargado de paciencia, explicó en catalán a los indignados las circunstancias que concurrían en aquella emergencia profesional. Vamos, que los puso en su sitio. Como diría el propio Puyal, «el problema del fútbol es que la gente se apasiona demasiado».

414. Quim Ibarz

Nacido en 1943 en Saidí (Huesca) y fallecido en el 2011 en Barcelona, el gran periodista Joaquim Ibarz fue un barcelonista empedernido. Ibarz era conocido por su integridad profesional, que lo hacía implacable y valiente con los poderosos. Durante los setenta, cultivó el periodismo deportivo en la revista *Barça*, donde se estrenaría el 3 de noviembre de 1970. Recomendado por Manuel Ibáñez Escofet, su primer texto consistió en un reportaje en casa de Josep Samitier cuando el mito culé presenciaba un España-Grecia en compañía de su gran amigo Ricardo Zamora. La carrera de Ibarz en *Barça* fue fulgurante, ya que, en agosto de 1971, le nombraron director, cargo que mantuvo hasta la desaparición de la revista, cinco años después. Sus reportajes y entrevistas en aquella publicación (a veces firmados con el seudónimo «Paulico»), constituyen una lección de periodismo. Durante aquella época viajaba con el Barça a los desplazamientos y se convirtió en amigo de muchos futbolistas. Incluso, según nos consta, a algunos les despertó inquietudes culturales y cívicas en tiempos de efervescencia política.

Posteriormente, entre septiembre de 1976 y mayo de 1977, Ibarz colaboraría ocasionalmente en el boletín oficial del FC Barcelona, escribiendo entrevistas con personajes sin vinculación con el mundo azulgrana, como un navegante solitario, el presidente del Comité Olímpico Internacional, dos campeones de natación convertidos en arquitectos y la campeona rumana de gimnasia Nadia Comaneci. Después, abandonaría el periodismo deportivo para dedicarse a ámbitos generalistas. Ibarz vivió muchas peripecias como corresponsal en América Latina, donde entrevistaría a jefes de estado y personalidades reconocidas en el mundo de la ciencia y la cultura. En su funeral, quiso que el féretro estuviera cubierto con una bandera del Barça.

415. Los Carabén

David Carabén, líder del grupo musical Mishima, es hijo de Armand Carabén, el gerente del Barça que consiguió el fichaje de Johan Cruyff en agosto de 1973. David recuerda sus veranos en Montanyà, cuando jugaba al fútbol con Jordi Cruyff, que era un poco menor que él. Buscando la tranquilidad que les era esquiva en Barcelona, los Cruyff no tenían ni teléfono ni radio ni televisión, así que, cuando alguien quería contactar con ellos, llamaba a sus vecinos, la familia Carabén. Cierta vez, David contestó una llamada y oyó una voz hablando en inglés con acento alemán: «Hola, soy Franz, ¿está Johan?». Y pensó: «¡Coño, este debe ser Beckenbauer!».

Armand Carabén, catalanista, liberal convencido y alérgico a todo autoritarismo, era también un barcelonista irónico y mordaz, capaz de escribir sentencias como esta: «Al Barça vas a sufrir; tomártelo como un deporte es una irreverencia imperdonable».

416. Un ruego

El 30 de agosto de 1973, el Barça celebró su asamblea general ordinaria. Como cada año, al margen de aprobar las cuentas del club, los socios compromisarios que lo desearan gozaban de la oportunidad de pedir la palabra y paladear su minuto de gloria, aunque fuera ante la presencia muda e intimidatoria del delegado gobernativo. Nueve días antes, la *Revista Barcelonista*, siempre perspicaz, publicó una súplica sobre algo que, francamente, no ha perdido actualidad: «Nos permitimos un ruego a los señores compromisarios. Un ruego que no es otro que el pedirles, por favor, que dejen en paz los accesos al estadio, el estado de las puertas de los lavabos, las goteras, que se deje entrar gratis a los niños y otras manifestaciones de este tipo. Hacemos este ruego porque entendemos que el momento del club ofrece capítulos delicados y lo suficientemente importantes para no emplear el poco tiempo disponible en dicha asamblea abordando temas que, sinceramente, hacen reír. Hemos de desear que los señores compromisarios mediten muy bien la importancia de su misión en la asamblea y planteen a la presidencia temas auténticamente importantes». Hay tradiciones que el tiempo no ha conseguido alterar, francamente…

417. 0-5 Y BASTA

El 17 de febrero de 1974, el día en que el Barça ganó por 0-5 al Real Madrid en el mismísimo Santiago Bernabéu, el vicepresidente azulgrana Raimon Carrasco cumplía precisamente cincuenta años. Como el propio Carrasco declararía años después, «estoy seguro de que nuestros jugadores no marcaron más goles para dejar la cifra redonda y que la fiesta fuera completa. ¡Fue el mejor regalo de aniversario de mi vida!».

418. GASPART SE ESTRENA

No puede decirse que Joan Gaspart iniciara con buen pie su larga etapa como vicepresidente de la directiva de Josep Lluís Núñez. En 1978, poco después de la toma de posesión de la nueva junta, un periodista le preguntó si le preocupaba tener en contra a gran parte de la prensa escrita. La respuesta resultó antológica: «Teniendo la televisión de nuestra parte, yo me meo en la prensa».

La fanfarronada se produjo al creer que los periodistas encargados de la información televisiva (básicamente en TVE, porque TV3 ni existía) se hallaban bajo su control. Que eran de su cuerda, en definitiva, situación que no se producía con algunos ilustres disidentes de la radio o la prensa escrita. Fuera como fuera, Gaspart aseguraba mantener gran respeto hacia el denominado «cuarto poder», teórico pilar independiente en cualquier democracia.

419. LA VOZ DE BASILEA

El periodista de la vieja escuela Josep Félix Pons fue un trabajador incansable y polivalente: retransmitió cuatro Juegos Olímpicos, siete Mundiales de fútbol y fue capaz de narrar deportes tan distintos como fútbol, baloncesto, balonmano, hockey sobre patines, hockey sobre hierba, béisbol y tenis, así como atletismo, ciclismo, natación e, incluso, combates de boxeo. La televisión española le popularizó como presentador del programa *Polideportivo* entre 1974 y 1980. El 16 de mayo de 1979 realizó la locución por TVE de la mítica final de la Recopa de Basilea, de tan grato recuerdo para el barcelonismo. Aquel día cantó los cuatro goles de la victoria del Barça sobre el Fortuna de Düsseldorf (4-3), que dieron al club su primer título europeo importante.

420. RECOPA EN CATALÁN

Tres años después, el 3 de marzo del 82, Pons protagonizó un hito histórico, ya que transmitió por el circuito catalán de TVE el primer partido televisado en catalán, un Lokomotive Leipzig-Barça de la Recopa de Europa 81-82 que acabó con victoria visitante por 0-3, con goles de Quini, Morán y Simonsen. Según confesaría, la experiencia le generó dudas porque había trabajado siempre en castellano, pero lo resolvió recurriendo a su experiencia en el teatro de aficionados, cuando actuaba los domingos en el Cercle Catòlic de l'Hospitalet.

421. MANOLO ESCOBAR

El popularísimo cantante de coplas Manolo Escobar (1931-2013), nacido en Almería pero emigrado a Badalona a los catorce años, era un culé fanático, como todo el mundo sabe. Él mismo lo ratificó con gracia en una entrevista a comienzos de los setenta, cuando no había manera de ganar nada: «Yo soy un *desgrasiao* más del Barça». Gran amigo del defensa andaluz Francisco Fernández *Gallego*, el intérprete de *Mi carro* sentía los colores azulgranas en su alma. El 25 de abril de 1982, día en que el Barça perdió la Liga en la última jornada, Escobar tenía actuación en Barcelona: «Canté muy bien la primera parte del concierto, pero, cuando supe que habíamos perdido el título, me quedé afónico. No sé si tuvo que ver. Yo creo que fue casualidad, pero mi representante Gabriel García decía siempre que me había quedado sin voz por culpa del disgusto».

422. EL GOL DE ARRIBA

La Colla del Gol de Dalt estaba formada por un grupo de amigos y entusiastas barcelonistas. Fundada en 1925, cuando el Barça casi estrenaba Les Corts, llegó a tener un centenar de miembros. Por ley de vida, este «Grupo del Gol de Arriba» llegó a los noventa con apenas nueve supervivientes, todos octogenarios. Como la extinción absoluta ya estaba cercana, decidieron donar la bandera de la Colla al Museu del FC Barcelona para que esa reliquia histórica no se perdiera. Fue así como el 14 de enero de 1990, una representación entregó su enseña a Josep Lluís Núñez. Por desgracia, la bandera desapareció de inmediato y nunca llegó al museo. Una pena.

423. PRESIDENTE MOJADO

Pasó durante la celebración de una de las Ligas del Dream Team. Los jugadores, llevados por la lógica euforia, pillaron a Josep Lluís Núñez y lo tiraron a la piscina de los vestuarios del Camp Nou. En principio, el entonces presidente se enfadó bastante al mojarse su documentación, aunque enseguida comprendió que aquel no era el mejor momento para sulfurarse. Mientras tanto, tras él, un directivo no paraba de decir: «A mí no me tiréis, a mí no...». Los jugadores, que tontos no eran, no le enviaron al agua porque sabían que eso era, precisamente, lo que deseaba.

424. CHORIZO EN EL ARCHIVO

El trabajo en el archivo histórico del Barça, iniciado en octubre de 1992, resultaría bastante duro desde el arranque. La estancia estaba situada en las catacumbas del Camp Nou, entre tribuna y gol norte, cerca de los vestuarios. Antiguamente, había sido un almacén con presencia de ratas. El lugar era infame, lleno de humedad y con un repertorio de fauna invertebrada digno de las películas de Indiana Jones. Para completar el cuadro, sucedió que un empleado nunca identificado tenía acceso libre a la llave del archivo y se dedicaba a visitarlo por las noches para robar material histórico con absoluta impunidad, aprovechando que el escaso servicio de seguridad del club en horas nocturnas se reducía a un señor sordo y tuerto, y otro apenas interesado en nada más que dormir. Ah, y quedaba descartado que el delincuente fuera un miembro del servicio de limpieza por la sencilla razón de que el archivo no se limpiaba nunca.

Los dos empleados del archivo optaron por la solución más directa, pedir el cambio de cerradura, lo que debía esperar hasta la mañana siguiente. Ante la enojosa perspectiva de otra noche con más sustracciones impunes, los empleados aguzaron el ingenio: antes de irse, colocaron ante la puerta una madera larga y voluminosa de través. Si alguien accedía al archivo de noche, el maderamen caería con estruendo y, además, lanzaría por los suelos un vaso de plástico lleno de agua situado en el extremo. Para mayor efecto del montaje, el intruso leería ante sus narices un cartel que decía «largo de aquí, chorizo», escrito en castellano para su mejor comprensión.

En efecto, al día siguiente la puerta estaba abierta, y la madera y el vaso, caídos por un suelo húmedo. Pero no faltaba absolutamente nada, porque el ladrón se había asustado. Después, cambio de cerradura y tema resuelto.

425. ¿¿CÓMO??

En una biografía de Josep Lluís Núñez, aún no publicada, se escribió que, en cierta ocasión, el presidente azulgrana había visitado la tumba de Josep Suñol en el cementerio de Montjuïc. No serían necesarios mayores comentarios, pero, aun así, los haremos: se puede escribir un texto hagiógrafo sobre cualquier personaje, solo faltaría, pero lo que resulta incomprensible es cometer una pifia de tamaño calibre. Por si alguien lo ignora a estas alturas del partido, los restos de Suñol jamás fueron recuperados. Se quedaron en una cuneta de la sierra de Guadarrama.

426. DOCTOR INMORTALIZADO

En 1952, amigos del doctor Emili Moragas, entre los que se hallaban directivos del Barça, encargaron al escultor Xavier Modolell una obra en su memoria. Tras permanecer muchos años en los jardines de la Clínica de la Mutualidad, desde el 23 de febrero de 1997 la escultura está situada en la entrada del Centre Mèdic del FC Barcelona, en la puerta 45 del gol sur del Camp Nou. Seguramente, la práctica totalidad de quienes pasan por delante no sabrán quién fue el doctor Moragas, directivo del Barça en los años 1928-30 y médico del club hasta su muerte en 1948. El club recompensó su enorme contribución nombrándole «socio de mérito» y otorgándole la primera insignia de oro y brillantes concedida por el FC Barcelona.

Moragas se erigió en maestro para muchas generaciones de médicos que, desde entonces, le emularon en su especialidad de medicina deportiva. Los futbolistas lo idolatraron, al tratarse del primer galeno que se ocupó de la traumatología deportiva. Hasta entonces, cualquier lesión grave provocaba casi invariablemente el fin de la carrera del jugador.

427. EL RAJOY CULÉ

No descubrimos nada al recordar que Mariano Rajoy Brey es socio del Real Madrid. Está en su derecho, solo faltaría. Ahora bien, ya no resulta tan sabido que su hijo, Mariano Rajoy Fernández, fue admitido como socio del FC Barcelona el 13 de marzo de 2000. Mariano júnior había nacido el 23 de julio de 1999 en la clínica Dexeus de Barcelona y nada hacía prever que, meses después, sería incluido en la familia barcelonista, pero el directivo Ramon Fusté, amigo del padre de la criatura, se encargó de rellenar la propuesta de alta como socio. En cualquier caso, que se sepa, el joven Rajoy nunca ha pisado el Camp Nou. De hecho, solo fue socio del club hasta el 7 de abril de 2005, cuando el niño ya casi tenía seis años y decidió, solo o aconsejado, que el Barça no sería su equipo.

428. ERNEST LLUCH

Ernest Lluch Martín fue un prestigioso economista, profesor universitario e impenitente seguidor del Barça y, también, de la Real Sociedad. A este hombre de férreas convicciones en pro de la libertad, la justicia, el diálogo y la convivencia, la banda terrorista ETA lo asesinó el 21 de noviembre de 2000.

Lluch era un barcelonista poliédrico, apasionado del equipo de fútbol, de la institución y de su historia. Y también un culé que enfocaba su estima desde una perspectiva rigurosa y crítica. Su filosofía del club se basaba en la preferencia por un Barça de calidad, humanista y representante de los diversos sentimientos de sus seguidores.

429. LA RICA DIVERSIDAD

Los artículos de Lluch en *La Vanguardia* hablando de su estimado Barça dejaron para la posteridad frases memorables, del tipo «debe permitirse que cualquier opinión distinta a la directiva pueda ser discutida e, incluso, aceptada», y «el Barça debe conseguir triunfos deportivos, lo que es compatible con un notorio tono cívico».

Ernest Lluch se dio de alta como socio del Barça el 24 de febrero de 1988. Inquieto por las vicisitudes de su club, apoyaría la candidatura del exjugador Josep Maria Fusté a la presidencia del Barça en 1989, aunque se desdijo cuando Fusté se unió a Sixte Cambra. Lluch volvió a involucrarse en diciembre de 1999, cuando redactó los estatutos de la asociación Força Blaugrana, una plataforma de civilizada oposición a un Josep Lluís Núñez que vivía sus últimos meses como presidente. Una vez que Núñez dimitió y convocadas elecciones a la presidencia para el 23 de julio de 2000, se integró en el equipo del candidato Lluís Bassat. La apuesta era clara: «Defendemos un barcelonismo estricto, educado, democrático, que cuide las formas y que pueda cerrar antiguas fracturas». Los miembros de su comisión, escogidos personalmente por Lluch, eran Fabià Estapé, Francesc Sanuy, Anna Sallés, Antoni Segura, Jordi Maluquer, Lola Bou, Teresa Coch y dos exjugadores, Josep Maria Fusté y Ramon Alfonseda. Joan Gaspart ganó las elecciones y Lluch aceptó la derrota. Al día siguiente, volvió a vivir la rutina del Barça como un socio más y nunca emitiría crítica alguna hacia el nuevo presidente.

430. RESPETO A «EL TEMPLO»

La pasión barcelonista de Ernest Lluch generó numerosas anécdotas. Así, por ejemplo, cada vez que conducía por las inmediaciones del Camp Nou, decía a sus hijos: «Silencio, que pasamos por delante del templo».

Lluch supo compaginar su pasión por el Barça con la estima a la Real Sociedad, club del que era accionista. Cuando podía, iba a ver a los donostiarras a Anoeta como un aficionado más. Supo llevar bien esta dualidad afectiva entre el Barça y la Real, salvo, claro, en los enfrentamientos directos entre ambos equipos. Txiki Begiristain dijo de él: «Cuando hablábamos, a veces demostraba más pasión por la Real y por San Sebastián que por el Barça, porque su adhesión azulgrana ya la daba por sabida».

431. MAL ROLLO

El Barça-Madrid de la Liga 1996-97 en el Camp Nou se celebró el 10 de mayo del 97, en las postrimerías del campeonato, cuando el título estaba ya decantado hacia los merengues. Ganó el Barça por 1-0, gol de Ronaldo, lo que apenas sirvió para demorar la alegría madridista. De todos modos, aquel día el espectáculo se hallaba en el palco, más que en el césped. Acabado el lance, que aún no llevaba el apelativo de «clásico», Lorenzo Sanz, el muy enfadado presidente blanco, declararía que su homónimo Núñez estaba «para encerrarlo». Sanz añadió que «no para de saltar, se ha pasado el partido chillando al árbitro», antes de anunciar que el Madrid rompería relaciones «diplomáticas» con el Barça.

La respuesta del entonces vicepresidente Joan Gaspart echó gasolina al fuego: «He ido a darle la mano a Lorenzo Sanz y desearle buen viaje, y me ha contestado que somos unos impresentables. Que no vuelva nunca más por aquí». En aquellos años, por desgracia, el estilo *hooligan* lo impregnaba todo, incluidas las directivas. Solo hay que recordar, como ejemplo, el puñetazo que Jesús Gil, inefable presidente del Atlético de Madrid, pegó al gerente del Compostela en marzo de 1996, antes de una reunión en la Liga de Fútbol Profesional.

432. DIALÉCTICA GASPARTIANA

Más declaraciones de aquel 1997, bastante divertido si reparamos en cómo se las tenían los dirigentes de los eternos rivales. Carga a fondo de Joan Gaspart en dirección a la trinchera «merengue»: «Entre el Barça y el Madrid hay muchas diferencias. Aquí hay mar, y allá no. Los directivos del Barça se aprecian. Los del Madrid se odian, dimiten y se apuñalan». Respuesta de Lorenzo Sanz: «Gaspart tiene que ir al manicomio y yo me comprometo a llevarle». Sí, realmente eran como niños. Aquello de la deportividad, los valores y el respeto no se tenía en cuenta. Ni por obligación propia del cargo.

433. RÉCORD DE CANDIDATOS

Todo un récord en la historia del club: seis candidatos se presentaron a las elecciones del 15 de junio de 2003. Eran Joan Laporta, Lluís Bassat, Jaume Llauradó, Josep Martínez-Rovira, Josep Maria Minguella y Jordi Majó. El Barça se hallaba en situación bastante complicada tras los tres años de gestión de Joan Gaspart, poco afortunada (por decirlo de modo suave); todos los candidatos enarbolaron con mayor o menor fuerza la bandera de la renovación. Obviamente, nadie podía defender la continuidad. Al final, el abogado Joan Laporta se convertiría en el nuevo presidente del Barça tras obtener 27.138 votos ante los 16.142 sumados por el publicista Lluís Bassat, mientras el resto de los candidatos quedaron muy atrás en la votación.

434. DE LA INTENCIÓN AL VOTO

En aquellos comicios, la remontada protagonizada por Joan Laporta en las encuestas, confirmada después en las urnas, resultó épica. Según el diario *Sport*, el 30 de abril la intención de voto de Laporta no superaba el 2,2%, muy alejado del 42,6% que podía lucir Lluís Bassat. El 25 de mayo, Bassat había bajado hasta el 39,5%, mientras Laporta subía al 10,4%. Dos semanas después, el 8 de junio, el publicista ya sentía el aliento del letrado (26,6 % y 23,9 %, respectivamente), llegándose al *sorpasso* el 13 de junio, solo dos días antes del voto: Laporta 29,5 %, Bassat, 28,3 %. Finalmente, la auténtica encuesta de las urnas resultó tajante: Laporta, 52,6%; Bassat, 31,8 %.

435. ¿QUÉ HACEMOS CON LAS ALFOMBRAS?

El 22 de septiembre de 2003, en el transcurso de uno de los primeros cónclaves de la directiva de Joan Laporta, se votó la conveniencia o no de llevar a cabo una *due diligence* para investigar a fondo la gestión económica del club bajo las presidencias de Joan Gaspart y Enric Reyna en la temporada 2002-03. Se impuso la tesis oficialista, contraria a levantar las alfombras (trece votos), mientras que solo los directivos Rosell, Moix y Bartomeu se mostraron partidarios de mantener la promesa electoral de máxima transparencia.

Terminada la votación, Laporta intervino para comentar que «los motivos y las reflexiones de las personas partidarias del voto a favor nos han hecho pensar a todos, pero una mayoría de la junta ha considerado que una acción de este tipo supondría un largo proceso de judicialización del club sin ninguna garantía de éxito, lo que sería un impedimento añadido para el difícil reto económico que nos hemos planteado en este mandato, ante el que será necesario la máxima estabilidad institucional. Y los socios, en definitiva, nos han elegido para que este club vuelva a funcionar». En cualquier caso, el presidente Laporta añadió que «es evidente que hará falta actuar de alguna manera para visualizar desde el club una discrepancia por lo que respecta al modelo de gestión del pasado». Cosa que se hizo de manera evidente en el transcurso del tiempo.

436. Culé absentista

Nacido en Valladolid, aunque de ascendencia y crianza leonesa, José Luis Rodríguez Zapatero, presidente del Gobierno español entre 2004 y 2011, siempre ha presumido de filiación barcelonista, en buena parte gracias al influjo de su paisano César Rodríguez. A pesar de ello, Zapatero no ha ido nunca al Camp Nou y solo ha visto al Barça en las finales de París 2006 y Roma 2009. En cambio, tanto José María Aznar como Mariano Rajoy, madridistas hasta el tuétano, se han prodigado en el palco del Bernabéu a plena voluntad y gusto. Tratándose de políticos, adivinad qué puede restar votos y qué puede darlos según las cábalas de sus asesores.

437. Mur hijo

El 12 de julio de 2006, Àngel Mur Ferrer dejó la disciplina del FC Barcelona tras treinta y tres años ejerciendo como fisioterapeuta y masajista del primer equipo. Mur había jugado en las divisiones inferiores del Barça, en el Condal, el Sporting de Gijón y el Sant Andreu. Tras colgar las botas, ayudó a su padre, Ángel Mur Navarro, masajista del Barça desde 1937 hasta que le sustituyó en la campaña 1973-74. Aunque sabía muchas cosas, nunca quiso escribir sus memorias. Su padre tampoco.

438. El séptimo arte

El 16 de agosto de 2008, en el curso de una reunión con los senadores del club, el presidente Joan Laporta desvelaría que la directiva estudiaba el proyecto de una película sobre Joan Gamper. Sin embargo, de esta cuestión nunca se volvería a hablar. Y es una lástima porque estamos seguros de que el film habría reunido lo necesario para llegar a éxito de taquilla. Conste que no solo la vida de Gamper daba para un *blockbuster* cinematográfico. También muchos otros aspectos en la historia del FC Barcelona podrían convertirse perfectamente en material para la comedia, el drama, la aventura épica, el género bélico, la intriga… Y de biografías, por citar solo otro género, se podrían rodar un montón.

439. EL SENADO Y ROSELL

El Senado del Barça celebró una reunión ordinaria el 18 de mayo de 2011. Era la primera ocasión en que Sandro Rosell se veía con los senadores y el nuevo presidente tenía algunas dudas sobre el trato que debía dar a estos socios veteranos. Finalmente, se decidió: «He estado pensando muchísimo cómo dirigirme a vosotros, cómo dirigirme a ustedes. No sabía si tratarles de usted o tutearles, y al final he decidido trataros de tú. Y os diré por qué: porque a los hombres sí os veo un poco mayores, pero a las señoras no, os veo muy jóvenes, muy guapas y jóvenes. Por lo tanto, no os puedo tratar de usted. Hay que hacer un poco la pelota, ¿no? Un poquito». Pues nada, asunto resuelto.

440. PRIMAVERA TENSA

Todo el mundo recuerda aquella tensa primavera de 2011. Tras el triple enfrentamiento entre el FC Barcelona y el Real Madrid en Liga, Copa y Champions, la eterna guerra entre azulgranas y merengues se hallaba en su clímax, en gran parte a causa de las constantes provocaciones del técnico madridista Jose Mourinho y la denuncia madridista ante la UEFA contra Alves, Pedro y Busquets, a los que pedía sanción bajo la acusación de hacer teatro. Así las cosas, en aquel 18 de mayo, el primer senador que hizo uso de la palabra pidió que el Barça rompiera relaciones con el Madrid y que Florentino Pérez, Jose Mourinho y Aitor Karanka fueran declaradas personas no gratas. El presidente Rosell le respondió que era mejor dejar pasar un tiempo, ya que las decisiones en caliente no son aconsejables, pero que «la cosa no quedará como está, eso es evidente, y que nosotros formularemos nuestras quejas formales, informales, a través de la prensa, directamente, con un comunicado, en una entrevista…, aún no sé decirlo…». Después, cuando otro senador le pidió expresamente que no mostrara excesiva moderación con el Madrid, Rosell contestó conciso: «Alguna animalada cometeremos, pequeñita».

441. Un amigo de allí

Meses después, los agravios aún aumentarían con el dedo de Mourinho en el ojo de Tito Vilanova durante la Supercopa de España. A pesar de todo, en diciembre de aquel 2011, Sandro Rosell y Florentino Pérez sellaron formalmente la paz. «Agua pasada no mueve molino», diría textualmente el presidente azulgrana, para añadir, en referencia a Pérez: «Con una gran persona y un gran presidente no puedes mantener mala relación».

442. El Salvador culé

En septiembre de 2015 supimos que el país del mundo con mayor porcentaje de culés es El Salvador, con un 65% de población entregada a la causa. Con esta simpatía generalizada, no debe extrañar que la peña barcelonista más numerosa sea la de ese país centroamericano, con 1.663 miembros. En el momento del recuento en este listado de peñas masivas, la segunda era la Fan Club Barça polaca (1.230 socios), mientras que la tercera (y primera catalana) era la Penya Barcelonista Plana de Vic, con 1.171 asociados.

443. Peñas veteranas

Actualmente, la peña más antigua es la Penya Solera Barcelonista de Castellar del Vallès, fundada el 18 de marzo de 1952. Durante largo tiempo, la Penya Solera gozó de tal consideración al ser creada en 1944, pero desaparecería a inicios de los noventa. En el podio de peñas longevas figura en segunda posición la Unió Barcelonista Catalònia, fundada en 1954 y que destaca por su labor formativa. Ocupa el tercer lugar la Penya Barcelonista Foment Martinenc (1955), surgida inicialmente de una entidad cultural. Lejos de Cataluña, la peña en activo con mayor veteranía es la asturiana PB Avilés (1960). Y si, por último, nos vamos fuera de España, la decana es la de Londres, fundada en 1985.

444. Tradicionalistas

El 25 de mayo de 2016, el periodista Albert Llimós publicó en el diario *Ara* un entrañable reportaje sobre los septuagenarios aficionados barcelonistas Salvador, Pere, Miquel, Josep, Sebastià y Evelio. Como escribía Llimós, ellos conformaban el último reducto de una tradición centenaria, una costumbre que habían mantenido durante más de cincuenta años, en el campo de Fabra i Coats de Sant Andreu, en la fuente de Canaletes, en las oficinas del club en el pasaje Méndez Vigo, bajo la tribuna del Camp Nou, en los campos donde hoy se encuentra el Miniestadi y, en los últimos veinticinco años, bajo los pinos que rodean el Palau Blaugrana.

Allí, cada lunes a las once y media, los seis se sientan en dos bancos de madera y pasan un par de horas de amena tertulia barcelonista, charlando tanto de la actualidad más polémica (que por desgracia siempre ha dado para discutir) como de la historia azulgrana, con los recuerdos personales y peculiares de cada cual sobre las glorias y las derrotas vividas durante tantos años. Los seis amigos son los últimos supervivientes de la tradición de las tertulias en los santuarios sagrados del Barça, que ellos mantienen impertérritos entre el alud de turistas que pasean por las instalaciones del Camp Nou en dirección a la Botiga o al Museu. Una tradición que, en el pasado, dio forma a una llamada Penya del Misteri, formada por comerciantes del barrio de Les Corts, que, cada lunes al mediodía, se escapaban hasta las inmediaciones del Camp Nou para hablar y debatir sobre el Barça.

6

La tierra azulgrana

Citar «la tierra azulgrana» conlleva una rápida asociación en clave barcelonista: Indústria, Les Corts y el Camp Nou, las tres catedrales, la síntesis radical. Existe un buen puñado de lugares que añadir, pese a que el tiempo haya literalmente borrado del mapa algunos de ellos. La lista no resulta corta, como certifica la suma de ciertos nombres salpicados de manera anárquica: Fabra i Coats, Palau Blaugrana, Canaletes, el exvelódromo de la Bonanova, las oficinas de Méndez Vigo, el Sol de Baix, La Bordeta, los equipamientos de la calle Sardenya, el gimnasio Solé, el Miniestadi, la carretera de Horta, el campo de La Masia, el hotel Casanovas, el Casal de l'Avi, la Zona Esportiva, la calle Muntaner, la ciudad deportiva Joan Gamper... Y si se nos ocurre ampliar el foco, también parecerían parajes de devoción los tejados y balcones de la Travessera que servían para seguir, gratis y a distancia, una finta de Kubala o un remate de César. Desde que se jugara el primer *match* de fútbol en Barcelona, en 1892 allá por Can Tunis, el mapa de la capital se ha ampliado y manchado con numerosos puntos de práctica de acento azulgrana.

Expresaremos un sueño íntimo y, seguramente, compartido entre las generaciones de ya extenso recorrido. A veces, la fantasía nos provoca la formulación de un imposible: ¿qué daríamos por vivir un partido en Les Corts, tal como era? Por suerte, no hay respuesta plausible para esa utopía. Enfermos de historia, poco exigiríamos. Nos daría igual presenciar el primer partido sobre hierba de 1926 como la sustitución, casi dos décadas después, de la vieja tribuna por aquel innovador voladizo sin columnas. Nos habría encantado correr para pillar un buen sitio con tiempo, sin miedo a las estrecheces, a una temeraria falta de seguridad, al riesgo de aludes humanos o a jugarte la piel, como certifica la fantástica y costumbrista foto de Català-Roca que adjuntamos en este volumen. Les Corts era una entrañable lata de sardinas, apedazada, peculiar, refugio del último reducto de catalanidad. Allí se podía hablar la lengua sin complicarte la existencia ni, en lenguaje de época, «significarte» ante las autoridades represoras del régimen. Al crear la vieja catedral en apenas tres meses, Joan Gamper había pronosticado que no duraría medio siglo y se quedó en la praxis en treinta y cinco casi clavados, si bien Les Corts vivió una larga agonía de nueve años, tan complicada como el propio asentamiento del Estadi.

Si algún día, y dale, alguien tiene el detalle de inventar una máquina del tiempo que resulte segura en el viaje de ida y vuelta, no haríamos ascos a la posibilidad de plantarnos también en la calle Indústria, hoy París, seguros de que la primera observación sorprendida consistiría en afirmar cómo ha cambiado la ciudad, válganos la Mercè, patrona de Barcelona. Allá, viendo la preciosa tribuna de madera de dos pisos, también saldríamos a «estirar las piernas» en la media parte (eso del «descanso» es un modernismo) paseando y comentando la jugada por el terreno de juego en caminata multitudinaria que se agotaba, forzosamente, a los diez minutos de iniciada. Y nos quedaríamos, no lo dudamos, al piscolabis posterior, convertido en liturgia para analizar las claves que justificaran el resultado final.

En salto de homenaje a H. G. Wells, tampoco nos desagradaría remontarnos hasta finales de los cincuenta, cuando el nuevo Estadi, de coste tan exagerado, quedaba aún en el quinto pino, allá donde dudabas de que la ciudad llevara el mismo nombre y no quedaba otro remedio que triscar entre accesos a medio construir, llenos de escombros y barracas, resultado de decisiones políticas que hoy nos parecen ininteligibles por opacas, coherentes con la calamidad que supone vivir bajo una dictadura y no poder exigir explicaciones a las autoridades. Aquellos terrenos que la directiva de Montal Galobart había comenzado a comprar, a pesar de que potenciaran un montón de deudas en caja, antes de la llegada de Kubala, insistimos de paso para derribar un mito ampliamente aceptado. No, el mito húngaro no provocó la elevación del Estadi. Lo habían reflexionado a conciencia, aunque no pudieran evitar el disparate presupuestario final. El Camp Nou tampoco se acabaría de pagar con aquellos 226 millones de pesetas de 1966, tan vistos en el talón mostrado en foto ya antigua por el entonces feliz Enric Llaudet. En realidad, aquel de la icónica imagen era tan solo un primer pago de veinte millones. Las hipotecas no acabarían hasta la democracia, imagínense, bajo mandato de Núñez.

En el próximo capítulo se hallarán unas cuantas anécdotas vinculadas a todo tipo de tierra azulgrana, a las situaciones generadas cuando se la visitaba y disfrutaba. Antes de sumergirnos en este apartado, nos gustaría volver a señalar, una vez más y no nos cansamos, la necesidad de mantener vivo el pasado barcelonista en tantos y tantos lugares de Barcelona que hoy no recuerdan qué hubo allí antes, qué conocieron nuestros ancestros, dónde se forjaría, rasgo a rasgo, la personalidad definitiva del barcelonismo. Y ya que estamos, la reivindicación de siempre, no ya de nomenclátor de calles dedicado a las viejas glorias, hoy tan precario por exiguo. Poco costaría aprobar la eterna asignatura pendiente del homenaje continuo, del agradecimiento como corresponde, a los antiguos futbolistas y personajes básicos de nuestro pretérito común en azulgrana. Ya que, como parece, el Camp Nou será la casa barcelonista de nuestros descendientes en la fe (en la vida, bastante lo sabemos, nunca se puede decir «para siempre»), nada resultaría mejor ni más acertado que dedicar los amplios espacios de su alrededor, y también interior, a los culés de mayor significación que nos precedieron.

Solo se necesita la voluntad de rebautizar esta boca, este pasillo, este espacio, este trozo, con el nombre de algún futbolista, entrenador, directivo, trabajador o lo que mejor convenga. Mantener vivo el recuerdo de tantos destacados con una sencilla placa que recordara su aportación, cómo contribuyó individualmente al portento estimado por millones y millones de personas. Aunque sea para tener presente de dónde venimos, aclarar ideas, reafirmar compromisos y continuar con la vista fijada adelante, en el horizonte que espera.

445. ¿Quién quiere jugar?

En 1898, cuando Joan Gamper llegó a Barcelona, enseguida buscó compañeros para jugar al fútbol en las calles del barrio donde vivía, Sant Gervasi de Cassoles. En la capital catalana, como no existían campos de fútbol, era costumbre habitual utilizar la vía pública y los numerosos descampados que existían entonces. Uno en especial: el de la calle llamada España, hoy convertida en Lincoln. Allí residía Gamper, aún en casa de su tío, Emili Gaissert. También jugaba en la plaza d'Armes del parque de la Ciutadella, otro de los lugares predilectos por aquellos pioneros. Los partidos improvisados se disputaban los domingos y los futbolistas reclutados eran miembros de la colonia extranjera en Barcelona (básicamente ingleses), aunque también algunos barceloneses atraídos por aquel nuevo deporte tan espectacular. Los detalles y minucias de tales lances rezuman pintoresquismo, vistos desde hoy: los protagonistas jugaban con ropa de calle, y los equipos, habitualmente, estaban formados por un máximo de siete integrantes.

446. LA FE DE LOS CONVERSOS

Más allá de esos partidos dominicales tan *sui generis*, los entrenamientos entre el núcleo duro de aquellos entusiastas pioneros eran diarios y solían empezar a las diez de la noche, poco después de haber cenado. Los escenarios, muy variados. Unas veces se entrenaban en el Saló de Sant Joan (hoy, paseo Lluís Companys); otras en la plaza de Letamendi, aún por urbanizar; de vez en cuando, en la plaza de Catalunya, al lado del desaparecido Museu Armeria Estruch, y algunas noches en los jardines de la plaza Universitat, donde a menudo las flores eran destrozadas a balonazos. Aquellos alocados *sportsmen* eran Joan Gamper, los hermanos Parsons (John y William) y los también hermanos Witty, Arthur y Ernest. Los entrenamientos se reducían a un ataque y gol contra porterías figuradas, marcadas bajo los ventanales de la universidad o en la pared del museo Estruch. Era la mejor manera de evitar que el balón se perdiera, posibilidad que habría resultado una tragedia, ya que solo tenían uno y debían cuidarlo como un tesoro.

Como es fácil de suponer, los peatones noctámbulos se apartaban espantados ante aquellos hombretones que, de manera incomprensible para ellos, descargaban su furia a patadas contra un objeto esférico. En un montón de ocasiones, la escena era interrumpida por la presencia conminatoria de la autoridad uniformada, que ponía punto y final a tan bárbaros excesos. La pasión de aquellos locos se tornaba irreverencia inadmisible cuando los pelotazos se daban en el Saló de Sant Joan, al lado mismo de estatuas de figuras históricas como Wifredo el Velloso, Roger de Llúria, Bernat Desclot, Rafael Casanova y Ramon Berenguer I. Entonces, Gamper y compañía eran expulsados por la autoridad. Poco les importaba porque, al día siguiente, ya volvían al jaleo, fuera en el mismo escenario o escogiendo otro.

447. Los antecedentes

Desde 1899, cuando el FC Barcelona fuera fundado en el gimnasio Solé, en pleno barrio del Raval, siete terrenos de juego ubicados en la capital catalana han sido campo propio del Barça. La lista es ya conocida, pero la recordaremos: El antiguo Velódromo de la Bonanova (1899-1900), en el actual distrito barcelonés de Sarrià-Sant Gervasi; el Hotel Casanovas (1900-01), en Horta-Guinardó; Carretera de Horta (1901-05) también en Horta-Guinardó; Calle Muntaner (1905-09), en el Eixample; Calle Indústria (1909-22), en el propio Eixample; Les Corts (1922-57), en el distrito homónimo y, desde el 57, el Camp Nou, también en el distrito de Les Corts. En definitiva, veintitrés años de peregrinaje por diversos barrios de Barcelona y un total de noventa y cinco de historia y arraigo de residencia en Les Corts. En *Barça inédito* ya hablábamos de los seis antecedentes históricos del actual Estadi azulgrana, de los que, permítannos insistir, ya no queda rastro alguno en la geografía barcelonesa.

448. Indústria pelada

El 14 de febrero de 1909 se produjo la inauguración del campo de la calle Indústria, llamado así porque estaba situado en la cuadrícula formada por las calles Indústria (hoy París), Urgell, Villarroel y Coello (hoy Londres). Por aquel entonces era simplemente un rectángulo de juego con algunas sillas alrededor, pero sin gradas. Años después, se construyó la tribuna de madera, reducida a un solo nivel, no la definitiva. En 1916, por fin se erigiría la de dos pisos, aquella preciosidad que todos hemos visto en las fotos clásicas, con capacidad para mil quinientas personas. En principio, el arquitecto municipal se opuso a autorizarla, convencido de que el peso terminaría por hundirla. Finalmente, la tribuna de doble planta se convertiría en feliz realidad con una factura de diecisiete mil pesetas, pagada íntegramente a escote por la decena de directivos incluidos en la junta presidida por Gaspar Rosés. Echad cuentas: una pasta salida de la cartera de aquellos románticos.

449. TELÉGRAFO Y PIZARRA

El 2 de mayo de 1920, el Barça ganaría el Campeonato de España en Gijón contra el Athletic de Bilbao por 2-0. Una multitud de barcelonistas siguieron la evolución de la final congregados en el campo de la calle Indústria y en el bar Esquerra. Obviamente, no lo vieron por televisión, ya que el invento no llegaría a España hasta 1956, ni tampoco por radio, pues ninguna emisora se dedicaría a emitir resultados de fútbol hasta 1924. Entonces, ¿cómo se lo montaron? Fácil: tanto en el campo de Indústria como en el bar Esquerra recibían la información vía telegráfica desde El Molinón y, posteriormente, paseaban una pizarra donde habían escrito las últimas incidencias del partido. Así de fácil y efectivo. Seguro que habéis visto alguna entrañable fotografía con la pizarra de marras, que ahora queda tan folclórica y anacrónica. Resultaba la opción más práctica en aquellos tiempos, dejémonos de monsergas.

450. CAMPO POR DUPLICADO

Durante buena parte de su vida, Joan Gamper supo navegar con éxito por el mundo de los negocios. Su empresa Gamper y Mir, formada con su socio Enric Mir (un antiguo futbolista del Barça) el 17 de enero de 1916, se dedicaba con gran éxito al comercio de productos coloniales. Tanto es así que, el 3 de mayo de 1919, la sociedad adquirió el campo de la calle Indústria por 51.361,50 pesetas. Así pues, a partir de aquella fecha, el FC Barcelona tuvo que pagar el alquiler de La Escupidera a sus nuevos propietarios, Gamper y Mir, que, suponemos, debieron pactar un precio arreglado para ese inquilino emocionalmente tan próximo. El alquiler se pagó religiosamente hasta el 30 de junio de 1926, a pesar de que, desde el 20 de mayo de 1922, el nuevo campo del Barça era ya el de Les Corts. Por lo tanto, durante cuatro años el club tuvo oficialmente dos campos, a pesar de que uno de ellos no se utilizaba. Un precedente casi desconocido de lo que después también pasaría con el Camp Nou y el estadio de Les Corts casi nueve años, si bien Les Corts sí se utilizó entre 1957 y 1965. Vaya, también en detalles como este podemos aplicar aquello de que la historia siempre se repite…

451. VENTA FINAL

El epílogo a esta curiosa historia comenzaría en abril de 1928, cuando la sociedad Gamper y Mir se disolvió de manera oficial. Su liquidación fue lenta porque, por ejemplo, la venta del terreno de la calle Indústria no se llegaría a realizar hasta dieciséis días después de la muerte de Gamper, el 16 de agosto de 1930. El campo de Indústria fue vendido a cambio de dieciséis mil pesetas, casi una cuarta parte de lo que costó, por cierto. Adiós definitivo a la popular «Escupidera» que generó el apodo de culés.

452. PLACAS AUSENTES

En 1974, con motivo del septuagésimo quinto aniversario del Barça, fue colocada en el número 252 de la calle Comte d'Urgell una placa conmemorativa de la inauguración del campo de Indústria. Curiosamente, la placa incluía una errata bastante notable, ya que fechaba la inauguración del campo el 14 de mayo de 1909 cuando, en realidad, se había producido dos meses antes, el 14 de marzo. En cualquier caso, la redonda placa lucía flamante en la fachada del edificio, para orgullo de los vecinos de filiación barcelonista, orgullosos de residir en un inmueble que formaba parte del imaginario histórico del club. Por desgracia, en febrero de 2009, la placa se rompió al caer durante unos trabajos de rehabilitación. Los encargados de la reforma se llevaron los restos y nunca más se volvió a saber del detalle conmemorativo. Una lástima…, como tantos otros olvidos de la memoria histórica culé que siempre tenemos tan presentes por su evidente ausencia. Y no hacemos juegos de palabras. En todo caso, no nos cansamos de reivindicar que se haga justicia con el pasado y sus protagonistas.

453. UN CAMPO PECULIAR

El sucesor del campo de la calle Indústria, el estadio de Les Corts, fue uno de los mejores campos de fútbol de Europa en su época. Obra de los arquitectos Santiago Mestres y Josep Alemany, el terreno de juego medía 112 x 70 metros y tenía su nivel de tierra 75 centímetros por debajo de la primera fila de espectadores, separados del terreno por una firme barandilla de madera, traba que dificultaba una hipotética invasión del público.

Dos salidas daban acceso al campo. Una, para los jugadores, salía directamente de los vestuarios y brotaba por el centro de la tribuna. La otra, reservada para los vehículos de mantenimiento, surgía de un córner. Esta, digámoslo, también servía como entrada al campo de los guardias civiles a caballo que, a menudo, enviaba la autoridad con deseo de reprimir eventuales disturbios. Situémonos en el contexto: en 1922, Les Corts fue inaugurado cuando las tensiones futbolísticas se hallaban a flor de piel, sí, pero en paralelo discurrían fortísimas perturbaciones sociales. Era la época del pistolerismo y de la creciente reivindicación nacionalista, resuelta con el eufemismo de llamarla «el problema catalán».

454. DINERO DE SOBRA

El campo de Les Corts costó oficialmente 991.984,05 pesetas y, en teoría, se pagó con la emisión de obligaciones hipotecarias entre los socios del club, que significaron al final un ingreso de 1.129.900 pesetas en las arcas azulgrana. Muchas de estas obligaciones fueron después cedidas gratuitamente al club; el donativo más importante fue el realizado por el directivo Antoni Coll, quien regaló cinco mil pesetas de aquellos valores. Por cierto, dice la leyenda que Gamper avanzó el coste de la construcción de su propio bolsillo, pero no hay ningún documento que así lo certifique.

455. RECAUDANDO...

Así, sobre el papel, no parece que la construcción del estadio de Les Corts hubiera comportado angustias económicas al FC Barcelona. No obstante, no deja de ser curioso que, durante la temporada 1922-23, se jugaran en Les Corts la friolera de cincuenta y ocho partidos amistosos con equipos extranjeros y estatales. Una cifra que, en la campaña siguiente, quedaría reducida a cuarenta y cuatro, que tampoco está nada mal, máxime cuando el precio de las entradas era bastante costoso, ya que muchas veces costaba el doble que las de los partidos del Campeonato de Cataluña.

También resulta significativo que la cuota de socio, inalterable desde 1899 hasta 1920 en dos pesetas, pasara a tres en junio de 1920, a cuatro en diciembre de 1921 y a cinco en junio de 1923 para los socios del 10.001 en adelante.

456. Sol de Baix

En agosto de 1926, el Barça alquiló la parcela del Sol de Baix para usarla como terreno de entrenamiento del primer equipo y de algunas secciones. También como lugar de solaz para los socios y campo de juego para los equipos del fútbol base azulgrana hasta finales de 1932. El Sol de Baix estaba ubicado cerca de Les Corts, entre el velódromo de Sants, la riera de Les Corts y la Travessera. Despertaba la admiración general, ya que en sus nueve hectáreas alojaba campos de fútbol, de hockey hierba y de rugby, pistas de baloncesto y de atletismo, pared de frontón, piscina y gimnasio. En julio de 1928, según reconoció el directivo Epifanio de Fortuny, poseedor del título nobiliario de barón de Esponellá, el Sol de Baix constituía un gran sacrificio para el club, compensado «al ver que cada madrugada filas de jóvenes, en su mayoría obreros, practican con constancia y entusiasmo los diversos deportes que fortalecen a una raza». Es una pena que no haya quedado testimonio de aquella singular ciudad deportiva. Nueve hectáreas forman mucho, mucho terreno...

457. Barrera de eucaliptos

Un clásico, eso de que los clubes pretendan que todo hijo de vecino pague el precio de la entrada. Tanto como que los aficionados se las ingenien de mil maneras para ver fútbol gratis. Denominador común en cualquier categoría, hoy, ayer y seguramente por los siglos de los siglos, amén. En esta línea, ya en 1932, la directiva de Joan Coma decidió hallar un remedio infalible. Y, así, aprobó la adquisición de cuarenta eucaliptos para plantarlos detrás del gol norte de Les Corts. Con los árboles, imaginamos que altos y frondosos, se quería impedir que vieran el partido por la cara desde los edificios contiguos vecinos, amigos, conocidos y saludados, como diría Josep Pla. Mucho nos tememos que no lo consiguieron. Ni con un bosque entero...

458. Reformas en Les Corts

Pasado un año desde el episodio de los eucaliptos, las reformas en

Les Corts continuarían con la replantación del césped en el terreno de juego y la instalación de una fuente con servicio de vasos esterilizados en el bar del «gol de abajo». Abramos un paréntesis para recordar que la hierba del viejo estadio se plantó por vez primera en 1926, casi cuatro años después de su estreno.

Ya puestos, las reformas también se emprendieron con la intención de aprovechar el caudal de agua que corría por el subsuelo de Les Corts. Al mismo tiempo, se construyó una nueva taquilla para la venta de entradas al público que llegaba desde el barrio de Sants. Por último, también se construyó un paso subterráneo con el objetivo de llevar a los jugadores a sus respectivos vestuarios, mejora que entonces se consideraba especialmente innovadora y significaba un motivo de orgullo para los dirigentes del club, convencidos de que Les Corts era el campo más moderno de España gracias a detalles como este.

459. TIEMPO DE POSTGUERRA

Estamos en los años cuarenta. Poco a poco, se trataba de ir recuperando la normalidad tras la inmensa conmoción bélica. Y así, dos años después de terminada la guerra, aún en 1941, la directiva decidió la compra de unos equipamientos deportivos en la calle Sardenya, propiedad del C. E. Empordanès, para la práctica del atletismo, el baloncesto, el hockey y el fútbol. Ya que las secciones deportivas se hallaban en proceso de reorganización, el Barça quería usar tales terrenos como instalación subsidiaria.

460. PASAJE MÉNDEZ VIGO

El callejón aún existe y seguro que lo conoceréis, situado allá, entre las calles Aragó y Consell de Cent. Con el paso del tiempo, podríamos asegurar que las oficinas del Barça enclavadas en el chalet de estilo modernista del número 8 del pasaje Méndez Vigo han sido las más populares de la historia azulgrana. Más céntricas y singulares, imposible. El club se trasladó desde la Gran Via de les Corts Catalanes, número 629, el 4 de junio de 1941, ya bajo la presidencia de Enrique Pyñeiro, marqués de la Mesa de Asta. Allá se vivirían momentos históricos del club, como el proceso de construcción del Camp Nou. En 1960, aún con Miró-Sans como presidente, las oficinas fueron trasladadas a la Via Laietana (hoy, Pau Claris), número 180, si bien las taquillas del club permane-

Prolegómenos de un Athletic Club de Bilbao-FC Barcelona de 1940, con los futbolistas de ambos equipos y el trío arbitral obligados a saludar al modo fascista por imperativo legal. Abajo, de izquierda a derecha, figuras legendarias del barcelonismo en los años 30 y 40: el portero Ramon Llorens, el medio Josep Raich (en retrato) y el delantero Josep Escolà. Todos ellos sufrieron las consecuencias de la Guerra Civil.

Un sonriente César Rodríguez, el *crack* del Barça en los años 40 y principios de los 50, con un grupo de aficionados culés en la sede de la Penya Solera. A la derecha, retrato de Josep Boter, el legendario descubridor de talentos que ofreció sus inmensos servicios al Barcelona entre 1934 y la década de los 60.

La España Industrial de la temporada 55-56, cuando logró el ascenso a Primera, hito que obligó a cambiar el nombre del filial y convertirlo en el Condal. El equipo viste su típica camiseta azul con dos franjas blancas.

Once del Condal del 13 de febrero del 66. De pie, Rodés, Isidro, Gensana, Navarro, Ruiz, Mur. Arrodillados, Albert, Mas, Feliu, Martí Filosia y Rexach. A la derecha, Llaudet con el primer talón por la venta de Les Corts, junto al abogado Figueras. Abajo, un peculiar seguidor en un Barcelona-Atlético de Madrid jugado en el Camp Nou durante los 60.

L'ETERN MANXAIRE

—Ja la ballem. El campionat d'Espanya ha tornat a despertar
cem a preparar els ex-votos.

Arriba, portada del *Xut!* del 24-5-1932,
con referencia clara al infernal ambiente
que el Barça había padecido nueve días
antes en Mestalla, con motivo de un partido del Campeonato de España contra el
Valencia. A la derecha, foto del 3-5-
1953: pancarta exhibida por la afición
barcelonista celebrando la obtención de
la segunda Liga consecutiva. Escrita en
catalán y de explícito contenido.

Arriba, tumultuosa escenificación de un apasionado partido de los años 20 a cargo del genial dibujante Ricard Opisso, reputado especialista en retratos colectivos. A la izquierda, Valentí Castanys caricaturizó a César Rodríguez y Josep Samitier como dioses del Olimpo blaugrana, el primero como alado Mercurio y el segundo, como Júpiter. Abajo, el monumento fascista a los «caídos por Dios y por España» colocado en Les Corts.

El extraordinario Pere Prat entrando en el campo de Indústria delante de
Josep Erra, en una carrera de 1917. Abajo, partido de baloncesto femenino
entre el Laietà y el Barça jugado en octubre del 34. En la imagen inferior,
Gregorio Rojo preparado para competir en Les Corts a comienzos de 1950.

Años 20: dos mitos del deporte catalán, Josep Samitier y Marià Cañardo, en el estadio de Les Corts, antes de un homenaje del club al gran deportista, alma de la antigua sección blaugrana de ciclismo. Abajo, fechada en 1958, una de las pocas imágenes que se conservan del malogrado gimnasta Joaquim Blume representando al FC Barcelona.

El capitán Jordi Bonareu levanta la Copa de España de baloncesto en la temporada 1958-59. A la derecha, plantilla de rugby del club, campeona de España en 1965.

Equipo de la Selecció Ciutat de Barcelona que jugó el primer partido de fútbol femenino en el Camp Nou, en Navidad del 70, curiosamente de blanco.

cieron en Méndez Vigo hasta el 26 de octubre de 1975, apenas dos días antes de ponerse en marcha las nuevas taquillas de Travessera de les Corts. Previamente, el club había vendido el chalet a la Federación Catalana de Fútbol por doce millones de pesetas. Por desgracia, aquel precioso edificio modernista terminó derribado, y con él, otro trozo de la memoria colectiva azulgrana.

461. LA BORDETA

Otro de los antiguos campos del FC Barcelona, hoy totalmente olvidado, fue el de la Bordeta, conocido oficialmente como «Parque de Deportes Azulgrana de la Bordeta». Estaba situado en el barrio de Sants, también cerca de Les Corts y, entre diciembre de 1942 y marzo de 1955, sería el campo donde jugaban los equipos de la cantera azulgrana y las secciones de atletismo, hockey sobre hierba y rugby. A veces, incluso entrenaba el primer equipo de fútbol. Y muchas, muchas tardes se podía ver a Kubala realizando una sesión extra de entrenamiento, dispuesto a compartir balón o partidillo con cualquiera que quisiera hacer ejercicio al lado del mito húngaro. Resulta entrañable la cantidad de gente que vincula Kubala, la Bordeta y sus propios recuerdos de juventud. Naturalmente, son culés (o simples barceloneses), de aquellos que «peinan canas», como reza el tópico. O que ya perdieron el cabello hace rato, tampoco nos engañemos...

462. OIGA, ¿CÓMO HA QUEDADO EL BARÇA?

21 89 22: este era el teléfono del FC Barcelona en noviembre de 1951. En aquellas fechas, un medio oficial del club publicó un interesante reportaje sobre las llamadas recibidas a diario en la centralita del Barça. El texto, muy desenfadado, comenzaba con un reconocimiento de la extrema dificultad que entrañaba comunicar telefónicamente con el club, ya que lo más habitual era que sonaran los enervantes tonos de línea ocupada, detalle que provocaba la archisabida reacción del sufrido aficionado: «Seguro que tienen el teléfono descolgado para ahorrarse trabajo». Según el articulista, nada de eso, en absoluto. La falta de interlocución era consecuencia del bloqueo de líneas por el alud de llamadas constantes.

Si hacemos caso del reportaje, en los días «normales», el promedio rondaba las diez llamadas por hora en horario matinal y el doble por la tarde, cifra que se duplicaba en las jornadas «de interés». Por último, el punto álgido se alcanzaba los días de partido, con un total de mil llamadas. Realizando unas rápidas multiplicaciones, se llega a la fabulosa cifra de 105.200 conferencias telefónicas recibidas anualmente en el chalet del pasaje Méndez Vigo. En aquella época sin Internet ni televisión, y con escasa información radiofónica, la falta de datos inmediatos se tornaba angustiosa para muchos aficionados. Por ello, cogían el teléfono (y no era como los móviles de ahora, cuando cada cual tiene el suyo), dispuestos a que el club les contestara. Las preguntas de los curiosos podían ser variopintas. Desde el típico «oiga, ¿cómo ha quedado el Barça?» hasta resultados de los equipos del fútbol base o de las secciones, pasando por informaciones de todo tipo sobre la historia azulgrana para dirimir apuestas entre parroquianos de bar de aquella época sin Wikipedia. Y también se preguntaba, ya que estaban, por los resultados del Madrid, del Espanyol e incluso del Campdevànol, que, por lo que parece, los sufridos empleados del FC Barcelona tenían que saberlo todo. Ah, y también se pedían direcciones personales de los futbolistas del Barça, aunque no se dieran, solo faltaría.

463. MERCADO PERSA

En aquella época, a principios de los cincuenta, si hacemos caso de las crónicas, la imagen del estadio de Les Corts se asemejaba a la de un centro comercial. Al margen de los imprescindibles urinarios, en los pasillos del viejo campo te podías encontrar con chiringuitos de bebidas y café; quioscos de periódicos; puestos de viseras, sombreros de papel y asientos de cartón; tenderetes de cacahuetes, almendras, chicles y caramelos; pequeños estancos de puros, cigarrillos y cerillas… Se podía conseguir prácticamente de todo. Al menos, todo lo que pudieras necesitar para presenciar un partido de fútbol del Barça en condiciones.

464. PARQUE PARA EL PERRO

Por aquellas fechas, cuando los futbolistas gozaban de fiesta, el estadio de Les Corts se quedaba completamente vacío. Solo se esperaba una visita, casi obligada. La de Ladislao Kubala, que aprovechaba para jugar tranquilamente con su perro, un pastor alemán al que lanzaba una estaca de madera para hacerlo saltar entre unas sillas colocadas en el terreno de juego. Si somos sinceros, el húngaro poco andaba por casa. Por lo visto, no podía estarse quieto, tenía que moverse y mantener el contacto con el aire libre.

465. TIEMPOS QUE NO VOLVERÁN

En esta época de restricciones informativas y fugaces declaraciones de los futbolistas tras los partidos en la zona mixta, conviene recordar otra vez las antitéticas condiciones que imperaban para los medios informativos hace ya muchos años. Y la mejor manera de rememorar pasa por este diálogo entre el periodista Julián Mir y el directivo barcelonista Miquel Sabaté, publicado en septiembre del 52:

—¿Órdenes nuevas para la presente temporada?

—Las mismas de siempre. Ustedes podrán entrar en los vestuarios después de diez minutos de terminado el partido.

—¿Con derecho a dialogar extenso?

—Y a café, copa y puro.

—¡Así da gusto, caramba!

466. ESTO ES FARAÓNICO

Hacia finales de 1952, la construcción del Camp Nou se hallaba en punto muerto, ya que, desde febrero del año anterior, el Barça estaba empeñado en trasladar el emplazamiento del nuevo estadio a Torre Melina, en la zona terminal de la Diagonal. Como fuere que las pertinentes negociaciones con la Universidad y el Ayuntamiento de Barcelona no marchaban bien y todo estaba paralizado, los periodistas tuvieron que improvisar otro tipo de noticias sobre el futuro Camp Nou. Sería así como, el 17 de noviembre de 1952, se publicaría en las páginas de *Vida Deportiva* un faraónico proyecto del arquitecto Sixto Illescas, quien, a su aire y sin que nadie se lo encargara, había ideado un descomunal estadio para el FC Barcelona capaz de alojar a ciento cincuenta mil personas. La visión del esbozo del llamado «Estadio Gamper» daba sensación de exagerada grandilocuencia, con una estructura rematada por ocho torres grandiosas, la mitad de setenta metros, y la otra mitad de cincuenta, cuando el actual Camp Nou alcanza una altura máxima de cuarenta y ocho metros. Por supuesto, aquel proyecto era completamente irrealizable y nunca más se supo de él, aunque la imagen de aquella ensoñación de Illescas haya sido bastante difundida. También la encontraréis en estas páginas.

467. EL DERBI DEL 52

La historia es bastante conocida: el 14 de diciembre de 1952, durante un derbi entre el Barça y el Espanyol, se produjo una tragedia en Les Corts causada por el exceso de público y la represión policial. Una valla de las gradas se rompió, lo que generó una formidable avalancha humana. En aquella época de estrecheces en el viejo estadio, aquello no resultaba ninguna novedad. Aun así, este caso resultó especialmente grave, ya que los aficionados acabaron sobre la hierba y la policía cargó contra ellos porra en ristre, pensando que se trataba de una invasión del campo. Como balance, numerosos heridos y un socio fallecido, además de otro damnificado que quedó malherido y moriría casi dos años después, en octubre de 1954. En teoría, ante un caso de tal magnitud, el club no podía quedarse quieto. Según puede leerse en las actas directivas de enero de 1953, se realizaron algunas vagas «reformas» en las vallas de seguridad, aunque sin especificar en qué habían consistido los trabajos para mejorar la débil seguridad del recinto.

468. AVALANCHAS CONSTANTES

Por desgracia, aquellas presuntas reformas serían claramente insuficientes. Los aludes humanos en Les Corts continuaron a menudo, asumidos ya por el público con resignación. Un imponderable, como si se tratara del destino divino ante el que nada podía la mano humana. Así, se llegaron a vivir escenas dantescas, como la contemplada por el padre de uno de los autores del libro, cuando una avalancha de aficionados dejó aplastado contra la valla el cuello de una persona, que estuvo a punto de morir asfixiada.

Y la chapuza no quedaría aquí. El 4 de febrero de 1954, la directiva aprobaba «la colocación de las defensas precisas para evitar las avalanchas de público en Las Corts». Más de un año después del drama vivido aún andaban así. Daba igual, el problema persistiría hasta la inauguración del Camp Nou. Por muchas reformas que pretendieran hacer, de palabra o de obra, ya resultaba

irresoluble. El viejo campo de Les Corts no podía albergar a tanta
gente como se metía ahí por culpa de los rudimentarios controles
y las inexistentes medidas de seguridad. Ya lo hemos comentado:
gráfica y literalmente, Les Corts en los cuarenta y cincuenta era
una lata de sardinas donde no cabía ni un alfiler.

469. JUGARSE LA VIDA

Muchos socios del Barça se jugaban, sin exagerar, la vida cada dos
semanas. En una impactante foto tomada por el gran fotoperio-
dista Francesc Català-Roca en 1955 (que reproducimos en este libro), podemos ver a un nutrido grupo de seguidores mirando el
partido, de pie en las escaleras de la grada, en precario equilibrio
a más de dos metros del suelo y sin barandilla. La junta directiva
se veía impotente para asegurar la seguridad de los espectadores
de Les Corts.

470. TALLER EN EL CAMP NOU

Cierto día, en los terrenos adquiridos por el club en 1950, en la
zona de la Masia de Can Planes (ya pensando en la construcción
del Camp Nou), un hombre *okupó* una parcela para instalar allí
su taller de marmolista. Así, tal como suena, a la brava. Obviamente, el Barça no se quedaría de brazos cruzados y, al final, logró que el intrépido marmolista fuera desahuciado de los terrenos que ocupaba ilegalmente. Pero el hombre no se conformó y
el 28 de diciembre de 1953, en la reunión ordinaria de la directiva
se informó que el antiguo *okupa* solicitaba la compra de los terrenos o el pago de un alquiler. No hace falta insistir en que la petición no prosperó. ¿Imagináis un taller en pleno Camp Nou? Y
conste que no es broma: la petición existió y fue desestimada.

471. NO CAE, NO...

El 11 de octubre de 1954 quedó inaugurada una exposición dedicada al proyecto del futuro Camp Nou. La muestra se organizó
en un local situado en el cruce de la calle Viladomat con la Gran
Via, al lado de la pista que entonces utilizaba la sección de hockey
patines azulgrana. Este escaparate tenía la función de cantar las
excelencias del futuro Estadi y admirar su majestuosa maqueta,
pero también servía para motivar a los aficionados y conseguir
que se inscribieran en el listado de nuevos abonados.

Un día se presentaron dos señores muy elegantes que querían abonarse, pero antes echaron un vistazo a la maqueta. El empleado que les atendió complació su petición, comenzando a dar algunas explicaciones técnicas sobre las obras de construcción. Pronto sería interrumpido con estas palabras: «No se moleste. Somos arquitectos y ya sabemos de qué va esto». El obediente empleado calló; cuando creía que los dos visitantes se acercarían a la ventanilla para rellenar la petición de abono, comprobó con sorpresa que se dirigían a la salida diciéndole: «Eso se caerá el día menos pensado». Este par de arquitectos poco tenían de visionarios. Han pasado sesenta años y el Camp Nou sigue sin caer.

472. ¡MECACHIS!

Por cierto, aquella descomunal maqueta pesaba tres toneladas y fue construida en siete meses por ocho operarios, quienes se quejaron de que, durante tan ingrato periodo, apenas recibieron una invitación para ver un partido del Barça. Encima, no les sirvió de nada, ya que aquel día hicieron jornada extraordinaria y se quedaron con la entrada en el bolsillo. Cuando tienes mala suerte, tienes mala suerte, chico...

473. SINGULAR CONSTRUCCIÓN

Iniciadas el 20 de julio de aquel 1955, a comienzos de septiembre las obras de construcción del futuro Camp Nou se hallaban aún en fase inicial de cimentación, pero parecían marchar a buen ritmo. Entonces trabajaban doscientos obreros, aunque el proyecto preveía que el número de currantes fuera aumentando gradualmente conforme creciera el esqueleto. De hecho, se habían instalado comedores y guardarropa con capacidad para más de quinientos trabajadores y cien duchas individuales. La ducha era obligatoria antes de comenzar la tarea y solo voluntaria al acabar la jornada. Y, como dato curioso, cuatro peones provistos con cántaros de agua fresca se dedicaban en exclusiva a dar vueltas por el recinto, entregados a mitigar la sed de los obreros, expuestos todo el día al sol del verano.

474. EL PROGRAMA INAUGURAL

El día de la Mercè de 1957, los primeros espectadores del nuevo santuario pudieron adquirir en la puerta el programa oficial de la inauguración, editado por el publicista Víctor Sagi, por un precio de tres pesetas. En sus páginas, Albert Maluquer, secretario general del FC Barcelona, ofrecía algunas cifras curiosas sobre el Camp Nou. Por ejemplo, los planos usados para su construcción pesaban sesenta kilos y representaban seis mil metros cuadrados de papel. Esos planos, extendidos en el suelo, habrían ocupado todo el terreno de juego de Les Corts. Por otra parte, el aforo del Estadi, en aquella primera fase, quedaba desglosado así: 28.124 localidades cubiertas, 16.375 descubiertas y 54.554 de pie. Según estas cifras, y con una sencilla suma, la capacidad total del Camp Nou el día de su inauguración era de 99.053 espectadores, de ellos solo 44.499 sentados. Hoy, tras tantas ampliaciones, remodelaciones y reformas, el aforo prácticamente no ha cambiado, ya que caben 99.354 personas. Eso sí: todas sentadas.

475. UN PUÑADO DE BARES

Un año después de su inauguración, en septiembre de 1958, el Estadi disponía de quince bares. En aquellos tiempos sin prohibición de bebidas alcohólicas, la cerveza arrasaba entre los aficionados mientras el coñac también tenía sus numerosos adeptos. Curiosamente, la bebida carbónica con cafeína que entonces se vendía en el Camp Nou era la Pepsi-Cola. Las botellas eran de vidrio y retornables, lo cual implicaba que si los consumidores no las devolvían al mostrador del bar, los empleados debían recogerlas del suelo, de los asientos o de donde fuera. Pero muchas botellas desaparecían, se rompían o la gente se las llevaba a casa, con el consiguiente coste económico para la empresa concesionaria de los bares.

Además, noventa vendedores ambulantes circulaban por las gradas ofreciendo su variada mercancía, con una lista de precios en la solapa para que nadie se sintiera estafado.

476. EL SÍNDROME DEL LICEU

Con la puesta en marcha del Camp Nou surgió automáticamente un candente problema arrastrado hasta hoy. En el estadio de Les Corts, con las sillas de campo, la gente quedaba literalmente encima de los jugadores: eso generaba un ambientillo y una presión sobre el rival que gustaba a la mayoría de culés militantes. Algo así como «la magia de Les Corts», por emplear terminología moderna. En cambio, con la lejanía y solemnidad del Estadi, apareció el síndrome del Liceu, una frialdad ambiental especialmente notoria entre los llamados «tribuneros». El talante había cambiado con el nuevo escenario. Se iba al fútbol a ver un espectáculo y, máximo, a quejarse de la deficiente actuación de algún futbolista azulgrana con los vecinos de localidad. La atmósfera solo se animaba si todo iba viento en popa. O sea, con ventaja clara en el marcador. En caso contrario, planeaba sobre los jugadores el silencio más ominoso. Esta pasividad del público barcelonista quedaría patente por vez primera el 2 de febrero del 58, cuando el Real Madrid venció por 0-2 en el Camp Nou. Acabado el lance, el madridista Héctor Rial mostraba su estupor: «Lo más sorprendente es la actitud del público: no anima al equipo y, así, este no puede ganar».

Por desgracia, tal problema no resultaría flor de un día y se iría perpetuando, como lo certifica la amarga pregunta retórica que se formulaba la revista *Barça* el 7 de noviembre de 1963: «¿Por qué en nuestro Estadio cuando hay cinco mil «hinchas» del equipo contrario se oyen más a estos que a nuestros socios y simpatizantes?».

477. LA MORENETA

Uno de los actos de la inauguración del Camp Nou consistió en una misa solemne, oficiada por el arzobispo de Barcelona, Gregorio Modrego y Casaus, con la asistencia de las primeras autoridades civiles y culturales del país. Al lado del altar se colocó en un pedestal a la Virgen de Montserrat para que presidiera la ceremonia. Acabada la misa, la Moreneta fue paseada por el terreno de juego. Después, la condujeron y la depositaron en el habitáculo donde hoy radica la capilla. Allí sigue.

478. ORIGEN DE LA CAPILLA

En 1958, dos socios de la Penya Solera regresaban en coche de Castelldefels cuando sufrieron un espectacular accidente, que hubiera podido comportar funestas consecuencias. Como afortunadamente no fue así, en acción de gracias compraron dos candelabros para situarlos junto a la Virgen de Montserrat en el lugar donde estaba ubicada. Fue entonces cuando nació la idea, en una de las reuniones de la directiva de la Penya Solera, de solicitar al presidente del Barça, Miró-Sans, que la peña pudiera convertir aquella habitación en capilla dedicada a la Virgen de Montserrat. Este es el origen de la capilla del Barça, recinto sagrado situado a pocos metros de los vestuarios y en un lateral que conduce a las escaleras de salida al terreno de juego, por donde pasan forzosamente jugadores y equipo arbitral.

En septiembre de 1963, Gustavo Biosca, gran amigo de su compañero de equipo César Rodríguez, bautizó a su hijo César (precisamente) en la capilla del Camp Nou; el Pelucas fue el padrino.

479. Capilla de bolsillo

En la capilla del Camp Nou caben unas cuarenta personas sentadas. En la cara frontal del altar se advierten tres escudos, el del FC Barcelona, el de la capital catalana y el de la Penya Solera, entidad que fue durante muchos años responsable de la conservación de la capilla. En uno de los muros laterales se halla colgada una gran cruz metálica, un escudo del FC Barcelona de cobre y una inscripción dedicada a quien fuera gran jugador y técnico del Barça, Josep Samitier. También se observa una placa conmemorativa de la misa que el papa Juan Pablo II ofició en el altar, situado en pleno centro del terreno de juego del Estadi, durante su visita a Barcelona en 1982. Como queda dicho, preside desde el primer día una imagen de la Virgen de Montserrat.

480. Devotos de Montserrat

De hecho, la vinculación de la Moreneta con el Barça venía de antes, ya que en septiembre de 1955 una publicación oficial del club informó de que la Virgen de Montserrat era la patrona del FC Barcelona, por lo que en el monasterio de Santa Maria de Montserrat había una lámpara votiva donada por el club azulgrana. Perdonad, pero ¿la Mercè no tendría alguna cosa que decir en relación con este privilegio? Al fin y al cabo, es la patrona de la ciudad.

481. La zona deportiva

Situada en los terrenos adyacentes al Camp Nou, la zona deportiva del FC Barcelona fue inaugurada el 29 de junio de 1959. Estaba habilitada para la práctica del fútbol, atletismo, balonmano, rugby y hockey sobre patines, a pesar de que sus dimensiones acabarían siendo mucho más modestas de lo que estaba previsto. De hecho, cuando se iniciaron las obras, el 1 de diciembre de 1958, se calculaba que durarían tres años. Y el proyecto contemplaba, entre otros aspectos, la construcción de un estadio con capacidad para quince mil espectadores (que sería realidad dos largas décadas después con el Miniestadi), y unas veinticinco pistas de tenis, deporte que aún no contaba entonces con un seguimiento masivo de practicantes. A la postre, los últimos campos de juego de la zona deportiva del Camp Nou pervivieron hasta el año 2011.

482. VISTAS AL CEMENTERIO

El 7 de enero de 1962, el programa oficial del Barça-Tenerife publicó una curiosa carta de un seguidor azulgrana, quejoso de la tétrica visión del cementerio de Les Corts que debían soportar los aficionados que acudían al Camp Nou. Para este señor, la solución podría consistir en que el Ayuntamiento colocara plantas trepadoras que subieran por las tapias del cementerio hasta el punto de hacer creer a la concurrencia que aquello era una especie de espesa selva tropical, nada que ver con una necrópolis.

483. LÚGUBRE

Apostamos que Pere Cusola debió de ser una de las personas más sorprendidas por la ocurrencia del señor antes citado. Cusola, recordémoslo, era aquel ejemplar empleado del club que había sido, tiempo atrás, el guía de las visitas a las obras del Camp Nou. Había nacido en 1919 en la Masia del Camp Nou y su tranquila vida de joven payés se vio truncada a los diecisiete años con el estallido de la guerra, cuando la proximidad del cementerio de Les Corts provocó que no pegara ojo muchas noches al oír los gritos y lamentos de quienes iban a ser fusilados y los disparos de los pelotones republicanos.

484. PREGUNTAR NO ES OFENDER

Nos referimos de nuevo a uno de los mayores escándalos en la historia del Barça, de los que no fueron provocados por ninguna mano negra externa: el coste de la construcción del Camp Nou. Recordemos que, en julio de 1955, la empresa constructora IN-

GAR había presentado un presupuesto de 66.620.000 de pesetas y que, casi cuatro años después, en junio de 1959, el propio club reconoció que el coste total y definitivo había aumentado hasta los 288.088.143 de pesetas. Ya en el arranque de 1957, cuando quedaban aún nueve meses para la inauguración del Estadi, el FC Barcelona tenía que afrontar un gasto superior a los 162 millones de pesetas, cifra que, como hemos visto, todavía se dispararía de modo desorbitado.

El 14 de enero de aquel 1957, el semanario *Vida Deportiva* publicaba un cuestionario de treinta y siete preguntas que las peñas azulgrana, alarmadas por los rumores de catástrofe económica, habían enviado al presidente Miró-Sans, centradas en el estado financiero del club. Algunas de esas preguntas hacían referencia directa a los números del Camp Nou y constituían un auténtico clamor en favor de la transparencia informativa en época de dictadura, nada proclive a la libertad de expresión. Entre ellas, algunas realmente punzantes. Por ejemplo: «¿Cuál era el presupuesto inicial? ¿Qué partidas habían sido modificadas? ¿A quién debían imputarse los fallos presupuestarios? ¿Cuál era el coste real? ¿Qué quedaba por pagar? ¿Hasta qué punto el club debía contribuir a la obertura de los accesos al Estadi? ¿Cuáles eran los créditos bancarios que se habían pedido? ¿Con qué plan financiero se pensaba afrontar el gasto generado?...». Ninguna de esas preguntas, realmente directas y con deseo de conocer la verdad que se negaba a la masa social obtuvo respuesta por parte de Miró-Sans.

485. UN INTERROGATORIO

En enero de 1965, cuando se cumplían cuatro años desde que Miró-Sans abandonara la presidencia del Barça y el escándalo del Camp Nou ya era de dominio público, *Vida Deportiva* volvería a la carga en idéntica dirección. No podían permitir que el descontrol vivido continuara tolerado, sin que nadie rindiera cuentas ni explicaciones. Esta vez, la revista descargaba toda su munición, con cincuenta terribles preguntas de cosecha propia contra el expresidente, al que prácticamente se acusaba de manera descarnada de ser un corrupto culpable de graves irregularidades económicas y de haber perpetrado una chapuza con el nuevo Estadi.

La retahíla de feroces acusaciones era tremenda. En resumen telegráfico del cuestionario planteado, se le acusaba de pucherazo en las elecciones presidenciales de 1953. También, de tráfico de influencias por el hecho de incluir, de manera personal y arbitraria, a su primo Mitjans entre los arquitectos del Camp Nou. De la adjudicación de la plantación de hierba del Estadi a una empresa de su propiedad, que lo hizo de modo deficiente y obligando a cambiarla al poco tiempo. Seguimos. De dietas desorbitadas en sus viajes como presidente. De realizar gastos millonarios sin justificación. Del extraño episodio de la instalación de la iluminación eléctrica en el campo de Les Corts en 1956, solo un año antes de la inauguración del Camp Nou. De ser máximo culpable de permitir los gravísimos errores en el cálculo previo del hierro necesario para armar el Estadi, de tal manera que se tuvieron que usar muchos más kilos de los calculados en principio.

No acababa aquí la cincuentena de preguntas que pretendían presionar a Miró-Sans. También se le pedían explicaciones por la falta de drenaje del terreno de juego, convertido en una piscina cuando llovía, mientras la tribuna padecía insufribles goteras masivas… Y estas solo eran algunas preguntas. Sorprende el coraje de la revista para atreverse a cargar contra un falangista con importantes contactos. Se jugaban el tipo porque vivían bajo una dictadura nada benevolente con tales exigencias, propias de una democracia. Tras la carga, desgraciadamente olvidada de la memoria colectiva culé, el remate final en forma de pregunta despiadada: «¿Es que no pudo usted terminar «su» campo, verdad, señor Miró-Sans? Lo dejó todo a medio hacer: la tribuna, las paredes, los suelos, los vestuarios, todo. Si lo llega a terminar usted (nos asusta solo el pensarlo), los trescientos millones de deuda es probable que se hubieran triplicado y el Club de Fútbol Barcelona hubiera sido el primer club del país que se declarase en bancarrota».

Tampoco, como era de prever, ninguna de estas preguntas recibió respuesta por parte de Miró-Sans. El presidente nunca dio ninguna explicación, ni sufrió jamás el menor control por parte de alguna autoridad de aquellos tiempos. El resultado de tan opaca gestión: la travesía del desierto, un brutal empobrecimiento del Futbol Club Barcelona en todos los sentidos.

486. La obra de nunca acabar

El 29 de noviembre de 1962, en una entrevista conjunta al tándem de arquitectos del Camp Nou Mitjans-Soteras, realizada en las páginas de *Barça*, ambos profesionales se mostraban bastante escépticos sobre el resultado práctico de aquello que idearon en los planos. A la pregunta directa sobre si estaban contentos con el Estadi, Mitjans fue contundente: «No estamos satisfechos porque es una obra inacabada». Soteras, por su parte, matizaba: «Estamos satisfechos de lo realizado y no lo estamos de que no se completara y, menos aún, de que no se conserve lo existente. Es decir, que no se dediquen o no se puedan dedicar las cantidades que serían necesarias para su conservación».

Con tales palabras, los arquitectos criticaban amargamente la política de severa austeridad económica que imperaba en el club. Una sobriedad obligada, dadas las críticas circunstancias.

487. ¿Mantenimiento?

De hecho, entonces ni siquiera existía en el organigrama interno del FC Barcelona un servicio de mantenimiento como Dios manda. Ello sería evidente cuando surgieron las goteras masivas, tanto en la tribuna como en el lateral, sufridas en marzo de 1963 tras unas lluvias torrenciales. Unas goteras que denotaban carencias en la infraestructura del voladizo de tribuna que no serían convenientemente reparadas hasta finales de agosto. Las diversas reformas, obras y mejoras que el inacabado Camp Nou precisaba no se afrontarían de manera seria y profesional hasta la temporada 1971-72, cuando se construirían las rampas de acceso a las localidades de lateral principal.

488. Visitas al Estadi

Mañana del jueves, 15 de julio de 1965, cuando se cumplía el primer año desde que empezaran a realizarse visitas guiadas por el Camp Nou. Un grupo de turistas (franceses, alemanes, ingleses y belgas, sobre todo) bajaron de un autocar con matrícula de Gerona que había estacionado ante la puerta principal de tribuna. Era una visita programada y llegaban atraídos por el prestigio internacional del Barça y la magnificencia del Camp Nou. No eran los únicos. Según publicaba la prensa de aquella época, durante aquel verano, los grupos turísticos llegaban al Estadi cada día desde las once de la mañana hasta las cinco de la tarde, con una media de uno cada cuarto de hora y un máximo de cincuenta autocares por jornada. En aquellos años sesenta se vivía el *boom* turístico, y el presidente Enric Llaudet se dio cuenta de que el Camp Nou resultaba un destino atractivo para los foráneos. Una vez más, todo está ya inventado, máxime si pensamos en el aluvión de visitantes que pasa hoy a diario por el museo, dejando sus buenos ingresos...

489. PUEDEN HACER FOTOS

Aquellos turistas de antaño se toparon en el vestíbulo de tribuna con un pequeño puesto de artículos relacionados con el Barcelona, como postales, insignias y banderines. El atleta del club Domènec Mayoral se encargaba de aquel embrión de la actual tienda del club. Después, los visitantes entraron en el vestuario local, donde lucían colgadas en las paredes las botas de jugadores barcelonistas como Pereda y Kocsis. Bajo la atenta mirada de Ángel Mur Navarro, el masajista del primer equipo, un turista alemán se atrevió a pedalear en una bicicleta estática. A continuación, el grupo contemplaba la sala de trofeos y la capilla antes de pisar la hierba de un Camp Nou silencioso y vacío, con las gradas coloreadas con el ocre de la madera de los asientos. Inmerso en plena época vacacional, el estadio azulgrana permanecía completamente inactivo. Al margen de los porteros, solo andaba por allí el encargado de material, Claudio Pellegero. El resto, un solar sin vida.

La visita terminaba en la parte superior de tribuna. Antes de partir, los turistas europeos se detuvieron en el vestíbulo para contemplar una gran placa de mármol donde se podía leer: «El Club de Fútbol Barcelona a sus caídos por Dios y por España». Para los nativos, aquel era uno más entre los inevitables imperativos de la época, pero los turistas, como diríamos hoy, debían de alucinar. Y más si estaban al corriente de la historia del país donde pasaban sus vacaciones.

490. ZONA VERDE DEPORTIVA

Cuando Enric Llaudet asumió la presidencia del club, en junio de 1961, existía unanimidad casi completa en el barcelonismo: era imprescindible vender el campo de Les Corts como paso previo al saneamiento de la ruinosa economía del FC Barcelona. El problema, básicamente, consistía en que los terrenos del viejo campo estaban calificados como zona verde deportiva en el plan comarcal de 1953, consideración urbanística oficial que, evidentemente, impedía que se pudiera edificar. Por ello, es obvio, el club estaba interesado en conseguir su recalificación como zona edificable. Curiosamente, cuando el Barça adquirió los terrenos de Les Corts para levantar el nuevo estadio, el 8 de febrero de 1922, no tenían ninguna calificación urbanística especial. Dicho de otro modo, entonces el club se hubiera podido dedicar a construir pisos en lugar de crear un estadio de fútbol que supliera las carencias de la calle Indústria.

491. Zona edificable

Las gestiones para recalificar los terrenos de Les Corts de zona verde a zona edificable ya se iniciaron al final de la presidencia de Francesc Miró-Sans, aunque no fructificaron. No sería hasta el pleno municipal del Ayuntamiento de Barcelona celebrado el 4 de agosto de 1962, casi cinco años después de estrenar el Camp Nou, cuando el consistorio decretó que se aceptaba la solicitud del FC Barcelona. Por tanto, se aprobaba la ordenación de los volúmenes de la llamada «supermanzana» limitada por las calles Marquès de Sentmenat, Numància, Vallespir y Travessera de les Corts. Ello comportaba que, de los 24.000 m^2 de la polémica superficie, un tercio, alrededor de 8.000 m^2, serían edificables. A partir de entonces, los trámites aún vivirían una larga trayectoria burocrática. No sirvió de mucho, si lo pretendido era agilizar el papeleo, que, el 27 de septiembre de 1963, en la asamblea general ordinaria del Barça se aprobara por unanimidad la concesión del título como socio de honor al alcalde José María de Porcioles y de socio de mérito al concejal de Deportes, Albert Assalit, en agradecimiento por la recalificación de los terrenos de Les Corts.

492. Zona de colmena

Imaginad qué calvario de camino, asfixiados por el déficit arrastrado y cualquier mejora pendiente a la espera de cobrar por la venta de Les Corts, operación que parecía no llegar nunca. Continuamos con los capítulos de tan peculiar serial, máximo condicionante de aquel periodo histórico: el 13 de agosto de 1965, el consejo de ministros del Gobierno español se celebró en el Pazo de Meirás, edificación coruñesa que era la residencia estival de Francisco Franco. Allá, y de manera definitiva, se aprobó la recalificación de los terrenos de Les Corts de zona verde a zona edificable. Estos terrenos quedaron incluidos en el plan parcial de la zona norte de la Diagonal, en el que intervendría como especialista el arquitecto del Camp Nou, Josep Soteras. Tristemente, desde un punto de vista ciudadano, la calificación de «verde privado» se convirtió en «ensanche intensivo», la máxima edificabilidad posible según las ordenanzas. O sea, una colmena de edificios a mayor gloria y beneficio de los constructores, tal como aún hoy podemos comprobar.

493. EL ÚLTIMO SERVICIO

Ya conocéis el final de esta historia interminable: el 18 de mayo de 1966, el club vendió el solar de Les Corts por 226 millones de pesetas a la empresa inmobiliaria Habitat, representada por el abogado Josep Maria Figueras. Un milagroso empujón definitivo para la asfixiada economía azulgrana, aunque esta lluvia de millones fuera íntegramente destinada a la amortización de la deuda (créditos bancarios, obligaciones y bonos). Como indicaba entonces la revista *Barça*, «aquellos solares han prestado su último y gran servicio al club, liberándolo de los agobios económicos que venía sufriendo desde la construcción del nuevo estadio». Sin embargo, la travesía por el desierto continuaría unos años más, deportivamente hablando. El riesgo de bancarrota del club desapareció, pero la vertiente competitiva aún quedó largamente resentida, sin capacidad de reacción.

494. CÓMO HA QUEDADO

Hoy, cualquier curioso que se acerque al lugar donde se ubicaba Les Corts podrá ver un enjambre de edificios, un complejo polideportivo y una zona verde (los jardines de las Infantas y Can Cuyàs), convertida en pequeño reducto rodeado por toneladas de cemento y hormigón que conforman inmensos bloques de pisos elevados allá donde los aficionados celebraron los goles de Alcántara, Samitier, César y Kubala. Y si se fija, también verá una placa que se puso en 1974 y que recuerda que aquel fue el lugar donde estaba el viejo campo. La placa, un poco escondida, está en la entrada de un bar, en la esquina de la calle Numancia con Travessera de les Corts, justo debajo de un letrero que dice: «Rogamos respeten el descanso de los vecinos. Prohibido sacar al exterior del local vasos o botellas».

La recalificación de Les Corts fue una operación, cuando menos, oscura y dudosa, aunque, en cualquier caso, debamos concluir que situaciones similares pasan por desgracia tanto en dictadura como en democracia, como lo demuestra el famoso «pelotazo» del Real Madrid, la opaca operación de venta de la Ciudad Deportiva madridista del 7 de mayo de 2001, lograda por Florentino Pérez. Eso por citar apenas un ejemplo entre el puñado de situaciones similares vividas en el fútbol español, que intercambió viejos campos céntricos por instalaciones más modernas en las afueras con gran jolgorio para los bolsillos de la gente influyente de cualquier parte, que así construyeron pisos al por mayor donde mejor les convenía. Algunos interesados «revisionistas» de la historia del fútbol español aún recuerdan la recalificación de Les Corts como la gran muestra «evidente» del trato de favor recibido por el Barça bajo el franquismo. Así se sacuden las pulgas de cualquier dedo que señale al Madrid como equipo favorecido por el régimen. Y se quedan tan anchos. Nueve años esperando una solución, nueve años de hundimiento sostenido.

495. Un lento arreglo

Paralelamente, unas manzanas de calles más allá, la urbanización definitiva del espacio que forma el complejo del Camp Nou (cerrado por la Travessera de Les Corts, las avenidas Arístides Maillol y Joan XXIII y la calle de la Maternitat) no se convertiría en realidad hasta mediados los sesenta, aunque los alineamientos ya estaban aprobados sobre el papel desde la firma del «Plan parcial de ordenación del sector final de la Avenida del Generalísimo Franco» del 7 de diciembre de 1956.

La Travessera de Les Corts era la vía más antigua, ya que, desde tiempos inmemoriales, había sido un camino de carro hasta que, el 11 de octubre de 1906, el Ayuntamiento de Barcelona aprobó un primer proyecto de ampliación y mejora. El 27 de mayo de 1931 recibió su nombre actual, cuando el viejo campo de Les Corts llevaba ya nueve años en danza. Pese a todo, durante los cincuenta aún sufría graves carencias en la zona oeste, a su paso por el Estadi, que fueron solucionadas a lo largo de la década posterior.

La avenida Arístides Maillol (nombre con el que fue rebautizada el 20 de diciembre de 1979), había nacido el 13 de abril de 1966 con el siniestro apelativo de «avenida División Azul», en memoria del cuerpo expedicionario falangista que luchó en el frente ruso junto a los nazis durante la Segunda Guerra Mundial.

La avenida Joan XXIII (que originariamente bordeaba el cementerio de Les Corts y actuaba como separación con las fincas de Can Planes y Can Granota) lleva este nombre desde 1958, año en que el cardenal Roncalli fuera elegido papa de Roma con el nombre de Joan XXIII (1958-63). Por último, la estrecha Maternitat era un antiguo torrente convertido en camino de tierra sin urbanizar y que no alcanzaría la consideración de calle hasta la aprobación del citado «plan parcial» de 1956. Hasta entonces, mucha gente aún la conocía como la riera de Escuer.

496. Pobres butifarras...

En los pasillos del Camp Nou se venden bocadillos de salchichas desde finales de los sesenta. Este dato no debería pasar de mera curiosidad histórica, pero también sirve para confirmar, una vez más, que el célebre dicho nunca llueve a gusto de todos resulta una certeza catedralicia. Atención a lo publicado en *RB* el 11 de febrero de 1969: «Los vestíbulos de nuestro estadio apestan a puro aceite desde que en él se venden salchichas en los días de partido. No tenemos nada contra las salchichas, sino todo lo contrario, pero nos fastidia que los vestíbulos del Barcelona huelan a barraca y a fiesta mayor». Quizá preferían un Camp Nou calcado al Gran Teatre del Liceu, elitista y sin ninguna veleidad populachera. Nada decían, en cambio, sobre la calidad de tan criticadas butifarras.

497. Todavía Miró-Sans

El 2 de diciembre de 1973, la prensa barcelonesa publicaba un gran anuncio, a toda página, en el que Francesc Miró-Sans manifestaba su apoyo a Lluís Casacuberta, el candidato que debía enfrentarse al presidente Agustí Montal en las elecciones del día 18 del mismo mes, en las que solo podían votar los compromisarios.

Básicamente, el texto del anuncio consistía en amargos reproches hacia la gestión de sus sucesores en la presidencia, sustentados en el delirio subjetivo de afirmar que el club, tras la construcción del Camp Nou, había gozado de una fuerza económica ilimitada, cuando en realidad quedó al borde de la bancarrota. Por lo visto, Miró-Sans contemplaba la realidad a su manera...

Siguiendo con las críticas, el expresidente se quejaba por que el Camp Nou no se hubiera ampliado hasta los ciento cincuenta mil espectadores, que era el aforo contemplado en el proyecto inicial de 1954, presentado por los arquitectos Mitjans y Soteras. Exponer así su criterio implicaba una absoluta amnesia por parte de Miró-Sans, que obviaba la situación de las finanzas del club en los años sesenta, tan calamitosas que convertían en tarea imposible cualquier minúscula reforma en el Estadi. Para ahondar en idéntico camino, el expresidente se confesaba contrario a la venta del campo de Les Corts, que se había realizado siete años antes, recordando que él ya había dicho en 1957 que aquel trozo de patrimonio azulgrana no debería venderse nunca y que tenía que permanecer para siempre como una zona deportiva complementaria. Y ya instalado en la contra absoluta, Miró-Sans también se oponía públicamente al emplazamiento elegido para el Palau Blaugrana y la Pista de Gel, inaugurados dos años antes, alegando que aquel espacio debía haberse destinado para aparcamiento de vehículos. ¿De dónde sacaba razonamientos tan peleados con la pura y dura realidad? ¿Con qué deseo personal lo hacía, tantos años después de dejar la presidencia?

498. Respuesta con bala

Pocos días después, ya generada cierta controversia, Miró-Sans recibía respuesta por carta de Enric Llaudet, su sucesor en la presidencia azulgrana hasta 1968. De entrada, Llaudet dejaba patente que enviaba la epístola en su nombre y en el de sus antiguos compañeros de junta. Ante la oposición de Miró-Sans a la venta de Les Corts, expresada en 1957 y ratificada en 1973, un atónito Llauder le formulaba esta pregunta: «¿Querrías explicarnos, pues, por qué intentaste vender el campo de Les Corts al Ayuntamiento por sesenta millones de pesetas en 1960, operación que no se llevó a cabo gracias a la oposición de Narcís de Carreras, entonces teniente de alcalde?». Llaudet le recalcaba a su antecesor que él había terminado vendiendo Les Corts por 226 millones, tras haber recibido ofertas sucesivas por 74, 105, 170 y 205 millones. Llegados a este punto, debemos abrir paréntesis para recordar que, en aquel 1960, Miró-Sans también intentó una rocambolesca operación alternativa. Consistía en vender Les Corts al Espanyol por cuarenta millones de pesetas y sacar, además, el cincuenta por ciento de la cantidad superior a los ochenta millones que consiguiera el club blanquiazul por la venta de su estadio de Sarrià. Al final, el proyecto quedó en nada por la propia dimisión de Miró-Sans.

Volvamos a la carta de Enric Llaudet a su antecesor. En el punto dedicado a la crítica por la construcción del Palau y la Pista de Gel en supuestas zonas de aparcamiento, Llaudet, enconado defensor de Montal, le recordaba a Miró-Sans que, antes del 71, aquel lugar situado al pie de las rampas de tribuna había sido en realidad un campo de entrenamiento. De paso, comentaba que él mismo había hecho desecar el estanque existente en los primeros años de vida del Estadi, en la explanada de la tribuna, por ser un nido de suciedad y malos olores, y lo había destinado a plazas de aparcamiento.

A la postre, el punto final de esta pelea dialéctica entre expresidentes resultó completamente inesperado. Llegado el día de las elecciones, justo antes de introducir el voto en la urna, Francesc Miró-Sans lo enseñó a los asistentes de manera ostensible y teatral: se disponía a votar por Agustí Montal... ¿Difícil de entender todo el lío? También a nosotros nos cuesta hallar una mínima coherencia.

499. El campo de La Masia

Entre 1978 y 2009, el primer equipo del Barça se ejercitaba con frecuencia en el campo de entrenamiento de La Masia, al lado del Camp Nou, en unos terrenos antes destinados al aparcamiento de autocares de las peñas en días de partido. Una vez decidido el nuevo destino del lugar, las obras de construcción, sufragadas a medias entre el club y la Federación Española de Fútbol, se iniciaron el 1 de junio del 78 y acabaron el 15 de agosto del mismo año. La inauguración debía realizarse un sábado con un partido entre periodistas y directivos, pero la idea se enfrió. De hecho, el campo de entrenamiento de La Masia no se usó durante meses, al parecer por un bache del terreno y otro problema de humedades. Finalmente, solucionados los inconvenientes, el terreno se inauguró el miércoles, 6 de diciembre de 1978, con un entrenamiento del primer equipo, que era, al fin y al cabo, usuario final de la instalación. Tan solo medía noventa y tres metros de largo por cincuenta y ocho de ancho; a pesar de la falta de medidas reglamentarias, mantendría sus funciones hasta el lunes 19 de enero de 2009, cuando el primer equipo se mudó a la Ciutat Esportiva Joan Gamper de Sant Joan Despí. El entonces técnico, Josep Guardiola, quería una intimidad imposible de mantener en La Masia, donde los entrenamientos del Barça eran seguidos por la prensa y por aquellos curiosos que pasaban por la avenida Joan XXIII.

500. El Casal de l'Avi

De un tiempo a esta parte se han vuelto a poner de moda las tertulias futbolísticas en radio y televisión. Pero han existido siempre, no solo en los medios de comunicación. Y alrededor del Barça, aún más. En los bares a la hora del desayuno, en comidas o cenas, y en el trabajo, los seguidores no se cansan de intercambiar opiniones sobre los temas de actualidad que, a veces, acaban en acaloradas discusiones entre amigos. Tiempo atrás, un grupo de socios veteranos se reunían en la explanada del Estadi antes de los partidos y empezaban a charlar, a menudo, de pie. El expresidente Núñez los había visto en más de una ocasión. Cierto día les comentó que abriría un pequeño local para que estuvieran más cómodos y no se mojaran cuando lloviera. De esta manera, el 6 de febrero de 1989, nacía el Casal de l'Avi Barça. Algo así como «el Centro del Abuelo Barça».

Aquel día, Núñez pronunciaría estas palabras: «El Barça tiene dieciocho mil socios mayores de sesenta y cinco años, y es mi deseo que en este «casal» puedan hablar, a cubierto, de la vida del club y de su vida privada, de sus cosas y de esta entidad a la que han realizado una gran aportación. Este casal debe ser el inicio de una nueva vida y de una ilusión».

Hoy, el Casal de l'Avi ha crecido y cuenta con unos doscientos treinta socios en activo que pagan treinta euros anuales para financiar las actividades que llevan a cabo. Al margen de estos ingresos, también se sufragan con una subvención del club, la venta de lotería y las *porras* de algunos partidos. El local, situado junto a la Pista de Gel del FC Barcelona, se llena por las tardes cuando los asociados, todos jubilados, quedan con amigos o conocidos para jugar a las cartas o al dominó. Al margen de estas actividades, en el casal también se organizan charlas y coloquios, y se ofrecen cursos de catalán para los interesados.

501. HÍPICA OLÍMPICA

Barcelona albergó los Juegos Olímpicos durante el verano de 1992. Y el Camp Nou fue escenario de la competición de fútbol. Los buenos aficionados aún recuerdan la memorable final olímpica, cuando la selección española, con los azulgranas Guardiola, Ferrer y Pinilla (sin olvidar a los «futuros» barcelonistas Abelardo y Luis Enrique), se adjudicó la medalla de oro tras derrotar a Polonia por 3-2. Por su parte, el Palau Blaugrana acogió las competiciones de taekwondo, judo y los últimos partidos del torneo de hockey sobre patines.

El contrato entre el FC Barcelona y el Comité Organizador de los Juegos Olímpicos (COOB'92) para la cesión de las instalaciones deportivas del club se firmó el 21 de febrero de 1991. Previamente, se habían superado ciertas discrepancias provocadas por la intención del COOB'92 de celebrar las pruebas de hípica en el Miniestadi, proyecto finalmente desestimado.

502. ADIÓS AL FOSO

En verano de 1994, el club despachó las obras de remodelación de la primera grada del Camp Nou para eliminar la general de pie y el foso de seguridad que rodeaba el terreno de juego. De esta manera, reaparecía hipotéticamente el peligro de invasiones del terreno de juego, aunque se confiaba en el sentido común y el civismo de los espectadores. Se dejaba la prevención en manos conjuntas de la policía y del cuerpo de seguridad privado del club. Desde entonces, por suerte, el césped del Camp Nou solo ha sido invadido una vez por el público, el 17 de junio de 2001. Y conste que lo sería de manera absolutamente festiva, ya que los aficionados se dedicaron a celebrar el fantástico gol de chilena marcado por Rivaldo que daba la victoria al Barça contra el Valencia en la última jornada de Liga y que, aún más importante, clasificaba al club para la siguiente edición de la Champions League.

503. La temida invasión

Por contraste y como curiosidad, el 18 de abril de 1998, cuando el Barça consiguió la liga a falta de cuatro jornadas, no se produjo ningún tipo de invasión festiva. Se había logrado el título de modo matemático tras derrotar al Zaragoza por 1-0. Antes del partido, los jefes de los cuerpos de seguridad avisaron a sus subordinados para que se prepararan. Y lo hicieron de la manera más práctica, adoctrinándoles sobre el modo de proceder: «Si hoy se gana la liga, cuando acabe el partido la gente saltará al campo masivamente y no podremos hacer nada por evitarlo. Para cumplir el expediente, tenéis que parar a los dos o tres primeros; después, dejarlo correr y apartaros». Ni eso hizo falta. Al final, nada, todo el mundo permaneció en su sitio.

504. Tres y el cabo

Ya que se impone la estadística aplicada al fútbol (novedad sobre la que podríamos debatir durante días), conste en acta para satisfacer la curiosidad de los fanáticos. Desde que se instauró el sistema de tornos para contar asistentes, en 2002, la peor entrada registrada en el Camp Nou fue de 12.196 espectadores. Se produjo el 8 de noviembre de 2006, en el partido de vuelta de dieciseisavos de final de la Copa del Rey jugado entre el Barça y el Badalona. Aquella noche de panorama desolador y asientos vacíos se habría podido jugar sin problemas en el Miniestadi. Tampoco se hubiera llenado.

Y ya que hablamos de cemento a la vista, el récord mínimo de asistencia al Miniestadi quedó fijado el 20 de agosto de 2016, velada estival y en teoría vacacional que vivió la primera jornada de Liga en Segunda División B, con el enfrentamiento entre el Barça B y el Atlético Saguntino, equipo que, con todos los respetos, no es de los que moviliza multitudes. Apenas 843 espectadores se diseminaron por las localidades del Mini. Tal cifra justifica el aforo de solo seis mil espectadores que se ha previsto que tenga el nuevo Miniestadi, pendiente aún de construcción en la ciudad deportiva Joan Gamper de Sant Joan Despí.

505. Sillas vacías

Desde que se inauguró, parece una opinión compartida que el Miniestadi ha sido y continúa siendo un estadio excesivo. De-

masiado grande para ese baño de realidad diaria que representa
el interés real del barcelonismo hacia los equipos de promesas y
categorías inferiores. Durante tres largas décadas, semana tras
semana, el panorama ha sido de sillas vacías en las gradas del
Mini. Curiosamente (conviene recordarlo), el mismo día de su
inauguración, el 23 de septiembre de 1982, el club presentó un
proyecto de ampliación de quinientas localidades que añadir a
las 15.276 de origen y fijas desde entonces. Quizá se dejaron
arrastrar por la euforia de la fiesta de inauguración...

506. ¿ACONFESIONAL?

Llegados al siglo XXI, quizá sería necesario dividir el patrimonio
azulgrana entre los lugares consagrados al catolicismo y aquellos que mantienen su carácter laico. Y no bromeamos: basta
con repasar la historia reciente del club. En la época del presidente Núñez, cuando España ya era un Estado aconfesional, diversos sacerdotes bendijeron las inauguraciones de La Masia
(1979), el Miniestadi (1982) el Museu (1984) y el Casal de l'Avi
(1989). Será que mezclar deporte y religión no era tan grave
como mezclar política y deporte.

7

Las mujeres

Como existe un buen puñado, y son excelentes, meditamos incluso la posibilidad de pedir la introducción de este capítulo a alguna mujer periodista. O, simplemente, culé. No queríamos (claramente, nos asustaba) formular el enésimo texto de buenas intenciones, de lugares comunes, de anhelos y proyecciones dedicados a lo que el mundo debería ser y no es, de ningún modo, ni de lejos, para la mitad de la población. Queríamos y queremos huir de tópicos, de buenas palabras sobre el largo peregrinaje que aún nos queda socialmente por recorrer si de verdad pretendemos corregir las injusticias eternizadas. No consigue esperanzarnos el espectacular avance vivido en los últimos ciento diecisiete años, desde que existe el Barça. Francamente, si tienes que hablar de mujeres y Barça, no consuela. De ninguna manera. Ya nos entendemos con el lector en la insistencia de evitar que caigamos en bella retórica sin sustancia ni traducción práctica. Que cada cual realice su íntima reflexión y repase el voluminoso memorial de agravios que aún nos queda por asumir hasta superar este concepto omnipresente que compartimos y conocemos por machismo. Dejémoslo aquí sabiendo que queda tanto…, tanto trabajo pendiente. Igualdad de género, así de claro, se llama el objetivo final. Y en cuanto al Barça, además de eso, todavía esperamos el libro que haga justicia a la complicadísima historia de las mujeres en azulgrana.

Para comenzar, entre los doce fundadores no había ninguna mujer. En la trayectoria, lenta, complicada, hacia cierta integración de género hemos vivido espectaculares sacudidas, práctica desaparición de las pioneras deportivas, pasos atrás notables que encapotaban los tibios rayos de luz que se abrían paso entre un panorama oscuro. Hoy, dicho sea con esperanza, el club acoge a 37.873 socias que generan un porcentaje del 26,4% sobre el total. Lejos, muy lejos también de lo que consideraríamos correcto, no hablamos ya de sentido de la justicia o del lógico protagonismo que debería recaer sobre ellas. Hoy, ahora, el Barça cuenta con más de setecientas deportistas, aunque apenas las jugadoras de fútbol sean profesionales. Además, hay tres secciones amateurs y dos equipos externos de nombre asociado. Mucho si tenemos en cuenta de dónde venimos, pero aún poco si repasamos las cifras tal y como son. Mucho por hacer y antes que nada, conciencia de todo el cuerpo social para revertir la situación hasta colocarla cerca de una «normalidad» que, en este caso, nos parece casi utópica.

Vayamos a terreno concreto, a nombres y apellidos en la trayectoria vivida. Para comenzar, la figura de la pionera Edelmira Calvetó se nos presenta con el nivel de las primeras sufragistas, aquellas que lucharon por el voto femenino entre un mar de incomprensión similar al que ella encontró cuando pugnaba por que la admitieran como socia, simple socia, de su Barcelona. Casi parece un toque antropológico rememorar hoy a las Spanish Girls, las primeras que jugaron al fútbol aquí mientras Europa entraba en la Gran Guerra. No gozaron de continuidad; olvidemos, pues, cualquier tipo de mínima complicidad social. Es imprescindible homenajear a figuras de extraordinario nivel, incomparables cuando evaluamos la magnitud de su lucha, y aquí Anna Maria Martínez-Sagi se agiganta, única y distinguible. Mujer polifacética, primera directiva, liberal, feminista *avant la lettre*, corresponsal de guerra, poetisa y de espectacular etcétera, a pesar de las limitaciones impuestas. Por lo menos, tengámoslas presentes, como merecen ciertas socias reivindicativas de antaño y citaremos un par como Noemí Piguillem o Maria Dinarés, la viuda del gran Vicenç Piera. Nombres, apellidos y ejemplos vitales tan dignos como los de Emma Pilloud (reducida a ser considerada «solo» la esposa del fundador), Isabel Müller, Ana Maria Boix o Rosa Prades, otra cónyuge, cómplice imprescindible de *l'Avi* Torres en el cumplimiento de su gigantesca tarea.

Ilustres seguidoras situadas en terreno artístico, mujeres famosas que hacían bandera de su condición de barcelonistas, y aquí caben desde Carmen Morell a la célebre cupletista Raquel Meller, desde Núria Feliu a la queridísima Mary Santpere. O la gran Ana María Moix. ¿Y por qué no? También una *percanta*, tan lírica como las que cantaba Carlos Gardel (el primer gran embajador culé, por cierto) en sus tangos. La historia de Carmen, *la India*, que explicamos aquí conmueve en su humanidad y sencillez, pureza que trasciende la dura etiqueta de meretriz.

Leeréis todo tipo de tópicos, menosprecios, paternalismos y sinónimos similares aplicados a la realidad de las mujeres vinculadas al Barça. No hagáis mucho caso, no queremos ni excusarlos con el argumento de que eran comunes en el tiempo en que sucedieron. Ni siquiera nos creemos que sean días pretéritos, superados, sino todavía vigentes. Podríamos arrancar el relato de la época moderna en 1970, cuando volvió el fútbol de mujeres a pesar del estigma de la frase presuntamente ingeniosa, y aún arrastrada hoy, de que «el fútbol femenino ni es fútbol ni femenino», lapidaria sentencia que debería avergonzar a quien la exclama o, simplemente, llega a pensarla sin gastar mínima energía en reflexión.

Se cumplen solo dos décadas del primer título de fútbol, conseguido en 1994 por el aún Club Femení Barcelona, al que ni siquiera se otorgaba un nombre justo, apropiado. Siglo XXI y tanto trabajo pendiente cuando hablamos de mujeres y Barça. Todavía y para tiempo. Será cuestión de mentalización, primero, de ser constante, sin desfallecer.

507. EXCLUSIVO PARA HOMBRES

El 29 de noviembre de 1899, doce hombres fundaron el Barça. Si repasamos los rostros (no hay foto conjunta de «los doce apóstoles»), casi todos lucían frondosos bigotes, comenzando por el fundador, Joan Gamper. Obviamente, desde buen principio quedó claro por activa y por pasiva que la nueva sociedad deportiva era única y exclusivamente para socios masculinos. Entonces no era necesario explayarse ni entrar en explicaciones, ya que aquellos que ingresaban en el club lo hacían solo para jugar al fútbol, no para verlo como espectadores. Por tanto, solo podían ser hombres. Y se acabó la discusión.

De hecho, en aquella conservadora e inmovilista sociedad de fin de siglo, la visión de unos señores dando patadas a un balón en la calle, en los solares y en los improvisados campos de fútbol (porque los campos «de verdad» no existían), ya era para muchos un puro disparate y motivo de befa. La gente los tomaba por lunáticos, cuando no se enfadaba y les llamaba al orden, directamente. No queremos ni pensar qué habría pasado si quienes chutaran por las calles fueran mujeres. Inimaginable en aquellos parámetros. Entramos, de todos modos, en terreno de fantasía pura porque, si en el año 1899, la afición al fútbol entre los hombres ya resultaba del todo minoritaria, entre las mujeres era directamente nula. La diferencia consiste en que, entre los varones, esta afición fue creciendo poco a poco, mientras las damas tardaron muchos años en aficionarse y muchísimos más en practicarlo. En este sentido, el contraste con otras latitudes ya era abismal, pues el primer partido femenino de la historia del fútbol se había jugado en Escocia en 1892. Y, dos años después, una intrépida pionera llamada Nettie Honeyball había creado en Londres el equipo de mujeres British Ladies Football Club.

508. TRES MUJERES

En la época heroica de la década de los años diez, cuando Edelmira Calvetó luchaba para ver reconocidos sus derechos, otras mujeres del ámbito azulgrana le brindaron apoyo en mayor o menor medida. Hablamos de la propia esposa del presidente Gamper, Emma Pilloud, de Isabel Müller, mujer de uno de los fundadores, Otto Maier, una gran campeona de tenis que siempre defendió los derechos femeninos, o de Ana María Boix, esposa de Ricard Cabot, vicepresidente del club. Tres mujeres que lucharon para que los socios del Barça fueran «las personas» y no «los varones». Es decir, sin exclusión de género, y no como reflejaban los estatutos del FC Barcelona de 1911. Pero quien lo consiguió, quien persistió hasta el final cambiando las reglas de juego sería Edelmira Calvetó.

509. LA ESPOSA DE L'AVI

Hemos hablado profusamente de Manuel Torres, el histórico conserje de la calle Indústria y de Les Corts. Seríamos injustos si no mencionáramos a su esposa, Rosa Prades, una señora que dedicó su vida al barcelonismo. Rosa lo fue todo para los jugadores: la mujer que les limpiaba y planchaba la ropa, quien les arreglaba las botas, quien les preparaba el café, el desayuno y la merienda, así como la enfermera que cuidaba de su salud. Sí, lo sabemos, era como una madre para los futbolistas, pero en el sentido antiguo, rancio y machista de la expresión. ¿Se aprovechaban de ella? Quizá sí, quizá no, dependiendo de que nos situemos o no en los cánones y costumbres de aquella época tan discriminatoria e injusta hacia las mujeres. En cualquier caso, vaya aquí nuestro homenaje a la señora Rosa Prades.

510. Las cuatro hijas

De Rosa Prades prácticamente nadie ha escrito nada, aunque su biografía tenga miga. Rosa tuvo a sus cuatro hijas (Carme, Pilar, Magdalena y Andrea) en el mismo campo de Indústria y sus nietos nacieron en Les Corts. Una de sus hijas, Carme, se casó con Rossend Calvet i Mata, leyenda del atletismo azulgrana y secretario general del club.

511. Anna Maria Moritz

Anna Maria Moritz fue propietaria de la famosa cervecería Moritz, en la plaza Goya, local convertido en alegre sede social del club entre 1910 y 1914. Por aquellas fechas, la señora Moritz estuvo a punto de convertirse en la primera mujer directiva del Barça, pero finalmente rechazó la propuesta realizada por los dirigentes azulgranas, embelesados como estaban por sus atenciones. Anna Maria Mortiz no ocultó nunca su lesbianismo, que la llevó a vivir gran parte de su vida con la esposa de uno de los directivos más destacados de la entidad.

512. Estreno en femenino

El fútbol femenino estatal nació en Cataluña. En año tan temprano como 1914, unas barcelonesas entusiastas del nuevo deporte juntaron filas gracias a los auspicios del entonces entrenador del Barça, Jack Greenwell. Subrayemos que el FC Barcelona no había cumplido aún los quince años de vida. El nombre del club, Spanish Girls, se antoja coherente con la influencia anglófona del fútbol durante sus primeros tiempos de vida entre nosotros, a pesar de que la nomenclatura de los dos equipos que lo formaban resultaba cercana. Uno era el Montserrat, que vestía blusa blanca; el otro, el Giralda, con blusa roja. El local social estaba situado en las dependencias de una entidad llamada La Amistad, en la calle Consell de Cent.

513. SOBREDOSIS DE MACHISMO

El Montserrat y el Giralda se midieron en un duelo fraternal el 9 de junio de 1914 en el campo del Espanyol, en la calle Muntaner, en partido a beneficio de los enfermos de tuberculosis. Ganó el Giralda por 2-1, ante un público masculino prácticamente en su totalidad y con la presencia, incluso, del capitán general de Cataluña, César del Villar y Villate. El campo del primer *match* había sido utilizado por el Barça entre 1905 y 1909. Dos días después, *El Mundo Deportivo* publicaba una breve reseña titulada «Las niñas futbolísticas», dedicada al primer partido de fútbol femenino del que tenemos constancia en nuestro país. Avisamos de que se debe leer situados en el contexto de aquellos tiempos nada igualitarios: «Anteayer, en el campo del Español, jugose el primer partido de fútbol entre representantes del sexo débil, que en dicho día se parangonaron con el fuerte. Este partido, cuyos beneficios se destinaban a favor de la Federación Femenina contra la Tuberculosis, era, por su naturaleza, esperado con cierta expectación, y fue presenciado por un público regular y por el capitán general de la región, que acudió con su bella hija Carmen. Las jugadoras estuvieron a la altura que les correspondía, notándose en el comienzo del encuentro bastante azoramiento, que fue desapareciendo hacia el final, en el que el bando «Giralda», que lucía jersey rojo, consiguió apuntarse dos *goals* por uno que en la primera mitad entró el «Montserrat», que lo ostentaba blanco. Esta primera actuación de la mujer en el viril fútbol, no nos satisfizo, no solo por su poco aspecto *sportivo*, sino que también porque a las descendientes de la madre Eva les obliga a adoptar tan poco adecuadas como inestéticas posiciones, que eliminan la gracia femenil.»

Hemos avisado…

514. SPANISH GIRLS

Greenwell, demasiado ocupado con la dirección técnica del Barça, tuvo que pasar el relevo al frente de las Spanish Girls a Paco Bru, jugador barcelonista que, una vez colgadas las botas, llegaría a ser el primer seleccionador español de la historia, en

1920. Bru introdujo algunos cambios internos en los equipos Montserrat y Giralda, como, por ejemplo, acortar la indumentaria. Bru creía que las blusas amplias y los pantalones largos rematados en los tobillos resultaban una molestia para desarrollar sus capacidades de juego. También las obligaría a ducharse tras los partidos, decisión que, en aquella época de escasa consideración hacia la higiene, provocó prácticamente una revuelta entre las madres, hasta el punto de que algunas sacaron a sus hijas del equipo.

Los dos conjuntos fusionados en las Spanish Girls jugaron un puñado de partidos, tanto en Barcelona (donde llegarían a llenar el campo del Espanyol en la calle Muntaner) como en otras localidades catalanas. Cabe destacar el desplazamiento a Reus, donde el *match* fue anunciado como el evento del año, con desfile incluido de una charanga por las calles de la ciudad. La pujanza de esta entidad hizo que se llegara a preparar una gira por Francia, aunque el estallido de la Primera Guerra Mundial canceló el proyecto. Después, esta efímera pasión por el fútbol femenino cayó de repente y en los años siguientes apareció esporádicamente, como mera exhibición sin continuidad. Además, las futbolistas femeninas debían sufrir brotes periódicos de incomprensión y rechazo, a menudo bastante agrios y lamentables.

515. LAS PIONERAS

Un obligado recuerdo para las mujeres intrépidas de aquellos tiempos heroicos. Por orden de aparición en escena, como dicen en el teatro, las primeras deportistas femeninas del FC Barcelona fueron las tenistas (1912), seguidas por las baloncestistas (1929), las atletas (1933) y las jugadoras de hockey hierba (1940). Seguro que necesitaron ganas, pasión y personalidad en dosis considerables antes de atreverse a practicar su afición.

También queremos rememorar aquí las diversas secciones ya desaparecidas en el club que albergaron chicas entre sus practicantes. La relación está formada por el tenis (1912-14 y 1926-38), el patinaje artístico sobre cemento (1952-56), la gimnasia (1957-76) y el judo (1961-76). Actualmente, tanto el baloncesto como el hockey hierba azulgrana disponen de equipos femeninos, pero no por ello perdemos el rastro de memoria de sus antecedentes históricos. Citemos, pues, la efímera sección femenina de hockey (1940-43) y las diversas etapas del baloncesto femenino. En el caso de la canasta, existió Barça de mujeres entre el 29 y el 36, después entre el 41 y el 45 y, finalmente, durante el periodo 2002-07 gracias al equipo asociado UB Barça.

516. Baloncesto femenino

El 6 de septiembre de 1929, en una reunión de junta presidida por Tomàs Rosés, se acordaba «estudiar la posibilidad de una sección femenina de *basketbol*». La sección masculina de baloncesto del Barça se había fundado solo tres años antes, el 24 de agosto de 1926.

El proyecto femenino del deporte de la canasta fue aprobado con bastante rapidez. Como mínimo, así se desprende de la lectura de este acuerdo del 17 de septiembre de 1929: «Interesar del Club Femenino y de Deportes el concurso de su equipo blanco para inaugurar, próximamente, con un partido en Les Corts, nuestra sección femenina de baloncesto». Finalmente, el 23 de octubre se informaba de la primera victoria de la nueva sección: «Hacer constar la satisfacción experimentada por el brillante triunfo de la Sección Femenina de Baloncesto en su actuación en el campo de la Unió Obrera SAFA de Blanes». Destaquemos que, en 1930, se integraría en el baloncesto femenino azulgrana un equipo llamado Blanc-Negre (antes Girls) que había estado vinculado al Club Femení i d'Esports.

517. ¡*Chapeau*, Anna Maria!

Uno de los personajes más fascinantes de la Cataluña del siglo XX, y al tiempo más injustamente olvidados, ha sido Anna Maria Martínez-Sagi, mujer que forma parte de la historia del FC Barcelona de los años treinta y que, sin lugar a dudas, merece ser valorada como corresponde. En especial, por las múltiples facetas de su vida y actividad profesional: feminista *avant la lettre*, liberal, anarquista, deportista, poetisa, periodista y siempre, luchadora, precursora, un paso por delante del resto.

Martínez-Sagi nació en la calle Bailén de Barcelona el 19 de febrero de 1907 en el seno de una familia acomodada. Su padre, Josep Martínez Tatxé, era un rico empresario textil, conocido promotor del deporte catalán y tesorero del FC Barcelona entre

1917 y 1919, bajo la presidencia de Joan Gamper. Su madre, Consol Sagi, era hermana del célebre barítono Emili Sagi Barba, padre por su parte del gran jugador del Barça, Emili Sagi-Barba (1916-19 y 1922-32). Así pues, la vinculación familiar de Anna Maria con el FC Barcelona no podía ser mayor: hija de un directivo del club, prima de un crac de la época y, además, hermana de otro jugador barcelonista, Armand Martínez-Sagi, que defendió la camiseta entre 1919 y 1925.

518. LIBERAL Y FEMINISTA

Aunque, por nacimiento, pertenecía a la alta burguesía barcelonesa, pronto mostró un espíritu liberal y feminista muy avanzado a sus tiempos. De hecho, su rica familia terminaría desheredándola. Desde pequeña, empezó a frecuentar los clubes deportivos de la capital catalana. Destacaba en la práctica del baloncesto, natación, esquí, atletismo y, en especial, del tenis, disciplina en la que llegó a subcampeona de España. Preocupada especialmente por la condición de la mujer, fue una de las impulsoras del Club Femenino y de Deportes, primera asociación cultural y deportiva de España dedicada a las mujeres, fundada en 1928 bajo el lema «Feminidad, Deporte y Cultura». En 1931 participó en el primer campeonato estatal de atletismo femenino celebrado en Madrid y quedó cuarta en lanzamiento de jabalina. Un año después, en el Campeonato de Cataluña vivido en el estadio de Montjuïc, consiguió vencer en la prueba y batir el récord catalán con una distancia de 20,60 metros.

La literatura fue la otra pasión de su vida. Su primer libro de poemas, *Caminos*, publicado en 1929, recibió críticas muy positivas, hasta el punto de llegar a tildarla como la heredera de Rosalía de Castro. Su obra oscilaba entre un modernismo peculiar y un simbolismo intimista. Antonio Machado dijo de ella que la lírica española femenina contaba con una poetisa de excepcionales méritos, y César González-Ruano le dedicó una entrevista titulada «Ana Maria Martínez-Sagi, poetisa, sindicalista y virgen del estadio». En aquellos años de plenitud literaria se movía en el entorno de Miguel de Unamuno, Pío Baroja y Santiago Rusiñol. En 1932 editó su segundo libro de poemas, *Inquietud*, e ingresó como redactora en *La Rambla*, el semanario fundado en 1930 por Josep Suñol i Garriga, el que sería presidente mártir del Barça.

En *La Rambla* publicó entrevistas, artículos de opinión y críticas de teatro que la convirtieron en amiga de la actriz Margarita Xirgu y del genial poeta y autor teatral Federico García Lorca. Fervorosa republicana, durante esta convulsa década de los treinta también escribió en la revista *Crònica* sobre los temas más punzantes del momento, como el sufragio femenino, la reforma agraria, el Estatuto catalán y las condiciones de vida de los trabajadores. No en vano, ella fue la primera en romper el cliché de mujer periodista que solo hablaba de moda o cocina. Pionera en muchos aspectos, llegó a escribir: «Nuestro ideal de belleza difiere del de nuestros padres como un patinete de una gramola».

519. PRIMERA MUJER DIRECTIVA

Como decíamos, su vertiente barcelonista le venía de familia. En paralelo a sus fecundas actividades deportivas, literarias y periodísticas, el vínculo con el club quedó patente entre julio de 1934 y junio de 1935, cuando ocupó el cargo de vocal en la directiva del FC Barcelona, presidida por Esteve Sala, como responsable del área de Cultura y Propaganda. Este hito de su biografía es significativo, ya que Anna Maria Martínez-Sagi fue la primera mujer en un consejo directivo, no solo en el Barça, sino en todo el fútbol mundial. Por desgracia, acabó dejando el cargo, según confesaría muchos años después, «porque a aquella junta directiva no le interesaba la cultura, solo los goles». Al fin y al cabo, el Barça de la temporada 1934-35, inmerso en una grave crisis deportiva, económica y social, apenas podía mantener su pionera y añorada Comisión de Cultura.

520. CORRESPONSAL DE GUERRA

El estallido de la guerra civil también marcó a fuego su vida. Miembro del Front Únic Femení Esquerrista de Catalunya y totalmente comprometida con el legítimo régimen republicano, durante la contienda fue corresponsal de guerra del *Daily Mail* y *El Tiempo*, de Bogotá, acompañando a las columnas anarquistas de Buenaventura Durruti en el frente de Aragón. La Sagi llegó a entablar amistad con el líder de la CNT-FAI, quien, de modo afectuoso, la llamaba «la aristócrata».

521. Exilio en París

Al final de la guerra se exilió en París, donde colaboró con la Resistencia durante la ocupación hitleriana y ayudó a muchos judíos a huir de los nazis. Por mera cuestión de supervivencia, compaginó su actividad clandestina con el trabajo de dibujante y pintora en las calles de la capital francesa. Allí conoció a Claude, un ingeniero con el que tuvo una hija, Patricia. Profesora de castellano de André Maurois y valedora de Francoise Sagan cuando se dedicó a escribir informes para editoriales de París, su etapa francesa resultó provechosa. Con posterioridad, partió a Estados Unidos, donde fue profesora de castellano y francés en la Universidad de Illinois.

522. Últimas de la Sagi

Por desgracia, la fatalidad se cernió sobre la familia: Claude murió en 1957 cuando intentaba desactivar una bomba; apenas un año después, una meningitis se llevaría a Patricia con apenas ocho años. Traumatizada por la tragedia, volvió a Cataluña en 1969. Se instaló en Moià y aquel mismo año publicaría *Un laberinto de presencias*, libro de poemas intimistas y un punto surrealistas. Desde entonces, desengañada y enferma de melancolía (su vida quedó marcada por una pasión frustrada hacia la poetisa Elisabeth Mulder, objeto de sus poemas), se encerró en su casa, y en 1998 ingresó en una residencia geriátrica de Santpedor, donde murió el 2 de enero de 2000. Su figura fue rescatada del olvido gracias a la biografía *Las esquinas del aire*, que Juan Manuel de Prada acabó de redactar en el día que Anna Maria Martínez-Sagi falleció.

523. Echarle humor

Nos zambullimos ahora de lleno en la época franquista, ya sabéis, cuando la mujer prácticamente solo podía ser «esposa y madre», o, por decirlo aún más rancio y casposo, «el reposo del guerrero». En aquellas negras circunstancias, el análisis más superficial de la relación de la mujer con el deporte solo suscitaba una ramplona comicidad. Esta anécdota nos ha quedado larga, lo sabemos, pero vale la pena respetar el texto íntegro. El 1 de enero de 1950, en el programa oficial del partido de Liga en Les Corts entre Barça y Racing de Santander, se publicó un artículo sobre el papel de la espectadora femenina en los campos de fútbol. Como no podía ser de otra manera, teniendo en cuenta la época, el tono del texto era desenfadado y humorístico: «Se acabaron aquellos tiempos en que el fútbol, el deporte más espectacular de todos los tiempos, era privilegio exclusivo de los sesudos varones. Hemos entrado (tal vez sería más exacto decir que hace tiempo que estamos dentro) en la era de la popularidad sin reservas; o sea, que el público de un encuentro de fútbol se nutre no solamente de hombres, sino que mujeres y niños forman parte de la masa que aplaude, grita y se entusiasma.

Las espectadoras aportan a los partidos de liga la nota sonora de sus gritos. El verbo gritar se conjuga preferentemente en las gargantas femeninas, especialmente cuando el enemigo se acerca a nuestra portería con fines abiertamente bélicos. Hemos visto a más de una dama caer víctima de desmayo en el momento de ser batido nuestro guardameta a consecuencia de un penalti. Y es que la sensibilidad de las espectadoras se mantiene mucho más alerta que la de esos veteranos que siguen la incierta marcha de una jornada futbolística con el auxilio de un puro en la boca, que es la antena que capta y encauza todos los matices del mordisco. Si las espectadoras usasen puro —en Canarias sería frecuente el espectáculo—, muchos gritos quedarían ahogados y no estallarían con pitido de sirena de locomotora hiriendo nuestros pobres tímpanos.

Conozco espectadoras que, más previsoras que muchas otras, en determinados momentos dejan de contemplar el partido y cierran los ojos, o desvían la mirada hacia el abrigo del esposo para no ser testigos de una jugada mortal para nuestros colores.

—¿Han chutado ya?

—No, señora; se disponen a chutar.

—Y el portero, ¿no sale?

—Esperemos que salga.

«¡Aaaay!» exclaman de súbito miles y miles de socios y simpatizantes. El balón ha salido rozando el larguero y la jugada no ha tenido repercusiones fatales para el marcador.

—Señora, ha pasado el peligro. El portero se dispone a efectuar el saque de meta. Tranquilícese.

—Muchas gracias, caballero. Crea que he pasado un mal rato.

—Me hago cargo, la jugada ha sido de pronóstico.

La especial manera que tienen las espectadoras de visualizar un encuentro es harto curiosa. Resulta, por descontado, infinitamente más humana que la que utiliza el curtido espectador. Ellas anotan en el invisible carné de sus preferencias los accidentes más insignificantes, detalles en apariencia nimios, observaciones ingenuas, curiosas constataciones como las que a continuación se anotan con respecto a tal o cual jugador:

a) Si es joven y apuesto.

b) Si tiene el pelo rubio.

c) Si le «caen» bien o no los pantalones.

d) Si va bien peinado.

e) Si es soltero o casado.

f) Si ha engordado.

g) Si es pródigo con el abrazo.

Y así mil otras características por el estilo. La pincelada maternal no falla nunca, y cuando la lesión tiende sobre el césped a un jugador del equipo local la espectadora no puede contener una exclamación dolorida:

—*Pobret! Ara li han fet mal.*

El diminutivo cae bien en labios de las espectadoras, y si pudieran escucharlo los lesionados es evidente que experimentarían un muy perceptible alivio a sus dolencias. Sería como un mensaje de la madre, la esposa, o la hermana, que a buen seguro siguen el encuentro a través de la enervante tortura de escuchar sin ver, con esa terrible ceguera a que nos condenan las transmisiones radiofónicas.

Suele la espectadora ir acompañada de su marido, el cual discute y vocea no siempre con razón y muy pocas veces con comedimiento.

—¡Fuera! Ese árbitro es un carcamal…

—Pujades por favor, no te excites. Al fin y al cabo estamos ganando por tres a cero…

Tales duchas de agua caliente de la esposa reducen y abonanzan el crispamiento de nervios propio de esas duchas de agua helada que para el socio siempre significarán las partidistas decisiones del colegiado. Conciliadoras, esas espectadoras son el bálsamo de la grada:

—Todo se arreglará, un poco de calma.

Gritos aparte, muchas espectadoras merecerían ser elevadas

a la categoría de embajadoras de la ponderación y el sentido común de nuestros campos de fútbol».

Es preciso recordarlo: hablamos de 1950. Cómo hemos cambiado desde entonces, chico…

524. «LEGIÓN DE SEÑORAS»

Y todavía hay más. Esta frívola «perla» fue publicada en el programa oficial del partido FC Barcelona–Oviedo, el 19 de febrero de 1950: «¿A esa legión de señoras y señoritas guapísimas que dignifican la tribuna de Las Corts les interesa realmente el fútbol? ¿No las arrastrará al escenario de las proezas de los Gonzalvo, la oportunidad de lucir los últimos modelos de la tarde?»

525. SOCIA REIVINDICATIVA

Tres años después se pudo leer la otra cara de la moneda en el programa oficial del club, impreso antes del FC Barcelona –Valencia del 17 de octubre de 1953. Bajo el título «Ante las elecciones del Barcelona. Y nosotras, ¿por qué no?», la socia barcelonista María Mas Gibert se despachaba a gusto, con más razón que un santo. Respetamos el texto en extensión y estilo, tal como fue difundido: «Las elecciones anunciadas y las notas divulgadas, aunque reproduzcan las disposiciones oficiales vigentes, nos han dolido fuertemente a las "asociadas", en cuyo nombre me propongo a terciar en la cuestión. Están excluidos de la elección los socios infantiles y los femeninos. Nos parece muy bien que los niños no puedan votar y ellos mismos —los más mayorcitos— nos deben dar la razón. La categoría "infantil" se pierde a los catorce años y a esa edad no deben poder influir en la elección de un presidente. Pero… ¿por qué no las asociadas ya mayores? ¿Qué razón puede oponerse?

»En los discursos al final de los banquetes deportivos, siempre se nos alude con finas frases y requiebros encendidos, pero luego se nos separa. ¿Por qué lo que se acepta hoy en casi todo el mundo, en su aspecto político no se concede al deportivo? Si en los referéndums, elecciones de Cámaras, Ayuntamientos, etc., puede depender del elemento femenino, ¿por qué se nos prohíbe votar en las elecciones deportivas donde representamos quizás menos del 15 por 100?

»Acabamos de leer que el Oviedo era el club más galante de España porque reservaba una cuota más baja para el elemento femenino, pero… que ha suprimido esta "galantería". Nos parece muy mal, y nos sugiere una pregunta: ¿por qué si en las horas de los deberes se nos equipara absolutamente igual a los hombres, en la hora de los derechos éstos se nos merman?

»Las que ya tenemos algunos años recordamos que en la directiva del Barcelona hubo representación femenina. Se han suprimido las secciones deportivas femeninas del club, las cuales conquistaron campeonatos y días de gloria al Barcelona; se nos niega el derecho de un puesto en la directiva; se nos prohíbe votar; se nos obliga a todos los deberes como a los hombres…

»¿Hasta cuándo? En nombre de estas miles de asociadas me permito rogar a la nueva directiva que resulte elegida, un poco de… "igualdad" —fíjense bien— ,"igualdad", ya que "galantería" nos parece que es un nombre que no sería entendido en un club de fútbol».

Señalemos que, en aquel 1953, el panorama deportivo femenino del FC Barcelona era desolador: solo sobrevivía la presencia de mujeres en una sección tan minoritaria como el patinaje artístico sobre cemento, ya que el equipo femenino del atletismo azulgrana, fundado en 1933 y suprimido al final de la guerra, no reaparecería hasta mediada la década de los sesenta.

526. CECÍLIA A. MANTUA

Seguimos reivindicando a mujeres olvidadas por el paso del tiempo. Entre sus contemporáneos, una de las mayores propagandistas del Barça era la legendaria Cecilia A. Mantua, escritora, autora, actriz, locutora, autora de obras tan célebres como *La Pepa Maca* (1954) y *La cinglera de la mort* (1958). Cecilia A. Mantua, vecina de Gràcia, escribió sobre todo comedias y guiones radiofónicos. Fue una de las primeras intelectuales en acudir a las peñas azulgranas para pronunciar conferencias culturales y dar fe de su devoción a los colores. Su madre era muy amiga de Luisito Suárez, con quien jugaba grandes partidas de tute.

527. CARMEN MORELL

La cantante de coplas Carmen Morell, nacida en Barcelona y muy popular en los años cuarenta y cincuenta, con su pareja artística y sentimental, Pepe Blanco, era una fervorosa aficionada barcelonista. En noviembre de 1955, Carmen Morell fue entrevistada por un periodista madrileño, quien le preguntó cuál era su equipo preferido tras el FC Barcelona. Ella contestó: «Después del Barcelona…, el Barcelona». La intérprete, junto con Blanco, de la españolísima *Me debes un beso* dejó también para la posteridad esta jugosa frase: «El deporte es una de las cosas más deliciosamente serias que pueden hacerse en este mundo tan tonto y tan ajetreado de las guerras, los enredos de la política y las colas de los autobuses». ¡Olé!

528. RAQUEL MELLER

Y ya que estamos en este mundillo, Raquel Meller, la mejor cupletista de todos los tiempos, personaje olvidado por las nuevas generaciones, tenía una fuerte vinculación sentimental con el Barça. La artista que popularizó piezas tan legendarias como *El último cuplé* o *La Violetera* iba siempre que podía a ver al equipo de sus amores a Les Corts y estuvo presente en la inauguración del Camp Nou.

529. LA MARY

Para quienes peinamos canas, casi no es preciso recordar el barcelonismo de la actriz cómica Mary Santpere, quien durante muchísimos años, entre los cuarenta y los ochenta, hizo gala de su devoción azulgrana incluso en los escenarios más difíciles de la geografía española. La reina del Paral·lel, estimadísima por las generaciones de paisanos que nos precedieron, era tan culé como catalana hasta la médula, y no se escondía en absoluto. Ni en casa ni fuera. Una mujer que se lo merecía y se lo merece todo, por talento artístico y categoría humana. No dejéis que nunca caiga en el olvido, como tantas otras que forman parte de nuestra crónica sentimental colectiva.

530. SECCIÓN MIXTA

La génesis de la desaparecida sección mixta de gimnasia se remonta a 1957, cuando el directivo Enric Llaudet, a la sazón máximo responsable de las secciones del FC Barcelona, se aprestó a fundar la gimnasia azulgrana, siempre con el fin prioritario de proporcionar a los socios los servicios necesarios para practicar deporte tan fundamental y no pretender laureles deportivos. Fue así como Llaudet se puso en contacto con Armand Blume, propietario del gimnasio del mismo nombre (y padre del entonces campeón de Europa Joaquim Blume) y le expuso sus planes. El acuerdo llegaría rápido y el 20 de diciembre de 1957, el FC Barcelona creaba oficialmente la sección de gimnasia, a la que se incorporaron los componentes del Gimnasio Blume, incluida la hermana de Joaquim, Elena Blume, además de otras representantes femeninas como Ilse May y Elena Artamendi.

531. Elena Blume

Elena Blume, gran campeona de gimnasia artística, destacaba especialmente en la nueva sección. En 1954 había sido la primera campeona femenina de Cataluña de la historia y tres años después, ganó el Campeonato de España y se adjudicó el oro en las pruebas de salto, tierra y barra. Más adelante, fue entrenadora de su hija Anna Elena Sánchez Blume y seleccionadora española femenina. Sus méritos la hicieron merecedora en 1995 del premio Forjadors de la Història Esportiva de Catalunya.

532. Noemí Piguillem

En las asambleas de compromisarios de finales de los cincuenta se hicieron habituales las encendidas intervenciones de Noemí Piguillem, una combativa socia que solía tomar la palabra para criticar con dureza la gestión del presidente Miró-Sans y reclamar una política de austeridad. No lo tuvo nada fácil, la valiente señora Piguillem en el áspero Barça de aquella época, cargado de tensión interna, testosterona y machismo. Si la historia nos aporta perspectiva y otorga razones, hoy podríamos sostener que no andaba desencaminada en su visión del club.

533. «Para amas de casa»

Entre 1961 y 1965, los boletines oficiales del club se enviaban al domicilio de los socios, coincidiendo con una época poco fructífera futbolísticamente. A falta de éxitos, los temas tratados en la publicación retrataban el mundo barcelonista bajo un prisma costumbrista, acorde con los peculiares tiempos y pautas franquistas. Por ejemplo, incluía una sección titulada «La mujer en el hogar azulgrana», con entrevistas a mujeres culés. Estas charlas pretendían reflexionar sobre el papel de la mujer en el hogar barcelonista y derivaban en temas triviales de la vida cotidiana, a menudo bordeando el ridículo o cayendo directamente en él. Una muestra sería la pregunta dirigida a «Doña Rosa Garcia Roca de Fixat», esposa de un socio: «Una victoria del Barcelona, ¿es buen momento para pedirle a su marido, por ejemplo, la compra de un nuevo bolso?». Y la señora García respondía: «No se me había ocurrido. Prometo explorarlo».

534. LAS HERMANAS ETERNAS

En febrero de 1965 y en entrevista concedida a la revista *Barça*, Ricard Combas, jefe de personal del club, explicaba una deliciosa anécdota vivida cuatro décadas antes. Combas aseguraba que, apenas llegado a la entidad en mayo de 1922, conoció a tres hermanas solteras que sumaban ya unos cuantos años como socias del Barça y no se perdían nunca un solo partido. Primero, en el campo de Indústria, y después, en el nuevo estadio de Les Corts. Pues bien, habían transcurrido cuarenta y tres años, y las tres hermanas, que continuaban solteras, seguían acudiendo fielmente cada dos semanas a sus localidades de general de pie sin faltar un solo día, ahora ya en el Camp Nou, y continuaban siendo las primeras en personarse.

Y como si de un ritual se tratara, allá las esperaba por costumbre el solícito Combas. El hombre se preocupaba de acomodarlas bien, junto a alguna barandilla que les sirviera como apoyo o en algún otro rincón donde el público más vocinglero no las molestara. Al fin y al cabo, la menor de las hermanas ya superaba los setenta años. En caso de lluvia, ningún problema: el jefe de personal se encargaba de acompañarlas bajo cubierto, a localidades resguardadas donde pudieran seguir el partido del Barça, como era su costumbre. Lástima que no nos haya llegado el nombre y apellidos de las tres incondicionales. Eso es barcelonismo de corazón, del que merece un monumento. En este caso, a la fidelidad anónima. Y también al entrañable servicio prestado por el señor Combas.

535. CARMEN, *LA INDIA*

En la Barcelona de los sesenta existía una mujer que ejercía la prostitución con el nombre de guerra de Carmen, *la India*. Esta profesional del sexo trabajaba en las calles Urgell, Buenos Aires y en la carretera de Sarrià, zona de influencia «periquita», por decirlo así. Pero Carmen, *la India* destacaba por ser una barcelonista fanática, hasta el punto de invertir el primer dinero ganado con su trabajo en pagarse el carné del Barça. Llegó a tener entre su clientela algún que otro jugador barcelonista, pero ella era tan culé que no solo les trataba mejor que al resto, sino que, además, no les cobraba. «No te preocupes, ya me lo pagará alguno de tus directivos», sostenía. Eso sí, con quien no quería saber nada era con los clientes de confesa filiación «merengue». Como solía decir: «Antes muerta que dormir con un madridista». ¿De dónde hemos sacado esta información? No es necesario revelar fuentes, pero son fidedignas…

536. Núria Feliu

Núria Feliu, la popular cantante del barrio de Sants, lleva pregonando su fe barcelonista desde los sesenta. Quizá no sepan que, con dieciséis años recién cumplidos, bailó en una sardana realizada en el césped del Camp Nou el día de su inauguración. Otra anécdota culé de la entrañable Núria: vecina y amiga de Valentina Soler, segunda esposa de Josep Samitier, fue una de los pocos testigos presentes en su matrimonio civil, celebrado en Niza el 14 de febrero de 1966.

537. Un himno como dios manda

En el arranque de 1970, Agustí Montal, acabado de estrenar en el cargo, tuvo la idea de realizar una encuesta entre un grupo de asociados del Barça para conocer cuáles eran las inquietudes de la masa social. Llevado por su espíritu democrático, Montal garantizó antes que cualquier tipo de sugerencia sería escuchada, estudiada y contestada de manera puntual. Lástima de promesa, porque una de las peticiones formuladas decía, textualmente: «Realizar una nueva grabación del himno que se toca a la salida del equipo, de forma que se entienda la letra, y procurando que las voces sean más varoniles. Un himno siempre debe ser muy masculino».

Conviene precisar que, aquel año, el himno escuchado los días de partido en el Camp Nou no era, todavía, el actual *Cant del Barça*, sino l'*Himne a l'Estadi*, una composición realizada en

1957 con motivo de la inauguración del coliseo azulgrana. Lo cantaba un coro de voces femeninas en catalán, de perfecta dicción, lo que nos invita a pensar que el socio susceptible no quería en realidad un himno inteligible y viril. Más bien parece que sufría un problema de catalanofobia y misoginia. Al final, la respuesta protocolaria de un, suponemos, sorprendido y diplomático Montal consistió en un conciso «tomo nota de su sugerencia». Asunto despachado con la carpeta bien cerrada, por si se volvía a abrir…

538. HÁGASELO MIRAR…

El 30 de octubre de 1971 se inauguró la Pista de Gel (*Pista de Hielo*), recinto que es sede de las secciones de hockey hielo y patinaje artístico. La pista también posee un uso lúdico, ya que se encuentra abierta al público, para deleite de aquellos aficionados a patinar sobre superficie helada. Eso de «uso lúdico» fue interpretado de manera peculiar por algunos hombres hinchados de testosterona, como es el caso de un tal señor Queralt, quien, a sus sesenta y cinco años, ofreció su curiosa opinión sobre la nueva Pista de Gel a un periodista de la revista *Barça* dos semanas después de su inauguración: «Con ser muy bonitas todas estas instalaciones, lo mejor son algunas chicas que están evolucionando ahora por la pista. ¡Son muy graciosas y están muy bien! ¡Ya no se puede pedir más! Ahora bien, yo pediría o sugeriría a todas estas chicas que dejaran los pantalones y patinaran solo con minifalda, pues estarían mucho más atractivas y nos alegrarían más a los demás. Mire, ese par que van con minifalda está superbién. ¡Ya saben lo que hacen! Con eso del pantalón y la maxifalda hemos salido perdiendo. *I després diran que el món va cap endavant!*». No podríamos coincidir más con la última frase, pronunciada en idioma vernáculo por el señor Queralt. Con gente como él, el mundo no marcha hacia delante, no…

539. MARIA DINARÉS

La seguidora barcelonista más constante que haya conocido la historia del club fue María Dinarés, quien, de joven, se casó con una gran figura del mítico Barça de los años veinte, Vicenç Piera. La señora Dinarés siempre viajaba con el equipo; cuando, en 1960, murió su esposo, prosiguió con la tradición de ir a donde fuera para apoyar a su querido club. Todos la conocían como «la viuda Piera», y llegaría a seguir al equipo en el transcurso de medio siglo, sin importarle que, muchas veces, ella fuera la única mujer o la única seguidora. En 1971, la señora Dinarés brindó decidido espaldarazo al incipiente fútbol femenino aceptando la presidencia de la Penya Femenina Barcelonista.

540. IMMA CABECERÁN

Los actuales equipos de fútbol femenino azulgrana acumulan una larga historia de incomprensiones y penurias causadas por un contexto institucional y social que no entendía el deseo de la mujer de participar activamente en el mundo del fútbol, tradicionalmente masculino. Sería magnífico que no olvidáramos la labor realizada por esas pioneras.

Hacia finales de los setenta, una intrépida chica llamada Imma Cabecerán (novia del jugador barcelonista Pau García Castany), que mantenía una buena amistad con la señora María Dinarés, decidió poner un anuncio en la *Revista Barcelonista*. Sería publicado el 17 de noviembre; su texto, un tanto distinto al de Joan Gamper en *Los Deportes* del 22 de octubre de 1899, aunque igualmente histórico, decía

FÚTBOL FEMENINO A LA VISTA

El fútbol femenino está abriéndose camino. Y está llegando a Barcelona. Tanto es así, que una simpática señorita acude a nosotros para solicitarnos ayuda en su deseo de completar una plantilla de buenas jugadoras.

Inmaculada Cabecerán, que así se llama, tiene el proyecto de organizar un equipo de fútbol femenino dentro de la esfera del CF Barcelona. Para ello ya dio el primer paso, que fue hablar con el señor Montal, quien ha acogido la idea con simpatía pero advirtiendo que dará el «sí» siempre que el equipo gane todos los partidos.

La señorita Cabecerán ya cuenta con varias jugadoras, pero hacen falta más. Para ello espera que todas aquellas señoritas que están comprendidas entre los 18 y 25 años y deseen, naturalmente, formar parte de este equipo de fútbol femenino, llamen al teléfono 247 84 67 y la señorita Cabecerán las informará de todo. Las posibles aspirantes a jugadoras deben tener en cuenta que el «debut» del equipo será el

día de Navidad en el estadio barcelonista. Como información complementaria, digamos que en el norte existen ya veinticuatro equipos femeninos y en Madrid tres. Así que, señoritas, a jugar al fútbol.

La respuesta a este llamamiento llegaría por parte de jugadoras como Núria Llansà, Carme Nieto, Lolita Ortiz, Núria Gómez
y Vicenta Pubill.

541. NAVIDAD DEL 70

El primer partido de fútbol celebrado por un equipo femenino
del Barça llegaría el día de Navidad de 1970, con motivo de un
festival benéfico. El lance enfrentó en el Camp Nou a las jugadoras azulgrana, entrenadas por el mítico exportero Antoni Ramallets (quien ocuparía el cargo durante más de un año), con la U.
E. Centelles. De todos modos, aquel equipo de chicas barcelonistas, que todavía no estaba reconocido oficialmente por el club, no
pudo lucir la camiseta azulgrana ni usar el nombre de FC Barcelona. El once que jugó aquella matinal navideña fue bautizado
como «Selecció Ciutat de Barcelona» y llevaba camiseta blanca,
pantalón azul y medias azulgrana.

Ese día el campo estaba reducido a la mitad, con una de las
porterías situada en pleno centro, y la duración del choque fue limitada. Por la megafonía del Camp Nou, el humorista Pedrito
Ruiz transmitía el partido de manera peculiar, con comentarios
tipo «¡qué guapas son las jugadoras, con qué pasión se abrazan
para demostrar su alegría!», o «¡qué barbaridad, hay tres jugadoras casadas y dos de ellas tienen hijos!». Si este era el estilo difundido desde los altavoces, qué no se diría en las gradas. Realmente,
esas intrépidas pioneras debían ser conscientes de que les quedaba un larguísimo, empinado y espinoso camino por recorrer.

542. LA PEÑA FEMENINA

En febrero de 1971, la Selecció Ciutat de Barcelona cambió su
nombre por el de «Penya Femenina Barcelonista», recibiendo
apoyo material y económico por parte del FC Barcelona, aunque
continuaba sin depender orgánicamente del club. Con todo, gracias a esta novedad, aquellas futbolistas ya pudieron llevar la camiseta azulgrana, aunque sin lucir aún el escudo de la entidad.

Eran tiempos difíciles. Al margen de la general incomprensión que el fútbol femenino suscitaba entre el público masculino, hay que recordar que no estaba reconocido por la Federación Española y sobrevivía con un solo apoyo oficial, el de Educación y Descanso, organismo dependiente de la Organización Sindical de Falange Española. Con la llegada de la democracia, la desaparición de este organismo propio de la dictadura franquista fue compensado, en la temporada 1978-79, con la protección y apadrinamiento de la Penya Femenina Barcelonista por parte del Futbol Club Barcelona.

543. PARA MANTENER LA LÍNEA

Esta reseña, con foto del equipo de la Peña Femenina Barcelonista incluida, salió publicada en *RB* el 8 de febrero de 1977: «Resulta que hay crisis de chicas que quieran darle al balón. El Barcelona femenino precisa del concurso de alguna de estas *Cruyffas* que hay por ahí y que quieran practicar un poco de deporte cada domingo, que va muy bien para conservar la línea. Ánimo y llamen al 245 05 24, preguntando por Carmen, en horas de oficina».

Tal lectura demuestra que escaseaban las vocaciones femeninas para ingresar en la PF Barcelonista, cosa nada extraña. En aquella época, para jugar al fútbol siendo mujer había que mostrar fuste de heroína, visto y comprobado el ambiente imperante de menosprecio machista. Basta con subrayar el tono de la nota, con alusión al deporte como una buena manera de mantener la línea y resultar guapas.

544. VAYA CON *RB*...

Curiosa noticia publicada en *RB* el 16 de mayo de 1978 bajo el incorrecto y bastante visceral titular de «¡Queremos mujeres!»: «En la directiva de Núñez, por fin, no hay ninguna mujer, ya que analizada la cuestión parece que ello condicionaría a ciertos directivos a la hora de hablar, e incluso de horarios. Con todo, y para ciertas cuestiones parece que el señor Núñez nombrará una comisión de mujeres. ¡Olé, olé, cuantas más, mejor!».

Dejando al margen la apostilla infantil, resulta memorable que se planteara la presencia de mujeres directivas alegando que podría condicionar a los directivos. ¿Qué querían decir? ¿Que ya no podrían soltar tacos?

Y aún tenemos más de *RB*, una mina de hemeroteca en su papel como correa de transmisión del descarado machismo que desprendía la primera etapa del nuñismo. El 3 de octubre de 1978, la *Revista Barcelonista*, bajo el epígrafe «¡Mujeres, mujeres!», publicaría esta perla: «Cuando el señor Núñez se hizo cargo del Barcelona, nos anunció que crearía una comisión de socias barcelonistas para aquellas cuestiones del club más propias para las señoras que para los caballeros. Por ejemplo: la guardería».

Sin comentarios... Y apenas han pasado cuatro días desde entonces...

545. COMITÉ DE FÚTBOL FEMENINO

La situación se estabilizaría en octubre de 1980, cuando el fútbol femenino quedó integrado en la Federación Española de Fútbol. Paralelamente, en el seno de la Federación Catalana se creó el Comité de Fútbol Femenino, con María Teresa Andreu (antigua portera barcelonista) como primera presidenta. Tiempo después, Andreu pasaría a presidir el Comité de la Federación Española.

546. CLUB FEMENINO

Durante los ochenta y noventa, las futbolistas azulgranas jugaron bajo el nombre Club Femení Barcelona, que usaba los colores, distintivos e instalaciones del club, pese a no ser una sección oficial. Desde inicios de los años ochenta, la máxima responsable del fútbol femenino barcelonista era la exjugadora Núria Llansà, al mismo tiempo delegada en la Federación Catalana, cargos que compaginaría hasta 2003.

547. HACE SOLO TREINTA AÑOS

La primera competición de ámbito estatal del fútbol femenino fue la Copa de la Reina, instaurada en la temporada 1984-85. Al mismo tiempo, el Club Femenino Barcelona fue uno de los nueve equipos fundadores de la primera Superliga en la campaña 1988-89. En el transcurso de aquellos años, las chicas azulgranas permanecieron sin problemas en la máxima categoría y obtuvieron sus primeros éxitos en la Copa de la Reina, de la que serían finalistas en 1991 (perdieron ante el Añorga KKE por 3-0) y campeonas tres años después.

548. PRIMER TÍTULO

El 26 de junio de 1994, y todavía bajo el nombre de Club Femenino Barcelona, el fútbol femenino azulgrana conquistó su primer título oficial. Lo hizo tras derrotar al Oroquieta Villaverde de Madrid por 2-1 en la final de la Copa de la Reina, disputada en Las Rozas. Apenas cuatrocientos espectadores, con mayoría clara favorable al Oroquieta, presenciaron el partido, disputado bajo un calor sofocante. Mejor situado sobre el campo, el C. F. Barcelona desmintió los pronósticos previos, ya que no era favorito, y se llevó la Copa con absoluta justicia a pesar de las dificultades evidentes. Primero, claro, jugar en Madrid contra un equipo de allí, y hacerlo, encima, bajo la dirección de un árbitro nacido en la capital española, como era el caso de Megía Dávila. De hecho, Megía confirmó los temores de cierta parcialidad expulsando a la defensa azulgrana Mari Àngels. Pese a ello, el Barça supo sobreponerse a tales inconvenientes con los goles de Olga, en el minuto dieciséis, y el de Àfrica, de penal en el minuto treinta y cinco. Mari Mar redujo distancias a poco de iniciada la segunda mitad y, ya en el descuento, la misma delantera del Oroquieta lanzaría un penalti, que detuvo Roser, portera del Barça. Será que un título no se paladea si no existe sufrimiento previo. Queden para la posteridad los nombres de aquellas pioneras en el éxito: Roser, Ani (Marina), Keti, Mari Ángeles, Olga, Àfrica, Isu, Carol, Esther (Ari), Maite y Mari.

549. EL NOMBRE PROPIO

Ocho años después, el 26 de junio de 2002, el Club Femenino Barcelona pasó a ser oficialmente una sección más del club. El nuevo nombre del equipo era el de FC Barcelona femenino y quedó adscrito al fútbol formativo. Pese a la encomiable tarea de la entrenadora Natalia Astrain, los primeros años de esta nueva etapa resultaron bastante complicados, con golpes de efecto fallidos como la contratación, en enero de 2005, de la mediática delantera mexicana Maribel Domínguez, *Marigol*. Por suerte, a partir de 2006, con la llegada del entrenador Xavi Llorens, el fútbol femenino azulgrana inició una trayectoria ascendente que le ha llevado a vivir una actualidad sin precedente histórico por lo que respecta a su nivel y a su competitividad. Esta sección, profesional desde 2015, acumula numerosos títulos desde que, en la temporada 2011-12, conseguiría el primer Campeonato de Liga de su historia. En la actualidad, a diferencia de lo que ocurría hace unos años, el Barça femenino está muy por encima del Espanyol; y además está exento de disputar ningún «clásico» con un inexistente Real Madrid femenino, al menos por ahora.

550. GOLES A CHORRO

La mayor goleada conseguida nunca por las futbolistas del Barça femenino se produjo el 26 de agosto de 2016, en la semifinal de la Copa Catalunya, cuando el Pontenc recibió una paliza inverosímil. El marcador final, 20-0. O sea, un promedio de gol cada cuatro minutos y medio, que no está nada mal. Dos días después, el Espanyol también encajaría lo suyo al ser batido por un contundente 6-0 en la final. De esta manera, podemos proclamar que el Barça fue campeón de Cataluña con veintiséis goles a favor y ninguno en contra en dos partidos. Así se las ponían a Fernando VII…

551. MARTA ANDRADE

Marta Andrade es, para muchos, la mejor patinadora artística sobre hielo que ha pasado por el FC Barcelona. Andrade, una virtuosa del patín, fue olímpica en los Juegos de Invierno de Lillehammer 1994 y Nagano 1998, y participó en cuatro campeonatos europeos y dos mundiales. Campeona en categoría ISU en 1991 y 1992, Andrade se había iniciado en el patinaje artístico sobre hielo en 1982, con solo diez años, bajo la tutela de su maestra, Gloria Mas. La antigua patinadora Susanna Palés pasaría a ser su entrenadora en 1989.

552. EXJUGADORAS

El 9 de septiembre de 2003, las mujeres azulgranas alcanzaron una nueva conquista en la lucha por sus derechos. Aquel día, la Agrupació d'Ex Jugadors del FC Barcelona acordó la admisión de mujeres en la entidad, siempre y cuando fueran socias del Barça. Las dos primeras en entrar fueron Lola Bou y Victòria Fabregol.

553. ANA MARÍA MOIX

La novelista, poetisa y periodista Ana María Moix (1947-2014) era devota barcelonista desde su niñez, siguiendo una tradición personal que empezaba con Kubala y Luisito Suárez como ídolos de infancia y terminaba en plena madurez con Guardiola de referencia. En el momento de su fallecimiento, Sergi Pàmies escribió estas palabras dedicadas a la autora de *Julia*: «Le daba pereza que le encargaran artículos sobre cuestiones de actualidad, pero si el tema era el Barça, rompía su pacto con ese tipo de pereza que tanto esfuerzo requiere, se le iluminaba la mirada y escribía unos textos cargados de *seny* crítico».

554. AUGE DE LA AFICIÓN FEMENINA

El dato nos parece interesante porque refleja el incremento inexorable de la afición de las mujeres por los colores azulgranas, tendencia moderada en el arranque e imparable últimamente. Las cifras no engañan. En 1939, acabada la guerra, los socios del Barça eran 3.486, de ellos solo 149 mujeres, un raquítico 4,2% del total. Muchos años después, la masa social azulgrana presenta números muy distintos, computados recientemente, en julio de 2016. En esas fechas, de los 143.459 socios del Barça, 37.873 pertenecían al sexo femenino, porcentaje que representaba un considerable 26,4%. Y un significativo apunte: en los últimos tiempos se están produciendo más altas femeninas que masculinas como socios azulgrana. Los tabús y tópicos han caído ya.

555. DEPORTISTAS EN AZULGRANA

Hoy, la representación femenina en las diversas disciplinas deportivas del FC Barcelona resulta bastante amplia. Más de setecientas mujeres compiten con la camiseta azulgrana. Si pensamos en el ámbito profesional, lo hacen en fútbol. Y como aficionadas, en atletismo, hockey hierba y patinaje artístico sobre hielo. No olvidemos una tercera vinculación, la de los conjuntos externos asociados al club, como son el equipo de voleibol CVB Barça o el de baloncesto Barça CBS. La proyección del deporte femenino en el Barça parece ya imparable. Y nos alegra mucho. Ya era hora.

8

La Masia

*T*an natural como beber agua. Si importas un deporte, tienes que enseñarlo a los jóvenes nativos curiosos, interesados. Y así, prácticamente desde el primer día, cuando Lluís d'Ossó se planteó la necesidad de un segundo equipo que abasteciera de jugadores al titular, el Futbol Club Barcelona ideó La Masia, por decirlo en términos contemporáneos. A continuación, para que el invento funcionara, nombró el primer profesor, y no hallaría nadie mejor que Udo Steinberg, bregado ya en mil batallas europeas. El resto, si lo analizamos, fue pura evolución, con diversas épocas, sentimientos y notoriedades. La plantilla triunfal de la Edad de Oro estaba repleta, apenas veinte años después de la fundación, de catalanes de personalidades extraordinarias y talento suficientemente excelso como para ir por el mundo con sobrada dignidad competitiva. En la evolución, comenzaron a surgir empleados especializados, observadores, gente con ojo clínico capaz de adivinar qué chaval apuntaba maneras y quien, a pesar de ser una joven figura, nunca llegaría a triunfar por completo, en este recorrido iniciático nada empírico, que aún hoy nos resulta secreto, pues requiere diversos ingredientes peleados con la técnica, el talento o el físico porque están en la mente de cada promesa.

Extrapolemos un ejemplo histórico. Cuando Menotti llegó para entrenar a Maradona y, de propina, al Barça, preguntó rápidamente dónde estaba aquel chico que había sido considerado el segundo mejor juvenil del planeta tras el astro argentino. La consideración, no hace falta subrayarlo, significaba todo un elogio. La respuesta le dejó estupefacto: Juan Carlos Rojo, ya crecido y con su característico bigote, todavía deambulaba por el filial a la espera de una oportunidad. Como Ramon Maria Calderé, contemporáneo suyo que, a los veinticuatro años, seguía siendo «gran esperanza blanca», eterna promesa a la que nadie le daba el necesario empujón. El club sumaba entonces largos años sin creer en la producción propia, en los jóvenes de la «cantera», como se decía entonces. ¿Razón? Seguramente, puros prejuicios y hacerles pagar la factura de la larga travesía por el desierto de manera casi inconsciente. No tenía ningún sentido, máxime cuando el equipo se rehízo de la guerra gracias a los jugadores catalanes, y alcanzó la excelencia de Las Cinco Copas con gente que hablaba el idioma y sentía el club, con su idiosincrasia plenamente asumida.

Incluso Helenio Herrera, en una de las mejores decisiones que legó tan especial personaje, había dejado en testamento la certeza de que el compromiso y sentimiento aportado por los lugareños era imbatible, que solo era necesario importar aquellas materias primas que el ecosistema propio era incapaz de producir. Puntualmente, el gol y alguna otra carencia concreta de cada momento. Los gestores de aquellos albores de los sesenta parecían tenerlo claro cuando crearon la fallida Escuela de Futbolistas y la dejaron en manos del mejor director posible, un Laci Kubala recién retirado. Lástima que los recortes económicos generados por la construcción del Camp Nou terminaran rápido con las buenas ideas. El déficit y las urgencias históricas del primer equipo dieron un duro baño de realidad al sueño de establecer las bases para un futuro que hoy calificaríamos de «sostenible» gracias al aprovechamiento de los recursos propios.

Tales hechos históricos nos conducen a una reflexión sin salida, la de la relación mantenida por el culé con los «suyos» a través de los tiempos, sentido de grupo y también propiedad que ha oscilado de un extremo a otro. Ha quedado claro que los prejuicios de ciertos periodos no se aguantaban cuando un entrenador hecho en casa como Guardiola alineó a un montón de frutos de La Masia en el mejor equipo de la historia, no es necesario ya ni citar nombres por tenerlos frescos, ni entrar tampoco en una dialéctica, que aparece y desaparece cada equis tiempo, consistente en calificar las cosechas por «generaciones», que pueden ser buenas o malas según el insustancial razonamiento de quienes desean justificar déficits puntuales. Todo consiste en cuidarlos, prepararlos con paciencia durante años y dar la confianza y continuidad imprescindibles cuando toca dar el salto, establecerse en el vestuario profesional. Simplemente, a pesar de su complejidad.

Cumplimos medio siglo desde la institucionalización de La Masia, largamente deseada por precursores como Emilio Aldecoa, Ramon Campabadal y, por encima de todos, Josep Boter, el encargado de revitalizar la tierra yerma desde 1934 hasta 1960, un largo lapso de servicio dedicado a descubrir talentos. La lista de aportaciones de Boter que encontraréis en este capítulo resulta impresionante, al nivel de su dedicación y sus fórmulas. No sabemos si hoy, con la masificación genérica de las categorías inferiores del fútbol, aún vale aquello de que surge una figura de cada setecientos futbolistas, pero el cálculo implica, eso seguro, un montón de trabajo, una tarea pedagógica vocacional. Como la ofrecida por otros maestros singulares, de enorme valía contrastada en el arte de pulir diamantes en bruto, precioso eufemismo. Por suerte, el Barça ha tenido y tiene un puñado en nómina, y si nos pusiéramos a destacar la lista se alargaría. Optamos, pues, por sacarnos el sombrero ante Laureano Ruiz y Oriol Tort, un par de indiscutibles que nos libran de cometer el imperdonable error de olvidar la contribución de sensacionales educadores si citamos a otros.

También hallaremos aquí detalles de la fascinante historia de los filiales. Desde La España Industrial al Condal, sobre todo, pasando por el Fabra i Coats, Horta, Atlético Cataluña, Barça Atlètic y el actual Barça B, llamado así por voluntad de la Federación Española de Fútbol, quizás amante del burocrático abecedario antes de conceder libertad para llamar a los conjuntos de promesas como mejor le parezca a cada institución. Si así fuera, se nos ocurrirían mil alternativas mejores, comenzando por el propio Condal, aquel filial con vida propia que daría para escribir el enésimo libro sobre la historia del club, que, en justicia, aún espera redacción. Incluso estuvo un año en primera división. Una camiseta preciosa, distinta, que las nuevas generaciones ya ni tan solo conocen, por comentar un simple detalle. Pero es en el detalle donde reposa el genio, deberemos recordar.

Hoy, una infinidad de niños y chicos juegan en la base y el Futbol Club Barcelona mantiene escuelas de fútbol dispersas por el planeta donde se enseñan valores y educación a partir de un balón, del juego, de la competición bien entendida. Respeto, esfuerzo, ambición, trabajo en equipo y humildad. El procedimiento ha sido reconocido y admirado, incluso copiado en su excelencia. Lionel Messi, un niño de Rosario con problemas de crecimiento, se hizo hombre y futbolista en Can Barça y lleva años siendo el mejor ejemplo de un modelo redondo que aún puede mejorar y crecer. No se trata de dar pasos atrás, como podemos aprender de la historia, sino de evolucionar y mantener confianza eterna en aquellos futbolistas crecidos en casa antes de gastar las enloquecidas cantidades que se mueven en un mercado imperfecto, ilógico, casi incomprensible por sistema.

556. YA DE ENTRADA

El fútbol base del Barça nació temprano. Tan pronto como en 1901, Lluís d'Ossó, secretario de la junta y al tiempo delantero, impulsó el segundo equipo barcelonista, ganador de diversos trofeos casi de forma instantánea. Con el tiempo, de manera paulatina, se fueron creando los terceros y cuartos equipos, denominación utilizada entonces. En los años veinte, los nombres de algunos once de promesas en formación resultaban contundentes: Acèrrims, Nova Germanor, Jove Catalunya, Esmolets, No ens Contis o Separatistes.

557. ESCUELA DE FORMACIÓN

Poco después de aquella iniciativa, el gran jugador alemán Udo Steinberg se encargaría de la primera escuela de formación de futbolistas, precedente original de La Masia. De modo oficial, en marzo de 1902, Joan Gamper le confió la dirección de la primera Escola de Futbol del Futbol Club Barcelona. En ella, Steinberg se dedicaba a instruir a los jóvenes integrantes del tercer equipo del Barça.

558. INFANTILES Y JUVENILES

Continuamos con el cuidado de las nuevas hornadas. En 1918, Joan Ragué, secretario de la junta presidida por Joan Gamper, promovió la creación de los conjuntos juvenil e infantil. El húngaro Jesza Poszony fue el primer entrenador contratado con la misión de dirigir el fútbol base barcelonista. En concreto, controlaba los cuartos equipos, fuente de abastecimiento del equipo amateur. En el transcurso de los años veinte, aquel Barça de la Edad de Oro, casi integrado al completo por catalanes, se mantuvo en la élite del fútbol español y también continental gracias a la aportación del fútbol base. Hoy en día, sorprende saber que se llegaba a enseñar a unos mil jóvenes futbolistas por temporada. O sea, lección histórica: desde hace casi un siglo, los ancestros azulgranas ya intuían por dónde debían ir los tiros. Y acertaban.

559. AVE FÉNIX

Tras la guerra civil, obviamente y por fuerza, el fútbol base barcelonista quedó muy tocado, pero la eficiente labor de Ramon Llorens y Josep Boter consiguió enderezarlo en un relativamente corto espacio de tiempo. Gracias a su pedagogía, el equipo aficionado, tal como se llamaba bajo la nueva nomenclatura impuesta por el régimen, consiguió grandes éxitos en las décadas de los cuarenta y cincuenta.

560. LA TAREA DE BOTER

Josep Boter entregó casi cincuenta años de su vida al FC Barcelona con la eficacia por bandera. Su tarea como descubridor de figuras del fútbol catalán fue impagable, aunque a él, poco amigo de elogios, le bastaba con la satisfacción del deber cumplido. Nacido en 1906 en L'Hospitalet de Llobregat, Boter fue un culé acérrimo desde que asistiera con seis años a un partido del Barça en compañía de un tío que era seguidor barcelonista. Alrededor de 1922 aún jugaba en el equipo de su ciudad, pero su nivel no era suficiente y se retiró pronto.

Gracias a sus contactos con la Federación Catalana, ya trabajaba para el Barcelona en 1925, primero como delegado en el organismo federativo, y después, ocupando diversos cargos en el comité de competición y en la Liga Amateur. Pronto, el presidente azulgrana Joan Coma se daría cuenta de que aquel joven futbolista frustrado poseía un don especial para hallar promesas y potenciales figuras. En 1934, ya como flamante descubridor de talentos, Boter no perdió el tiempo: sus primeros fichajes fueron Escolà y Raich, que llegarían a ser leyendas del FC Barcelona. Un formidable ojo clínico. Sí, señor.

561. RENACER POR FUERZA

Como decíamos, la guerra civil arrasó el fútbol base azulgrana, pero la eficiente labor del binomio formado por Ramon Llorens y Josep Boter enderezó la situación. En la inmediata posguerra, Boter se encargó de formar el equipo amateur, que ya en la primera campaña de 1939-40 quedaría campeón de Cataluña. Desde entonces, su tarea resultó descomunal, con miles y miles de chavales seguidos durante muchísimos años («todos los jugadores observados llenarían una guía telefónica», confesó Boter en su retirada) y una media de cinco encuentros espiados cada domingo, tres por la mañana y dos por la tarde. Con el tiempo, las promesas catalanas conocerían bien quién era aquel observador de ojo clínico. Le precedía su prestigio, y así, cuando Boter llegaba a cualquier campo de la geografía, la noticia se propagaba con rapidez entre los ilusionados chicos: «¡Ha venido Boter para vernos jugar!».

La emoción era general, harto lógica si valoramos su impresionante currículum: entre 1934 y la década de los sesenta, Boter fue el descubridor de una larga lista, en la que destacamos estrellas como Raich, Escolà, Seguer, Basora, Segarra, Brugué, Gràcia, Tejada, Vergés, Estrems, Gensana, Olivella, Rodri, Celdrán, Sadurní, Camps, Eladio, Fusté, Rexach y Mora.

Un espléndido ramillete que podría formar una plantilla de gran categoría. Persona metódica hasta los tuétanos, Boter llegó a formular una ecuación, basada en la propia experiencia: De cada setecientos futbolistas surge una figura. De esta tarea descomunal, realizada desde la Secretaría de Fútbol Base, nunca se vanagloriaría. Al contrario, expresaba una humildad a machamartillo que le granjearía una legión de amigos por todas partes.

562. HOMENAJE POR MEDIO SIGLO

Por desgracia, en 1971, una enfermedad aceleraría la jubilación de Boter y su economía personal quedó afectada. Sus amigos no se quedaron de brazos cruzados: el sábado, 27 de octubre de 1973, la Agrupació d'Antics Jugadors del FC Barcelona le rindió merecido homenaje en el campo del Fabra i Coats, entonces escenario de los partidos del Barça Atlético. Aquel día, más de ochenta viejas glorias barcelonistas se alinearon en diversos equipos que llevaban los nombres de Sagibarba, Piera, Alcántara y Samitier.

Entre los presentes destacaban Bosch, Manchón, Tejada, Calvet, Fusté, Pereda, Re, Eulogio Martínez, Rifé, Gensana, Ramallets, Seguer, Olivella, Gràcia, Flotats, Vila y el propio Ladislao Kubala, entonces seleccionador español. También jugó el cantautor Joan Manuel Serrat. El saque de honor corrió a cargo de Josep Boter, junto con el astro holandés Johan Cruyff, quien no pudo alinearse porque debutaba oficialmente al día siguiente en el Camp Nou, en partido de Liga ante el Granada. Josep Boter falleció el 8 de junio de 1978.

563. ¿EL NÀSTIC, FILIAL?

En mayo de 1953, el Gimnàstic de Tarragona, entonces descendido a tercera división e inmerso en serios problemas financieros, rogó ayuda económica al FC Barcelona a cambio de convertirse en filial barcelonista, pero el mismo presidente Enric Martí Carretó rechazó de pleno tal posibilidad. A la postre, tampoco llegaría nunca la inyección de dinero solicitada desde Tarragona para aliviar las angustias de caja de un Nàstic en horas bajas tras haber perdido dos categorías en pocos años.

564. POR UN CÓRNER

El 28 de junio de 1953, con Chamartín como escenario, la final del Campeonato de España de juveniles enfrentó al Barça con el Real Madrid bajo arbitraje de José Mazagatos. Un escenario nada neutral y un colegiado poco proclive a lo azulgrana, por ponerlo suave. A pesar de todo, las promesas barcelonistas aguantaron tales inconvenientes, y el marcador acabaría con empate a cero, prórroga incluida. Como en aquella época aún no se habían adoptado las tandas de penaltis, el título se quedó en Madrid porque los locales lanzaron un córner más que sus oponentes. Un método quizá tan cruel como el azar de la moneda al aire.

565. NO VAYÁIS A GERONA...

El delegado del FC Barcelona que, el 20 de julio de 1958, presenció el amistoso jugado en Palafrugell entre el equipo titular de esta población gerundense y el Amateur A azulgrana (5-4) no quedó demasiado satisfecho con la actuación del colegiado. No hace falta ser muy sagaz para apreciarlo si leemos lo que el hombre, desatado, escribió en el apartado «observaciones» de la ficha oficial del partido: «Arbitraje pésimo y completamente parcial del árbitro Sr. Vilanova, como todos los que nos viene haciendo este señor, a quien desgraciadamente nos encontramos en casi todos los partidos que celebramos en la provincia de Gerona». Por lo que parece, el arbitraje del tal Vilanova era una cruz que el Amateur debía cargar prácticamente cada vez que viajaba a esas tierras. El pobre delegado lo escribía como si fuera una fatalidad, como si ya nada pudiera hacerse para evitarlo.

566. LA ESPAÑA INDUSTRIAL

Otro hito importante en la formación de futuros futbolistas profesionales del Barça se produjo en 1949, cuando el club firmó un convenio de cooperación con La España Industrial S. A., gran empresa textil que tenía ubicadas sus fábricas en el barrio de Hostafrancs y disponía de un equipo de fútbol denominado Sociedad Deportiva La España Industrial, que había sido creado en 1943 por su personal obrero. Su campo tenía cabida para cinco mil espectadores y medía 106 x 70 metros. Los colores del equipo eran blanco con rayas azules verticales para la camiseta y blanco por los pantalones.

El convenio estipulaba que los jóvenes valores destacados en el fútbol base del Barça se incorporaran al equipo blanquiazul de La España Industrial. Así, este conjunto quedaba de hecho transformado en filial azulgrana. Y no jugaban nada mal, no: en 1953, incluso consiguieron su ascenso a primera división, aunque renunciaron a la categoría, decisión revocada tres años más tarde, cuando volvieron a repetir este pequeño prodigio futbolístico.

Entonces, la normativa no permitía que los filiales convivieran con los mayores al mismo nivel, ni tampoco los conjuntos de primera con nombres de empresa. Por lo tanto, de cara a la campaña 1956-57, La España Industrial no tuvo otra opción que desvincularse oficialmente del Barça y cambiar su nombre por el de Condal, así, en castellano. Conste que, el 22 de septiembre de 1955, quizás escarmentados por la situación antes vivida, la Federación Española de Fútbol había anunciado la rescisión del contrato de relación «paterno-filial» entre el Barça y La España Industrial.

567. NACE EL CONDAL

La revista *Barça* informó el 24 de agosto de 1956 sobre este cambio de nombre. El nuevo nombre de «Condal» se eligió por dos razones. La primera (y más obvia) hacía referencia a la Ciudad Condal, mientras que la segunda significaba recuerdo y homenaje a un tipo de tela así llamada y que era fabricada en la empresa textil La España Industrial de Hostafrancs. Los aficionados más veteranos recordarán su preciosa camiseta. Sobre un fondo azul claro, cruzaban en diagonal dos finas franjas en blanco, rematados por cuello y pantalones también níveos. Con estos colores jugaron los condalistas hasta que en 1961 pasaron a ser azulgrana.

568. ORGULLO DE PERTENENCIA

A pesar de su modestia, conviene subrayar que los seguidores de La España Industrial se sentían muy orgullosos de su club antes de que cayera bajo la órbita barcelonista, cuando quedó convertido en filial. Este espíritu queda acentuado tras leer un artículo publicado en *El Once* el 3 de abril de 1946, por una vez en tono serio aunque sin abandonar su ironía característica: «El público de la España Industrial viste bien y fuma purazo de reglamento, al estilo del socio azulgrana. A este aficionado lo único que le molesta es que, en el metro, le confundan con el socio que viene de Las Corts y le pregunten el resultado de los azulgranas. ¡Cómo si los de la España Industrial no tuvieran su personalidad!».

569. Y EN TERCERA, EL HORTA

Durante cuatro temporadas, entre 1952 y 1956, el FC Barcelona contó con un segundo filial, la Unión Atlética Horta. Así, la estructura de base quedaba escalonada, con La España Industrial en segunda y el Horta en tercera. En los primeros meses de 1955 se produjo un caso curioso con César Rodríguez, crac azulgrana ya en decadencia. El Pelucas, aún vinculado por contrato con el Barça, jugaba en La España Industrial como refuerzo de lujo para sus enfrentamientos y, en los ratos libres, entrenaba a la propia Unión Atlética Horta, pluriempleo que no gustaba ni pizca a la directiva, que expresaba su disconformidad sin que César quisiera darse por aludido.

570. EL DUELO IMPOSIBLE

El 2 de diciembre de 1956 se celebró en Les Corts un enfrentamiento que hoy resultaría imposible. En aquella Liga 1956-57, el Condal, flamante nuevo equipo de primera división, jugaba sus partidos como local en el viejo santuario culé. Aquel día, condalistas y azulgranas empataron a un gol en partido de Liga, dándose así un caso único en la historia de equipo filial que perjudica al «hermano mayor». Así, el Barça jugó como forastero en su propio feudo e incluso tuvo que ocupar el vestuario visitante. Al acabar el campeonato, el Condal bajó a segunda; nunca más volvería a primera, por lo que la chocante circunstancia no se pudo repetir.

Nos entretendremos un poco con aquel singular duelo, único e irrepetible. Bajo las órdenes del árbitro Blanco Pérez, el Condal dirigido por Miquel Gual alineó a (atención a los nombres, bastante conocidos, fueran promesas o consagrados): Goicolea; Romà, Rodri, Castañer; Salvador, Simó; Moll, Duró, Moya, Gonzalvo III y Bertrán. En el Barça, el entrenador Domènec Balmanya pondría en liza a Ramallets; Olivella, Brugué, Gràcia; Vergés, Gensana; Tejada, Eulogio Martínez, Manchón, Luisito Suárez y Sampedro. El veterano Manchón marcó el 0-1 en el minuto veintiocho de la primera mitad; Duró empataría para el Condal en el veinticinco de la segunda. Al final de la campaña, el Barça ganaría la Copa del Generalísimo como único trofeo del año y quedaría tercero en la Liga, por detrás del Sevilla y a cinco puntos del campeón, el Real Madrid.

571. EL FACTOR CAMPO

El 7 de abril de 1957 se disputó el encuentro de la segunda vuelta, ahora con el Barça como local y el Condal, visitante. Curiosamente (no olvidemos que aquí la condición de local o visitante era mero formulismo), esta vez el Barça venció sin problemas por un claro 5-0.

Todo parece indicar, pues, que el factor psicológico de sentirse en casa debía pesar lo suyo.

Repetimos que la efeméride merece un recordatorio de los protagonistas. Bajo la dirección del colegiado Rey Martínez y los mismos técnicos en los banquillos, el FC Barcelona jugó con Ramallets; Olivella, Brugué, Gràcia; Segarra, Bosch; Basora, Kubala, Eulogio Martínez. Luis Suárez y Manchón. El Condal puso en danza a Sanz; Salvador, Rodri, Pinto; Romà, Moya; Bertrán, Blanquera, Bellés, Basora II y Navarro. Los goles fueron obra de Manchón (otra vez), dos de Luisito Suárez, uno de Estanislau Basora ante su hermano Joaquim, y el último marcado en propia meta por Paco Rodri.

572. Un año en Primera

A pesar del excelente trabajo del técnico Miquel Gual, el Condal solo permaneció un año entre los grandes del fútbol estatal, ya que en 1957 descendió a segunda división. Desde entonces anduvo a caballo entre la categoría de plata y la tercera división hasta que, en 1970, se fusionó con otro filial barcelonista llamado Atlético Cataluña (que entonces cohabitaba en tercera con el Condal) para dar paso a un único equipo bautizado como Barcelona Atlético. Resultaría largo enumerar a todos los jóvenes que se foguearon allí antes de dar el salto a las franjas azulgrana.

El Condal también servía para recuperar futbolistas del primer equipo lesionados de gravedad, probar algunos fichajes de otros equipos que generaban dudas y comprobar el rendimiento de «satélites» que convenía tener controlados. Resultó una cantera realmente notable, repleta de nombres ilustres y, algunos, inolvidables. Para citar apenas algunos ejemplos, Biosca, Paco Rodri, Olivella, Rexach, Martí Filosia o Lluís Pujol pasaron por allí. Y jugaban en una magnífica sede, aquel estadio de Les Corts «abandonado» por el primer equipo desde finales de 1957 hasta su derribo en 1966.

573. Fabra y Coats

Conviene indicar que, en 1965, el equipo de una fábrica textil del barrio de Sant Andreu llamado C. D. Fabra y Coats se había convertido en filial del FC Barcelona y cambió su nombre por el de Atlético de Cataluña (aún en castellano, seguíamos en dictadura). Durante cinco años, este equipo permaneció en tercera división, enclavado en el grupo catalán, hasta la citada fusión con el Condal.

574. Barça Atlético

Josep Seguer fue el primer entrenador del nuevo Barça Atlético, que comenzó en tercera división hasta estabilizarse entre las categorías A y B de segunda a partir de 1974. Mientras tanto, las diversas categorías del fútbol base azulgrana, desde juveniles a los infantiles, acumulaban numerosos éxitos en los campeonatos estatales. A partir de 1979, la creación de la residencia de jóvenes futbolistas en La Masia daría un impulso definitivo a la estructura barcelonista. También colaboró de manera decisiva el influjo de Oriol Tort, coordinador del fútbol base del Barça durante casi dos décadas y, al mismo tiempo, infalible descubridor de talentos, con un ojo clínico sensacional para descubrir chicos con futuro.

575. SOCIOS DEL FILIAL

El 4 de enero de 1977 se comentó en la reunión de directiva que el Barcelona Atlètic tenía aún sesenta socios, procedentes del antiguo Condal, equipo que, insistimos, había desaparecido en 1970 al fusionarse con el Atlético Cataluña para dar paso al Barça Atlètic. Estos socios independientes del filial barcelonista pagaban seiscientas pesetas al año para poder presenciar los partidos en el campo de Fabra i Coats. Aquel día, la junta decidió que no resultaba aconsejable que el Barcelona Atlètic contara con socios propios. Por lo tanto, adiós a una singular tradición. Puede que se tratara de aficionados estrictamente interesados en las promesas y el fútbol de formación, pero nadie les preguntó. Ni les dejaron otra alternativa.

576. BARÇA AMATEUR

El antiguo Barça Amateur, tercer equipo barcelonista en media vida del club, fue fundado en 1967; obviamente, siempre militó en una categoría por debajo del Barça Atlético. En 1993 pasó a llamarse Barça C y quedó disuelto en 2007 cuando estaba encuadrado en Tercera a causa del descenso de su hermano mayor a la misma categoría.

577. BARÇA B

En 1991, la nueva normativa deportiva obligó a que el Barça Atlètic (con nomenclatura en catalán desde la recuperación de la democracia) pasase a llamarse Barça B, nombre que conservó hasta que en 2008, una vez ascendido de tercera a segunda B de la mano de Josep Guardiola, el equipo fue de nuevo rebautizado como Barça Atlètic. Esta denominación volvió a cambiar en 2010 por la de Barça B, coincidiendo con el ascenso a Segunda. La RFEF impone este tributo al abecedario en vez de favorecer los nombres históricos, los de toda la vida, mucho más entrañables y, también, más fáciles de reconocer entre los aficionados, propios y ajenos.

578. Ilustres promesas

Uno de los logros más destacados en la historia del Barça B se produciría en la temporada 1997-98. Entrenado por Josep Maria Gonzalvo, el filial había realizado una espléndida trayectoria en segunda división B, clasificándose en primera posición de su grupo al final de la fase regular. No era de extrañar porque aquella era la famosa quinta que brindó nombres como Xavi, Puyol, Gabri y Luis García. Solo quedaba el último esfuerzo: quedar primeros en una liguilla final con equipos de la talla del Cádiz, la Cultural Leonesa y el Madrid B. Los tropiezos contra el equipo andaluz provocaron que los dos últimos partidos fueran a vida o muerte. Y eran, precisamente, ante el filial madridista.

El 20 de junio del 98, los B de Barça y Madrid se enfrentaron en el Miniestadi con nueve mil espectadores en las gradas. Si vencían los visitantes, ascendían a Segunda A. Al final, se giró la tortilla. Los chicos de Gonzalvo se impusieron por un contundente 5-0, conseguido en los primeros cuarenta y cinco minutos gracias a los goles de Puyol, Ismael, Gabri, Mario y Jofre. Ocho días después, el Santiago Bernabéu fue escenario del último encuentro de la liguilla entre idénticos contrincantes, con unos veinticinco mil espectadores y casi cuarenta grados de temperatura. Si el Barça no perdía, consumaba el ascenso. Todo acabaría felizmente para los intereses azulgrana gracias a un 0-2 materializado en la recta final por Luis García, en el minuto setenta, y con un penalti transformado por Miguel Ángel ocho minutos después.

579. Incidente diplomático

Aquel día se produciría un incidente en el palco del Bernabéu entre el presidente del Real Madrid, Lorenzo Sanz, y el entrenador del primer equipo barcelonista, Louis van Gaal. Cuando Luis

García marcó el 0-1, Van Gaal se levantó de su asiento para celebrar el gol, reacción impulsiva que enfureció a Sanz. El anfitrión le gritó: «Vete a berrear a tu casa». Poco después, al sentenciar el Barça su ascenso de categoría tras un claro penal de Rojas sobre Xavi, el presidente blanco abandonaría el palco de pésimo humor mientras expresaba su indignación por la supuesta injusticia arbitral.

580. FÁBRICA DE FUTBOLISTAS

Desde el Barça B a los prebenjamines, el fútbol base barcelonista ha labrado una larga colección de brillantes triunfos, tanto estatal como internacionalmente. Aunque mucho más importante que ello (no olvidemos que hablamos de fútbol formativo y no competitivo) es la gran cantidad de jugadores que han acabado triunfando en el primer equipo. En los últimos tiempos, la eclosión fue espectacular. Así, la base del Barça de las Seis Copas andaba integrada por chicos de La Masia (con Messi como figura destacada), y la selección española que ganó el Mundial de Sudáfrica 2010 contaba entre sus filas con nueve futbolistas formados en las categorías inferiores del Barça: Valdés, Reina, Puyol, Piqué, Busquets, Xavi, Iniesta, Cesc y Pedro. Excepto Reina y Cesc, todos eran jugadores del primer equipo; además, Cesc Fàbregas volvería al Camp Nou un año después.

581. ALDECOA LO TENÍA CLARO

A sus catorce años, Emilio Aldecoa fue uno de los chavales vascos evacuados en mayo de 1937 desde Euskadi a Inglaterra a bordo del buque *Habana*. Era uno de aquellos «niños de la guerra» enviados a tierra segura durante la contienda fratricida. Aldecoa se formó futbolísticamente en el país de los inventores del fútbol, pero volvió a España en 1947 para jugar en el Athletic de Bilbao y el Valladolid antes de fichar, cuatro años después, por el Barça. Era un interior de gran clase, sin muchas oportunidades en Les Corts, algo que le obligó a partir al cabo de dos temporadas. En 1957, ya retirado, entrenaba al Condal en segunda como sucesor de Miquel Gual. Entonces, escribió un informe dirigido a la directiva del Barça en el que proponía la creación de una escuela de fútbol. O sea, una Masia *avant la lettre:* «Hoy existe en el club una gran oportunidad de crear un local de entreno y adiestramiento en el Nuevo Estadio. Una sala con todos los modernos aparatos para el adiestramiento en local cerrado. Y, tan importante o más aún, la creación de unas viviendas para un número determinado de muchachos de excepcionales cualidades en potencia, donde estarían bajo la constante vigilancia del club, dándoles, a quien lo requiriese, una educación o profesión al margen del *foot-ball*, para lo cual existen en Barcelona excelentes centros. No olvidemos que tratamos con material humano, y debemos tener la conciencia tranquila en cuanto al cuidado y previsión del futuro de éste, por si por cualquier circunstancia fuera de nuestro alcance la carrera futbolística de algún muchacho se viera malograda. En el planteamiento de la vida de cada muchacho, es necesaria la consulta de sus padres y aprobación absoluta de estos en cuanto al futuro de aquel. No debemos dejar nunca que nuestros deseos e intereses choquen con los de estos en cuanto al muchacho. Mostrando nuestra buena fe y deseos, es fácil llegar a un completo acuerdo, pues ambos queremos el bien del joven, sirviendo los intereses de la entidad. El gasto de esta organización es ínfimo si consideramos los beneficios que puede y debe reportar».

Aldecoa no cuantificaba la suma de este «ínfimo» gasto, aunque, en cualquier caso, su proyecto dormiría el sueño de los justos. De todos modos, debemos reconocerle que planteó el proyecto de manera visionaria y muy bien estructurada.

582. CAMPABADAL, TAMBIÉN

Ramon Campabadal jugó con el Barça como delantero entre 1928 y 1930, aunque no destacó demasiado. Además, una gravísima lesión de ligamentos le retiró prematuramente del fútbol con apenas veinticuatro años. Después, se dedicaría a la pelota vasca con notable éxito, ya que fue cinco veces campeón de España, y también sobresalió como periodista deportivo. En agosto de 1958, aprovechando que era hermano del directivo barcelonista Josep Campabadal, expuso un ambicioso proyecto de escuela de futbolistas a la directiva del FC Barcelona. La idea del antiguo jugador consistía en una residencia para unos setenta jóvenes futbolistas entre doce y dieciocho años, seleccionados previamente, que convivirían internos bajo el mismo techo y recibirían una formación «moral, intelectual, religiosa, patriótica y laboral», en palabras del propio Campabadal. El presupuesto calculado alcanzaba unos cuatro millones de pesetas anuales, cifra bastante respetable en aquella época y que, más o menos, equivalía al precio del fichaje de un jugador de reconocida fama.

583. COSECHA DE CINCO POR AÑO

La directiva se espantó ante cantidad tan desorbitada y rechazaría la idea, sin que valieran de nada los optimistas cálculos de Campabadal, quien preveía que de la escuela surgirían anualmente cinco futbolistas de gran categoría, dos de ellos para ingresar directamente en la plantilla del primer equipo y tres para ser traspasados a buen precio a cualquier equipo de primera, con lo que la inversión de cuatro millones se vería amortizada de sobra. Pero no tenía nada que hacer. En aquellos tiempos de crisis financiera post Camp Nou, la junta no estaba para alegres dispendios económicos. Este proyecto de Masia de Ramon Campabadal fue directo a la papelera, igual que había pasado pocos meses antes con el informe de Emilio Aldecoa. Y tampoco Campabadal iba desencaminado, a pesar de que, todavía hoy, se busque la cuadratura del círculo para sacar provecho económico a la venta de promesas hechas en el Barça que no llegan al primer equipo. No hay manera de hallar la fórmula mágica, por lo visto.

584. LA ESCUELA DE KUBALA

Cuando Ladislao Kubala abandonó el vestuario del Barça, acabada la temporada 1960-61 con el disgusto de Berna, pasó a dirigir de modo muy breve (apenas cinco meses) la llamada Escola de Futbolistes del FC Barcelona, creada expresamente para él por el presidente Enric Llaudet y que albergaba a jóvenes alumnos de entre quince y diecisiete años. Aparte del propio Laszi, los otros profesores (más bien esporádicos), eran su compatriota Bela Sarossi y sus antiguos compañeros Seguer y Flotats. Pero Kubala dejó esta iniciativa en noviembre, sin acabar aún el año 61, cuando le encargaron la dirección del primer equipo. Ya se sabe, eran tiempos de fuerte marejada. Cuando Kubala fue destituido por el propio Llaudet, en enero de 1963, no pudo regresar a su querida escuela de futbolistas, que había desaparecido en su ausencia. La razón se puede adivinar: no había un duro para mantenerla.

Cabe precisar que aquella Escola de Futbolistes de Kubala no tenía nada que ver con los proyectos de Aldecoa y Campabadal. Entre otras cosas porque la escuela del 61 no era un internado con profesores de todo tipo, sino, casi, el colegio particular de Laci, que prácticamente daba él solo las clases teóricas y prácticas a su joven y admirado alumnado, compuesto por chicos que le miraban con los ojos como platos por el privilegio de ver tan de cerca a su venerado ídolo. Como principal novedad de entrenamiento ideada por Kubala durante aquellos meses, el *punching-ball* futbolístico: un balón de goma unido a un cordón elástico que cuando se chutaba siempre volvía, lo que, aparentemente, servía para mejorar el juego con las dos piernas y educar los reflejos. Y como toque masoquista, las sesiones de cine con la proyección de la funesta final de la Copa de Europa 1961, en Berna contra el Benfica, con el propósito de comentar los errores cometidos por los futbolistas azulgranas en aquel triste partido.

585. Laureano

Nacido en Escobedo-Villafutre (Santander) el 21 de octubre de 1937, Laureano Ruiz Quevedo cumple medio siglo entrenando de modo ininterrumpido. Por lo tanto, puede presumir de un currículum impresionante. Para muchos, es un sabio, el hombre que más sabe de fútbol en toda España. Como técnico ha alcanzado la máxima titulación: entrenador nacional de honor. Además, ha sido director de la Escuela de Entrenadores de Cantabria y profesor de la de Cataluña, y ha viajado por Vichy, Roma, Lisboa, Andorra y Managua para enseñar sus métodos de entrenamiento. También, es autor de diversos tratados sobre fútbol, como *De la base a la cúspide*, *Ayuden al fútbol-fútbol*, *Cómo lograr ser un gran futbolista* y *El auténtico método del Barça*.

586. Eterno en el banquillo

De jovencito, cuando era juvenil del Racing de Santander, Laureano Ruiz ya entrenaba a un equipo de barrio. Con apenas dieciocho años jugaba en el primer equipo cántabro mientras dirigía a las promesas del club. Diez años después colgaría las botas prematuramente para llevar al primer equipo del Racing: se convirtió en el entrenador más joven de España. Es el único teórico que ha pasado por todas las categorías, desde infantiles a primera división, pasando por segunda, segunda B, tercera y juveniles.

Su actividad deportiva ha transcurrido básicamente en el Racing (veintidós años en diversas fases) y el Barça. El 2 de abril de 1976, cuando ya llevaba cuatro años al frente del juvenil azulgrana, al que convirtió cada año en campeón de España, fue nombrado entrenador del primer equipo barcelonista tras el cese del técnico alemán Hennes Weisweiler. En los dos meses y catorce partidos que permaneció en el banquillo realizó un muy digno papel: ocho victorias, cuatro empates y dos derrotas, con treinta y seis goles a favor y catorce en contra. Al comienzo de la campaña 1976-77, regresó a su trabajo habitual con los jóvenes. En verano de 1978 abandonó el FC Barcelona para encargarse de la dirección técnica del Celta de Vigo. Un año más tarde volvió al primer equipo del Racing y, con posterioridad, siguió trabajando con el fútbol base cántabro, donde descubrió, entre otros, a Iván de la Peña.

Tras su experiencia con clubes profesionales destacó su labor en el fútbol base del Consell de l'Esport de la Generalitat de Catalunya hasta 1987. Entonces recibió una oferta del Racing de Santander para encargarse de su escuela de fútbol, donde seguiría hasta 2011, cuando Emilio Amavisca tomaría su relevo.

587. UNA MULTITUD

Ruiz recordaba que, recién llegado al Barça para encargarse de las divisiones inferiores, se encontró con «ciento cuarenta y siete jugadores juveniles para tres equipos». Entonces, «si un juvenil de cualquier equipo marcaba tres goles en un partido, se le fichaba sin más. O si un portero estaba espectacular en un partido, igual». Quiso ordenar tal desbarajuste, poniendo el acento en el *fair-play* y en que los chicos no dejaran los estudios porque «ciento veintiséis de estos ciento cuarenta y siete solo se dedicaban al fútbol».

588. JUGAR CON DOCE

En una ocasión, los juveniles de Laureano y el primer equipo del Barça, entonces dirigido por Rinus Michels, disputaron un partido de entrenamiento. Cruyff ya era la gran figura. Los chicos, en su mayoría internacionales, tenían competición al cabo de pocos días. Por lo tanto, en la segunda mitad, Laureano Ruiz puso a los del equipo B, aunque con alguna ventaja: «Alineé a doce jugadores con un 4-4-3. Nadie se enteró…». El malogrado Juan Carlos Pérez, entonces miembro del primer equipo, declararía: «Más tarde, en el vestuario, Cruyff nos dijo que deberíamos emplear el estilo de juego de aquellos chavales».

589. SECRETO ABSOLUTO

Laureano también explicaba que dejó el Barça, pese a tener tres años de contrato pendientes, cuando Núñez ganó las elecciones de 1978. Ciertas personas del club hablaron mal de él al nuevo presidente. Se lo querían sacar de encima y llegaron a decir que cobraba demasiado. Si Ferran Ariño hubiera ganado la presidencia, manejaba la idea de nombrarlo mánager general del Barça.

Otra anécdota, explicada por el protagonista: «Siendo presidente de la fundación del Racing, durante la temporada 2011-12, tuve la oportunidad de charlar con Florentino Pérez antes de un partido con el Real Madrid. Solo saludarme, me dijo: "Le felicito porque un exjugador me ha comentado que usted fue el inventor del método que usa el Barça y que tantos problemas nos da"». A continuación, el presidente madridista le preguntó si conocía el antídoto y Ruiz le contestó: «¡Claro! Si yo lo inventé, sé cómo anularlo». Antes que Florentino pudiera abrir la boca, Laureano añadió: «Presidente, no siga. No me pida el secreto… ¡Que soy culé!».

590. LA HUELLA DE LAUREANO

La huella de Laureano Ruiz ha sido formidable. El trabajo de este ideólogo cántabro irrumpió de manera brillante a partir de que Cruyff incorporara algunos de sus conceptos a la preparación del Dream Team y después, en los últimos años, al formar parte indispensable del método teórico azulgrana. Resulta evidente que Laureano no pasará a la historia del Barça por el volumen de títulos conseguidos con el primer equipo, al que dirigió de manera breve. En su caso, ello no entraña ninguna importancia. Su más valioso galardón no es otro que haber puesto parte importante de los cimientos de un estilo mundialmente admirado. Tal como lo definiera *Tente* Sánchez, uno de sus discípulos:

«tuve entrenadores de mayor renombre, pero hay cosas que hacía porque Laureano Ruiz me las había enseñado. Eran conceptos tan claros que no entendía cómo esos otros técnicos, conocidos y de nivel, los desconocían».

591. Martínez Vilaseca

En sus comienzos, Joan Martínez Vilaseca, extremo izquierdo del Manresa, destacaba hasta el punto de que, en 1963, el FC Barcelona lo quiso fichar, pero él rechazó la oferta porque no veía segura la titularidad en el equipo azulgrana y deseaba jugar regularmente. Fue así como llegó al R. C. D. Espanyol, donde prestó sus servicios entre 1963 y 1972, con un balance de ciento trece partidos y trece goles. Con el paso del tiempo se reconvirtió desde el extremo al lateral de la defensa.

Cuando colgó las botas, quiso convertirse en técnico. En 1980 coincidió con Oriol Tort (el legendario responsable del fútbol base barcelonista) en la selección juvenil de Cataluña, Martínez de entrenador y Tort como seleccionador. Fue entonces cuando nació una amistad entre ambos que facilitó el ingreso de Martínez Vilaseca en el *staff* técnico del Barça, donde dirigiría desde los infantiles hasta el filial, al que mantuvo durante tres temporadas en Segunda (1984-87).

En aquel tiempo, Martínez Vilaseca entrenaría promesas después plenamente consagradas, como Iván de la Peña, Quique Álvarez, Albert Celades, Carles Puyol, Francesc Arnau o Luis García. En 1997, coincidiendo con la llegada de Louis van Gaal, pasó a formar parte de la secretaría técnica azulgrana, encargado de redactar informes sobre los rivales y de buscar futuros cracs. Ocupó este cargo hasta 2008, cuando el club decidió no renovarle el contrato.

592. El proto-Mini

Como hemos mencionado antes, en 1958, el FC Barcelona ideó la construcción de un estadio para quince mil espectadores que sería destinado a los equipos inferiores. El pésimo estado de la economía culé se encargó de convertir el proyecto en nada. Los filiales azulgranas seguirían sin casa propia.

Todo continuaría igual hasta 1982, cuando fue inaugurado el Miniestadi del FC Barcelona. Obra de Josep Casals y Ramon Domènech, el Miniestadi fue construido por la empresa Fomento de Obras y Construcciones, y financiado con unos doscientos setenta millones de pesetas, el presupuesto sobrante de la ampliación del Camp Nou como sede del Mundial de fútbol organizado en España aquel mismo año.

593. SEDE DE LA JUVENTUD

Como es evidente, la razón de ser de este estadio no era otra que hallar un campo idóneo para los equipos inferiores. Hasta entonces, realizaban sus actividades entre el Camp Nou (que sufría así el peligro de deterioro por exceso de uso) u otros recintos ajenos que eran alquilados, como el campo del Fabra i Coats. La Comisión de Patrimonio del FC Barcelona, creada cuando Josep Lluís Núñez alcanzó la presidencia y formada por los directivos Josep Casals y Francesc Pulido, mantuvo desde el comienzo la idea de construir un estadio para los filiales, si bien las pretensiones iniciales del proyecto eran más modestas.

De entrada, el Mini fue el terreno de juego del filial y de otras categorías del fútbol base azulgrana, pero desde la inauguración de la Ciutat Esportiva Joan Gamper de Sant Joan Despí, el 1 de junio de 2006, solo el Barça B disputa sus partidos en aquel escenario. Recordemos de nuevo que ahora, con el proyecto Espai Barça, está previsto el derribo del Miniestadi y la construcción del Nou Miniestadi en la Ciudad Deportiva Joan Gamper, con capacidad para seis mil espectadores. La conclusión de la obra está prevista para la temporada 2017-18.

594. ¿EL MINI, LLENO?

El 30 de abril de 1988 se registró el único lleno a reventar en la historia del Miniestadi. Tal hito vendría provocado por el último partido de liga juvenil entre el FC Barcelona y el Real Madrid. Hasta la bandera, rebosante, ni un alfiler, aunque parezca mentira. Es más, aquel día hubo gente que se quedó con las ganas, sin entrada, detalle insólito en las tres décadas largas de historia del Mini. El apasionante duelo acabaría con empate a cero, marcador que otorgaría el título al Madrid, ya que el Barça necesitaba ganar si quería ser campeón. Entre los derrotados, la figura era el badalonés Antoni Pinilla, delantero de gran calidad que, por desgracia, no gozaría de larga trayectoria en el primer equipo y viviría sus mejores épocas en el Tenerife y, ya veterano, en el Nàstic de Tarragona.

Volviendo a aquel 30 de abril, hay que decir que acabaría siendo una jornada poco afortunada para el barcelonismo. Dos horas después de la decepción con los juveniles, se disputaría en el Camp Nou un intrascendente Barça-Madrid, con los blancos ya campeones de Liga y los azulgranas realizando el preceptivo pasillo de honor, tal como toca en estos casos. Eso sí, los hombres que entonces entrenaba Luis Aragonés vencieron por 2-0.

595. Promesas en pensión

Desde los años sesenta, técnicos de la valía de Oriol Tort, Jaume Olivé y, más adelante, Laureano Ruiz realizaron una impagable tarea en beneficio de la cantera barcelonista. Fue entonces cuando los cazadores de talento comenzaron a buscar promesas fuera del área metropolitana. Ello implicó la necesidad de albergar a los jóvenes futbolistas en diversas viviendas de Barcelona. Y pronto se popularizaron las pensiones donde vivían los futuros cracs, situadas en la calle Pare Claret o en el Poble Sec. El club comprobaría rápidamente que, en aquel nuevo sistema, los inconvenientes pesaban más que las ventajas. El seguimiento y control de los chicos resultaba bastante complicado; a menudo, la dieta tampoco parecía la correcta para un deportista. Los propios pensionados llamaban a estos establecimientos «Pensión Patata», porque en los ágapes escaseaba la carne y sobraba fécula.

La situación pasaría pronto a ser insostenible. En julio de 1978, cuando Josep Lluís Núñez asumió la presidencia, nombró a Jaume Amat directivo responsable del fútbol base. Amat y Oriol Tort se reunieron con el nuevo presidente y le plantearon, claramente y vista la experiencia fallida, la necesidad de disponer de una residencia que solucionara tantos problemas de horarios, comidas, control y estudios. Al cabo de unos meses, nacía La Masia.

596. La Masia del Camp Nou

Después de haber sido sede social del club entre 1966 y 1978, la Masia del Camp Nou se convertiría en la residencia de los jóvenes jugadores con domicilio alejado de Barcelona desde el 20 de octubre de 1979. El edificio constaba de dos plantas y un desván y tenía 610 metros cuadrados. Se alojaban sesenta chicos; doce dormían en la misma Masia; cuarenta y ocho en otras habitaciones situadas en el Estadio; se disponía de cocina, comedor, sala de estar, biblioteca, administración, baños, duchas y cuatro grandes dormitorios y vestuarios. Desde el 20 de octubre de 2011, la residencia de jóvenes deportistas se ubica en las nuevas y más modernas instalaciones de la Masia - Centre de Formació Oriol Tort, en la Ciudad Deportiva Joan Gamper de Sant Joan Despí.

597. ENTREGADO A LA CAUSA

Joan César Farrés i Ponsa, director de la residencia de jóvenes deportistas de La Masia entre 1987 y el 2000, fue un hombre que, con la discreción y sencillez por bandera, consagró su madurez a la formación humana de las promesas del fútbol base del Barça. Nacido el 18 de noviembre de 1915 en Madrid, de padres catalanes, llegó a Barcelona a los quince años y siempre fue un barcelonista de corazón.

Su vinculación con el FC Barcelona comenzó tras jubilarse de su trabajo como relaciones públicas de la compañía eléctrica Enher, cuando se le nombró delegado de los equipos de fútbol base. Tiempo después, en 1987, se hizo cargo de la dirección de la residencia de La Masia para sustituir a Francesc d'Assís Segarra, que había sido su primer director cuando fue inaugurada el 20 de octubre de 1979. Fue Josep Mussons, entonces vicepresidente y responsable del fútbol base, quien lo recomendó a Núñez.

Farrés aceptó la dirección de La Masia con la condición de mantener la plaza como delegado y tutor del Infantil A. Así, los días laborables ejercía en la residencia, y el fin de semana, acompañaba a los niños del infantil.

Farrés demostró pronto que era la persona idónea para este tipo de trabajo, que tanto precisa conocer la psicología infantil. Con su carácter abierto y cordial se ganaría rápidamente el aprecio y respeto de los jóvenes residentes de La Masia. Estos chicos, lejos de su entorno familiar, encontraron en Farrés la figura paternal dispuesta a ayudarlos ante cualquier problema y, al mismo tiempo, ejercer como director con firmeza cuando tocaba. Supo transmitir a los jóvenes inquilinos los valores de la deportividad, educación, compañerismo y responsabilidad en los estudios. Una de sus aspiraciones se centraba en que los chicos entendieran que en la vida existen valores más importantes que la competición.

598. LECHO INTRANSFERIBLE

Durante los ochenta, a los chicos que ingresaban en la Residencia de la Masia del Camp Nou se les entregaba un pequeño opúsculo con una serie de normas básicas de convivencia de obligado cumplimiento. Los residentes, por ejemplo, no podían cambiar de cama con sus compañeros de habitáculo «para evitar contagios», ni tampoco podían comer en las habitaciones, norma que se debía saltar a menudo la llamada Penya els Golafres (los Glotones), formada por Tito Vilanova, Aureli Altimira, Pep Guardiola, Jordi Roura, Sánchez Jara y Jaume Torres, devoradores insaciables de los abundantes y exquisitos manjares que les enviaban las respectivas familias desde sus pueblos de procedencia.

599. CERRAMOS A LAS ONCE

Una norma muy tajante indicaba que la puerta de la Masia se cerraba a las once de la noche: quien se quedaba fuera, ya no podía entrar a dormir bajo ningún concepto. Debemos suponer que todos los chicos cumplieron siempre a rajatabla con esta norma o, en el caso de que alguien se retrasara, hallara permisividad por parte de los responsables de la Masia. En caso contrario, imaginad qué panorama para el infractor, con el bullicio noctámbulo que ha caracterizado al barrio anexo al Camp Nou a lo largo de las últimas décadas…

600. LOS VALORES

El respeto, el esfuerzo, la ambición, el trabajo en equipo y la humildad son los cinco valores primordiales que describen el espíritu del FC Barcelona y que se inculcan a los chicos de La Masia. No deben ser, claro, grandes conceptos vacíos, sino que deben expresarse en la práctica. Por tanto, el Barça es también *més que un club* y tiene la obligación de honrar el lema. Así, por ejemplo, el 8 de abril de 2007, en el transcurso del tercer torneo de fútbol alevín Vila de Peralada, el equipo representativo del Barça dio una lección de deportividad al dejarse marcar por el Espanyol después de anotar un gol en acción confusa y protestada por el rival.

Cuatro años después, el 3 de abril de 2011, el juvenil B que entrenaba Sergi Barjuán fue protagonista de una acción idéntica. En el último minuto del partido disputado en el campo del Castelldefels, el barcelonista Carlos marcó el 0-1 sin darse cuenta de que el meta rival estaba lesionado en el suelo. Sergi ordenó desde el banquillo a sus jugadores que renunciaran a la victoria y se dejaran meter el empate. Así, el Castelldefels logró el 1-1 sin oposición. Acabado el partido, el exlateral izquierdo y entonces técnico declararía: «Representamos al Barça, y este es un club con unos valores que no se pueden traicionar».

601. Los chavales pioneros

Como ya hemos indicado, en octubre de 1979 se estrenó la nueva «pensión» común dentro del club. Aquel mes, veinte jóvenes futbolistas se convirtieron en los primeros residentes de La Masia. De ellos, dieciocho eran catalanes y dos venían de más allá del Ebro. Como todo el mundo conoce la cruda ley del fútbol, no sorprenderemos a nadie si decimos que muchos no llegarían al primer equipo. Pero de aquel grupo de pioneros sí lo lograron Guillermo Amor, Esteve Fradera, Àngel Pedraza y Jordi Vinyals. Pedraza tuvo el honor de ser el primer futbolista formado en La Masia en debutar en competición oficial con el primer equipo, en un partido de Copa de la UEFA contra el Sliema Wanderers, en Malta, el 16 de septiembre de 1980.

Por desgracia, Pedraza falleció el 8 de enero de 2011. Un sentido recuerdo para él, así como en memoria de Manuel Lobo, otro de los pioneros de La Masia, que nos dejó prematuramente el 20 de agosto de 1997; para Ángel Luis Almeida, jugador de baloncesto fallecido el 29 de julio de 1997, y para Alonso Larios, desaparecido el 15 de agosto de 2009.

602. Cosecha de Can Planes

La 2010-11 fue la última con residentes de La Masia en Can Planes. De aquella cosecha de cincuenta y siete futbolistas, la promesa más destacada era Gerard Deulofeu, aunque después no haya llegado a dar lo que se esperaba de él. A diferencia de lo que sucedía en los primeros tiempos, de «cultivo» único, no todos eran futbolistas. Diez chicos se dedicaban al baloncesto, y uno, al hockey patines. Por otra parte, el paso del tiempo y el avance de la globalización ya se dejaba notar: de los cincuenta y siete residentes, dieciséis eran catalanes, diecinueve eran españoles, dos europeos, cuatro sudamericanos y dieciséis africanos.

603. GLOBAL, PERO MENOS

Cinco años más tarde, en junio de 2016, en la moderna Masia de Sant Joan Despí vivían setenta y siete residentes, de ellos cincuenta y cuatro futbolistas, trece jugadores de baloncesto, cuatro de hockey patines, cuatro más de balonmano y dos de fútbol sala. Por nacionalidades, treinta y uno eran catalanes, veintiocho del resto de España, nueve europeos, tres sudamericanos y seis africanos. La globalización había retrocedido un poco. O dicho de otro modo, la sanción de la FIFA había provocado que el Barça se ajustara al detalle a las reglas que rigen en la formación de futbolistas menores de edad en el ámbito internacional. De hecho, en septiembre del mismo 2016, el 85,6% de los ciento noventa y seis jugadores que componían el fútbol formativo amateur azulgrana eran catalanes.

604. LOS QUE NO LLEGAN

Es evidente que llegar a la cumbre en el mundo del fútbol cuesta una barbaridad. Todas las promesas de la Masia comparten sueño y objetivo de llegar al primer equipo, aunque la inmensa mayoría se queda por el camino y deben seguir adelante en otros lugares. Incluso se da el caso de algunos que abandonan la práctica del fútbol por no cumplir sus expectativas. Ya lo dijo en una entrevista de 2011 Carles Folguera, director de La Masia: «Estoy orgulloso de Messi, Xavi, Iniesta, Valdés y Puyol, pero me preocupa el que ha pasado cuatro o cinco años aquí y no ha llegado. Que tenga una formación que le permita ser feliz en otra profesión. Debemos trabajar para todos. Me quedo con Juanito Alfaro, Jordi Mesalles, Òscar Sanjuán, anónimos para muchos, pero que me han marcado por su manera de ser».

9

Las secciones

Solo es preciso caer en ello, topar con la evidencia, y hallaremos enseguida la sencilla razón que explica y justifica el carácter polideportivo del Futbol Club Barcelona. Los pioneros eran genuinos *sportsmen*, auténticos devotos de la práctica deportiva, radicalmente convencidos de las bondades que comportaba, y no tenían bastante con el fútbol. Un buen puñado entre ellos se dedicaba a diversas disciplinas a la vez, de la manera más natural del mundo cuando la pasión conduce tus actos. En especial, hablando de naturalidad, al atletismo, a pesar de que hubiera, por ejemplo, enamorados, como Alfonso Albéniz, de un rugby que importaron para compartir con los nativos aquello tan fantástico que habían conocido fuera, donde el deporte se consolidaba mientras aquí aún era una nueva moda bastante excéntrica para la sociedad acomodada.

Ha llovido mucho, la moda ya se ha institucionalizado y, con ambos pies metidos en el nuevo milenio, convendría repasar el sentido de las secciones del Barça, ver qué cariz adoptan ante la competencia profesional de otros países en disciplinas de vuelo y seguimiento como el baloncesto o el balonmano. Fuera, con mayor cuórum popular, se paga a los mejores lo que aquí no pueden permitirse los denominados «deportes minoritarios», que cargan tal etiqueta por exigencia del monocultivo futbolístico. La fórmula acaba siendo de sencilla comprensión: si pretendes títulos o proseguir en el nivel más alto, la inversión debe resultar acorde con la exigencia competitiva, situación que encarecería bastante el coste de diversas plantillas. Tampoco por ello es necesario pasar al otro extremo y, desde la resignación, tirar la toalla.

Al margen de personalidad, las secciones (tanto las actuales como las desgraciadamente desaparecidas) han colaborado con más de mil títulos a la grandeza del club, y este es un hecho imprescindible antes de emprender cualquier tentación de reestructurar el *statu quo*. Resultaría utópico continuar con la exigencia, permitir que cale en la masa social una errónea voluntad de ganar casi sistemáticamente, como ha sucedido en el fútbol de los últimos años. Conviene encontrar el modelo en su punto justo, el equilibrio que permita una justa continuidad. También, estaremos de acuerdo, parecería desmesurado reclamar que cada deporte, cualquier disciplina olímpica o no, gozara de su ramificación azulgrana. Cuando desde el hoy faltan las referencias del ayer que provocaron ciertas decisiones, cuesta entender por qué, en diversas etapas, el Barça ha cobijado disciplinas como críquet, judo o *bowling*, expresado quede con el mayor respeto hacia practicantes y seguidores de tales disciplinas. Llegamos a la conclusión de que fue por preferencia de los directivos en cada momento. Incluso, algunas alcanzan el pintoresquismo, como aquel patinaje artístico sobre cemento. ¿Y por qué no boxeo, ya puestos, con la fuerza que los cuadriláteros alcanzaron en la Cataluña de los felices veinte?

La popular teoría dedicada al «chocolate del loro» funciona en este apartado. Cada vez que la entidad atravesaba angustias económicas, pagaba el apartado multidisciplinar, dispuesto por naturaleza a sufrir recortes, a ser el perro flaco. Alguna, incluso, traumática, como la de Llaudet con el baloncesto, en decisión que provocó veinte años de convalecencia cuando «la sección de secciones» suma un irregular recorrido vital de noventa años. Cada una de las secciones se ha fundado y refundado, ha desaparecido y ha reaparecido porque nadie se atrevía a quitarle un real al presupuesto del fútbol. Por el Barça han pasado una impresionante variedad de mitos de cada disciplina. Gente que, también, merecería mayor conocimiento no ya de la actual masa social, sino recuerdo y presencia viva en el país. Atletas como el precursor Pere Prat, un verdadero prodigio de la naturaleza más que un simple deportista, o el maestro Gregorio Rojo, incombustible en su afán por las carreras, fuera practicándolas o en pedagogía de gran profesor. O un ciclista legendario para nuestros bisabuelos como Mariano Cañardo, el primer mito de los tubulares, popular hasta extremos de la altura de un Samitier. Por no hablar de Joaquín Blume, aquel genio nacido en pleno páramo que se avanzó unos años al resto en el básico campo de la gimnasia. Su trágica desaparición provocó una auténtica conmoción social que hoy, seguramente y a causa de la hegemonía futbolística, resultaría apagada. De vuelta al baloncesto, no hace falta referirnos a Epi, Solozábal y tantos otros según gustos y currículos. Antes que ellos nos fascinaran con las emociones de prueba cardiaca que solo puede generar un marcador ajustado y la canasta del último segundo, existieron nombres de categoría, como los de Eduard Kucharski, otro precursor, o Joan Canals, el hombre que aceptó privaciones y reconversiones porque prefería la fidelidad a los colores.

También un deporte tan minoritario aquí como el béisbol guarda su figura en azul y grana, aquel Humberto Marco Oliver al que podríamos sintetizar con un solo concepto ya aplicado sobradamente en esta introducción y que todos conocemos como pasión por su especialidad. Si volvemos a ampliar el ángulo de visión, algún día, quizá se llegará a estudiar el porqué de la implantación de ciertos deportes en parajes concretos de nuestra geografía y, de paso, cómo han terminado influidos, ya no digamos perjudicados, por la potencia descomunal de un Barça que puede actuar como la sombra del sol y dejar medio deporte catalán reducido a la oscuridad. En pueblos y ciudades dispersos por el territorio no se ha olvidado la decisión de Josep Lluís Núñez de fortalecer su propio escudo a base de debilitar a los desvalidos con peor economía. Pensamos en las figuras de la canasta importadas desde Badalona, para comenzar los ejemplos, o del balonmano, que pasaron de Granollers a Barcelona. El balonmano azulgrana, por cierto, la sección profesional más triunfante del club, incluso por encima del fútbol, que además puede lucir en su Olimpo particular a un crac como el portero David Barrufet, el deportista más laureado de la historia del Barça con setenta y un títulos, que se dice pronto.

Por su parte, el hockey, seguimos recordando, era hegemónico en Reus, y su equipo dominaba en Europa, hasta que el Barça decidió apostar por él a partir del ideólogo Josep Lorente, un entrenador capital que, en dos décadas, pasó del cero a treinta y siete en títulos rodados sobre patines. Gracias al *stick*, bueno será subrayarlo, el club consiguió su primera Copa de Europa. Y gracias al Palau Blaugrana en su calidad de sede con toque especial, se han vivido todo tipo de héroes, de noches inolvidables, de sentimientos singulares en las victorias y en las derrotas.

Con clara intención de rechazar los argumentos de aquellos que solo ven, viven y quieren fútbol, el *més que un club* también radica en este carácter polideportivo, sea profesional o aficionado, en esta prolongación asumida de personalidad que es, en la práctica, incomparable en el planeta. De cara a los tiempos que corren y vienen, convendrá repensar la fórmula para garantizar la continuidad, sea en la capacidad de competir o en la diversidad de materias. No será fácil, naturalmente, pero la tradición y el carácter obligan a perseverar en el esfuerzo, en el convencimiento y el tesón de creer que todos ellos también son Barça. Barça del bueno, del de toda la vida.

605. Entidad polideportiva

Año 1899. Aunque Joan Gamper y sus amigos tuvieran la idea de fundar un club dedicado a la práctica del fútbol, en realidad el carácter de *sportsmen* de aquellos pioneros generaría que, casi desde el primer día, el nuevo FC Barcelona adquiriera la condición de entidad polideportiva.

Sus socios eran, forzosamente, futbolistas, aunque muchos practicaran desde tiempo atrás deportes como el atletismo, el ciclismo, el tenis o el críquet. Obviamente, no abandonaron tales prácticas una vez adscritos al primer club de fútbol de la ciudad de Barcelona. De esta forma, aquello que quedó escrito en los primeros estatutos del club, fechados el 2 de diciembre de 1902, no fue más que la plasmación de lo mantenido desde el nacimiento de la entidad: «Durante todo el año los socios numerarios, además del juego de *foot-ball*, podrán practicar juegos como carreras a pie, tenis, críquet, etc.». Así pues, puede decirse que el club ya era polideportivo desde época tan temprana. Aún no existían las secciones deportivas organizadas, era simple cuestión de tiempo.

606. Prácticas atléticas

El Barça fue el primer club de fútbol catalán que aleccionó a sus asociados en las prácticas atléticas, tomando parte desde un principio en todas las carreras de importancia convocadas y, también, organizando concursos y campeonatos sociales. La sección de atletismo azulgrana aún no existía oficialmente, pero los socios-futbolistas-atletas ya conquistaron laureles para el club el 18 de noviembre de 1900, día del primer partido del Barça en el campo del hotel Casanovas. Para celebrar el evento se disputó un festival de atletismo y Miquel Valdés, el de la lotería de las Ramblas, ganó la prueba de cien metros, con un tiempo de doce segundos.

607. Hacían de todo

El 13 de marzo de 1904, el alemán Udo Steinberg ganó una carrera de 800 metros tras imponerse a otros diecinueve participantes. Un mes después, Steinberg quedaba primero en los 100 metros y José Quirante vencía en los 1.500. A partir de entonces, futbolistas multidisciplinarios como Miquel Puig, Enric Peris, Francesc Bru, Carles Comamala, Manuel Amechazurra, J. Donday o Domènec Espelta ampliaron el palmarés oficioso del atletismo azulgrana.

608. Atletismo y tenis

La sección de atletismo del FC Barcelona, la más antigua del club entre las que aún perviven, fue fundada oficialmente el 12 de diciembre de 1912, el mismo día en que se creaba la sección de tenis, desaparecida definitivamente en 1938. El atletismo azulgrana, en principio exclusivamente masculino, fue disuelto el 18 de septiembre de 1917 y se refundó para permanecer hasta hoy el 4 de marzo de 1921. No sería hasta 1933 cuando se creó una subsección femenina, encabezada por las atletas Maria Olivart y Anna Maria Martínez Sagi, quien, como ha quedado escrito, sería la primera mujer directiva del FC Barcelona.

609. El críquet, también

Julio de 1913. En una reunión de la directiva se enumeran las secciones deportivas del club: atletismo, tenis y críquet. Hoy, solo resiste el atletismo. Si el Barça decidiera algún día refundar la sección de críquet, el seguimiento popular del club experimentaría un crecimiento exponencial en la India y Pakistán, países con devoción masiva por la disciplina.

610. El gran Pere Prat

Cierto día de 1911, el directivo barcelonista Miguel Giró disfrutaba de una excursión por el Pirineo. De repente, vio a un chico alto y rapidísimo que cargaba una gran mochila mientras huía a toda velocidad de dos carabineros que no consiguieron atraparlo. Giró, deslumbrado, pudo localizarlo al cabo de un rato. El chico le dijo que su nombre era Pere Prat, que tenía veinte años y era pastor, aunque no confesó el motivo de la persecución policial. En cualquier caso, Giró tampoco se lo preguntó. Lo que le interesaba era convencer a Prat para que ingresara en la todavía no oficial sección de atletismo del Barça. Así, el joven pastor debutó en un festival atlético celebrado con motivo del cierre de la temporada futbolística, en agosto de 1911. Al cabo de cuatro días, Pere Prat batía el récord de Barcelona de la media hora recorriendo 8.676 metros.

611. El atleta del pueblo

Establecido en la capital, Prat trabajó como lechero y corría como atleta bajo el amateurismo más estricto. Igual se le veía repartiendo leche por las casas como corriendo por las calles de Barcelona, con los peatones boquiabiertos. Cada domingo o festivo iba al parque de la Ciutadella, donde protagonizaba el desafío del día entre atletas, que podía ir desde una carrera de cien metros hasta un número determinado de vueltas al recinto del parque, de unos mil cuatrocientos metros por giro. Indefectiblemente, Prat ganaba por sistema entre la euforia popular. Era imbatible. Su condición humilde y su inmensa popularidad le valieron el apodo de El Atleta del Pueblo.

612. Los desafíos

La expectación popular ante los desafíos atléticos de Prat era cada vez mayor. El salto cualitativo llegaría el 20 de enero de 1915, cuando Prat se enfrentó al mejor corredor vasco del momento, Domingo Ubarrechena, en una carrera que consistía en dar cien vueltas a la plaza de toros de San Sebastián. Venció Prat por cinco vueltas de ventaja. El 15 de febrero se disputó un nuevo reto, en este caso ciento veinte vueltas a la plaza de toros de Tolosa. Aún más difícil, ya que se enfrentó al tándem Múgica - Azpeitia, que se relevaba cada quince minutos. Pues ni así: Pere Prat volvió a ganar por cinco vueltas de ventaja.

613. ESTRENO DEL CROSS

En agosto de 1915, un eufórico Prat (que al parecer no se cortaba un pelo), lanzó un desafío singular, dirigido a cualquier corredor español, «sobre todas las distancias de 1 a 42 kilómetros, estando dispuesto a trasladarse a la población que sea necesaria y acuerde efectuar el *match*». Emilio González, entonces el más relevante atleta madrileño, aceptó el envite, proponiendo una carrera de 5.575 metros (la legua española) en Madrid, «pero sin apuesta en metálico alguna, tan solo por la dicha de alcanzar el triunfo». Finalmente, el 6 de febrero de 1916 llegó la gran jornada, con cincuenta y seis participantes reunidos en la capital española, con mayoría de madrileños y catalanes, aunque también acudieron vallisoletanos, guipuzcoanos y portugueses. De hecho, aquello constituyó el primer campeonato de España de *cross*. Pere Prat ganó con autoridad por delante de Josep Erra y del mencionado Emilio González, victoria que repetiría al cabo de un año.

614. SEIS AÑOS DE DOMINIO

A pesar de que Pere Prat sea hoy un perfecto desconocido por aquello del escaso respeto a la memoria histórica en general y deportiva en particular, no podemos olvidar que el antiguo pastor del Pirineo se convirtió en un campeón prácticamente invencible desde 1911 hasta 1917, cuando se retiró con solo veintiséis años a causa de una lesión. Llegaría a ser plusmarquista de Cataluña y España en todas las distancias que entonces se practicaban, desde los 800 metros a la maratón. Por ejemplo, en 1916 acumulaba al mismo tiempo nueve récords de España, en las modalidades de 800, 1.000, 1.500 y 3.000 metros, milla inglesa, legua española, carrera de media hora, carrera de una hora y maratón.

Dotado con unas condiciones físicas excepcionales (1,80 de altura, 80 kilos y una portentosa capacidad pulmonar), Pere Prat alcanzó la consideración de mito viviente del atletismo. Dicen las crónicas consultadas que su esprint era portentoso y le convertía en prácticamente invencible.

615. Un primo ilustre

Por desgracia, una vez prematuramente retirado, la estrella de Pere Prat se apagaría de golpe. El que había sido figura mediática cayó en el olvido de modo vertiginoso. Con el tiempo se sabría que partió hacia Inglaterra, donde trabajó en mil tareas, desde fogonero a camarero. Más tarde, viajaría a Estados Unidos, donde, de entrada, las pasó canutas, aunque en la década de los treinta organizaría una próspera empresa de taxis en Nueva York. Fue entonces cuando cambiaría su apellido por el de Pratt, que suena más americano. En cualquier caso, desconocemos la fecha de defunción de esta legendaria figura del atletismo del FC Barcelona.

Además, Pere Prat era primo del abogado, escritor y político de la Lliga Regionalista Enric Prat de la Riba, quien fue presidente de la Mancomunitat de Catalunya entre 1914 y 1917. El FC Barcelona instituyó en su honor la Challenge Internacional Pere Prat, en palabras escritas por el periodista Daniel Carbó en 1924, «la prueba de mayor resonancia que registra el atletismo peninsular y que constituye un homenaje perenne en memoria de aquel pedestrista formidable que a la gloria de su nombre unió la de los colores azulgrana». Como tantas y tantas cosas, esta prueba atlética dejó de celebrarse a partir de la guerra civil.

616. Rugby primerizo

Si bien la fundación oficial de la sección se realizó en 1924, la práctica del rugby en el FC Barcelona ya lucía una larga historia previa. Así, en 1902, ya tenemos noticia de algún *match* en las dependencias barcelonistas. El principal promotor del rugby azulgrana en aquella época remota fue Alfonso Albéniz, jugador del primer equipo de fútbol, quien, durante su estancia en Francia, había militado en el Racing de París. En 1903 se realizaron activas gestiones para organizar en la carretera de Horta, donde tenía su campo el Barça, un partido entre dos destacados equipos de Toulouse. El excesivo gasto que comportaba impidió llevarlo a cabo. De todos modos, nadie se hubiera atrevido a imaginarlo de no contar detrás con un relativo número de aficionados. Más tarde, los clubes barceloneses Hispania y Espanyol disputaron algún amistoso contra jugadores que portaban la camiseta del Barça, pero la afición aún no había cuajado y el rugby azulgrana tardó años en ser oficial.

617. ESTRENO EN SANT BOI

La inauguración oficial del rugby azulgrana se produjo el 28 de julio de 1924 bajo los auspicios de los directivos Massana y Cusell, grandes promotores de cualquier nueva sección. El primer choque de la flamante disciplina se disputaría el 21 de septiembre de aquel año, en el campo de Sant Boi de Llobregat, contra el equipo del CADCI (Centre Autonomista de Dependents del Comerç i la Indústria). Venció el Barça por 9 a 5. Curiosamente, el presidente del CADCI era Francesc Xavier Casals, que lo sería del Barça durante la guerra civil.

618. FINAL SONADA

Muchos años después, el 23 de mayo de 1965, la final del Campeonato de España de rugby se disputó en Sant Boi de Llobregat entre el FC Barcelona y el C. D. Universitario. Venció el equipo barcelonista por un ajustado 3-0 gracias a una transformación del capitán Gabriel Rocabert. De este modo, el rugby azulgrana conseguía su primer título estatal tras nueve años de sequía. De paso, significaba el único galardón de las secciones en aquella campaña, al margen del atletismo. Al final del encuentro, los campeones, con la euforia desbordada, pudieron entonar su canción de guerra, *Tarrambu*, de título intraducible y letra desconocida para aquellos que no pertenecían al equipo.

No obstante, la previa de esta final había estado marcada por la polémica: cuatro días antes, la plantilla de rugby del Barça mandó una carta al presidente Llaudet en la que expresaba su queja por el cambio de escenario para la final, trasladada del Camp Nou a Sant Boi. En primera instancia, el directivo Piera había permitido la final en el Estadi horas antes del partido de Liga de fútbol ante el Murcia, pero después la junta cambió de opinión al considerar que el césped podía quedar maltrecho. Al margen del disgusto por no poder jugar en el coliseo azulgrana ante miles de espectadores, los chicos del rugby también se quejaban de que Llaudet se hubiera olvidado de ellos en una cena de homenaje a las secciones celebrada días antes. Ay, eso de saber cuidar los detalles…

619. MARIÀ CAÑARDO

Para muchos estudiosos de la historia deportiva, Marià Cañardo merece el distintivo que le acredite como mejor ciclista catalán de todos los tiempos. Durante los años veinte y treinta, Cañardo sería, sin lugar a dudas, uno de los deportistas más populares de Cataluña. Había iniciado su carrera profesional, llena de triunfos, en 1926. Su enorme categoría, unida a un carácter afable y abierto, le convirtieron en ídolo de masas, perfectamente equiparable a mitos futbolísticos de la época como Ricardo Zamora y Josep Samitier. Barcelonista de corazón (en su solapa nunca faltaba el escudo del Barça), se hizo socio en 1927 y fue el alma de la antigua sección de ciclismo, que prácticamente tendría una vida paralela a su trayectoria deportiva (1925-1943). El palmarés de Cañardo durante aquellos años parece inigualable: cuatro veces campeón de España contrarreloj, ganador de la Volta a Catalunya en siete ocasiones y campeón de las Vueltas a Valencia, Aragón, País Vasco, Marruecos y muchas otras, hasta totalizar cincuenta títulos individuales. Además, quedó sexto en el Tour de Francia de 1936. Cuando falleció en Barcelona, el 19 de junio de 1987, Marià era socio de honor del Barça.

620. Homenaje en argot

A mediados de los setenta, los escolares catalanes ya no sabían quién era Marià Cañardo. De hecho, ni tan solo mantenían el ciclismo como afición deportiva preferente. A la manera de hoy, aquellos colegiales solían disputar en la hora del patio descontrolados partidos de fútbol llenos de pasión. Cuando algún balón quedaba franco para que el delantero fusilara con furia al portero contrario, el grito era unánime: «¡Pégale *cañardo!*». Entonces, *cañardo* era como se conocía popularmente un chut seco y duro. Aquellos chavales no tenían ni idea sobre la procedencia de tal apelativo, pero con el epónimo homenajeaban a aquel ciclista navarro de nacimiento, catalán de adopción y barcelonista de corazón que destacaba por su velocidad y resistencia. De aquí la comparación con un chut que salía del pie como una bala, asemejando la potencia de Marià cuando arrancaba en carrera.

621. Tres despedidas a la vez

El 10 de junio de 1943 resultaría un día triste para el FC Barcelona. Y no, no nos referimos a la muerte de ningún personaje destacado del mundo azulgrana ni tampoco a una derrota deportiva, porque el 11-1 de Chamartín ante el Madrid no se produciría hasta tres días después. Hablamos de una dolorosa decisión de la directiva de Enrique Pyñeiro, que aquel día suprimió de una tacada tres secciones: ciclismo, hockey patines y hockey hierba femenino. ¿La razón? La falta de «instalaciones adecuadas para la práctica del correspondiente deporte». Es decir, que el club no contaba ni con un velódromo, ni con una pista propia de hockey patines. Conste que tan determinante razón no se aplicaba a la sección de hockey hierba femenino, que había sido fundada en 1940 y ahora desaparecía sin ningún tipo de explicación. En cualquier caso, la sección masculina de hockey continuó adelante sin problemas.

622. BÉISBOL POR LOS PELOS

Entre las secciones que aquel día presentaban candidatura a la desaparición, la única que logró salvarse fue la de béisbol, fundada en 1941. Y se salvó por la campana, tras atender a la desesperada petición de sus responsables y bajo la condición ineludible «de no gravar el presupuesto del club». Tal vez los directivos pensaron que, con tres secciones liquidadas en un solo día, ya tenían bastante. El béisbol, como es sabido, fue sección azulgrana hasta 2011, cuando fue disuelto, víctima de los recortes y con relativa polémica. Más que nada, no nos engañemos, por su dilatada trayectoria.

623. SIN NATACIÓN

De regreso a aquella primavera de 1943, subrayemos que por aquel entonces existía una especie de manía persecutoria contra las secciones. Como acostumbra a pasar cíclicamente en épocas de crisis y reajustes económicos, los más débiles quedan encargados de pagar los platos rotos. Aunque cuesten cuatro reales. Así, en la anterior reunión de la directiva, celebrada el 19 de mayo de 1943, ya se había acordado la disolución de la natación azulgrana, joven sección que, como la de béisbol, había sido fundada dos años antes y que ahora desaparecía para siempre. El motivo alegado se puede adivinar fácilmente: falta de piscina propia…

624. REFUNDACIONES

Hablando de las secciones eliminadas en aquel infausto 10 de junio de 1943, debemos decir que el ciclismo azulgrana, fundado en 1925, reaparecería en tiempos contemporáneos, aunque con existencia efímera de tres años, entre el 27 de noviembre de 2003 y el 15 de noviembre de 2006. Por lo que respecta al hockey patines, que databa de 1942, la sección fue refundada en 1948 con la pista de la Gran Vía como terreno de juego. Por último, el hockey hierba femenino resucitaría muchísimos años después, a partir de la temporada 2003-04, cuando fue creado un equipo infantil «dando respuesta a un gran número de jóvenes [sic] que se interesan por este deporte», como quedaría escrito, sin diferencia de género, en la memoria del club de aquel ejercicio. A partir de entonces, partiendo desde abajo, a cada temporada se añadió un nuevo equipo de féminas por categoría hasta que, en la 2008-09, ya hubo finalmente nivel sénior del hockey hierba femenino.

625. BALONMANO A ONCE

La fundación de la sección de balonmano del FC Barcelona llegó el 23 de noviembre de 1943. Aquella nueva sección de «balón a mano» tuvo como primer delegado al directivo José Espada Cruz, comandante del ejército. No en vano los orígenes del balonmano español procedían de esferas militares. En 1928 se había presentado este deporte en el Regimiento de Alcántara, sito en Barcelona.

En el arranque, esta nueva sección se jugaba en el campo de fútbol de Les Corts, en la modalidad de once jugadores. No fue hasta finales de los cincuenta cuando se inició la práctica moderna, con siete jugadores y en pista cubierta.

El equipo azulgrana de balonmano a once ya conseguiría el campeonato de Cataluña en la campaña 1943-44 e hizo doblete con el de España en 1945, 1946, 1947, 1949 y 1951. El posterior periodo de transición coincidió con la decadencia de esta modalidad clásica, que perdía fuerza ante la moderna especialidad del balonmano a siete, hasta el punto de que la variante a once desapareció en 1960.

626. NO ERA BUENA IDEA

Tradicionalmente, el balonmano a siete siempre se ha jugado en pista cubierta, pero en principio existía cierta confusión al respecto, como sucedió el 9 de abril de 1953, cuando la junta recibió una petición para celebrar un partido en Les Corts como preliminar del Barça-Athletic de Bilbao del 3 de mayo, día en que, a la postre, el once azulgrana se proclamaría campeón de Liga. Debemos suponer que la idea pasaba por reducir el terreno de juego y acomodarlo a la práctica del balonmano moderno. Si no era así, hacer correr a siete jugadores por bando en un campo de 112 x 70 metros podía resultar inhumano. En cualquier caso, la petición fue rechazada «por no poder marcar el campo con líneas que puedan luego entorpecer el partido de Liga».

627. RIVALES EN TODO

Hablemos ahora de un antagonismo eterno que no se circunscribe solo a una especialidad deportiva. Nació en el mundo del fútbol y está asociado a evidentes connotaciones políticas, pero hoy en día la poderosa rivalidad entre el FC Barcelona y el Real Madrid posee la capacidad de impregnar cualquier otra manifestación del deporte estatal. Queda claro que esta pugna alcanza su clímax en el ámbito futbolístico, pero también se ha dado y da en el baloncesto. Si miramos atrás, también se produjeron duelos directos en béisbol, voleibol, hockey patines (con victoria barcelonista por 2-1 en la final del Campeonato de España de Segunda División de 1950), atletismo (la sección del Madrid desapareció en 1960), rugby (con triunfos azulgrana en las finales del Campeonato de España de 1930 y 1932) y balonmano a once (coincidieron ambos en la década de los cincuenta). De hecho, no resulta atrevido afirmar que si el Real Madrid albergara las mismas secciones que el Barça, cada uno de sus enfrentamientos directos se convertirían en una versión más o menos reducida del gran «clásico» del fútbol español. Volveremos a hablar de este tema.

628. EL BÉISBOL

Aunque el recuerdo se pierda en el tiempo, la sección de béisbol azulgrana, fundada en 1941, protagonizó en la década de los cuarenta trepidantes enfrentamientos con el Real Madrid, que le daba réplica desde 1944. Así, a la victoria blanca en la final del Campeonato de España de 1944 le sucedieron los triunfos de los beisbolistas azulgrana en las finales de 1946 y 1947. Aldea, Fidalgo, Garrido, Rossich, Borrell, Segura, Gallar, Mariatges, Cruselles y Taixés componían aquel gran equipo. Por desgracia, la supremacía del FC Barcelona de béisbol se deshizo a inicios de los cincuenta y tan emocionantes duelos cayeron en el olvido. Finalmente, en 1963, los blancos eliminarían su sección, y los azulgranas, mucho más tarde, en 2011, como hemos indicado antes.

629. MARCO Y EL BATE

Humberto Marco Oliver nació el 4 de febrero de 1919 en Barcelona, en el seno de una familia de vaqueros de Hostafrancs que no se perdía un solo partido del Barça. De jovencito aprendió el oficio de ebanista en un taller vecino y le interesaba el fútbol. Así, a los diecisiete años jugaba en la Penya Escolà, pero un día de 1936, mientras paseaba en bicicleta, vio casualmente a un grupo de cubanos jugando a algo prácticamente desconocido en un solar de la avenida Diagonal. Era béisbol: Marco cayó perdidamente enamorado.

Poco después, estallaría la guerra. Marco se enroló en el bando republicano. En el frente resultaría gravemente herido por la explosión de una bomba que le dejaría sordo del oído izquierdo. Acabado el combate, optó por un breve exilio en Francia antes de regresar a Barcelona. Eran tiempos ciertamente difíciles. Al cabo de dos días de regresar, un grupo de falangistas fue a buscarlo a casa para darle una terrible paliza. Como los jóvenes que lucharon al lado de la legalidad republicana, tuvo que volver a hacer un servicio militar de tres años. Destinado en Valladolid y Salamanca, los domingos jugaba al fútbol por placer, como defensa. Era un jugador notable aunque con tendencia a lesionarse.

Terminada la mili en 1943, Marco retornaría a Barcelona tras siete años. Entonces recuperó su pasión por el béisbol gracias a la amistad con un vecino del barrio, empleado en la joven sección del Barça de esta disciplina considerada el «pasatiempo nacional norteamericano». Entonces, los beisbolistas azulgranas jugaban en el antiguo campo del CADCI, situado a doscientos metros de su casa. Marco se fue animando hasta convertirse en el encargado del material. Cada domingo carreteaba con un montón de sacos cargados de bates, pelotas y equipajes.

630. LA PASIÓN DEL ÁRBITRO

En 1944, la pasión por el béisbol le llevaría a convertirse en árbitro oficial. En los cinco primeros años juzgaba partidos de infantiles, juveniles y cadetes, casi sin cobrar. Poco a poco, acabaría pitando a séniors, campeonatos de España y torneos internacionales. En el recuento final, dirigiría unos mil doscientos partidos de primer nivel, cien de ellos internacionales. Participó en cinco Campeonatos de Europa. Marco fue considerado siete veces el mejor árbitro europeo.

A pesar de las reticencias provocadas por el hecho de que un socio culé pitara partidos del propio equipo azulgrana, el mismísimo Santiago Bernabéu solía pedir que Marco dirigiera los partidos de la sección de béisbol del Real Madrid.

Cuarenta años después, ya retirado del arbitraje, volvió a la sección de béisbol del Barça, primero como encargado de las categorías infantil y cadete, y, a partir de 1988, como máximo responsable de la sección. Siendo el béisbol deporte minoritario en nuestras tierras, su salto a la fama llegaría en 1999, cuando protagonizó unos anuncios publicitarios donde fascinó por su espontaneidad y naturalidad ante las cámaras. Ya octogenario, trabajaba cada día en el club de diez a dos. Su muerte, el 16 de diciembre de 2005, resumió su vida, dedicada plenamente al FC Barcelona. Murió en las oficinas del club, trabajando para el béisbol como delegado honorífico.

631. Noventa años de baloncesto

La sección de baloncesto del FC Barcelona fue fundada el 24 de agosto de 1926 a propuesta del directivo Pere Cusell, gran defensor de las secciones deportivas. El baloncesto disputaría sus primeros partidos en el complejo deportivo del Sol de Baix, del que ya hemos hablado y, por desgracia, no queda huella en la memoria histórica del barcelonismo. La implantación del básquet resulta sorprendente por rápida. En aquella campaña de estreno, la 1926-27, el Barça ya participó en el Campeonato de Cataluña, competición que, curiosamente, la jugaban equipos formados por siete jugadores y que ganó el Martinenc. Solo tres años después, el Barça ya disponía de cuatro equipos, tres masculinos y uno femenino, que participaban en diversos torneos catalanes. De todos modos, el despegue definitivo de la sección no llegaría hasta la posguerra.

632. Baloncesto en tierra batida

Acabada la guerra civil, el FC Barcelona reactivó la sección de baloncesto, paralizada durante el conflicto bélico. Así, el 20 de octubre de 1940 se inauguró una pista de baloncesto que se consideró la mejor de España, pese a ser descubierta y de tierra batida, como las de tenis. Como fuere que estaba situada junto al gol sur de Les Corts, el público asistente aprovechaba las escaleras de acceso al viejo campo para obtener mejor visión del deporte de la canasta.

633. Eduard Kucharski

Eduard Kucharski González (1925-2014) nació en L'Hospitalet de Llobregat, hijo de un refugiado polaco de la Primera Guerra Mundial. Kuchi, como le llamaban sus amigos, se convirtió en figura clave del baloncesto estatal durante los años cuarenta. Jugador excepcional, forjado tras muchas horas de entrenamiento en solitario, mostraba un gran dominio del balón y enorme precisión en el lanzamiento a canasta. Kucharski se inició en el C. E. Laietà, con el que debutaría en 1941 en la máxima categoría cuando solo tenía dieciséis años. Después, jugaría en el FC Barcelona (1946-47), el Joventut de Badalona (1947-48), de nuevo el Barça (1949-53) y el C. B. Aismalíbar (1953-58). Durante la campaña 1948-49 no pudo disputar partidos oficiales por la falta de acuerdo entre el Joventut, equipo en el que tenía ficha, y el Barça, con el que se había comprometido de nuevo bajo promesa de que le facilitarían realizar el servicio militar cerca de casa. Su palmarés azulgrana incluye dos Copas de España (1946-47 y 1949-50) y tres Campeonatos de Cataluña (1946-47, 1949-50 y 1950-51).

Kucharski se retiraría como jugador en 1958 para entrenar a diversos equipos. Entre ellos, el Barça de los años 1977 a 1979, cuando dejaría los banquillos tras obtener las Copas del Rey del 77 y 78. Por desgracia, no salió del Barça de la mejor manera, ya que dimitió después de una inesperada derrota en Manresa el 7 de enero de 1979 (94-93), harto «de las camarillas que se habían formado entre los jugadores para reclamar unas primas», según confesó.

634. A media jornada

En cualquier caso, sus méritos fueron reconocidos cuando, en

1991, Kucharski recibió la medalla Forjadors de la Història Esportiva de Catalunya y fue nombrado «histórico del básquet catalán». Digamos que Eduard, el primer genio del baloncesto español, nunca viviría completamente de este deporte, ya que lo compaginaba con su trabajo en la empresa familiar, dedicada a la fabricación de tornillos. De hecho, cuando dejó el banquillo del Barça, en enero de 1979, se desvinculó completamente del baloncesto al no sentir el mínimo interés por su versión moderna, que consideraba demasiado física. Desde entonces prefirió la práctica del golf.

635. Un equipo fantástico

El 8 de marzo de 1959, el Barça de baloncesto conseguiría el primer título de liga de su historia. Y lo hizo gracias a su triunfo en la postrera jornada sobre el Águilas (63-45), en duelo disputado en el barcelonés Palacio de Deportes de la calle Lleida. Bajo la dirección del técnico Jaume Isal, la plantilla campeona estaba integrada por Canals, Bonareu, Alfonso Martínez, Josep Lluís Martínez, *Nino* Buscató, Cano, Plana, Miró, Mateu y Meléndez. Este inesperado éxito llegaría porque, el día anterior, el Real Madrid había perdido en la pista del equipo sabadellense Orillo Verde (65-38), desperdiciando sus opciones al título. El campeonato acabaría así con una victoria más del Barça, veinte, frente a las diecinueve sumadas por los blancos.

Aquel excelente equipo ganó también la Copa, tras vencer en la final al Aismalíbar de Montcada i Reixac por 50-36. En aquella feliz temporada 1958-59, el Barça sumó el doblete Liga-Copa tanto en baloncesto como en fútbol, hito que nunca había sucedido antes…, hito que no ha vuelto a suceder.

636. Canastas desequilibradas

La sección de baloncesto del Real Madrid fue fundada en 1931, cinco años después de la del FC Barcelona. En los primeros tiempos, no puede hablarse de rivalidad entre ambos conjuntos, ya que los azulgranas se mostraron claramente superiores. De hecho, desde la guerra civil hasta 1951, se disputaron más de veinte partidos entre ellos y todos acabaron con victoria barcelonista.

Las tornas cambiaron a principios de la década de los sesenta, justo después del doblete conseguido por el Barça en 1959. Por

desgracia, la proyección de aquella plantilla se truncó inmediatamente a causa de la delicada situación económica del club. El
presidente Llaudet optó por regresar al amateurismo en las secciones, ahogado por los números rojos. Simplemente, el Barça
no podía permitirse pagar ni un duro a ningún deportista que
representara sus colores…, si no era futbolista. De esta manera,
la pérdida de los jugadores importantes del Barça hizo que la ba-
lanza se decantara hacia los blancos. Por si fuera poco, posteriormente se sumaron las facilidades de que gozaba el Madrid en algunas nacionalizaciones «políticas» de sus figuras extranjeras
(Brabender y Luyk, por ejemplo), ventajas que contrastaban con
las enojosas trabas sufridas por el Barça, en casos como los de
Carmichael y Thomas.

637. EL FIEL CANALS

Joan Canals Cunill, otro de los nombres que la historiografía
azulgrana debería mantener siempre presente, fue el héroe de
aquellos tiempos difíciles. Nacido en Badalona en 1928, jugó
en el Joventut antes de fichar por el Barça de baloncesto,
donde permanecería ocho años; consiguió el mencionado doblete de Liga y Copa de 1959 con aquel equipo estelar que ca-
pitaneaban Jordi Bonareu y Francesc *Nino* Buscató. Pero
aquella gran escuadra fue sufriendo recortes económicos año
tras año en un contexto general de terrible crisis provocado
por la deuda en la construcción del Camp Nou, de la que hablamos profusamente en nuestros libros.

Buscató y los hermanos Martínez (Alfonso y José Luis) se
marcharon en 1960 y Bonareu al año siguiente, pero Canals,
quien desde la temporada 1960-61 era jugador-entrenador, se
quedó, incluso cuando en el verano de 1961 la nueva junta directiva de Enric Llaudet decidió convertir la sección de baloncesto
en amateur y retirar al equipo de primera división. El Barça quedaba así relegado a la última categoría y todos los jugadores de
la temporada anterior optaron por irse ante la tesitura de pasar
de profesionales a aficionados. Bien, todos no porque el heroico
jugador-entrenador Canals permaneció en su puesto: pasó de cobrar un salario de sesenta mil pesetas anuales a no recibir ni un
céntimo, teniéndose además que pagar el tranvía y la ropa. Por
suerte, un año después, Llaudet rectificó tan grave error y logró

la readmisión de la sección de baloncesto en la máxima categoría estatal, aunque el mal ya estaba hecho, con un Barça debilitado y un Real Madrid que impondría su supremacía durante largos años. Por su parte, Canals seguiría en el club hasta 1964, cuando se retiró definitivamente como jugador y decidió entrenar al Joventut.

638. UN BACHE HISTÓRICO

Con el panorama que acabamos de exponer, no es de extrañar que las décadas de los sesenta y setenta fueran absolutamente decepcionantes, con un Barça desorientado y un Madrid sin rival, ganador de Ligas y Copas de Europa, erigido en representante de «las esencias patrias» españolas también en baloncesto. El Barça tuvo que esperar hasta 1980-81 para volver a ganar una liga, gracias a una generación de estrellas que comenzaban a despuntar entonces: nombres inolvidables como Solozábal, Epi, Sibilio, Flores, De la Cruz...

Por fin, los azulgranas podían mirar a los blancos en igualdad de condiciones. Así, el primer rifirrafe entre directivas en la nueva época llegó en 1982-83. El Barça había obtenido aquel campeonato liguero gracias a su triunfo sobre el Real Madrid en el partido final de desempate jugado en Oviedo (76-70). En la Copa, debían enfrentarse al Madrid en semifinales, pero los blancos no se presentaron, alegando que Josep Lluís Núñez se había negado a firmar un acuerdo colectivo con la recientemente creada Asociación de Clubs de Baloncesto (ACB) para la retransmisión de determinados partidos por TVE. Finalmente, El FC Barcelona ganó la Copa tras derrotar en la final al Inmobanco de Madrid por 125-93.

639. MÁS JALEOS

La polémica estallaría de nuevo en la liga 83-84, la primera disputada bajo el sistema de *play-off*. En el estreno, jugado en el Palau Blaugrana, los blancos se habían impuesto por 65-80. Viaje a Madrid para afrontar el segundo partido. En juego, el madridista López Iturriaga lanzó un codazo al azulgrana Davis. La airada reacción del jugador norteamericano generó la agresiva intervención del pívot local, Fernando Martín. Y se lio parda. A pesar de todo, el Barça ganó aquel cargado duelo por 79-81.

Los árbitros habían expulsado a los protagonistas de la gresca y se armó una gran polémica en España, extraña para una disciplina de raíz universitaria, distinguida por su deportividad. Cuando se esperaba que los tres fueran sancionados, el Comité de Competición decretó que Davis estaría seis partidos sin jugar; Martín, trece; e Iturriaga, ninguno. Ante lo que consideraba una arbitrariedad, el Barça no se presentó al tercer y decisivo encuentro. El Real Madrid ganó la Liga por incomparecencia del adversario y el Comité de Competición castigó al FC Barcelona con una multa de ciento noventa y cinco mil pesetas.

640. Máxima emoción

Con posterioridad, los duelos «no aptos para cardiacos» entre Barça y Madrid aumentaron a ritmo exponencial. Al fin y al cabo, la naturaleza del propio baloncesto propiciaba esta tensión. Entre algunos hitos imborrables, destaquemos la agónica conquista de la Copa 87-88 por parte azulgrana gracias a un milagroso triple de Nacho Solozábal en el último segundo. O las polémicas entre los azulgrana y Drazen Petrovic, estrella croata del Madrid, en la liga 88-89, finalmente ganada por el Barça. En las dos últimas décadas, la rivalidad no ha descendido ni un grado, aunque también se ha diversificado por la irrupción de otros equipos potentes, al margen de los históricos Estudiantes y Joventut de Badalona.

641. Norris y Martín

Sea como fuere, los buenos aficionados al baloncesto recuerdan los apasionantes y aún recientes duelos entre Audie Norris y Fernando Martín, los de Epi con José Biriukov o los de Nacho Solozábal con Juan Antonio Corbalán. Esos enfrentamientos hicieron crecer la afición y sirvieron para identificarse con los dos mejores equipos de España. Hoy, siguen entrañando algo diferente, sobre todo por lo que concierne a los jugadores surgidos de ambas canteras. Tanto en fútbol como en baloncesto, un Barça-Madrid es algo especial, distinto a los restantes partidos del año. Todos quieren ganar al máximo adversario.

642. Gregorio Rojo

Realicemos un nuevo salto en el tiempo para hablar de Gregorio Rojo, otro nombre mítico del FC Barcelona. Su ejemplo merece capítulo aparte en la historia del atletismo, deporte al que dedicó seis décadas de su vida, que se dice pronto. Desde 1940 hasta 2001, primero como destacado atleta del Espanyol y el FC Barcelona en los cuarenta y cincuenta, y, después, convertido en magistral entrenador de atletas internacionales y olímpicos. Rojo fue considerado uno de los sabios del atletismo en Europa, pura referencia. Nacido en Villalómez (Burgos) el 3 de mayo de 1920, Gregorio era el sexto de diez hermanos. En su pueblo le conocían como el Cañas, debido a su fibrosa constitución. Llegó a Barcelona para realizar el servicio militar a finales de 1939 y aquí se quedó hasta su muerte. Cabo del ejército, se convirtió en atleta el 18 de febrero de 1940, día en que, animado por un sargento, participó en una carrera de ocho kilómetros organizada por los artilleros de su regimiento. A pesar de que nunca antes había competido, quedó segundo, solo superado por un exatleta del Barça.

Su carrera deportiva comenzaría en las filas del R. C. D. Espanyol, bajo las órdenes del famoso preparador Manuel Cutié, pero en 1945 fichó por el FC Barcelona porque un directivo azulgrana le facilitaba el ingreso como empleado de FECSA. Sea como fuere, con el tiempo se convirtió en más culé que nadie. Aquellos eran tiempos en los que la rivalidad Barça-Espanyol también se extendía al atletismo. De hecho, Gregorio Rojo lo vivió en primera persona, ya que Cutié, muy enfadado por el cambio de club, le retiró el saludo durante cinco años. En aquella época, los duelos entre Rojo y el atleta españolista Constantino Miranda se convirtieron en una especie de derbi personalizado, con tanta fama que eran capaces de reunir a quince mil espectadores en el Estadio de Montjuïc.

643. UN GRAN PALMARÉS

El palmarés como atleta de Gregorio Rojo resulta impresionante. Seis veces campeón de España de 1.500, 5.000 y 10.000 metros, y récord de victorias en la carrera urbana pionera de España, la barcelonesa Jean Bouin, que ganó seis veces (1941, 1943, 1944, 1945, 1948 y 1952), las cuatro primeras como atleta del Espanyol; las dos últimas, con la camiseta azulgrana.

Rojo fue uno de los grandes dominadores del fondo estatal

en los cuarenta y cincuenta, y participó en los Juegos Olímpicos de Londres 48 en 5.000 y 10.000 metros. Allí sería espectador privilegiado de las exhibiciones del mítico corredor checo Emil Zatopek, la célebre Locomotora Humana. Por otra parte, también se convirtió en el primer atleta español en romper la barrera de los quince minutos en los 5.000 metros, dejando la marca en 14 minutos y 53 segundos.

644. Técnico longevo

En 1959, ya con 39 años, Rojo se retiró para entrenar al equipo español de *cross*, donde guiaría los pasos de atletas de la categoría de Antoni Amorós, Javier Álvarez Salgado y Mariano Haro. En 1974, pasó a la selección de medio fondo. Fue director técnico de la sección de atletismo del FC Barcelona y entrenador del CAR de Sant Cugat. La Federación Española de Atletismo reconocería sus méritos como mejor entrenador de España, galardón recibido en 1995 y 1998. Gregorio colgó las zapatillas definitivamente en 2001, con ochenta y un años.

Entre sus pupilos, recordemos el talento y categoría de, por ejemplo, Domènec Mayoral, Vicente Egido, Martín Fiz, José Manuel Abascal o Reyes Estévez. En total, entrenó a treinta atletas internacionales y seis olímpicos: Francisco Arizmendi en Tokio 64; Andreu Ballbé en Montreal 76; José Manuel Abascal, Juan Díaz y Jordi García en Los Ángeles 84; y Reyes Estévez en Atlanta 96. Un currículum impresionante. Ya octogenario, aún ejercía como entrenador en el CAR de Sant Cugat. Caso único de longevidad deportiva en el mundo, Gregorio Rojo falleció en Barcelona el 8 de mayo de 2006.

645. ¿Has dormido bien?

Por encima de cualquier otra consideración, Rojo era un enamorado de su profesión. Por experiencia propia, era plenamente consciente del grado de exigencia y sacrificio que requiere el atletismo, y se mostraba especialmente sensible en el trato hacia sus discípulos. Muy educado y exquisito en las formas, siempre andaba pendiente de la salud de sus deportistas. El exatleta Vicente Egido, que estuvo a sus órdenes entre 1968 y 1983, recordaba que, a diario, le solía preguntar si había dormido y desayunado bien. En caso contrario, le modificaba la agenda de trabajo.

Otro de sus trazos característicos era el amor por los colores azulgranas. Así, el día que Abascal decidió cambiar la camiseta barcelonista por otra de un patrocinador cántabro se llevó una gran decepción.

646. JOAQUIM BLUME

Blume es un apellido con reminiscencias épicas, un mito, un precursor de su tiempo, una maravillosa flor en el solar de aquel deporte autárquico y tercermundista. Considerado el mejor gimnasta español de todos los tiempos, Joaquim Blume pertenecía a la sección de gimnasia del FC Barcelona desde su creación en 1958. Nacido en Barcelona en 1933, fue campeón de España absoluto durante diez años consecutivos, desde 1949. Con apenas diecinueve años participó en los Juegos Olímpicos de Helsinki 52, donde fue el único español en la prueba de gimnasia. Tres años después ganaría cinco medallas de oro en los Juegos Mediterráneos de Barcelona. En 1957 se proclamó campeón de Europa en París tras derrotar al favorito, el soviético Iuri Titov.

Con motivo de este logro, el Barça le rindió un merecido homenaje: Blume fue el encargado de realizar el saque de honor en el partido de liga que enfrentó en el Camp Nou al equipo azulgrana con el Athletic de Bilbao, el 3 de noviembre de 1957. Tal y como hemos mencionado antes, pocas semanas después, el 20 de diciembre, Enric Llaudet, directivo responsable de las secciones, y Armand Blume, padre de Joaquim y propietario del gimnasio Blume, llegaron a un acuerdo para que el Barça fundara la nueva sección de gimnasia con la incorporación de socios del gimnasio Blume al club azulgrana. La presentación oficial de la sección tendría lugar el 6 de enero de 1958 con un festival en el Palau d'Esports de la calle Lleida. Con posterioridad, el 20 de diciembre de aquel mismo año, quedó inaugurado el gimnasio del FC Barcelona, ubicado en la calle Bruc.

647. ¿FÚTBOL?

A pesar de su adscripción al Barça, Joaquim Blume pertenecía al tipo de personas que pasan olímpicamente del fútbol. En cierta ocasión, en la vigilia de un trascendental Madrid-Barça de Liga, a disputar el 15 de febrero de 1959, un periodista tuvo la original idea de preguntar qué opinaban a diversos personajes famosos. Cuando inquirió a Blume, la respuesta del gimnasta fue, simplemente: «¿Dónde se juega?». Ni le gustaba el fútbol ni le importaba dejarlo claro…

648. ADIÓS TRÁGICO

Blume era el máximo favorito para los Juegos Olímpicos de Roma 60, pero el azar le impidió disputarlos. Estaba destinado a marcar una época de no haberse cruzado el accidente de aviación que le quitaría la vida. Un avión bimotor de Iberia Douglas FEC-ABC había salido de Barcelona a las 15.15 horas de aquel fatídico miércoles 29 de abril de 1959. Su destino era Madrid, donde Blume y el resto de los gimnastas que viajaban debían enlazar con otro vuelo, camino de Santa Cruz de Tenerife y Las Palmas para realizar diversas exhibiciones gimnásticas. Por desgracia, nunca llegó.

A las cinco y media de la tarde, aproximadamente, el avión se estrelló en la sierra de Valdemeca (Cuenca), en el paraje conocido como Telégrafo, en el término municipal de Huerta del Marquesado. En este punto, conocido popularmente también como Collado Bajo, de 1.839 metros de altura, fue donde Blume y el resto de los veinticuatro viajeros y tres tripulantes perdieron la vida. Se dio la triste circunstancia de que a Blume le acompañaba su esposa, también gimnasta, María José Bonet, que estaba esperando su segundo hijo. Las malas condiciones meteorológicas, con fuerte nevada, espesa niebla y gran tormenta eléctrica fueron la causa del accidente.

La conmoción en Barcelona por la muerte de Blume fue indescriptible. Más de cinco mil personas esperaron en la entrada de la iglesia de Santa Anna, donde se instaló la capilla ardiente con los restos mortales de Blume y de su esposa, junto a otros cuatro gimnastas. Los ataúdes fueron portados a hombros por miembros de las secciones deportivas del FC Barcelona y de la Federación Catalana de Gimnasia. Por la iglesia desfilaron numerosas personalidades del mundo del deporte y miles de ciudadanos que quisieron dar su último adiós a los malogrados gimnastas. De hecho, la aglomeración de gente alrededor de Santa Anna provocó que se cortara el tráfico en la plaza de Catalunya y calles céntricas adyacentes.

El entierro, celebrado el 2 de mayo, fue también multitudinario y presidido por las máximas autoridades militares y políticas del país, además de numerosos representantes de entidades deportivas. El Barça estuvo representado por su presidente, Francesc Miró-Sans, y toda la directiva, que llevaron una bandera del club.

649. El Cristo

Quienes tuvieron la suerte y el placer de ver alguna actuación de Blume siempre recuerdan su Cristo en el ejercicio de anillas, una de sus figuras más destacadas y que ejecutaba a la perfección. Consiste en desplegar los brazos en horizontal consiguiendo plena inmovilidad de cuerpo y aparato. En la vertiente personal, quienes le conocieron decían que *Achim* Blume no solo era un deportista excepcional, sino también hombre encantador, modesto, cordial, con una perenne sonrisa.

650. *Bowling*, incluso

Durante la temporada 1954-55 el Barça tuvo sección de *bowling*, gracias a que los miembros del club Bolopin's se constituyeron provisionalmente en sección barcelonista de este juego tan popular. La novedad tuvo su aquel porque, casi simultáneamente, el Espanyol formó su propio equipo de bolos. Y así, como quien no quiere la cosa, el 18 de febrero de 1955, el local del Bolopin's, sede del FC Barcelona, fue escenario de un apasionante derbi de *bowling* incluido en el Torneo Ciudad Condal. El público, que llenaba el recinto hasta los topes, presenció la doble victoria barcelonista, tanto en hombres como en mujeres. La sección, en su breve existencia, disponía de un equipo masculino y otro femenino.

651. Un local digno

En la segunda mitad de los cincuenta, las secciones barcelonistas disponían de un local social y administrativo en un piso de la calle Roger de Llúria, espacio demasiado exiguo para acomodar a las ocho secciones de aquella época. Se precisaba una mudanza, y así lo entendió Enric Llaudet, quien, desde el 7 de enero de 1958, era el directivo encargado de las secciones por nombramiento del presidente Francesc Miró-Sans. Llaudet se puso manos a la obra con mucha ambición. Su idea superaba con creces el objetivo inicial de disponer de unas oficinas de secciones más holgadas. También deseaba un local apropiado para la preparación física de los deportistas del club, que fuera al tiempo agradable punto de encuentro, capaz de favorecer el crecimiento en el número de socios practicantes de diversos deportes.

Dicho y hecho. El 20 de diciembre de 1958 se inauguraría la nueva sede de las secciones del Barça en la calle Bruc, 166-168, entre Rosselló y Còrsega. Un local espacioso y moderno, que disponía de oficinas, gimnasio, sala de entrenamiento para baloncesto y hockey sobre patines, bar y sala recreativa con billares, futbolines y mesas de tenis de mesa. También funcionaba una taquilla para los partidos del Barça, que despachaba invariablemente entradas de 18 a 21 horas.

A la postre, Llaudet no solo fue el impulsor de la instalación, sino que también se comprometió a sufragar los gastos de alquiler, sueldos y mantenimiento, extremo que cumpliría escrupulosamente hasta que, al cabo de unos meses, el Barça se hizo cargo de la administración oficial. El esfuerzo de Llaudet fue generoso. Baste decir que solo el alquiler del local costaba treinta y cinco mil pesetas mensuales, cifra muy elevada entonces.

652. LA GIMNASIA

Como ya hemos escrito, en el arranque de 1958 quedó estrenada la nueva sección de gimnasia bajo la dirección deportiva del prestigioso profesor Armand Blume, padre del gran campeón *Achim* Blume. Con Joaquim como estrella destacada, la sección tuvo en principio un carácter más competitivo que formativo; en aquel 58 se ganaría ya el Campeonato de España por equipos. Por desgracia, la trágica muerte de Joaquim Blume desmembró el potente conjunto de gimnasia formado en el Barça.

A partir de entonces, la sección se convirtió, primordialmente, en elemento de recreo para socios barcelonistas. Pagando una módica cuota, los abonados podían escoger entre las modalidades de correctiva, sueca y deportiva. Los no socios debían abonar una mensualidad más elevada, mientras los deportistas del club gozaban de acceso libre. Teniendo en cuenta que, a partir de enero de 1962, se incorporarían los practicantes de la nueva sección de judo, parece fácil imaginar la gran cantidad de gente que se concentraba cada día en el local de la calle Bruc, entre deportistas, gimnastas, judocas, empleados de las oficinas de las secciones y socios que acudían al bar para charlar, jugar al fútbol o al futbolín. Otro lugar de la memoria culé desaparecido sin dejar rastro de recuerdo entre la masa social. Por desgracia, claro.

653. EL JUDO AZULGRANA

A principios de 1972, las oficinas de las secciones fueron trasladadas a unas dependencias de la nueva Pista de Gel del Barça, pero el gimnasio y el tatami de la calle Bruc siguieron en su sitio. Entonces, casi mil quinientos gimnastas y judocas lo utilizaban. De todos modos, en 1976, la directiva de Agustí Montal decidió abandonar el local abruptamente y disolver las secciones de judo y gimnasia. Con certeza, aquel resultó un triste día para el barcelonismo.

La sección de judo del Barça había sido creada el 28 de diciembre de 1961. Su primer delegado y monitor fue Josep Pons, cinturón negro y antiguo campeón de España. Se daban clases para adultos, niños entre ocho y catorce años, y también se creó una subsección de judo femenino. Como la gimnasia, era una sección puramente formativa, aunque los judocas barcelonistas llegaron a conquistar siete campeonatos estatales, honrando el lema de la sección que presidía el tatami del gimnasio de la calle Bruc: «De los incipientes, crearemos practicantes; de estos, verdaderos atletas; y de todos, grandes campeones».

654. EL VOLEIBOL

La sección de voleibol azulgrana se fundó en 1970. Un año después, conseguiría el ascenso a la división de honor, donde se topó con el Real Madrid, que había estrenado su sección en 1954 y se disputaba la supremacía estatal con el Atlético de Madrid y el C. E. Hispano Francés Barcelona. Durante cuatro temporadas, hasta la 1974-75, el Barça no pudo arrebatar el dominio a estos tres clubes punteros, aunque por costumbre, a pesar de su inferioridad, sus enfrentamientos con los madridistas mostraron un cariz especial. En el año 1975, el equipo bajó a segunda división, por lo que los enfrentamientos con el máximo rival no volverían a producirse, ya que la sección de voleibol del Real Madrid desapareció en 1983, cuando el Barça todavía permanecía en segunda.

655. Ascenso errado

Una pifia curiosa que trajo cierta cola. En el curso de la junta del 29 de marzo de 1981, el tesorero Carles Tusquets informó erróneamente a sus compañeros de que el voleibol azulgrana había ascendido de categoría. Entonces, el vicepresidente Nicolau Casaus opinó que era preferible mantenerlo en segunda ante el peligro que representaba «enfrentarse al Madrid sin tener un buen equipo». Al final, no tuvieron que pasar el mal trago de dar un disgusto a los jugadores de voleibol para satisfacer el deseo de Casaus, ya que, en realidad, el equipo no había ascendido. Simplemente, alguien había informado mal a Tusquets.

Un año después, el voleibol, esta vez sí, conseguiría el ascenso a primera división, pero el 8 de julio de 1982 la junta directiva de Núñez renunció ante la imposibilidad, por falta de recursos económicos, de «fabricar un equipo que pudiera competir con los mejores», en palabras del propio presidente. En aquella temporada, 1982-83 los «mejores» eran el Real Madrid (en la última campaña antes de su disolución) y el Son Amar mallorquín. Se volvía a reavivar, pues, aquella *madriditis* de Casaus expresada un año antes.

656. De cero a treinta y siete

En 1970, Josep Lorente fue nombrado entrenador de la sección de hockey patines del FC Barcelona. El hockey sumaba siete años sin ganar ningún título, ya que el último éxito había sido la Copa de España de 1962-63. Lorente le dio la vuelta a la sección y durante su larga etapa en el banquillo, entre 1970 y 1989, el Barça ganó treinta y siete títulos, una media de casi dos por temporada.

657. El hockey patines

El 7 de julio de 1973, el hockey patines tuvo el honor de conseguir ante el Benfica la primera Copa de Europa del FC Barcelona en cualquiera de sus secciones profesionales. De hecho, aquello resultó una ironía de la providencia, ya que sucedió doce años después de que el Barça de fútbol viera truncado el sueño de lograr su primer máximo título continental con una derrota muy injusta, precisamente registrada ante el Benfica portugués en Berna. Esta especie de pequeña revancha tuvo además la curiosa circunstancia de que el equipo luso contaba con un portero llamado Ramalhete. A veces, el destino juega a los dados.

658. Equipazo sobre ruedas

Visto en perspectiva, aquel triunfo fue consecuencia de la decidida apuesta en favor de las secciones realizada por parte del presidente Agustí Montal con la inauguración, en 1971, del Palau Blaugrana. Hasta entonces, el hockey patines azulgrana jugaba en el Palau d'Esports de Barcelona bajo precarias condiciones y su escaso palmarés apenas incluía dos Campeonatos de Cataluña y tres españoles. Uno de los máximos artífices de aquella primera Copa de Europa fue el entrenador Josep Lorente, quien destacaba por su gran psicología.

En las semifinales de aquella Copa de Europa 1972-73, el Barça había eliminado sin apuros al Rolls Sport suizo por un marcador global de 19-8. El rival en la final, a doble partido, era el Benfica, que había apeado por un 7-4 global al poderoso Reus Deportiu, club hegemónico que sumaba ocho años imponiéndose en la liga y seis en la Copa de Europa. Esta gesta ya dejaba patente la categoría del cinco lisboeta, que contaba entre sus filas con un auténtico superclase como Antonio Livramento. Pero el Barça lucía una plantilla muy compensada y de mentalidad ganadora, formada por jugadores como Pons, Chércoles, Villacorta, Riera, Vila, Brasal o Centell, un bloque compacto que no se acobardaba, por poderoso que pareciera el rival.

659. Final inolvidable

En la ida de la final de aquella Copa de Europa, disputada en el Palau el 1 de julio del 73, el FC Barcelona se impuso por 5-3. El Benfica había dado el susto al avanzarse por 0-2, pero los hombres de Lorente protagonizarían una meritoria remontada, con mención destacada para la puntería de Jordi Villacorta, autor de tres goles. Con dos tantos de renta para el Barça, las espadas quedaban en todo lo alto, y más aún al tratarse de una pista portuguesa, donde se vivía por sistema una presión deportivamente exagerada.

La vuelta en Lisboa se disputó el 7 de julio. En el pabellón no cabía un alfiler y la olla de presión superaba incluso las previsiones más pesimistas. A pesar de todo, el Barça, que ju-

·gaba de blanco, supo controlar el ritmo y apenas fue por debajo en el marcador con el 1-0 y el 2-1. Después, impuso su estilo y se disparó hasta obtener el 5-7, si bien la tardía reacción del Benfica dejaría el marcador final en empate a siete. A la postre, el gran partido de Livramento, autor de tres goles, sirvió de poco a su equipo. Por parte barcelonista marcaron Chércoles (4), Villacorta (2) y Vila. El hockey patines azulgrana alcanzaba así la primera Copa de Europa del club y abría su palmarés particular de máximos galardones europeos. Después llegarían muchos más.

660. POR UNA MONEDA

En la Copa de Europa 1973-74 de hockey patines, el Barça eliminó al Walsum alemán gracias al lanzamiento de una moneda después de que la eliminatoria acabara igualada, y después de que ni la prórroga ni los penaltis sirvieran para decidir ganador. El reglamento no contemplaba un hipotético encuentro de desempate, ni continuar con más prórrogas o tandas de lanzamientos hasta que alguien fallara. Lo despacharon así y tan anchos. Ya sabemos que, en casos similares, solo se queja el perdedor.

661. FINAL AFRICANA

Situación surrealista, si la analizamos desde la simple lógica geográfica. El Barça obtuvo la Copa de Europa de hockey patines 1973-74 (la de la moneda en eliminatoria previa), tras ganar en la final al Lourenço Marqués de... Mozambique. Sí, del país africano, aunque entonces aún era colonia de Portugal. El 26 de junio de 1974, el Barça ganó en el Palau a los «africanos» (todos ellos, blancos) por 8-2, y tres días después, en Estoril (Portugal), el Lourenço Marqués superó a los azulgranas por un insuficiente 5-4. Destaquemos la importancia de aquella época histórica: desde 1964, la guerrilla independentista Frelimo luchaba contra las tropas coloniales por la liberación de Mozambique, y la Revolución de los Claveles en Portugal del 25 de abril de 1974 había acelerado decisivamente el proceso. La independencia de Mozambique fue proclamada el 25 de junio de 1975; al año siguiente, la capital del país cambió el nombre colonial de Lourenço Marqués por el de Maputo. Quizás habría resultado excesivo (y peligroso) disputar la vuelta en la otra punta del mundo, tratándose como se trataba de una final limitada a equipos del Viejo Continente. Al menos, en teoría.

662. ¿COMO SELECCIÓN?

Otra contradicción difícil de asumir, también en el mundo del hockey patines: en los años 1978 y 1980, el Barça se impuso en el Torneo de Montreux, una Copa de las Naciones reservada, en principio, a selecciones estatales. Y lo hizo representando a España. En cambio, años después, en la edición del 95, volvería a ganar el Torneo de Montreux sin malentendidos, ya como FC Barcelona, porque el formato admitía ahora a clubes.

663. MANUAL PARA PORTEROS

En el año 2000, el barcelonista Carles Folguera publicó el libro *Portería a cero*, un manual de entrenamiento para los guardametas de hockey patines. Folguera, sucesor de Carles Trullols y también considerado como el número uno mundial en su puesto, jugó en el Barça entre 1995 y 2003, cuando se retiró. Después, sería nombrado director de la Masia del Barça, la residencia de jóvenes deportistas del club.

664. KUBALA CON CUCHILLAS

El hijo pequeño del mito Kubala triunfó en un deporte muy distinto al fútbol. Carlos Kubala fue uno de los puntales de la sección de hockey hielo del Barça durante los años setenta y ochenta, ganando las ediciones de la Copa del Rey correspondientes a 1977 y 1982. Carlos ocupaba la posición de *winger* y llegó a ser internacional español.

665. EN EL BANQUILLO, AÍTO

Aíto García Reneses llegó en 1985 al banquillo del FC Barcelona, hecho que coincidió con el inicio de la etapa más brillante de la sección azulgrana de baloncesto. Una era que concluyó al final de la campaña 2001-02, una época de hegemonía del Barça en el panorama español, de presencia permanente del equipo en la élite continental.

El técnico madrileño aportaría títulos y la aplicación de los conceptos técnicos que le caracterizaban, que permitían a sus equipos practicar un baloncesto moderno, repleto de detalles y alternativas que, con posterioridad, fueron aceptados y utilizados por otros técnicos.

Aíto había comenzado como jugador en el Estudiantes madrileño, donde militó hasta 1968. En la temporada siguiente firmó contrato con el FC Barcelona y, desde la posición de base, defendió los colores azulgranas en pista hasta 1973.

666. ¿IMBATIBLES?

Durante los primeros años del balonmano en pista cubierta, el FC Barcelona fue superado por el Granollers y el Atlético de Madrid, cuya hegemonía compartida rompieron los azulgranas, de modo ocasional, en los años 1969, 1972 y 1973. Estos dos últimos, en buena parte, se debían al empujón generado en el equipo tras la inauguración del Palau Blaugrana, celebrada en octubre de 1971. Si hablamos de éxitos y títulos, las ligas 80 y 82 y la Copa del 83 constituyeron una especie de prólogo a la época de Valero Rivera, iniciada en 1984. Con el exjugador en la dirección técnica de la sección de balonmano, el equipo se proyectaría de manera magnífica hacia la obtención de numerosos logros en España y Europa. La cumbre de este periodo fue la conquista de la primera Copa de Europa en la temporada 1990-91. En 2004, cuando Rivera dejó su puesto, el listón había quedado por las nubes gracias a los setenta títulos cosechados en veinte años. De todos modos, los sucesores de Rivera perseveraron por idéntico camino, en especial Xavier Pascual, el actual entrenador, nombrado en 2009.

En la temporada 2013-14, por vez primera en su historia, la sección de balonmano acabaría el campeonato liguero ganando los treinta partidos de la competición, proeza que repetiría en las dos campañas siguientes. Ya en la campaña 2016-17, el 29 de octubre, el Barça sumaría la barbaridad de cien victorias consecutivas en el campeonato tras ganar al BM Sinfín (buen nombre para la ocasión) por 22-27. Un hito descomunal a la altura de la sección profesional más laureada del FC Barcelona gracias a sus ciento cuarenta títulos. Es justo destacar a los siete protagonistas que han vivido de cabo a rabo la racha de cien triunfos sin respiro en la Liga Asobal. Comenzando por el técnico Xavi Pascual, siguiendo con tres frutos de la cantera (Víctor Tomàs, Viran Morros y Aitor

Ariño) y otro trío llegado desde otros equipos (Cedric Sorhaindo, Raúl Entrerríos y Jesper Noddesbo).

667. Los títulos de Barrufet

Con esta excelencia, no debe extrañar que el deportista profesional con más títulos oficiales de la historia azulgrana sea David Barrufet, mítico portero de balonmano. El popular Barru, hoy empleado de los servicios jurídicos del club, ganó con el Barça setenta y un títulos entre 1988 y 2010. Dicho de otro modo, más de la mitad de los galardones que suma la sección en toda su historia. Resulta curioso que el segundo en la relación de deportistas azulgrana con mayor número de trofeos conquistados también sea un portero. Obviamente, de inmensa categoría, trayectoria y peso en el mundo del hockey patines: Aitor Egurrola. Hoy, Egurrola acumula sesenta títulos con el Barça desde su llegada al club, en 1998.

668. La historia de siempre

Desde tiempos inmemoriales, las secciones del club han sufrido periódicamente la amenaza de disolución por parte de diversas directivas. Casi resulta una tradición tan curiosa como particular. Así, por ejemplo, el 21 de julio de 1961, el presidente Enric Llaudet manifestó sin rodeos a sus compañeros de junta que «dada la situación actual del club y particularmente el desarrollo que han venido teniendo las secciones, con un cariz de seudoprofesionalismo totalmente reñido a la labor de tipo social que debe desarrollar, la mejor solución que debería tomarse es la de prescindir de la mayoría de los deportes que se practican, limitándolas exclusivamente a atletismo, gimnasia y hockey hierba». De haberse cumplido el deseo de Llaudet, habrían pasado a mejor vida las secciones de baloncesto, hockey patines, balonmano, rugby, béisbol y judo. Por suerte no fue así, aunque la «desprofesionalización» del baloncesto, como hemos escrito, dejaría la sección gravemente afectada.

Más de lo mismo casi veinte años después. El 11 de diciembre de 1980 tuvo lugar en las oficinas del FC Barcelona una reunión a la que asistieron los directivos Carles Tusquets, Josep Maria Miralles, Francesc Catot, Albert Arnán y Guillem Chicote, el gerente Antón Parera y representantes de la Comisión

Económica y Comisión de Secciones del club. Tras algunas deliberaciones acordaron por mayoría trasladar al resto de la junta directiva y al presidente Núñez la posibilidad de suprimir, ya en la temporada siguiente, las secciones de voleibol, béisbol, hockey hierba y rugby. Al mismo tiempo, querían que se considerara la supresión, en una próxima etapa, de las disciplinas de hockey hielo, fútbol sala y atletismo, y de algunos equipos de las estructuras de las secciones de baloncesto, balonmano y hockey patines. Para argumentar tan drástica propuesta de recorte, los asistentes aducían como razones «no solo lo que se economiza del presupuesto directo, sino la importancia del ahorro indirecto que un desmonte de estructura representa, tanto en duchas, como en luces, desplazamientos, personal, correspondencia, regalos, comidas, técnicos, personal administrativo y tiempo perdido por empleados y directivos». Si tal acuerdo se hubiera llevado finalmente a la práctica, habría supuesto dejar en la calle a 1.142 deportistas, 71 técnicos y 58 delegados. Por suerte, Núñez rechazó de plano la propuesta.

Años después sería el presidente Joan Gaspart quien plantearía la posibilidad de eliminar las secciones del club, siempre el eslabón más débil de la cadena en el momento de cuadrar presupuestos económicos. Según aseguró el periodista Quique Guasch en el programa televisivo *El Rondo*, en el transcurso de la reunión de la junta del 26 de noviembre de 2001, Gaspart leyó a los directivos, *off the record* (sin que constara en el libro de actas) los resultados de las diversas secciones. Hecho el repaso, dijo: «¿A vosotros, eso os importa?». Formulada la pregunta retórica, el propio Gaspart contestó: «No, y a mí tampoco. Ya es hora de que nos planteemos liquidar las secciones». Probablemente, el entonces presidente solo se refería a las secciones amateurs, pero como apostillaría Guasch, «no pueden confundirse los sentimientos con el bolsillo».

669. DEMASIADO CARAS

Cuando Sandro Rosell asumió la presidencia del Barça topó con la sorpresa de una peculiar sugerencia de Florentino Pérez, su homólogo en el Real Madrid. Sin ambages, Florentino le insinuaría a Rosell la conveniencia de suprimir las respectivas secciones de baloncesto, ya que consideraba que no valía la pena mantener inversiones millonarias en secciones deficitarias. La idea de Pérez consistía en liquidar los dos baloncestos de común acuerdo y de manera simultánea para suavizar el impacto mediático y, ya puestos, evitar que el otro club se aprovechara. Obviamente, Rosell declinó tan atrevida propuesta.

670. EL TÍTULO 500

El 3 de septiembre de 2016, el Barça de balonmano ganó su decimonovena Supercopa de España tras derrotar en Pamplona al Helvetia Anaitasuna por 30-38. Aquel título tuvo su importancia simbólica, ya que era el número quinientos alcanzado por todas las secciones profesionales del FC Barcelona, fútbol incluido, en el transcurso de su historia. En aquel momento, si realizábamos un listado con mayor número de títulos sumados, la propia sección de balonmano iba primera (138 galardones), seguida por el fútbol (128), el hockey sobre patines (113), el baloncesto (84), el fútbol sala (22) y el fútbol femenino (15).

671. MÁS DE MIL

Si sumamos los títulos conseguidos por las secciones amateurs (atletismo, patinaje artístico, rugby, voleibol, baloncesto en silla de ruedas, hockey hielo, baloncesto femenino, voleibol femenino, hockey hierba y hockey hierba femenino), por aquel entonces la cifra llegaba hasta las 944 copas. Y aún hay más: si añadimos los trofeos logrados por las secciones desaparecidas (ciclismo, béisbol, lucha grecorromana, patinaje artístico sobre cemento, gimnasia, tenis, natación, judo, fútbol americano, cricket y *bowling*), el número de títulos azulgranas superaba con creces los mil. Sin duda, no hay otro club en el mundo que pueda presentar números como estos, escrito quede sin vanidad. Simple y pura constatación de la realidad.

10

Cajón de sastre

Como las palabras gozan de vida propia, causa cierta pena que un término entrañable del léxico popular caiga en desuso o sea desconocido entre las nuevas generaciones. Definir algo con aquello tan gráfico del «cajón de sastre» ahorraba un montón de precisiones. Ahora, cuando la ropa nos llega de multinacionales y el oficio artesano de la cinta métrica y tijera lleva camino del anacronismo, nos seduce revitalizar el concepto en este capítulo. La desorganización absoluta, viva, que no todo debe seguir un estricto orden. En efecto, aquí, si revolvéis con ojos de lectura, encontraréis un poco de todo, perdonad el desorden. Curiosidades de aquellas que sirven para aprender alguna cosita más, fisgoneos, rarezas, batiburrillo y derivados de este inmenso pozo sin fondo que forma el pretérito azulgrana, la mina de grandes hallazgos donde nos sentimos exploradores afortunados. De aquí y de allí, un puñado de detalles que alguien debía sacar a la superficie. Y nos hemos apuntado encantados a la misión.

Saltaremos de un punto a otro sin solución de continuidad ni denominador común. Y comenzamos por el léxico, la terminología importada de Inglaterra. Las palabras creadas para explicar y entenderse sobre cualquier acción del fútbol encontraron en Cataluña una traducción y adaptación propia, peculiar, que el tiempo se ha encargado de borrar. Cuando el *wing* acabó siendo extremo en posición, resulta que ya no existía tal puesto en el equipo a causa de la metamorfosis sufrida por las tácticas de pizarra. Alguna vez se habrán preguntado quien fabricaba los esféricos (también llamadas pelotas, balones, bolas y demás), cuando a nadie se le había ocurrido aún inventar las grandes superficies de venta de material deportivo. O, vamos hacia otra costumbre desaparecida, quién fue el primer tipo que organizó un ágape multitudinario para celebrar éxitos deportivos. Antes, si no había por medio manteles y cubiertos dignos de gran boda, parecía como si se quedaran a medias, con las ganas, nunca mejor dicho. Ahora, cambio de hábitos, salimos a la calle en rúa para ver a futbolistas idolatrados saludando desde autobuses de dos pisos cuando, *in illo tempore*, prevalecían los parlamentos mientras se encendían los puros y se tomaban las copas (de licor, claro) o se salía a los balcones institucionales para saludar de manera populista a la multitud congregada. Quizá sea la pasión y la alegría lo único que no ha cambiado en este largo siglo. Y que nadie se cansa de ganar, máxime cuando hace cuatro días las satisfacciones se celebraban en común con cuentagotas.

Todo el mundo, gente de cualquier sector, oficio, categoría y extracción se ha vinculado al Barça. Aquí hallaréis poetas monumentales, tipo Josep Carner, o deseos más o menos coronados de crear himnos y canciones de corte azulgrana porque la música comporta alegría para el espíritu. A pesar de que el fútbol contemporáneo implique altas dosis de alejamiento emocional hacia los privilegiados protagonistas, semidioses espléndidamente retribuidos, aún mantiene cierta aura de religión laica en un país aconfesional que respeta las diversas creencias. Cuando la fe era monolítica en el catolicismo, el club contó con un apoyo humano de personalidad divina, el del sacerdote Lluís Sabaté, llamado popularmente «Mossèn Lletuga», el buenazo que se fue de este mundo con una sonrisa en los labios gracias a la mentira piadosa de un triunfo azulgrana que la realidad había negado. En el ámbito de la política, poca gente representó el poder durante años muy concretos como Ramón Serrano Suñer, el *cuñadísimo* de Franco, quien, por sorpresa y casi nocturnidad con alevosía, tuvo la guasa de declararse culé, perpetrando un atentado contra la evidencia. Si lo hubiera sido mínimamente, otro panorama se habría presentado para el club y los seguidores, cuando él todo lo mandaba y manejaba. En este mismo terreno, todavía nos genera curiosidad la relación estrecha que Josep Samitier consiguió trabar con el dictador. Mucho nos tememos que Sami era de aquellos capaces de ser amigo y estar a muy buenas

también con Stalin, si le hubiera convenido… De esta proximidad se benefició el Barça, mira por dónde, en aspectos tan relevantes como la nacionalización de Kubala.

Seguimos, que también hay campo para la ficción del cómic,
arte menor de enorme influencia social. Cuando Eric Castel (o
sus creadores) decidió militar en el Barça, la proyección internacional del club en algunos países europeos experimentó un salto
exponencial. Prestigio ganado a través del dibujo, plasmación
donde se representaban las fantasías infantiles de inverosímiles
goles en el último segundo o acrobáticas acciones vetadas al común de los mortales. Por eso son tebeos, básicamente, sueños
convertidos en ficticias realidades.

Si antes hablábamos de terminología futbolística, aquí veremos de donde arranca, propiamente, la idea de las rotaciones. En
efecto, enésima muestra, todo está inventado, sea en nuestra historia o en nuestro fútbol. Desconocíamos, de todos modos, que la
entrada de los suplentes en el once para descansar a los titulares
y no sobrecargarlos de esfuerzo fuera inventada en plena guerra
civil por un comité de empleados, tan intervencionistas como
para recomendar al entrenador Patrick O'Connell que optara por
el ahorro de energía en previsión de citas exigentes. Al volver
atrás en el tiempo, también conoceremos dónde nacen ciertos
gritos de ánimo lanzados por los ancestros, y ahora, también,
perdidos irremediablemente entre la arqueología inservible.
Cómo ha evolucionado la celebración de los goles, antes casi seca,
respetuosa hacia el prójimo, hoy ensayada y grandilocuente
como los bailes de alguna celebridad del rock en pleno recital.
También la banca logrará protagonismo al rememorar la excelente ocurrencia del banquero Botín cuando pretendía implantar
su Banco de Santander en la geografía catalana. Nada mejor,
claro, que utilizar al Barça como introductor, recurso que ahora
buscan todo tipo de empresas y que en aquellos finales de los cincuenta debía parecer un chiste malo. Pero tuvo éxito, qué caray…

Tampoco es cuestión de desvelarlo todo aquí, mejor que el
lector lo haga por su cuenta. Por lo tanto, últimos detalles del
próximo capítulo. La existencia, por ejemplo, de otros «Barças
exportados», creados por catalanes residentes en la distancia
que pretendían menguar la nostalgia transportando colores y
sentimientos a lugares lejanos. Situaciones inverosímiles

como aquel secuestro del delantero centro que tanto sacudió al país en los ochenta. Que una persona fantástica como Enrique Castro perdiera su libertad significó un terremoto emocional, resuelto, por fortuna, con la liberación del entrañable y amado Quini. Y acabamos: El culé parece ya un experto en el multitudinario despliegue de todo tipo de mosaicos cuando toca duelo de nivel considerable. Lástima que los miles de protagonistas no puedan nunca gozar de tan moderna particularidad allá donde toca verlo, que es desde el césped, disfrute reservado, este también, a los futbolistas.

672. PERO, ¿DE QUÉ HABLÁIS?...

Barcelona, inicio del siglo XX. El origen inglés del fútbol genera que las crónicas de los primeros partidos publicadas en la prensa barcelonesa estén sazonadas de anglicismos. Algunos continúan vigentes, aunque con diferente grafía como *goal, match o shoot.* Otros quedaron en desuso o como sinónimo poco utilizado, tipo *forward* (delantero), *goal-keeper* (portero), línea de *touch* (línea de banda), *match a football* (partido de fútbol), *sportsman* (deportista) y *team* (equipo). Entre los términos peculiares en castellano, hoy casi olvidados, citemos *bando* (equipo), *golpe* (jugada), *juez* (árbitro) y *entrada* o *partida* (gol).

En la categoría de hilarante doble sentido, hallamos la expresión «lanzamiento de *cona*», derivación *sui generis* del inglés *corner*. De cualquier modo, eso de *cona* solo podía partir de risa a los conocedores del idioma gallego....

673. HORÓSCOPOS

Pongámonos esotéricos: el Barça nació en la noche del miércoles 29 de noviembre de 1899, bajo el signo de Sagitario. Ello querría decir que es versátil y le encanta la aventura. Además, es optimista, fiable y sincero. En cambio, según el horóscopo chino, el FC Barcelona es un Cerdo, lo que le convierte en tranquilo, aplicado, perfeccionista y perseverante. El paradigma del juego de posesión, vaya. Ya metidos en jardines laberínticos, veamos qué es el Barça según otros horóscopos: el maya dice que es un pavo real (único, inconformista, perfeccionista); el celta, un fresno (ambicioso y exigente); el druida, un saúco (paciente y perseverante); el azteca, un caimán (voluntarioso y esforzado); el árabe, un arco (valiente y desenvuelto); el egipcio, la diosa Hátor (feliz aunque depresivo ante la adversidad); el gitano, un hacha (optimista y apasionado); el indio americano, un ante (valiente y audaz); y en el hindú se llama Dhanus-Brishaspati (energía positiva y confianza en sus posibilidades). Por otra parte, el signo alquímico del Barça es el de Mercurio. Por si algún lector desea memorizarlos y alcanzar sus propias conclusiones. Nosotros, con franqueza, desistimos.

674. RISCAT Y GOURET

En algunas ocasiones, las jornadas de fútbol en el antiguo velódromo de la Bonanova se simultaneaban con la práctica de deportes hoy olvidados, por no decir desconocidos, como el *riscat* y el *gouret*. En realidad, el *riscat* (también conocido por marro) era más bien un juego infantil «consistente en dos bandos, los componentes de los cuales deben procurar atraparse recíprocamente, corriendo, en cuyo caso el tocado queda en el bando contrario como prisionero y solo vuelve a ser libre si uno de su bando puede llegar a tocarle la mano». Por su parte, *gouret* era el vocablo francés (originario de Québec, en el Canadá) para referirse a una variante del hockey.

675. LOS BALONES

Durante sus primeros tiempos de existencia, el Barça importaba los balones de cuero directamente desde Inglaterra. Más adelante, y hasta la guerra civil, el fabricante que proveía al club era Manufacturas Tomás Meseguer, empresa situada en Fabara (Zaragoza). Después, el club adquiría los esféricos en Casa Sibecas, una tienda al por menor de artículos deportivos situada en la calle Aribau de Barcelona. Primero, sin válvula, y más tarde, con el obturador ya incorporado.

676. LOS ÁGAPES

El 10 de julio de 1910 se celebró el denominado «banquete de las victorias» en el restaurante La Terrasse, un ágape en homenaje a los campeones de Cataluña, de España y de la Copa de los Pirineos. La jornada resultó pletórica en instantes emotivos: Gamper ofreció a los futbolistas las tradicionales gorras de campeones y el capitán Bru le regaló a cambio una escribanía de plata, como muestra, según dijo «de los sentimientos que animaban a los jugadores hacia quien era el alma del club». Como fin de fiesta, el azulgrana Carles Comamala, un artista consumado, deleitó a los presentes con un concierto de sentidas canciones, acompañado al piano por su hermana. Los tiempos, evidentemente, eran otros, aunque la manía de hartarse con la excusa de alguna sonada victoria duraría largas décadas.

677. ¿APUESTAS ILEGALES?

En enero de 1911, Manuel Portela, gobernador civil de Barcelona, prohibió la celebración de partidos de pago en el campo de la calle Indústria, ya que le había llegado una denuncia de que allí se realizaban apuestas ilegales. Una vez comprobada la falsedad de tal acusación, levantaría la prohibición. Francamente, ignoramos qué pensaría hoy aquel gobernador. Si pagar por ver fútbol ya era «apuesta ilegal», imaginen cómo reaccionaría ante la proliferación de casas de juego vía Internet…

678. JOSEP CARNER

El 4 de julio de 1914, Josep Carner (1884-1970), gran poeta *noucentista* catalán, dedicó un poema al Barça, publicado en las páginas de *La Veu de Catalunya* con las palabras de introducción: «Al FC Barcelona, ante la lucha por la Copa de Catalunya». Respetamos el original en catalán de Carner:

> O forta minyonia! El gran instant s'acuita.
> Bategaran en el redol,
> a la primera coça del començar la lluita,
> dones gentils a vostre volt.
> O bells cama-nuosos! Sigueu, d'aquí una estona,
> reis altra volta del futbol:
> que us llevi patacades el nom de Barcelona
> i us doni goal darrera goal!
> Si l'escomesa vostra els enemics allunya,
> després —o amics, el cor ho vol! —
> beureu dintre la copa de nostra Catalunya,
> tots quilotats de glòria i sol!

A Carner, épica no le faltaba, desde luego…

679. Los «Bandera Blanca»

Aunque parezca mentira, en verano de 1916 existía en Barcelona un equipo de fútbol llamado Los Neutrales, formado por socios del Barça y del Espanyol. Muchos años después, en 2010, en la localidad granadina de Pinos Puente se creó la única peña mixta integrada por aficionados del Barça y el Real Madrid. Un canto a la concordia utópica. Sí, señor. Queda pendiente que algún grupo, sin necesidad siquiera de ser aficionados al fútbol, cree los «Bandera Blanca» para expresar su hartazgo ante la trascendencia pública de este aglutinador de masas.

680. El cortejo de la primera piedra

19 de febrero de 1922, solemne colocación de la primera piedra del campo de Les Corts. A las once de la mañana, una multitud barcelonista arrancó a pie desde el campo de Indústria, chaflán de las calles París y Urgell, en dirección a los terrenos del futuro estadio, llamados indistintamente Can Ribot o Can Guerra. Componían el cortejo cuatro batidores de la guardia municipal, la banda de música de la Casa de Familia, el antiguo pendón del club (llevado por Josep Ardèvol, excampeón de lucha grecorromana y radical seguidor culé), los jugadores de los cuatro equipos de la entidad, representantes del Ayuntamiento y la Mancomunitat, la directiva en pleno y numerosos socios y simpatizantes del FC Barcelona. Una vez llegados a destino, el padre Lluís Sabaté (socio n.º 79 del club y conocido por todos como *mossèn Lletuga*) procedió a bendecir la primera piedra ante una pequeña tribuna improvisada para las autoridades. Tras diversas intervenciones de representantes institucionales, Joan Gamper cerraría el acto con un emotivo discurso.

681. El pergamino

En el transcurso del acto se produjo un hecho curioso. Como escribíamos, en el lugar donde se colocó la primera piedra se había levantado una improvisada tribuna para autoridades y directivos. Justo enfrente, una mesa con un pergamino donde las personalidades presentes firmaron en recuerdo de tan histórica fecha. Después se colocó el manuscrito dentro de un tubo de cristal, librado al secretario general del club, Manuel Nogareda, con el encargo de introducirlo en una hendidura de la primera piedra, donde ya se habían colocado algunos diarios y revistas del día, y también, monedas de plata y cobre. La idea consistía en que, si después de siglos o milenios, alguien decidía excavar en aquel lugar, hallara la sorpresa de aquel tesoro arqueológico.

Por desgracia, Nogareda se olvidó de poner el tubo de cristal en la piedra. Después, al reparar en su descuido, el acto ya había concluido. Le dio vergüenza confesarlo, y así, dejó el tubo en un cajón secreto de su despacho, donde nadie pudiera verlo. Problema resuelto. Pero pasaron los años y, tras la guerra, Nogareda fue sustituido en el cargo por Albert Maluquer, quien, al tomar posesión del despacho de secretario general, encontraría por casualidad aquel tubo de cristal tanto tiempo escondido. Durante cierto tiempo, el tesoro lució con toda pompa dentro de un marco en la sede social del club, en el chalet del pasaje Méndez Vigo. Más tarde, se le volvería a perder la pista, esta vez, por lo que parece, de manera definitiva. Una lástima.

682. Repetición de la jugada

Y, atención, que si hablamos de tubos de cristal extraviados, el serial no acaba aquí. El 28 de marzo de 1954, con motivo de la colocación de la primera piedra del Camp Nou (que, recordemos, era la misma del estadio de Les Corts), se repetiría el mismo ritual proyectado el 20 de mayo del 22. Es decir, colocar en una hendidura de la primera piedra un tubo que contuviera el pergamino firmado por los gerifaltes asistentes al acto. Con dos novedades: ahora, el tubo era de plata y no de cristal, y lo acompañaba otro cilindro con tierra del campo de la calle Indústria. Todo muy simbólico. Así, las «almas» de Indústria y Les Corts convivieron en el subsuelo del Camp Nou hasta que, al cabo de un montón de años, la primera piedra volvió a emerger a la superficie. No se sabe por qué ni cómo, pero acabaría en la capilla, donde quedó encastada al lado de la puerta. Desde hace seis años, la primera piedra de Les Corts (la misma del Camp Nou), se encuentra en el museo del club. De los dos tubos, el del pergamino y el de tierra de la calle Indústria, tampoco nunca más se ha sabido nada.

683. La peña del Colón

La llamada Peña del Colón se hizo muy famosa en los años veinte. Pero no estaba integrada, como podría parecer, por fervorosos aficionados culés, sino por directivos del FC Barcelona. A la salida de los partidos de Les Corts, estos dirigentes, acompañados por esposas e hijas, se reunían en los bajos del legendario hotel Colón de Barcelona, en la céntrica esquina de paseo de Gràcia con plaza de Catalunya, para charlar un rato y homenajear a los jugadores. Los directivos repartían habanos y las señoritas ofrecían bombones a la concurrencia. Muy *chic*, como se decía antes. Años después, en febrero de 1949, una publicación oficial del club disparaba con vehemencia contra el recuerdo de aquellos lujosos encuentros: «De aquellas reuniones de idólatras, los jugadores de talento salieron sin mácula, pero hubo alguno que se lo tomó en serio y aún hoy conserva el empaque».

684. ¡RA, RA, RA!

El primer cántico de animación dedicado al Barça se remonta a 1923 cuando, en el transcurso de un homenaje a Joan Gamper, fue estrenado el segundo himno oficial del club. Al final de la interpretación, el propio Gamper lanzó el *«grito de guerra»* más antiguo que se conoce para animar al equipo: «¡Ra, ra, ra! ¡Barcel-ona! ¡Ra, ra, ra! ¡Barcelona!». Seguro que el grito gozó de mayor éxito que el himno, ya que mostraba todo aquello imprescindible para un cántico barcelonista con éxito popular: un estribillo contundente y rítmico, ideal si se cantaba a coro de miles. Disculpen el atrevimiento, pero eso del *ra* parece un apócope local del *horray* americano, voz de júbilo traspasada al castellano como «hurra». Y si nos ponemos políglotas, se *non è vero, è ben trovato*, que dicen por Italia.

685. DEMASIADOS ASPAVIENTOS

En los primeros cincuenta, un veterano periodista explicaba que, en la posguerra, el abrazo entre futbolistas tras marcar un gol se había convertido en más aparatoso y teatral. Y recordaba que en los años veinte, en tiempos de Samitier, Zamora y Alcántara, si un jugador conseguía perforar la portería contraria, sus compañeros se acercaban limitándose a estrechar su mano, con una felicitación fría y sobria, casi reglamentaria y funcionarial, sin aspavientos. Debemos reconocer que las celebraciones han evolucionado horrores en el curso del tiempo, y ahora, lo más habitual consiste en ver caras desencajadas, bailes extraños e inverosímiles pantomimas. Nada que ver con aquellos pioneros que consideraban el gol como una faceta más de su labor. Hoy, casi conviene dominar el método Stanislavski y ensayar a fondo para celebrar el momento culminante del fútbol. Cosas de los nuevos tiempos.

686. EL BARÇA DE ECUADOR

El Barcelona Sporting Club, el equipo más popular de Ecuador, fue fundado el 1 de mayo de 1925 por Eutimi Pérez y Onofre Castells, catalanes residentes en la ciudad de Guayaquil, que unieron esfuerzos con un grupo de jóvenes nativos. Aún hoy, el único jugador que ha actuado en los dos Barcelona es el portero argentino Carlos Domingo Medrano, que fue culé de 1959 a 1961 y que más tarde se alineó con el Ídolo del Astillero entre 1968 y 1970.

Este no es el único caso de un Barça homónimo más allá del Atlántico. Sabemos también de la existencia en Santiago de Chile, allá por los años cuarenta, de un Club de Fútbol Barcelona, equipo que también lucía los colores azul y grana.

687. RENOVACIÓN REPUBLICANA

La proclamación de la segunda República española (1931) provocó una modificación democrática en los estatutos del club, finalmente aprobada el 22 de mayo de 1932. El artículo dieciséis enunciaba que, cada año, un tercio de los miembros del consejo directivo serían renovados por los socios asamblearios, con lo que todos debían permanecer en el puesto por un tiempo máximo de tres años. Nada de eternizarse en el cargo.

688. LAS ROTACIONES

El 9 de febrero de 1937, el comité de empleados del FC Barcelona, a la sazón órgano dirigente del club, encargó a sus miembros Agustí Bo y Esteve Pedrol que se entrevistaran con el entrenador Patrick O'Connell «al objeto de recomendarle que procure alternar en el primer equipo a todos los jugadores profesionales titulares con el fin de que cada uno de ellos se halle en la mejor forma posible en el caso de necesitar su concurso en un momento determinado». Traducido a un idioma inteligible, recomendaban las rotaciones entre futbolistas para evitar que acabaran fundidos. Con razón aseguran que todo está inventado. Hace ochenta años ya lo intuían.

689. ¿CÓMO HAN QUEDADO?

El 12 de septiembre de 1937, el soldado Jaume Civit se hallaba con sus compañeros de quinta enrolado en la 145 Brigada Mixta de la 44 División del ejército republicano, desplazada en Alcañiz (Teruel), luchando contra los rebeldes franquistas. Pese al dramatismo de la guerra, y en especial de aquel terrible frente, Civit escribió una carta al FC Barcelona pidiendo los resultados de los partidos de la gira por México y Estados Unidos, celebrada aquel verano. Al cabo de unas semanas, el 3 de noviembre, el club le respondió con el detalle de los marcadores registrados en los catorce encuentros de la gira. Setenta y dos años después, en febrero de 2009, Civit donó la carta de respuesta al FC Barcelona.

Vale la pena añadir algo más sobre este fanático culé tan entrañable. Nacido en 1912, Civit se hizo socio del Barça en 1950, y cuando entregó la carta al club tenía noventa y seis años. En diciembre de 2013, ya con 101 años, llamó al Centre de Documentació del Barça para comunicar que se quería dar de baja. En la oficina de atención al socio dijeron que intentarían convencerlo para que no lo hiciera, ya que con sesenta y tres años como asociado podía acogerse a la exención de pago. El señor Civit falleció el 12 de octubre de 2015, a los ciento tres años de edad.

690. IBORRA Y EL ASESINO DE TROTSKI

Nacido en Barcelona en 1908, Josep Iborra, portero del Barça, se quedó en México una vez concluida la gira americana de 1937. Pasaría el resto de su larga vida en Puebla, donde montó la primera agencia de viajes de la población, un negocio que acabaría siendo próspero. Cónsul honorario de España en Puebla, Iborra murió en 2002 convertido en una auténtica personalidad ciudadana.

Iborra fue gran amigo del actor Mario Moreno *Cantinflas* y de Ramon Mercader, el asesino estalinista del revolucionario ruso Lev Trotski. El antiguo guardameta barcelonista comió con Mercader en Coyoacán horas antes de que su compatriota y antiguo militante del PSUC cometiera su histórico crimen, el 20 de agosto de 1940. A la hora del café, Mercader se levantó y le dijo a

Iborra: «Pep, me voy que debo hacer algo muy importante». Poco después hundía el piolet en el cráneo del creador del Ejército Rojo soviético. El Barça, presente en los momentos que cambiaron el curso de la historia. Indirectamente, sí, pero qué cosas…

691. ¡QUE LA PONGAN!

El 9 de octubre de 1940, la junta acordó «regalar una bandera con los colores azulgranas con el distintivo del club al Real Madrid FC, para que la colocaran en su campo en cuantas ocasiones lo visite nuestro equipo» Curioso. Hoy, seguro que más de un culé bramaría: «¿Y no se la pueden pagar ellos?». Con perdón por la flagrante muestra de escasa deportividad.

692. GRACIAS, MERCÈ

Las celebraciones por la conquista de la Copa del 42 tuvieron su aquel. Para empezar, resultaría una fiesta con carambola, por partida doble. El 21 de junio, el Barça derrotó en la final de la competición del KO al Athletic Club (4-3) y, solo una semana después, se libró de bajar a Segunda División tras superar al Murcia por 5-1. Ambos partidos se disputaron en Madrid, en el viejo Chamartín, sin que el equipo se moviera de la capital española, donde quedaría concentrado. Después, regreso en autocar y llegada a Barcelona el 1 de julio. Aquel día sería el primero en que directivos y jugadores se arrodillaron ante la Mare de Déu de la Mercè para cantarle una salve, iniciando así una tradición mantenida hasta 2003, cuando el club rindió homenaje a la patrona de Barcelona tras conquistar la Euroliga de baloncesto en el Palau Sant Jordi. Después, con la llegada de Joan Laporta a la presidencia, el Barça adoptó institucionalmente el laicismo y dejó de visitar la basílica en señal de agradecimiento, tendencia de nuevo quebrada el 8 de junio de 2016 cuando una comitiva azulgrana volvió a ofrecer a la Mercè los títulos de Liga, Copa, Supercopa de Europa y Mundial de clubes de fútbol.

693. MIEDO EN EL CUERPO

Volviendo a la celebración de 1942, tercer año de franquismo puro y duro, destaquemos que tras la liturgia religiosa llegaría la patriótica, con paradas por imperativo legal en las sedes respectivas de Capitanía, Gobierno Civil, Gobierno Militar, Ayuntamiento y Diputación. Tal como mandaba la tradición, una vez en el consistorio, los futbolistas salieron al balcón para saludar a los aficionados que se habían sumado a la fiesta. Vista hoy, con todas las celebraciones vividas históricamente, la fotografía de aquella escena resulta impagable. En blanco y negro, se ve a un montón de gente muy formal mirando hacia el balón, con una sensación de funeral. Nadie lleva banderas, nadie levanta los brazos, ni grita, ni luce ninguna expresión vinculable a un estado de alegría. Solo miran y basta. No debe extrañar: aquella era la primera manifestación no oficial, ni oficialista, desde el final de la guerra, y la gente vivía bajo un régimen de miedo y terror a cualquier represión. La idea debía consistir, pues, en ir a ver a los campeones sin alzar la voz y sin ningún tipo de exceso, por si acaso.

694. Invitados al homenaje

Continuamos con aquella peculiar jornada, que aún tiene cuerda. Por la noche se realizó una cena de homenaje a los campeones, organizada por el gobernador civil de Barcelona, Antonio Correa Véglison. Un homenaje doble, ya que también se hizo al R. C. D. Espanyol, sin razón aparente ya que el equipo blanquiazul no había ganado nada en aquella temporada. En cualquier caso, el presidente españolista se sentó en un lugar de honor en la presidencia de la mesa. Quedaba claro, pues, qué equipo barcelonés era la criatura mimada del régimen franquista. También sobre eso aún queda mucho por escribir. Por ejemplo, sobre los colores preferidos por la inmensa mayoría de los responsables de las páginas deportivas de los diarios locales en aquellos años de posguerra y sobre las consignas de favorecer a unos sobre otros en el reparto de información. En tiempos de «Una, grande y libre», no es necesario precisar por dónde iban los tiros. Hoy, entrados en el nuevo milenio, nadie investigará ya la cuestión, aunque guarde, todavía, mucho que explicar y entender.

695. Hotel Carlton

En la década de los cincuenta, cada vez que el Barça jugaba en Bilbao se concentraba en el hotel Carlton, uno de los más prestigiosos de la época. En el salón comedor de este establecimiento de gran categoría siempre había un quinteto de músicos encargado de tocar piezas clásicas. Cuando entraban los jugadores del FC Barcelona, ya era tradicional recibirles interpretando en su honor *El cant dels ocells*, una de las escasas canciones catalanas toleradas en aquella época. Todo un detalle cuando más se apreciaban estas muestras singulares por el valor simbólico que entrañaban.

696. ANCIANOS ASOCIADOS

El 12 de marzo de 1953, una llamada Asociación de Ancianos de España pidió al FC Barcelona la adquisición, previo pago, de cierto número de invitaciones al concierto que organizaba la citada entidad en el Palau de la Música Catalana el día 28 del mismo mes. La directiva desestimó la petición después de (suponemos) leerla un par de veces para acabar de entender el sentido de la propuesta.

697. PURO EQUILIBRISMO

Y es que, desde tiempos remotos, mucha gente ha creído que el Barça es una especie de ONG siempre dispuesta a ayudar. Ejemplos de cualquier época los hay a porrillo y el trabajo de equilibrista de las directivas ante el alud de peticiones nunca ha resultado fácil. Por ejemplo, aquel mismo 12 de marzo, la junta denegaría el donativo solicitado por la Cofradía del Jesús del Via Crucis de Zamora, aunque, en cambio, quizá por proximidad, concedería de manera magnánima una pelota usada a la *Congregació de l'Anunciació i Sant Joan Berchmans* de Barcelona.

698. ¿QUÉ TENIS?

En aquella reunión del consejo directivo, quien no gozaría de excesivo éxito, por el momento, sería el escritor, periodista y poeta Carles Sindreu, empeñado en que el club subvencionara con dos mil pesetas su libro *La singular historia de un club de tenis*, petición rechazada bajo el argumento de que el Barça llevaba muchos años sin sección de tenis. Eso sí, dos meses después, los directivos transigirían parcialmente al conceder al señor Sindreu doscientas pesetas para la edición de su libro. Se habían enterado de que el texto versaba sobre el Club de Tenis de La Salut y creían, erróneamente, que esta entidad había sido la sección tenística del Barça antes de la guerra.

699. Viudas y huérfanos

En cambio, casi por imperativo legal, en aquel mismo cónclave, se decidiría de forma automática, como todos los años, conceder un donativo de cinco mil pesetas a la Asociación de Viudas y Huérfanos del Ejército de Tierra, Mar y Aire de la región militar de Barcelona. Bastante sabían ya quien había ganado la guerra y quien tenía cogida la sartén por el mango, no hacía falta recordarlo.

700. Pedir sale gratis

Seguimos con ejemplos de peticiones diversas: el 21 de mayo de 1953, el escultor Antonio Bellmunt ofreció al club una escultura de la Virgen de Montserrat por cuarenta pesetas. ¿Resultado? Un rotundo no y cierto sentimiento de desconcierto entre los directivos. La otra cara de la moneda fue la concesión de un balón usado a la asociación Catecismo San Francisco Javier. Barracas de Montjuich, con destino a los niños pobres de aquella barriada. Una pelota y vas que chutas, nunca mejor dicho.

701. Sin réplica posible

La funesta resolución del caso Di Stéfano no comportó ninguna nota de protesta surgida desde la amordazada prensa deportiva barcelonesa, sobre la que había caído una imperativa consigna de silencio que impedía referirse a tan lamentable asunto. Al margen de algún detalle ya comentado en *Barça inédito*, a los aficionados culés solo les quedó el desahogo de leer unos panfletos que circularon clandestinamente por las calles de Barcelona a comienzos de septiembre de 1953. En la hoja, sin citar al jugador argentino, se reflejaba lo que muchos pensaban y solo se podía afirmar en la intimidad: «Como provincianos que somos, hemos exagerado demasiado la nota al acaparar los títulos deportivos, y esto no puede ser. Los títulos de campeón hay que dejarlos en Madrid aunque sea por real orden. Así lo quiere la Real Federación porque le da la real gana».

702. ¡¡¡???

El 16 de septiembre de 1954, la directiva barcelonista acordó la concesión de una limosna de cinco mil pesetas al rector de la parroquia de Les Corts, tal vez motivada por la evidente vecindad.

Así de rumbosa y desprendida era la junta de entonces. O los responsables de la donación aspiraban a reservar plaza eterna en el cielo, que también es posible...

703. EL SAGAZ BOTÍN

El 26 de febrero de 1956, el Banco de Santander concedió al FC Barcelona un crédito de cuarenta millones de pesetas, destinado a las obras de construcción del Camp Nou. De esta manera, la entidad bancaria, entonces dirigida por Emilio Botín padre, amplió de manera extraordinaria su proyección en Barcelona. Como publicaría *La Vanguardia* tres días más tarde, el Barça convino que los pagos de los abonos del Camp Nou se realizaran a través de las agencias del Banco de Santander en la capital catalana, que entonces apenas eran media docena y basta. Visión de negocio, la del señor Botín. Vaya manera de popularizar su marca.

704. DOLOR DE BARRIGA Y DERROTA

El 18 de marzo de 1956, la enfermería de Les Corts trabajó a destajo. Era la tarde de un Barça-Madrid de Liga, cerrado con victoria azulgrana por 2-0, ambos marcados por Ramón Villaverde. Aquel clásico se disputó de manera correctísima, sin que hubiera ningún lesionado. Los ingresados en la enfermería no eran futbolistas, sino un buen puñado de espectadores intoxicados tras ingerir una paella en mal estado. Se trataba de aficionados madridistas que habían celebrado el desplazamiento con un banquete que acabó con dolor de barriga colectivo. Y, de propina, derrota.

705. LA SONRISA

La máxima representación del Gobierno español presente en el Camp Nou el día de su inauguración, Día de la Mercè de 1957, fue José Solís Ruiz, ministro secretario general del Movimiento y conocido como «la sonrisa del Régimen». Sí, de verdad, sin ironías. No obstante, en principio estaba prevista la presencia de Francisco Franco, aunque finalmente el dictador no pudo asistir a la inauguración. Seguro que estaba inaugurando algún pantano, ocupación tan habitual en su excelencia que le valió el apelativo popular de Paco, *el Rana*.

706. Estreno del dictador

Ya que sale el dictador a la palestra, Franco visitaría por vez primera el Camp Nou pocos días después, el 10 de octubre, con motivo del partido Barça-Sevilla de liga. Lo hizo en el transcurso de una visita oficial a Barcelona, en la que anunciaría la cesión a la ciudad del castillo de Montjuïc y, de paso, ya que estaba, inauguró los Hogares Mundet. Aquella tarde, el dictador presenció el encuentro acompañado de su esposa Carmen Polo, la conocida *Collares*, y la comitiva habitual de jerarcas del régimen. La directiva, presidida por el falangista Francesc Miró-Sans, rindió el perceptivo homenaje a Franco, quien firmó en el libro de honor del FC Barcelona, una institución, como se decía en la prensa de la época, «al servicio de Barcelona y de España».

707. ¿Para Franco? No, gracias

Aquel día, a la directiva se le ocurrió celebrar un espectáculo folclórico en el Estadi en homenaje al dictador. La idea consistía en repetir exactamente lo mismo que en la fiesta de inauguración, cuando mil quinientos miembros de las *colles* sardanistas y *esbarts dansaires*, bajo la dirección de la Agrupación Cultural Folklórica de Barcelona, formaron en corros gigantes que ocuparon el terreno de juego para danzar al son de la música de *L'Empordà*, la sardana de Enric Morera con letra de Joan Maragall.

Este proyecto destinado a homenajear a Franco quedaría finalmente en agua de borrajas. No creáis que por motivos logísticos o de seguridad, sino por un inesperado gesto de coraje. Sin embargo, pasaría medio siglo hasta que pudiéramos conocer la verdad. Según desveló el socio barcelonista Joan Vallvé en una carta publicada en *El Punt Avui* el 28 de septiembre de 2016, cuando la junta del Barça de entonces realizó la petición formal a la Agrupación Cultural Folklórica de Barcelona de repetir el espectáculo del 24 de septiembre, la respuesta que recibieron fue esta: «Por el Barcelona, fuimos. Por Franco, no». Y no fueron, no, a pesar del evidente peligro que corrían con tan atrevida respuesta. Realmente, aquellas personas mostraron una valentía y una dignidad de las que merecen reconocimiento. Como rubricaba el propio Vallvé en su carta, parafraseando a Lluís Llach, «buen viaje para los guerreros que a su pueblo son fieles».

708. ¡Postres!

«¡Desde mañana, tomaremos postre otra vez todos los días!» Solemne frase pronunciada por unas socias barcelonistas al enterarse de que ya habían pagado el total del abono al Camp Nou, en septiembre de 1957, y reproducida en la prensa de la época como muestra de sentimiento y voluntad. No debía ser el único caso, ni lo decían en broma, porque los abonados al nuevo Estadio tuvieron que pagar por adelantado (al contado o a plazos) el valor del abono elegido, por un total de tres, cuatro o cinco temporadas. Cosas de la militancia sacrificada.

709. El brazo y la manga

Día 10 de julio de 1958. El informe de los inspectores de cuentas de la campaña 1957-58 indicaba de manera tajante: «El coste global [de la construcción del Camp Nou] ha sobrepasado en demasía las cantidades previstas y las posibilidades reales de nuestro club». Como ya hemos insistido profusamente por su importancia histórica, aquello significó la llamada «travesía del desierto», periodo que va desde la desgraciada final de Berna (1961) hasta la llegada de Cruyff (1973) como refuerzo futbolístico. Dicen, y dicen bien, que la historia guarda lecciones que conviene recordar si el objetivo es no tropezar de nuevo en la misma piedra.

710. Desastre absoluto

Vale la pena volver a este punto de inflexión en la historia azulgrana: la construcción del Camp Nou había situado el club al borde de la quiebra económica porque el presupuesto previsto (66.620.000 pesetas) se cuadriplicó hasta alcanzar un extraordinario coste final de doscientos ochenta y ocho millones. Un absoluto disparate, una exageración. Nunca llegaremos a saber qué pasó, qué justificó tan descomunal desviación en el coste. Por el camino, un montón de leyendas urbanas sobre corruptelas y pésima gestión, sin pruebas fehacientes que puedan justificar la denuncia. En cualquier caso, hoy, seis décadas después, ya habrían prescrito. Aquello no fue en absoluto normal, eso seguro, pero llegamos tarde a investigarlo. Sabemos de protestas de peñas y directivos disidentes que se quedaron sin respuesta por parte de la junta directiva, amparada por una dictadura que ocultaba cualquier corrupción realizada por gente de su talante.

Como ejemplo, aunque dicho cual murmullo, en diciembre de 1961, el nuevo presidente Enric Llaudet confesaría que, cierto día, le preguntó claramente a Josep Soteras, arquitecto del Camp Nou, «qué había pasado». La respuesta de Soteras merece el calificativo de antológica: «Solamente alegría, mucha alegría».

711. NÚMEROS ROJOS

Aprobado en la asamblea del 14 de julio, el presupuesto del FC Barcelona para la temporada 1958-59 era de 59.065.000 pesetas en ingresos, y gastos de 61.875.000. Es decir, ya se contaba *a priori* con un déficit de 2.810.000 pesetas. ¿Pesimismo, fatalismo o realismo? Y una reflexión *a posteriori*: a partir de la construcción del Camp Nou, que generó una interminable jaqueca en el estado de las cuentas, se diría que el culé desarrolló una obsesión con los números y el déficit del club, que, prácticamente, ha durado hasta nuestros días. Este pavor a la bancarrota acabó provocando que se celebraran los superávits como si fueran títulos deportivos. Peculiar rasgo de personalidad colectiva nunca estudiado como requeriría.

712. MESAS PETITORIAS

Cuando Enric Llaudet alcanzó la presidencia del FC Barcelona, las expectativas deportivas eran más bien pocas. En julio de 1961, interrogado por un periodista sobre su deseo de cara a la inminente Liga 1961-62, su realista respuesta fue: «Quedaremos entre los tres primeros». Al final, el Barça acabaría el campeonato en segunda posición a tres puntos del Madrid, pero ¿os imagináis que pasaría hoy si un presidente barcelonista dijera algo similar? Pues que los culés lo perseguirían por las Ramblas hasta el mar, seguramente...

Recordemos que aquella no era precisamente una época pródiga en alegrías. Hacia el mes de octubre de 1961, la situación económica del club era tan calamitosa que el presidente Llaudet, desesperado, sopesó la idea de ir convocando en el Palau de la Música Catalana a los cincuenta y tres mil socios, en grupos sucesivos de dos mil, para explicarles el problema en toda su crudeza. A la salida se colocarían unas mesas petitorias, presididas por las esposas de los directivos, para que los asociados pudieran entregar sus donativos, destinados a la salvación del Barça, a la manera del Domund o de las actuales ONG. El proyecto se abandonó por miedo al ridículo mundial que hubiera comportado.

Con todo, el catastrófico momento del Barça conllevó algunos movimientos solidarios entre la masa social barcelonista ciertamente sorprendentes. Como aquel chico que cierto día se presentó en las oficinas del club con el propósito de realizar una donación de mil pesetas, cantidad que, según él, constituía todos sus ahorros. O un estudiante de dieciséis años que prometió donar diez pesetas cada semana. E incluso, según confesaría el expresidente Arcadi Balaguer, un numeroso grupo de payeses catalanes propusieron donar al club una importante suma de dinero, que sería devuelta en diez años y sin intereses.

713. ¿ALFREDO, MÍSTER?

En diciembre de 1962, un periodista preguntó a Di Stéfano, que ya acumulaba nueve años de gloria madridista, si pensaba ser entrenador algún día. Ante la respuesta afirmativa de la Saeta Rubia, el «tribulete» insistió: «¿En el Real Madrid?». Y la respuesta de don Alfredo fue: «En el Real, en el Atlético, en el Barcelona…, desde luego, en uno de primera línea». Tras todo lo sucedido en 1953, ver a Di Stéfano como técnico azulgrana hubiera resultado kafkiano. Ya retirado del fútbol y trasladado al banquillo, la Saeta Rubia entrenaría a un montón de equipos entre 1967 y 1991, Real Madrid incluido, pero nunca dirigió al Barça.

714. ENEMIGOS POR TODAS PARTES

Era 1966 cuando el presidente Llaudet recibió una carta de un socio anónimo que le ofrecía algunos consejos y sugerencias de cara al buen funcionamiento del club. Destacaremos aquí un par de esos apuntes. El primero estaba dedicado al siempre apasionante tema de las relaciones del FC Barcelona con los medios de comunicación: «Todos sabemos que el Club de Fútbol Barcelona tiene mala prensa, por ser la mayoría de los periodistas no simpatizantes de nuestro club. Eso lleva a que ellos aprovechen cualquier pequeñez para tratar de ridiculizarlo, llegando a demostrar tal afán que en la mayoría de las ocasiones escriben cosas que les pone a muy poca altura como periodistas, y eso les deja en ridículo, aunque ellos no se den cuenta. Por eso no debemos encogernos de hombros, como vulgarmente se dice, y hay que buscar el remedio eficaz. Por lo cual yo propongo que la directiva nombre una comisión compuesta por un letrado, un periodista y dos socios que sean idóneos para tal cometido. Sus trabajos por realizar serían:

1. Mandar una carta a la dirección de los diarios, periódicos y emisoras de radio, notificándoles que debido a algunas noticias que se han publicado con intención de socavar el prestigio de nuestro querido presidente don Enrique Llaudet y por tanto del Club de Fútbol Barcelona, la asamblea ha acordado crear una comisión de defensa para tal fin, esperando de su alto concepto, que no sea preciso actuar para continuar nuestras buenas relaciones.

2. Si algún periódico insiste en sus malintencionadas publicaciones, se puede aconsejar que durante seis meses se deje de adquirir dicho periódico.

3. Demandar por perjuicios al prestigio del club, al periodista si firma, o al director si no hay firma».

Por suerte, no hicieron mucho caso a este socio tan guerrero y reivindicativo. Solo habría faltado eso para enrarecer aún más la tensa atmósfera azulgrana de aquellos días.

715. Ay, los horarios...

La segunda sugerencia de este socio tan preocupado por su club tenía su aquel, pues se refería a un tema tan actual como el horario de los partidos: «Analizando y haciendo una encuesta, se llega a la conclusión de que para las arcas del club los partidos hay que celebrarlos los domingos por la tarde a las cuatro o aproximadamente, por varias causas. Si se juegan tarde, muchos socios y otros aficionados dispuestos el domingo por la tarde para ir al fútbol después de comer, se enfrían y se marchan con sus familias a otros espectáculos, perdiendo el espíritu de entusiasmo y exaltación que se produce en los bares al tomar el café minutos antes de asistir al partido. Por regla general, al celebrar los partidos tarde, el tiempo empeora y llueve. En los partidos de noche, si no es en verano, hay que tener muy buena salud para resistir la humedad de la niebla que cae sobre nosotros, lo cual produce muchos enfriamientos y achaques, absteniéndose muchos aficionados de asistir. Por lo tanto, aconsejo que los partidos de noche sean mínimos».

Aquellos eran, evidentemente, otros tiempos. Entonces casi

todos los partidos de Liga empezaban a la misma hora, los domingos a las 16.30, para alegría del programa radiofónico *Carrusel Deportivo*, por aquel entonces mucho más ameno que ahora (tendremos que decirlo) gracias a esa simultaneidad en la jornada. Las únicas excepciones consistían en algún partido trasladado puntualmente al sábado a las 20.45 y el del domingo por la noche, que ofrecía TVE (la única que existía), obviamente «en abierto», a las 19.30 horas. Por lo que respecta a las competiciones europeas, se jugaba prácticamente como hoy, con partidos los miércoles a las 20.45 horas. La Copa de aquellos tiempos se disputaba, invariablemente y al completo, una vez terminada la competición de la regularidad, siguiendo horarios diversos. Como ya era primavera avanzada, se podía dirimir el domingo a las cinco o las siete de la tarde, aunque también se celebró algún sábado a una hora que entonces se consideraba intempestiva y desesperaba a los socios: las 22.30. Tan tradicionales como eran, de costumbres tan fijas, si vieran el descontrol de los horarios actuales, ya habrían denunciado a los responsables. O tal vez hubieran abandonado la afición por el balón. Una de dos.

716. MALDITA ERRATA

En septiembre de 1966, una errata tipográfica provocó que el club publicara en la prensa barcelonesa el número (equivocado) de teléfono que, supuestamente, pertenecía a las nuevas oficinas del club, ahora situadas en la Masia. En realidad, el teléfono se hallaba a nombre de un señor particular sin nada que ver con el Barça. Con cristiana resignación, el civil soportó unas doscientas llamadas dirigidas al club hasta que se solucionó el embrollo. Por suerte, según publicó la prensa de aquellos días, el damnificado era culé. Si llega a ser perico, se hubiera subido por las paredes…

717. EL *CUÑADÍSIMO*, CULÉ

Ramón Serrano Suñer, cuñado del dictador Franco, había sido ministro de Asuntos Exteriores durante la Segunda Guerra Mundial y fervoroso partidario del eje nazi-fascista, entre otras lindezas. Apodado el «Cuñadísimo» con toda la mala uva del mundo, no parecía lucir un currículo barcelonista. Pero parece que sí, que era culé. O, como mínimo, eso confesaría en una entrevista publicada en la revista *Barça* el 22 de enero de 1969. Serrano Suñer, que ya llevaba largos años caído en desgracia en el régimen franquista y entonces se dedicaba en exclusiva a su profesión de abogado, había nacido en Cartagena, pero tenía raíces tarraconenses. En la citada entrevista explicaría esta anécdota: «Estaba presenciando en Las Corts un encuentro entre el Barcelona y el Real Madrid en el palco de unos amigos catalanes. Al poco de comenzar el encuentro marcó el Barcelona, y yo me puse de pie, muy contento, a aplaudir. Entonces escuché cómo detrás de mí alguien decía: «*Aquest senyor no sap de què va; mira que aplaudir els nostres…!*». Yo me volví sonriente y le dije: «No solamente sé perfectamente de qué va, sino que entiendo muy bien el catalán y, por supuesto, soy tan barcelonista como pueda serlo usted!». ¡Con qué cara se quedó aquel señor…!».

El Cuñadísimo, por lo visto, dispuesto a caer bien entre los culés, redondeaba la operación de imagen, que nadie le había pedido, con estas palabras: «En Madrid, el público es muy apasionado, y he visto espectáculos en el Bernabéu que preferiría habérmelos ahorrado». Hablando de ahorrar, nosotros hubiéramos preferido ahorrarnos aquella guerra civil que le convirtió en aprovechada y oportunista celebridad.

718. CUIDADO CON FRAGA

El 28 de enero de 1969, seis días después de la profesión de fe barcelonista de Ramón Serrano Suñer, el editor de la *Revista Barcelonista*, Carlos Barnils, publicaba en su revista un ácido apunte en el que se congratulaba irónicamente del barcelonismo del antiguo jerarca del régimen, añadiendo a continuación: «Lo único es que esta proclamación barcelonista nos hubiera gustado que el señor Suñer la hubiera realizado mucho antes… Por ejemplo, allá por los años cuarenta del presente siglo. Lo habríamos celebrado mucho más, don Ramón. De verdad».

Esta implícita, y entonces temeraria, denuncia de la persecución política padecida por el FC Barcelona a partir del final de la guerra no gustó en absoluto al ministro de Información y Turismo, Manuel Fraga, que estuvo a punto de decretar la clausura gubernativa de *RB*, sanción que no se produjo gracias a los contactos de Barnils con Francisco Platón, delegado nacional de Deportes en Cataluña. ¿Libertad de expresión bajo el franquismo? Ni en el fútbol.

719. Visita de Urtain

José Manuel Ibar, *Urtain,* era un sencillo y corpulento mocetón vasco que pasó de cortar troncos y levantar piedras en su caserío natal de Aizarnazabal al boxeo profesional (1968-77), donde todo lo basaba en su brutal pegada. El Morrosko llegaría a ser muy popular, aunque en realidad era una figura deportiva sobrevalorada y manipulada por el Régimen, que necesitaba un héroe para vender al exterior. Gente sin escrúpulos se aprovechó de él y acabó siendo un juguete roto, arruinado y desesperado. Se suicidó en 1992 a los cuarenta y nueve años.

En febrero de 1969, cuando se hallaba en la cima de su fama, Urtain visitó las instalaciones del FC Barcelona acompañado de su mánager, Miguel Almazor, que lucía ufano un escudo del Barça en el ojal de la chaqueta. Para demostrar su fuerza descomunal, el Morrosko, que de niño soñaba con ser futbolista, se hizo una foto en la sala de trofeos levantando la Copa Martini-Rossi, aquel enorme y excesivo trofeo de 1952, otorgado al equipo con mejor *goal average,* al que todos daban una importancia superior a la que tenía en realidad.

720. ¿Dónde está Sami?

Solo diez días después del mítico 0-5 del Bernabéu, el 27 de febrero de 1974, una delegación del FC Barcelona fue recibida en el palacio del Pardo por Francisco Franco, ya envejecido: era un octogenario enfermo con tendencia a chochear. Según los presentes, prácticamente lo único que dijo el viejo general en toda la audiencia fue: «¿Y Samitier?». Desconocemos si alguien tuvo el cuajo de decirle a su excelencia el Generalísimo que Josep Samitier llevaba casi dos años muerto.

¿De dónde venía esta mencionada proximidad? Recordémoslo y lancemos alguna hipótesis, no tan atrevida como parece. Como jugador, Samitier abandonó el Barça cuando bordeaba los treinta y un años tras un señor estruendo. Ya sabemos y es notorio que su amigo Bernabéu, que había sido futbolista, le invitó a fichar por el Madrid cuando comenzaba 1933. La nueva sociedad antinatural entre el mito culé y los blancos funcionó bastante bien: con él a bordo, el Real (que en la República había perdido tal distinción) alcanzó la Liga del 32-33 y la Copa del año siguiente, aunque el astro catalán no contribuyera en demasía.

Contrariamente a lo sostenido por sus hagiógrafos y pelotas, a Franco le gustaba el fútbol; durante sus estancias en Madrid, cuando la República quería atarle corto y no le daba destinos lejanos (no le diera por conspirar, como acabaría haciendo para desgracia de todos), iba al viejo Chamartín para ver jugar a Sami, con quien entablaría amistad.

Tanta que el Mago del Balón aprovecharía años después tal proximidad en beneficio del Barça. Relaciones públicas de postín, todo un seductor, Samitier era de los pocos que podía bromear con el dictador. Incluso era capaz de burlarse de la barriga que le iba creciendo con los años sin peligro de acabar encarcelado o en el exilio. Para Franco, Pepe era sinónimo de Barça. Nunca llegaremos a saber, otra teoría por confirmar, cuál fue el papel del dictador en la incorporación de Kubala al equipo cuando Sami era secretario técnico del club con poderes plenipotenciarios. Desde fuera, la relación entre ambos nos parece apasionante, máxime al comprobar que Samitier podía ser al tiempo amigo de un ángel y de un diablo. Sabía navegar por la política como un experto y estar a buenas con todo el mundo. Lo hizo toda su vida. Y con Franco demostraba especial habilidad para aprovecharse de la admiración eterna que el militar le profesaba a partir de haberle maravillado con el balón en los pies.

721. SELLOS DE GUINEA

En 1974 y con motivo del septuagésimo aniversario del FC Barcelona, la República de Guinea Ecuatorial realizó una emisión de diez sellos de temática barcelonista. En los sellos se veían imágenes de Joan Gamper, una formación de la temporada 1909-10, el equipo titular de la Liga 1973-74, jugadores míticos como Alcántara, Samitier, Kubala y Cruyff, la sala de trofeos, el campo de Les Corts, el Camp Nou y la Masia. Todos ellos, con el escudo del Barça y el logotipo de las bodas de platino. Era aquella la primera vez que un Estado realizaba una serie de sellos de correos en homenaje a una entidad deportiva. ¿Y cómo se les ocurrió? ¿Y por qué el Barça? Ya nos gustaría saberlo.

En cualquier caso, aquella emisión se realizó al margen del club, que llegaría a publicar una nota de prensa en agosto con la intención de desvincularse totalmente del estrambote guineano. En aquella época, de todos modos, no existía aún el concepto de márketing y a duras penas se pensaba en los derechos de autor. Por tanto, desde Barcelona no reclamaron compensación económica, ni tampoco intentaron detener la emisión. El contencioso acabaría del modo más sencillo, con una reunión celebrada en noviembre entre la distribuidora de los sellos y el presidente Agustí Montal. Los ejecutivos de la empresa regalaron a Montal un plafón con los sellos barcelonistas de Guinea Ecuatorial, y así quedó plasmado de manera gráfica que el Barça no ponía impedimento. Por chocante que resultara la iniciativa.

722. COCHES DEL CLUB

Curiosa nota incluida en el acta de la reunión directiva correspondiente al 10 de enero de 1978: «El gerente pide que se apruebe la venta de uno de los dos coches propiedad del club y el traspaso legal de un tercer coche a su verdadero propietario, en este caso, un jugador de baloncesto. Se aprueba y queda facultado el propio gerente para llevar a cabo la operación». Desconocemos la identidad de aquel jugador de baloncesto tan altruista que cedía desinteresadamente su vehículo al club.

723. DEUDA VARIABLE

En julio de 1978, el nuevo presidente, Josep Lluís Núñez, manifestaría en rueda de prensa que la anterior directiva le había dejado, como si de una indeseable herencia se tratara, una deuda que él calculaba en 928 millones de pesetas. Enseguida, réplica de la junta saliente, rebajando la cantidad a quinientos millones. La solución al enigma planteado la proporcionó una auditoría, que situó la deuda real del club en aquel momento de relevo en 680 millones. A partir de aquí, si se nos permite la ironía, también se estableció una nueva tradición cuando llegaba y llega el momento de decir adiós a los viejos directivos y recibir al nuevo presidente y equipo gestor. Unos y otros terminan siempre tirándose los números a la cabeza.

724. ERIC CASTEL

Personaje de cómic mundialmente famoso, el futbolista francés Eric Castel fue creado en los setenta por el dibujante belga Raymond Reding, con guiones de su compatriota Françoise Hugues.

Durante quince volúmenes, Eric Castel jugó sucesivamente en el Barça, París Sant-Germain y otra vez en el Barça.

Las primeras aventuras de este jugador de blancos cabellos (o muy rubio, si lo prefieren), con cierto parecido al italiano Roberto Bettega, se remontan al verano de 1974, aunque entonces se llamaba Walter Müller, y representaba a un futbolista alemán amateur que jugaba en el equipo de la empresa donde trabajaba, en Düsseldorf. Un intermediario descubría su enorme talento y conseguía su fichaje por el Barça. Entusiasmado, Müller llegaba al Camp Nou y se vestía de azulgrana mientras proclamaba, en el cómic original, «será un honor llevar la misma camiseta que Johan Cruyff». No obstante, esa sería una sola historia de cuarenta y cuatro páginas y no gozaría de continuidad.

725. EL HÉROE DIBUJADO

En 1979, el personaje regresaría a la escena pública con la misma fisonomía, pero llamándose ya Eric Castel y con nacionalidad francesa. Entonces, era un jugador del Inter de Milán que salía de una grave lesión y fichaba por el Barça para reactivar su carrera futbolística. Era un extremo con una excepcional pierna izquierda y fantástico olfato de gol (seguimos hablando de ficción dibujada). Sus virtudes explotaban con la camiseta azulgrana hasta el punto de convertirse en crac mundial. Artífice de grandes triunfos con el Barça gracias a sus goles inverosímiles, pronto se convertiría en ídolo de la afición barcelonista (la real, de carne y hueso, en este caso). Sus primeras peripecias en azulgrana quedan reflejadas desde el primer volumen hasta el séptimo de la colección.

Pero Eric Castel quería buscar nuevos horizontes deportivos. En 1984, fichaba por el Paris Saint-Germain. Una ironía de la vida, por otra parte previsible al tratarse de una historia de ficción, hacía que el Barça y el PSG se enfrentaran en la final a doble partido de la Copa CEVA (Copa de Europa de las Villas de Arte), trofeo imaginario con reminiscencias de la antigua Copa de Ciudades en Ferias, y equiparable, por su importancia, a la actual Champions League. El PSG obtenía el título tras superar el 3-2 adverso en el Camp Nou con un 3-1 en la vuelta, disputada en el Parque de los Príncipes de París, con dobletes goleadores de Eric Castel en ambos partidos. A la postre, la etapa parisina sería corta, solo los volúmenes octavo y noveno.

726. ENTRE BASILEA Y WEMBLEY

Esta derrota azulgrana incrementó el malestar de un montón de seguidores del personaje (ojo: reales, en este caso) por la decisión previa de Raymond Reding y Françoise Hugues de traspasar a Eric Castel al París Saint-Germain. Eran muchos los que consideraban inconcebible que su ídolo de ficción se atreviera a cambiar de colores y que, para mayor inri, consiguiera el máximo título continental arrebatándoselo a su antiguo equipo. La editorial que publicaba el cómic quedó inundada con centenares de cartas de protesta (reales) y las ventas de los álbumes sufrieron un importante descenso. No quedaba otro remedio que el regreso de Eric Castel al Barça.

En 1986, el hijo pródigo volvió a casa. O sea, al Barça, donde conseguiría nuevos laureles gracias a sus extraordinarios goles, siempre magníficamente dibujados siguiendo la escuela de la «línea clara», muy fiel en la reproducción de escenarios. Además, dos años más tarde, retornaba al Barça aquello que le había negado cuando jugaba en el PSG tras lograr con la camiseta azulgrana la primera Copa CEVA de la historia barcelonista (¡bravo! Ah, no, que es ficción…). En el duodécimo volumen de la colección, el Barça y el Girondins de Burdeos se enfrentaban en la final continental, de nuevo a doble partido. Como no podía ser de otro modo, la emoción debía llegar hasta el límite: 4-3 en el Camp Nou y 4-3 en Burdeos. Después, prórroga sin goles y la lotería de los penaltis, con otro 4-3 favorable al Barça, y el último lanzamiento transformado por Eric Castel, el MVP de la final con dos goles en el Camp Nou y otro par en el Parc Lescure. Así pues, en 1988, el Barça de Eric Castel era campeón de Europa cuatro años antes de Wembley 92. Oé, oé, oé, oé (ay, no, que volvemos a confundir realidad con dibujo…).

Esta última etapa de la colección incluye desde el décimo volumen hasta el decimoquinto y último de la serie. Al final de este, Castel regresa a Francia para fichar por el Lille. Fue, precisamente, en 1992 cuando la historia se acabó, con nuestro hombre de nuevo lejos del Camp Nou. Pero en el imaginario colectivo siempre quedará la imagen de Eric Castel como jugador del FC Barcelona entre 1979 y 1992. Casualmente, desde Basilea a Wembley en el mundo real.

727. El buenazo de Quini

Poca gente despierta esta unanimidad, como para estar orgulloso: todo el mundo considera a Quini una bellísima persona. En cierta ocasión, Manuel Vázquez Montalbán comunicó a Enrique Castro que debía escribir el prólogo de un libro centrado en su secuestro. El asturiano solo le puso una condición: «No se meta demasiado con los secuestradores. No eran mala gente».

728. Amenazas

Quini fue secuestrado por tres parados sin antecedentes el 1 de marzo de 1981, a la salida de un partido de Liga jugado en el Camp Nou; la policía le liberó veinticinco días después. Como es natural, el secuestro del delantero asturiano generó un alud de manifestaciones de todo tipo, algunas chocantes. Por ejemplo, el portero barcelonista *Pello* Artola desvelaría que, antes del partido jugado en Sevilla contra el Betis el 22 de febrero, el club había recibido un anónimo donde se afirmaba que dispararían contra Quini, Alexanko y el propio Artola en el transcurso del choque.

729. En estado de pánico

Otras declaraciones entraban directamente en terreno del puro estrambote. En esta línea, Rafael Zuviría, extremo izquierdo azulgrana reciclado en lateral, creyó que el secuestro de Quini desencadenaría una vorágine de violencia que convertiría la sociedad catalana en un sucedáneo del salvaje Oeste de las películas: «Tengo dos escopetas en casa y ya le estoy enseñando el manejo a mi mujer. Si se atreven a entrar, se las tendrán que ver con nosotros. Además, ya le he dicho a mi señora que, si piden rescate por mi persona, no dé ni un duro». Incluso el legendario Pelé se atrevió a decir la suya. El brasileño, de natural populista y poco reflexivo, interpretaba el secuestro como si se hallara en plena guerra del Vietnam, o casi: «Solo podemos apelar a las grandes naciones del mundo, como la URSS, China y Estados Unidos, las únicas que pueden detener esta escalada de violencia». ¿Un pelín exagerado?

730. Hablar por no callar

Peor fue lo sucedido en el programa radiofónico *Contraste de pareceres*, cuando un locutor de los que piensan después de hablar dejó caer: «¡Pobre Quini! Con lo buena persona que es. Podrían haberse llevado a su compañero Canito, que es un conflictivo…». Estás escuchando la radio y te salen con esta. En fin, la última a propósito de un secuestro seguido en todo el mundo: la prestigiosa BBC también la pifió de manera escandalosa. En uno de sus informativos llegaría a decir que un hijo del excandidato a la presidencia Pere Baret estaba presuntamente implicado en el secuestro de Quini. Toma castaña…

731. VÍNCULOS FAMILIARES

El gran Manuel Vázquez Montalbán ya lo dejó escrito en el poema que podemos leer en este *Barça insólito*. Ana Torroja, la cantante de Mecano, el popular grupo musical de los ochenta, es nieta de Eduardo Torroja, el ingeniero madrileño que diseñó la nueva tribuna del campo de Les Corts, inaugurada en 1945. Qué cosas tiene eso de la genealogía aplicada a la rama culé…

732. ¡VIVA CARTAGENA!

En 1986, el Cartagena FC puso en marcha el proceso de construcción de un nuevo estadio que sustituyera al viejo Almarjal, campo de 1925. Los responsables del club murciano lo tenían claro y, por consiguiente, pidieron al Barça una copia del proyecto y planos del Miniestadi, al que consideraban referencia ideal. El FC Barcelona no puso ningún inconveniente. Así nacería el «hermano gemelo» del Mini con el nombre de «Cartagonova». Colocaron la primera piedra el 23 de noviembre de 1986 y la inauguración se celebró el 7 de febrero de 1988, con el partido de Segunda A Cartagena – Burgos (0-0).

En la jornada siguiente, disputada el 14 de febrero, el Cartagena FC repetía choque como local, esta vez ante el Barcelona Atlètic. Así pues, el filial azulgrana se hallaba en disposición de marcar el primer gol en Cartagonova, un campo que, al fin y al cabo, «conocía» bastante bien, al ser una copia del suyo. Nada, no sucedió, se repitió el mismo resultado del partido inaugural, empate sin goles. Para los hombres que entrenaba Lluís Pujol, las tablas, a priori positivas por llegar en campo contrario, casi dejaron un sabor amargo. La sensación de jugar «en casa» había resultado inevitable.

733. LOS MOSAICOS

El primer mosaico en el Camp Nou tuvo lugar el 7 de marzo de 1992, antes de un clásico liguero contra el Real Madrid, con la participación de diecisiete mil aficionados que desplegaron cartulinas en la segunda y tercera grada del gol norte. Sobre un fondo con los colores azulgranas y los de la *senyera* se podía leer «Barça». Por cierto, no sirvió para ganar porque el resultado final fue de empate a uno.

En cualquier caso, el FC Barcelona se convertiría en pionero, en España, por lo que respecta a los mosaicos de animación en un estadio de fútbol. La idea llegaba del *calcio* italiano, donde el barcelonista Jordi Sant, fundador de la Penya Barcelonista Almogàvers, se inspiró antes de importar la idea al Camp Nou.

Con el paso del tiempo, el FC Barcelona comprobó el gran valor de tales mosaicos, tanto para socios y jugadores como para la imagen mundial que proyectaban. A partir de 2000, el club decidió liderarlos y convertirlos en seña de identidad, a menudo con la colaboración de medios de comunicación.

734. ACTAS *TOP SECRET*...

El 6 de octubre de 1992, cuando el archivo del FC Barcelona se puso en marcha, uno de los autores de estas líneas comprobó con sorpresa que el único libro de actas de reuniones de consejos directivos que se guardaba era el correspondiente al periodo 1970-77. Después le comentaron que los restantes, los de antes y después, permanecían cerrados bajo siete llaves en una caja fuerte dispuesta en las oficinas del club. Durante muchos años, los esfuerzos por conseguir agrupar la colección completa de actas de juntas en el archivo del club (desde 1994, Centre de Documentació del FC Barcelona) recibieron una negativa por respuesta: eran *top secret*.

Por suerte, en 2003, la situación cambiaría y los tomos de juntas directivas antiguas al completo fueron a parar al Centre de Documentació, donde ahora están al alcance de cualquiera que quiera consultarlas. Como el resto de la documentación histórica y fotográfica archivada en el centro, evidentemente. ¿A qué debía venir tanta vigilancia escrupulosa? Al fin y al cabo, lo pasado pasado está. Y no se puede cambiar, recordatorio para los celosos guardianes de aquella era.

735. ... Y FICHAS CONFIDENCIALES

Esperad, que aún hay más. Esta segunda anécdota se vivió a finales de 1993, cuando el mismo protagonista de antes andaba metido en la redacción de un libro de historia del FC Barcelona que contaba con el apoyo oficial del club. Dispuesto a conseguir datos históricos destinados a la obra, cierto día se dirigió al Departamento de Logística del Barça, donde se archivaban las memorias deportivas desde la temporada 1978-79. Estas memorias eran, simplemente, las frías fichas de los encuentros jugados por el primer equipo de fútbol, además de clasificaciones y diversas estadísticas. Sin embargo, un empleado en exceso celoso de su labor alegó que eran confidenciales y, por lo tanto, no se podían consultar.

Entonces intervino su jefe de departamento, Rodolf Peris, dispuesto a enmendarle la plana y dar permiso para consultar tan inocuos documentos. El contumaz empleado insistía: «Yo no se los dejaría». La respuesta de Peris resultó categórica: «Tú no, pero el club sí». Sirvan este par de anécdotas como referencia por si alguien, algún día, decide cerrar el acceso a la historia del club que guarda la propia entidad. En cualquier caso, expliquémosla antes al dedillo, tal como fue, y disfrutemos todos del tesoro, que para eso está. Insistimos, por si aún no ha quedado claro.

736. DESTRUCCIÓN DE PAPELES

A mediados de los años noventa, se imponía la desaparición de una enorme cantidad de papel acumulada en el archivo histórico del Barça. Por inercia y durante décadas, allí se habían acumulado facturas de todo tipo y cualquier variante de papel sin valor documental ni de gestión que puedan imaginar. Dispuestos a crear espacio de una vez, se requirieron los servicios de una empresa especializada en la destrucción de papel, situada en la Zona Franca de Barcelona. En casos como este, la norma resulta tajante, de carácter inflexible: alguien, un representante del club, debía permanecer presente, de manera constante y las horas que hicieran falta, plantado como un pino, mientras la máquina destructora realizaba su tarea en el espacio habilitado para la empresa. Se trataba de comprobar que no quedara ni un trocito de papel «vivo». Para redondear tan surrealista escena, el club tuvo la ocurrencia de delegar en un solo empleado esta tarea de peculiar notario. Así, el pobre se pasó un día entero, desde primera hora de la mañana hasta el atardecer, siguiendo los trabajos de la perseverante máquina, sin descanso ni para ir al lavabo, ni para comer, ni para nada. Todo sea por la causa, si sirve de consuelo al mártir... con efectos retroactivos.

737. CAPILLA ABIERTA

En 1999, el directivo barcelonista Jaume Sobrequés propuso en una comisión del club que la capilla del Camp Nou fuera transformada en estancia abierta a todas las creencias, no solo la católica. Como era previsible, la idea fue rechazada con contundencia por sus compañeros de junta. Bien mirado, no era tan mala idea, máxime si recordamos que, sin ir más lejos, de los doce fundadores del Barça en aquel lejano 1899, la mitad eran protestantes, Gamper incluido.

738. NO VIVIMOS DEL AIRE

El 22 de marzo de 2001, la prensa publicaba una entrevista a Antón Parera en la que el director general del club optaba por las metáforas: «Lo único que motiva a la gente en un trabajo es que se sienta valorada. Es mentira que el dinero sea lo único importante. Las relaciones humanas en un club como el Barça son esenciales. Aquí no vendemos botones. Aquí vendemos ilusión y cariño. Hay que dirigir el club con mucho respeto». Antón Parera *dixit*.

A la mañana siguiente de la publicación de esta metáfora de Parera, los empleados del Barça se reunían en asamblea. El principal punto en el orden del día era: «Explicación de la falta de respuesta y solución a nuestra voluntad de negociar el convenio colectivo y solucionar los problemas de horarios y jornadas, categorías, salud laboral y prevención de riesgos, trasladados por el Comité de Empresa al representante del FC Barcelona». Ay, qué difícil resulta actuar en coherencia con lo que se pregona...

739. TODO UN CARÁCTER

Cuando era gerente azulgrana, Antón Parera había protagonizado un incidente el 28 de junio de 1982 en la zona de acreditaciones del Camp Nou. Parera exigió a una azafata la entrega de cincuenta bolsas con obsequios, de las que la Generalitat destinaba en aquella época a los periodistas acreditados en Barcelona. Como la azafata se negaba, Parera se enfureció antes de acabar gritando: «Como gerente del club propietario del Camp Nou exijo estas cincuenta bolsas». Entonces intervino Josep Maria Martí Rigau, jefe de prensa de la Dirección de Deportes de la Generalitat, insistiendo en que las bolsas eran solo para la prensa, pero el gerente le respondió: «Las quiero para los hijos de los directivos y, por lo tanto, me las tienes que dar». Con mucha paciencia se le hizo comprender que no era posible. Daba igual. Parera acabaría soltando la última palabra a berridos escuchados por todos los presentes: «Esto no quedará así. Ahora no las quiero ni que me las deis de rodillas. El Barcelona tiene bastante dinero para comprarlas». Bien pensado, la anécdota resulta una metáfora perfecta para explicar la diferencia existente entre servir al club o aprovecharse.

740. ALIANZA FALLIDA

El 18 de julio de 2003, pocos días después de su llegada a la presidencia del FC Barcelona, Joan Laporta recibió una nota de Félix Millet, presidente de la Fundació Orfeó Català-Palau de la Música Catalana y factótum de la génesis de la Fundació del FC Barcelona en 1994. Millet le planteaba a Laporta la posible incorporación del Barça o de su fundación al grupo formado por representantes de Òmnium Cultural, Ateneu Barcelonès, Centre Excursionista de Catalunya y Orfeó Català, con el objetivo de «la defensa de temas puntuales que afectan a nuestro país, tales como la defensa de la lengua o la integración de los inmigrantes». Por otra parte, Millet también proponía que, pasado el verano, se concretara la firma de un convenio entre el FC Barcelona y la Fundació Orfeó Català-Palau de la Música Catalana, «para intercambiar sinergias de interés común», expresión un tanto críptica e inquietante por venir de quien venía.

Joan Laporta contestaría a Fèlix Millet diez días después, comentándole que estaba plenamente de acuerdo en la incorporación del club al grupo «representativo de la sociedad», así como en la firma del convenio entre ambas entidades. Lo emplazaba a seguir charlando en septiembre, aunque el contacto, al final, quedó en nada. Visto lo sucedido después, mejor así. O «presuntamente» mejor así.

741. Copito de Nieve

Copito de Nieve, el gorila albino que durante tantos años fuera el símbolo del Zoo de Barcelona y uno de los iconos de la Ciudad Condal, falleció el 24 de noviembre de 2003. Tres días después, en los prolegómenos del partido de Copa de la UEFA Barça-Panionios, el club le tributó un homenaje póstumo. Los videomarcadores del Estadi emitieron imágenes históricas de Copito, mientras sonaba el *Candle in the wind* que Elton John compuso en memoria de Marilyn Monroe y más tarde volvería a versionar pensando en Lady Di. Eso de los minutos de silencio y homenajes póstumos en el Camp Nou es realmente un tema delicado, dejémoslo así.

742. Dios, patria y Barça

El 13 de septiembre de 2008, Iassín Belassal, un joven estudiante marroquí de 18 años, escribió en un muro de su instituto de la localidad de Ait Urir palabras demostrativas de su fervoroso barcelonismo. Pero, ay, las palabras eran «Dios, patria y Barça», en lugar del característico «Dios, patria y rey», lema nacional de Marruecos. La travesura le salió cara a Iassín, ya que, en su país, la figura del rey es sagrada por ley. El joven culé magrebí fue rápidamente detenido; el 29 del mismo mes, lo condenaron a dieciocho meses de prisión. Informado del caso, el Barça intercedió ante las autoridades norteafricanas por Iassín. Por suerte, finalmente, el chico culé de Marruecos sería puesto en libertad condicional un mes después.

743. ¿Loco por quién?

El 8 de abril de 2009, aprovechando el partido de Champions Barça-Bayern de Múnich, se intentó imponer entre el público una versión «barcelonista» de la mítica canción del grupo Sau *Boig per tu (Loco por ti)*. La adaptación era obra del grupo RedIn y se titulaba *Barça, estic boig per tu*. Esperaban que la gente la adoptara para cantarla a la manera de los campos ingleses, al estilo del *You'll never walk alone* de Anfield Road, en Liverpool. Nada de eso: resultaría un fracaso absoluto y prácticamente nadie la cantó. «La canción sonará antes de cada partido importante que juguemos en casa y queremos que el barcelonismo la sienta suya», había dicho el presidente Laporta, demasiado optimista.

Hay que reconocer que esta preciosa canción de amor se había convertido en algo *naif*, por no decir cursi, una vez transformada en nueva letra de devoción azulgrana. En el original catalán, decía así. Música, maestro:

*En la terra humida escric
Barça estic boig per tu,
em passo els dies
pendent del partit.
Com et puc estimar,
estigui a prop o lluny,
feliç i acabat boig per tu.
Sé molt bé que des d'aquest lloc
jo no puc fer cap gol per tu,
però en cada jugada hi veig
reflectida la teva llum.
T'animaré,
feliç i acabat boig per tu.
Quan comenci aquest partit,
les llàgrimes es perdran
entre la màgia
que viurem avui.
Em quedaré atrapat
ebri d'aquesta llum
feliç i acabat boig per tu.
Culer i català, més que un club.*

744. CÁNTICOS

Las canciones que, recientemente, suelen entonar los aficionados en las gradas del Camp Nou para animar al Barça muestran una génesis espontánea. Son adaptaciones de melodías populares a sentimientos barcelonistas. La única excepción, por supuesto, sería el actual himno del club, interpretado por vez primera en noviembre de 1974 y que ha logrado un apabullante éxito entre la masa social.

Cuando hay partido en casa, las canciones más repetidas entre los aficionados son muy conocidas por cualquier culé. Tenemos, por ejemplo, la que dice: «*1899, neix el club que porto al cor. Blaugranes són els colors. Futbol Club Barcelona!*». En este caso, la inspiración llegó sola y la música no bebe de ninguna fuente. En cambio, una sintonía simpática como la de la serie de dibujos *Popeye, el marino* se canta así: «*Del Barça som i serem! I avui també guanyarem! Pel Barça, pel Barça i per Catalunya fins a la mort lluitarem!*». Otro cántico que no podía faltar en este repaso acelerado es la estrofa del himno recreado como la ópera *Aida* del gran Giuseppe Verdi: «*Blaugrana al vent, un crit valent, tenim un nom, el sap tothom*».

También es universalmente conocido el estribillo interpretado con la música de una canción popular brasileña: «*O-le-lé, o-la-lá, ser del Barça és, el millor que hi ha!*». Incluso una pieza tan universal como *Yellow submarine*, de los Beatles, sirve como base a otro lema popular de animación que arranca así: «*Força Barça alé, alé, alé*».

745. ZIGA-ZAGA

Capítulo aparte merece el famoso canto del «ziga-zaga» popularizado por el técnico Pep Guardiola. Resultó tan popular en su momento que, en una encuesta para «bautizar» al Barça 2008-09 de cara a la posteridad, la propuesta más votada fue *Ziga-Zaga Team*. El grito de guerra con el que Guardiola intentó, sin éxito, comunicarse con la gente en la celebración de la Recopa del 97, cuando era jugador, revivía así en segunda edición durante aquellos días de triplete.

Según dicen, este grito proviene de los campos de rugby británicos. De ahí habría saltado al fútbol y, al parecer, los seguidores del Coventry y del Chelsea fueron pioneros en adoptarlo. A partir de aquí, surgió la canción *Zigger Zagger Song*. Decibelios, banda catalana de rock radical nacida en 1980, adoptaría el lema en una canción que Guardiola, probablemente, conocía desde su época como recogepelotas, cuando la escuchaba en boca de los grupos de animación situados en el gol sur del Camp Nou.

746. AY, LAS ENCUESTAS...

En julio de 2009, el Centro de Investigaciones Sociológicas (CIS) publicó un sondeo que no hacía referencia a la intención de voto de los españoles, si bien comportaba una clave política bastante mezclada con el deporte. Si simplificamos los resultados de aquella consulta del CIS, se desprende que, alto y claro, la izquierda era culé, y la derecha, merengue. Ampliemos datos según el CIS: el 50% de los votantes de derechas se declaraban del Real Madrid, y solo el 18% del mismo espectro político se consideraba del Barça, mientras que el 41% de los electores de izquierdas simpatizaban con los azulgranas, y apenas el 20% con los blancos. Decretamos libertad absoluta entre los lectores para creérselo, dudar o hacer lo que mejor les parezca con estos porcentajes y tan sorprendente encuesta del CIS, siempre presente en nuestras vidas cuando se trata de intención de voto.

Por otra parte, y como era de prever, entre los nacionalistas catalanes no había color. Casi el 85% de ellos eran seguidores del Barça, mientras que un 8% era, sorprendentemente, del Real Madrid. También aquí, que cada uno piense lo que quiera y le convenga.

Y, como dato curioso, un descubrimiento del CIS que tenía su aquel: según la encuesta, las personas de derechas eran las que más se enfadaban ante las críticas de amigos o familiares contra su equipo. Vaya, de ello se desprende que los de izquierdas eran más fieles a la máxima que aconseja mucha calma y dice que no hay nada sagrado en la vida, ni siquiera el fútbol.

747. Entre Fleming y Messi

Y como conviene no perder nunca la perspectiva, recordaremos de nuevo que el fútbol es la más trascendente de las cosas sin importancia. El médico e investigador catalán Manel Esteller, mundialmente reconocido por su lucha contra el cáncer, manifestó el 15 de diciembre de 2009 que nuestra investigación científica aportaba más valor y prestigio a la ciudad de Barcelona que el Barça, aunque al mismo tiempo reconocía que, en cuestión de popularidad, por desgracia no había color. Esteller recordaba el caso de Alexander Fleming, el biólogo escocés descubridor de la penicilina, aquel antibiótico que representó la salvación de muchos barceloneses afectados por tuberculosis durante los terribles años de posguerra. Cuando Fleming visitó Barcelona el 28 de mayo de 1948, miles de ciudadanos lo recibieron en la calle. Como decía Esteller, «hoy solo los Messi reciben este trato».

748. El boletín guadiana

El primer boletín oficial del club apareció en catalán en febrero de 1921 y duraría apenas unos meses. Después, ha ido apareciendo y desapareciendo en diversas ocasiones, según las circunstancias o la economía del club. Emergió de nuevo del 28 al 30, del 32 al 36, del 54 al 56 (ya en castellano), del 62 al 65 y del 70 al 78, otra vez en catalán. En la etapa Núñez, primero se enviaba a los socios pósteres completados con información; en 1988 se creó un boletín trimestral titulado *Fem Barça*, de vida efímera.

En octubre de 1998 salió un nuevo boletín, de periodicidad trimestral, titulado *La veu del club*. Un año más tarde se convertiría en mensual tras cambiar de formato, adaptación repetida en diciembre de 2000 y septiembre de 2001. Por último, en noviembre de 2002, el boletín experimentó una transformación radical, periodicidad bimensual y nuevo nombre, pasándose a llamar *Revista Barça*, publicación que sufrió un cambio de contenidos, ahora más comerciales, en abril de 2015.

749. Y NO ERA FÚTBOL

Al margen de la final de la liga francesa de rugby disputada el 24 de junio de 2016 entre el Toulon y el Racing 92 ante 99.124 espectadores (la mayor asistencia nunca registrada en un partido de rugby entre clubes), apenas en otro par de ocasiones se han celebrado eventos deportivos no futbolísticos en el Camp Nou, aunque solo fueran exhibiciones.

El 27 de enero de 1999 se celebró un amistoso a beneficio de la campaña *Drogas NO* entre el Barça y una selección de la Liga. En los prolegómenos, el jugador de golf Severiano Ballesteros (un culé empedernido) lanzó nueve bolas desde el gol norte hasta la portería del gol sur, con Andoni Zubizarreta bajo palos: marcó dos «goles».

Posteriormente, el 6 de diciembre de 2003, antes de un Barça-Madrid, los tenistas Àlex Corretja y Albert Costa disputaron un *tie break* ante 49.913 espectadores, la mayor asistencia en una «muerte súbita» de tenis. Así se entró en el libro Guinness de los récords.

Como contrapartida, en el viejo Les Corts se llegaron a celebrar pruebas de atletismo, partidos de balonmano a once y duelos de rugby. E incluso, en cierta ocasión, se realizó una velada de boxeo infantil.

750. Nomenclátor culé

Tema curioso, el del nomenclátor de la capital catalana con personajes históricos del FC Barcelona. Joan Gamper fue el primero en lucir una calle en la Ciudad Condal. Fue en 1934 cuando se rebautizó con su nombre la antigua calle de Crisantemos, en el distrito de Les Corts. En 1939, el nuevo régimen recuperó el nombre original, pero ocho años después, y ya de manera definitiva, el espacio recobraría el recuerdo al fundador del club.

Desde 1993 y cerca del Camp Nou, también existe una calle que lleva el nombre de Josep Samitier. Desde 1979, otra está dedicada a Joaquim Blume, antes llamada calle del General Moscardó, al lado del desaparecido Palau Municipal d'Esports de la calle Lleida. Marià Cañardo tiene un jardín con su nombre en el barrio de Horta, en la antesala del velódromo de Barcelona. Por su parte, el presidente mártir del FC Barcelona, Josep Suñol i Garriga, también tiene una calle en el barrio de Les Corts desde 1995.

Caso especial es el de Ricardo Zamora, portero del Barça entre 1919 y 1922, que desarrolló gran parte de su carrera deportiva en el R. C. D Espanyol y que, desde siempre, ha sido un icono del españolismo. El Divino tiene desde 2003 una plaza y un pasaje dedicados en el distrito de Sarrià-Sant Gervasi, precisamente donde se hallaba el antiguo estadio de Sarrià.

751. Batallando por Kubala

En cambio, y como cruel contrapartida, Ladislao Kubala no tiene calle dedicada en Barcelona. En este sentido, quien lleva la bandera de reivindicación *kubalista* son los responsables de la Agrupación de Veteranos del Barça, encargados desde 2007 de negociar con el Ayuntamiento para dar el nombre del mítico húngaro a alguna calle digna en las cercanías del Camp Nou. Hoy, por desgracia, la iniciativa parece en punto muerto. Todo comenzó el 5 de junio de 2007, tras la petición de un vecino del barrio de Les Corts, cuando el consistorio barcelonés publicó en su gaceta municipal la concesión del nombre de Kubala a un modesto pasaje del edificio 85-111 de la calle Numància, donde antiguamente estuvo situado el estadio de Les Corts. Pero se trataba de un pasaje interior, pequeño y mal iluminado, indigno de la categoría del personaje, lo que provocó la protesta de los vecinos de Les Corts y la Agrupación de Veteranos del Barça. Así pues, el Ayuntamiento detuvo la concesión. Los ex-jugadores barcelonistas propusieron como alternativa una flamante plaza ajardinada llamada Can Bruixa. También se planteó la opción de llamar a los jardines del nuevo Instituto Dexeus Jardins Ladislau Kubala, en la calle Sabino Arana esquina Gran Via Carles III, muy cerca del Camp Nou. Nada de nada: las dos alternativas no llegaron a cuajar.

La última reunión entre la Agrupación de Veteranos del Barça y el Ayuntamiento de Barcelona se celebró en verano de 2014. La agrupación planteó la opción de poner el nombre de Ladislao Kubala a un tramo de la avenida Joan XXIII, justo por encima del Camp Nou, pero el consistorio denegó tal posibilidad alegando que la avenida no se podía recortar. La solución se aplazó *sine die...*, y así seguimos.

No deja de ser lamentable que Kubala tenga una calle dedicada en Las Vegas de Genil (Granada) y un pasaje en Palamós. En cambio, en Barcelona, la ciudad que albergó sus éxitos con la camiseta azulgrana, no existe ni un triste recuerdo en su nomenclátor municipal. Como tampoco hay, dicho sea de paso y metido con calzador, ninguna calle dedicada a mujeres vinculadas al deporte.

11

El humor es cosa seria

$\mathcal{A}$tención, que ya de entrada nos pondremos la venda antes de la herida: se ruega no confundir admiración con nostalgia. Sentimos devoción por los años veinte del pasado siglo tal como se vivieron en Barcelona, pero seguimos con los pies en el suelo. De entrada, no se había descubierto la penicilina, los pistoleros mataban impunemente por las calles y tampoco podíamos ver al Barça por la tele: tres razones de peso, por ejemplo, para gozar de la modernidad. Aunque, generalmente, nos toque pagar un pico si queremos seguir el *match*, que en la vida actual no te regalan nada. Dicen, y muchos nos aferramos a ello con la desesperación de un clavo ardiente, que la esperanza es lo último que podemos perder los humanos, pobres mortales. Bien, no entraremos en estériles polémicas, pero conste que nosotros preferiríamos que el último agarre en caso de urgencia fuera el sentido del humor. Nos sentiríamos perdidos sin virtud tan imprescindible. Debe ser que nos viene de cuna, de serie y de fábrica. Eso sí, en terreno Barça, toda la broma que queráis en caso de que el equipo gane, y ni pensar que la hagan desde más allá del Ebro, donde acostumbran a residir las tropas adversarias. Entonces mostramos una piel muy fina y dejamos de apelar a las bondades del humor, que somos así de arbitrarios cuando se trata de orígenes y procedencias.

Es muy catalán aquello de reírse de todo bicho viviente, ya no digamos en clave azulgrana, institución que ha provocado el constante refugio de la broma si querías aguantar el chorro de vinagre habitual provocado por los resultados adversos y los conflictos internos. Así ha sido desde siempre, desde que las tiendas eran de ultramarinos y los arenques se vendían en barriles. Para comenzar, ya hablaremos después de la evolución del sector, no podríamos comprender la herencia azulgrana recibida sin el peculiar acento emanado de revistas tan referenciales, insustituibles, como el *Xut!*, inventado por Valentí Castanys (personaje que aborrecía la pelota si no era de cocido) cuando Indústria daba el relevo a Les Corts y el fútbol empezaba a ser cosa seria, seguida por masas que, claro, alguna distracción debían de tener durante las horas de ocio que había procurado el avance del progreso entre la clase trabajadora. Con tiempo por delante y algún real en el bolsillo, sin radio, ni tele, ni ningún medio de comunicación moderno, los diarios ofrecían las crónicas serias, y los bromistas aportaban la «contracrónica» con grandes dosis de sal gruesa y mala leche como ingredientes primordiales.

El vehículo pilotado por Castanys fue el primero en popularizar la apócope «Barça», ingeniosa manera de distinguirlo de la ciudad por si alguno se confundía. Al mismo tiempo, se inventaron un buen puñado de neologismos adoptados con fruición por el respetable. En efecto, el fútbol era «el país del sidral», aquella bebida carbónica, tan desaparecida ya como la revista, que burbujeaba en el vaso y picaba en el paladar, el colmo de la sofisticación hecha refresco. También fueron ellos quienes urdieron lo de «neurasténico» aplicado a los cambios en la presión sanguínea del fanático que comportaban ciertos partidos con sus correspondientes marcadores. Solo los neurasténicos pueden rozar la felicidad absoluta por un gol de más o caer en barrena hacia la miseria moral de tipo dantesco en caso de perder por idéntica distancia. Es cosa de extremos y de pasiones desaforadas. Qué demonios, tampoco en los campos se insulta como antes, cuando debías azuzar el magín para faltar a futbolistas y árbitros sin caer en la grosería que denota pésima educación y mala uva. Llamar «pepa» a un jugador negado entraña grandes dosis de la mejor poesía. Lírica pura que aquel delantero sea un «paquete» o el central propio una «patata», tubérculo sin extremidades al que no imaginamos corriendo por un «campo de coles», epíteto con aspecto de etiqueta lapidaria colocada allí donde no se podía jugar a nada que se pareciera mínimamente a un fútbol decente y asociativo. Todos los equipos tenían «gandules» en el once titular y a los bisabuelos les encantaba centrar frustraciones en ellos. Removían el extenso repertorio del calificativo despectivo propio del idioma hasta hallar el adjetivo que mejor convenía en ese momento. Al minuto siguiente, ya habían renovado la manera de faltar, nunca les faltaba imaginación ni recursos cuando se trataba de ofender con cierta clase y distinción.

Aquella tradición de leer el *Xut!* halló continuidad de autores en *El Once* y acabó, por lo que respecta a las revistas impresas, en aquel *Barrabás* incendiario que parecía pedir cinco céntimos para la dinamita dialéctica entrados ya en democracia, manteniendo el carácter subversivo y revolucionario de épocas remotas, de cuando Barcelona había sido «la rosa de fuego». Al fin y al cabo, también en fútbol, se ha aplicado a porrillo aquello de *caixa o faixa* («o todo o nada», en traducción de sentido), el máximo legado del general Prim a la cultura popular catalana de todos los tiempos. Otra vez: de nostalgia, ni media, pero del mismo modo que recordamos el olor a faria y a césped recién cortado, peculiar fragancia que nos acompañará de por vida, nada nos gustaría más que volver a escuchar un grito de guerra apreciado en tiempos remotos como «¡chuta, burro!», así, bien silvestre, cuando un delantero se entretenía de cara a barraca sin saber dar con el camino hacia el esperado gol. Del papel y la tinta hemos mantenido la continuidad y hoy nos acompaña *Crackòvia*, por citar un contemporáneo televisivo de TV3, confirmando que lo de la guasa mezclada con fútbol y Barça aún perdura y es producto de valorada degustación entre la famosa «culerada».

Alcanzado el último capítulo de este *Barça insólito*, hemos querido rendir homenaje a la gente y publicaciones que ondearon y ondean la bandera de la agudeza inteligente, con el objetivo de transformar el disgusto en una sonrisa, y noventa minutos, en la síntesis de un chiste afortunado. Eso es lo que, modestamente, pretendemos ahora al resucitar este material: provocar un gesto agradable en el lector, no ya una abierta sonrisa o una carcajada. Esta gente, tantos nombres y apellidos de valiosos especialistas, merece también un agradecido reconocimiento: Muntañola, Coll, Roca, Peñarroya, Pastor, Cesc, Toni, Òscar, Ivà, Fer, Kap, Caye... Eran (y son) unos cuantos, pero aquí nos centraremos en uno, con permiso del tótem Castanys: el enorme dibujante Ricard Opisso.

Nadie ha sabido sintetizar mejor con la pluma el espíritu de aquellos años veinte en Cataluña que el genial Opisso, observador brillante, de mirada afilada, de talento descomunal, de ingente obra fascinante. El dibujante y pintor tarraconense sabía presentarnos una Barcelona que seguía la admirada referencia de París, tan europea y cosmopolita como la capital francesa. Sus caricaturas expresaban en fiel retrato no ya la fisonomía, sino el alma de los protagonistas. Y cuando se centraba en el fútbol, rozaba lo que consideramos sublime de manera constante. Así, recordando apenas un detalle, hay que ser brillante para representar el travieso carácter de Samitier con un simple mechón de engominado cabello que, por sistema, se le rebelaba en punta. Por no hablar de la pose chulapona del guaperas Zamora, que se vestía de portero como si precisara los suspiros de sus fans para detener balones, o la bondad que desprendían Piera o Sagi cuando eran interpretados desde su pulso. Si, por una de aquellas incongruencias de la vida, no están familiarizados con Ricardo Opisso, les recomendamos que acudan al amigo Google y deletreen su nombre. Seguramente, les parecerá que nos hemos quedado cortos. Cuando observen el detalle de sus multitudes en las Ramblas o las particularidades expresadas en sus estadios de fútbol, lo situarán de inmediato entre sus autores favoritos.

Y ya puestos ante el ordenador, busquen viejos ejemplares de las mejores publicaciones del género, que ahora todo está digitalizado y podemos disfrutar de ello sin movernos de casa y sin necesidad de acudir a librerías de viejo, mercados de segunda mano y sutilezas similares en vías de extinción. Entonces comprobarán al por mayor lo que, siguiendo la lectura, hemos intentado ofrecerles en pequeños detalles.

A pesar de que ellos se lleven el peso y la fama, en las siguientes páginas también hallarán expresión de humanidad (o sea, falibilidad), sin necesidad de ser un artista con el lápiz o la pluma, sea de dibujante o de periodista con chispa. Recrearemos situaciones graciosas, ridículas y del amplio abanico de matices que quedan entre ambas. Por ejemplo, la infinita imaginación de aquellos mortales que se creen muy listos y tiraban de ingenio para entrar gratis en los campos de fútbol. Hay quien lo ideaba de manera brillante, como había quien ponía a prueba el grado de dureza de su propio rostro. A diario topamos con ejemplos de realidad que superan cualquier ficción exagerada. Camada de gatos que detiene un entrenamiento como si su aparición resultara el mayor espectáculo del mundo (quizá sí, por representar la vida), cuadros que son considerados de mal fario por airear las peores proyecciones de perdedores o figuras casi míticas, como el célebre Avi («abuelo») también creado por Castanys, que no son conocidos lejos de su terreno de influencia con la distintiva familiaridad del lugar de origen. Situaciones peculiares para continuar rogando a los dioses que nunca nos falte el humor. Menos aún, claro, si se trata del Barça y todo lo que comporta. No existe mejor medicina si queremos resguardarnos de un resultado adverso. Por lo tanto, no hace falta precisar ya como sienta de bien el humor, la sonrisa y el optimismo si el viento tiene el detalle de soplar a favor.

752. Pasión en Canaletes

Desde la temporada 1908-09, los seguidores azulgranas y de otros equipos tenían la costumbre, casi tradición, de reunirse en el quiosco de bebidas de Canaletes, situado en el inicio de las Ramblas, para comentar la actualidad futbolística. Como resulta fácil imaginar, las tertulias degeneraban a menudo en discusiones y, a veces, en peleas resueltas a puñetazos. La revista *Foot-Ball* era imbatible cuando tocaba bromear con tal fenómeno ciudadano. Tanto que el 13 de enero de 1916 publicaron esta gacetilla: «El jueves por la noche fueron encontrados cerca del kiosco de Canaletas cuatro pelos que, según pudo averiguarse después, pertenecían a una respetable calva y que por las señales que tenían se desprende eran los únicos que quedaban en ella, deduciéndose de su examen que fueron arrancados con violencia».

753. *Foot-Ball* con bala

Por cierto, la revista *Foot-Ball* era una verdadera *rara avis* del mundo periodístico en aquella época ya remota. Sus redactores se autocalificaban como «revista que no pertenece al *trust*» y no pretendían ser estrictamente humorísticos, aunque apostaran por la sátira, fueran contestatarios y enemigos declarados de lo que podríamos llamar *establishment*, futbolístico o periodístico. Su especialidad consistía en los vituperios lanzados, con la mayor acidez, contra sus adversarios. Básicamente, federativos y periodistas deportivos del denominado *trust*, a los que calificaba de «gasterópodos», «infectos», «nauseabundos» y «pobrecitos lisiados de la cultura», acusándolos de practicar «una política de casinete pueblerino, con sus chinchorrerías, compadrazgos y pucherazos». Por asociación de ideas que el lector comprenderá, se nos antoja que el *Butanito*, José María García, no habría desentonado en *Foot-ball* gracias a su dominio del improperio.

754. Nace el *Xut!*

El mítico *Xut!*, aquel semanario satírico deportivo en catalán que hacía reír a nuestros bisabuelos, apareció por vez primera el 23 de noviembre de 1922 y fue editado hasta el 14 de julio de 1936. La guerra civil acabaría con su trayectoria, como tantas y tantas cosas. Su inspirador, factótum, director y todo lo que hiciera falta era el genial dibujante Valentí Castanys, aquel hombre que se pasó toda la vida dibujando chistes de fútbol a pesar de que este deporte no le gustaba nada. De hecho, tras la guerra, en 1945, llegaría a resucitar el *Xut!*, esta vez bajo el epígrafe de *El Once*, ahora obligatoriamente en castellano. Cuando Castanys falleció, en 1965, la revista apenas le sobrevivió durante tres años: desapareció en 1968. De esta manera, la sátira deportiva catalana se volvió a quedar huérfana hasta la aparición, en 1972, de *Barrabás*, una publicación más agreste en las formas que resistió cinco años en los kioscos.

755. *Papitu*, hermano mayor

Volviendo al *Xut!*, esta publicación era propiedad del impresor Santiago Costa, el mismo que editaba *Papitu*, semanario humorístico y satírico publicado entre 1908 y 1937, dedicado a tratar la política y la cultura bajo un prisma totalmente irreverente. Al margen del omnipresente Valentí Castanys, en *Xut!* también colaboraban Manuel Amat, Antoni Ollé Bertran, Xavier Picañol y dibujantes tan destacados como Benigani, Jacint Bofarull, Salvador Mestres, Antoni Roca y Ricard Opisso, aquel genial y minucioso retratista de las grandes multitudes populares.

El enfoque y el tratamiento del hecho deportivo por parte del *Xut!* no sería muy distinto del que realizaba su hermano *Papitu* sobre otros temas más «serios». Así quedaba expresado en la declaración de principios que Castanys y compañía publicaron en su primer número: «Todo el mundo se toma los deportes con más seriedad que una purga. Parece que nuestro buen humor, aquella clásica jarana de nuestros abuelos, se haya disipado bajo un vaho de gravedad como una catedral. Por eso nosotros venimos para meter baza, y con el decidido propósito de reírnos de todo cuanto se mueva, de tomarnos a guasa el suceso deportivo más escalofriante y de "pitorrearnos" (con el debido respeto) de la figura más venerable, salimos a la palestra y a por ellos».

756. LOCO POR SAMI

Compartiremos unas píldoras del sutil humor característico entre los redactores del *Xut!* El 13 de mayo de 1925, en plena euforia por la victoria en el Campeonato de España conseguida tres días antes, sus lectores pudieron leer el entusiasta y testosterónico monólogo de un espectador de Les Corts viendo jugar al astro Samitier, transcrito en papel tal como brotaba, hipotéticamente, de la boca del fanático:

«¡Ay!... ¡Ahora, ahora!... ¡Meca...! Este defensa es un loro. ¡Aprieta, Sami! ¡Entra, arriba, ya es tuyo! ¡Duro!... Hala... ¡Ay! ¡Ya está! ¡Bravo! ¡Olé! ¡Vivaaaa! (*Enjuagándose el sudor.*) ¡Es asombroso! ¡Bravo! (*Dirigiéndose a un señor de la tribuna.*) ¿Qué le ha parecido, don Sidoro? Es muy grande este chico, ¿verdad? ¿Qué dice, que solo tiene 21 años? ¡Ah! Ahora caigo. Usted siempre bromeando. ¡Je, je! (*En susurro.*) ¡Qué tonto es este hombre! (*Alto.*) ¡Ya estamos...! ¡Qué *dribbling*! ¡Olé!... Pásala a Piera... ¡Perfecto! ¡Duro! Ya se desmarca... ¡Adelante! Ay..., ay..., el portero..., no..., Ay.... ¡¡¡¡¡¡¡¡Goooooooooooooooool!!!!!!!!! (*Se pega cabezazos por las sillas y se vuelve loco.*) ¡Don Sidoro! ¡El acabose! ¿Qué me dicen, señores? ¿Es único o no? ¡Bravo! ¡Hurra! ¡Vivaaa! ¡Yo no hago daño a nadie! ¿Qué quiere esta mona? ¡Viva Sami! ¡Usted, calle! ¿Qué dice, que...? ¡Arre, tocino! ¡Burro! ¡Tonto! (*Bastonazos.*) ¡Sinvergü...! ¡Ladrón! ¡Meca...!».

757. Plegaria culé

Otra de talante similar. El 28 de abril de 1926, la revista se explayaba con la vuelta de los cuartos de final del Campeonato de España, disputada tres días antes en Les Corts contra un débil Real Madrid, al que ya habían vencido en el viejo Chamartín por 1-5. Aquel deslumbrante Barça en plena Edad de Oro no tuvo ningún problema para volver a derrotar a los blancos por 3-0, con lo que confirmó otra vez que el rival de aquellos tiempos era el Espanyol, con el Madrid muy por debajo. Así, según el *Xut!*, la actitud del público de Les Corts fue muy respetuosa con un contrincante claramente inferior: «Abogados, notarios, carniceros, filósofos, acaparadores y pescadores aficionados de jurel, guardaban una actitud prudente y respetuosa. Ni un ¡penal!, ni un ¡mátalo!, ni un ¡burro!, nada».

En la misma crónica de aquel preclásico descafeinado, al redactor le saldría la vena católica. Para criticar el excesivo individualismo de Pepe Samitier, nada mejor que esta plegaria improvisada para la ocasión: «¡Oh, Señor! ¡Vos que sois omnipresente! ¡Perfectísimo, inmenso y criador [sic] de todas las cosas! ¡Hijo único de la Virgen María! ¡Vos que sufristeis por culpa de los hombres! ¡Apiádate de nosotros y haz que Sami pase balones a Alcántara!». No sabemos si Dios le concedió el favor rogado en el siguiente partido…

758. Fobia a los pericos

Leyendo las páginas de *Xut!* era evidente que la antítesis azulgrana de aquella época era, en exclusiva, el Espanyol, diana de todas las fobias imaginables en un seguidor culé. Tanta manía acababa siendo un tanto contradictoria, como certificaba a su manera este «estudio psicológico del socio azulgrana», publicado el 27 de noviembre de 1928. Al parecer, se tenía que jugar un derbi en Casa Perico y el protagonista dudaba sobre si ir o no:

«Lunes. ¡A mí, en el campo del *Español* no me verán el pelo!

Martes. ¿Yo, al *Español?* Antes me voy a coger setas a la Rabassada.

Miércoles. ¡Pse! No vale la pena hacer ningún sacrificio; ¡si al menos los nuestros jugaran como antes!

Jueves. Por otra parte, a los nuestros, si no los animas…

Viernes. ¡A ver si no encontraré un buen asiento por ocho pesetas!

Sábado. ¡Eso de no conseguir una entrada para la señora un día de partido de trascendencia, es horroroso!».

Como bien resumía el propio articulista, en el lenguaje característico de la publicación, «hay para volverse neurasténico…»

759. UN 12-1 DUELE

Neurasténicos por completo debieron quedar los aficionados culés el 8 de febrero de 1931, cuando el Athletic Club le propinó al Barça una histórica paliza aún no superada: 12-1 en San Mamés. Dos días después, en la portada del *Xut!* se publicaría la célebre esquela que anunciaba, con mayúscula mala uva, la defunción del FC Barcelona tras realizar tan espantoso ridículo. El detalle ha pasado a la pequeña historia de la prensa deportiva de tipo irónico vinculada con el Barça, aunque la carnicería no acababa aquí porque, en las páginas interiores, los redactores se recreaban en la catástrofe y continuaban abriendo la herida de modo despiadado. Y sin cambiar de registro, se embarcaban en una nueva necrológica:

«Tras una larga temporada de crueles sufrimientos, el domingo, a las cuatro y media de la tarde, dejó de existir en Bilbao el venerable decano de los clubes de Cataluña, FC Barcelona. La noticia, sin sorprender a nadie, causó honda impresión. Ya llevábamos tiempo comprobando que la salud de nuestro primer círculo no era tan buena como habríamos deseado. Su robusta naturaleza había decaído y uno de aquellos males traidores que minan la existencia poco a poco se había apoderado de su cuerpo, debilitándolo cada día. En estos últimos tiempos esta debilidad se había acentuado y se le veía entregado, desbordado, exhausto, realizando auténticos esfuerzos de flaqueza y yendo de un campo a otro, soportando estoicamente los más crueles sufrimientos, haciéndonos estar en sobresalto continuo a cuantos le conocíamos y admirábamos. Viejo, achacoso, desmejorado, como si en vez de treinta y dos años tuviera setenta, cuando no sufría de la defensa, le dolían los medios, y cuando no le funcionaban los delanteros se le paraba el portero.»

760. «Olla asambleística»

El 27 de julio de 1935, la asamblea de socios nombró a Josep Suñol i Garriga presidente del club por aclamación. Se le consideraba el hombre providencial que debía sacar al Barça de la honda crisis provocada tras la «jubilación» deportiva de los excepcionales miembros de la Edad de Oro. Como sabían de su criterio y pensamiento, los traviesos de *Xut!* lo rebautizaron como «Suñol y Ciudadanía», haciendo un juego de palabras con el lema de su semanario *La Rambla*, «Deporte y ciudadanía». La asamblea se celebró en la sala Capsir, el antiguo teatro Olimpo, lugar ideal según el *Xut!* «para dar el do de pecho, cantar arias y gallear más o menos filarmónicamente los amigos del jolgorio cantado». Por aquello de que el Barça era, ya tradicionalmente, una olla de grillos, en el semanario satírico calificaron el encuentro como «olla asambleística».

El acto había sido sazonado, como era habitual, por la intervención de los exaltados de turno, entre ellos un tal Sabrià, «que siempre tiene que decir la suya para que los diarios hablen de él o para salir en el boletín del Barcelona», aunque «hablaba de cosas que nadie ha podido entender todavía», según la hilarante crónica de *Xut!* Más adelante se decía que Suñol, que aceptó el cargo «por ciudadanía», estaba encantado de que hubiera jaleo en la asamblea, «porque cuando hay follón, señal de que las cosas van bien». Vaya, que los del *Xut!* acostumbraban a dejar encendido el botón «*modo ironía on*», que diríamos ahora.

761. A los beodos, nada

Bajo el epígrafe «Regularización caso lesiones jugadores», el acta de la junta del 15 de octubre de 1941 reflejaba esto: «Con objeto de estimular a los jugadores profesionales para que pongan el máximo empeño y constancia en la curación de las enfermedades o lesiones de que puedan ser víctimas por negligencia o mala conducta comprobada, embriaguez u otras causas solo a ellos imputables y que no hayan sido producidas en partidos, entrenamientos, u otros actos de servicio del club, se dispone que en lo sucesivo aquellos dejen de percibir la asignación mensual que figure en su respectivo contrato, mientras persistan las causas que les priven de prestar sus servicios con la máxima eficacia». Memorable, esa alusión a la «embriaguez». Si lo mencionaban, algún antecedente debían de tener *in mente*...

762. AQUELLOS GATOS DE LES CORTS...

Una mañana de enero de 1948, en el campo de Les Corts nació una camada de cinco gatos negros mientras los futbolistas del Barça se hallaban en plena sesión de entrenamiento. De repente, el míster Enrique Fernández los descubrió y llamó a la plantilla para ver el espectáculo. Fernández contemplaba encantado como los gatitos, aún con los ojos cerrados, buscaban el vientre de la madre. Los embobados futbolistas les lanzaron una pelota de papel y vieron, atónitos, cómo se la pasaban a ciegas y jugaban alocadamente con ella. Felinos con alma de futbolista, debía de ser eso.

Siete años después, en enero de 1955, uno de aquellos gatos negros se había convertido en «el gato de Les Corts» por antonomasia, un feliz habitante de las entrañas del viejo estadio que, de vez en cuando, paseaba impertérrito por el terreno de juego, y en otras, corría alegremente por las gradas asustando a las señoras empingorotadas, según dicen las crónicas, que ya son ganas de asustarse ante tan bello animalito; por otro lado, el mejor seguro contra la presencia de ratas.

763. OJO CON LA FIFA

Ladislao Kubala fichó por el Barça el 15 de junio de 1950. Pero como era un fugitivo de la Hungría estalinista, a instancias de su federación de origen, la FIFA (uno de los escasos organismos que la Guerra Fría no había dividido) lo había inhabilitado hasta nueva orden. Por esa razón, no pudo debutar con el Barça en partido oficial hasta abril de 1951. Mientras tanto, Kubala iba disputando amistosos para que la parroquia barcelonista pudiera deleitarse y él no perdiera la forma. El primero se disputó el 12 de octubre de 1950 en Les Corts, ante el Osasuna, con victoria azulgrana por 4-0. Aquel día, según publicó el semanario *Vida Deportiva*: «Kubala sirvió en bandeja un balón que se convirtió en uno de los mejores goles de la tarde. Y el húngaro no fue felicitado ni siquiera incorporado al júbilo general que se apoderó de los jugadores. A lo mejor los azulgranas tenían miedo de que se enterasen los de la FIFA...».

764. Era l'Avi

Sucedió en la final de Copa del 27 de mayo de 1951, disputada en Chamartín entre el Barça y la Real Sociedad: triunfo azulgrana por 3-0, en el que fuera el primer éxito de la era Kubala. La eufórica afición desplazada a la capital de España lució una pancarta con la imagen del entrañable *Avi*, el símbolo humanizado del barcelonismo ideado por Valentí Castanys, un venerable anciano de barba blanca y barriga prominente enfundado en la camiseta azulgrana. Los madrileños que vieron la pancarta se quedaron desorientados y no sabían identificar al personaje: Para unos era Joan Gamper, otros decían que era Agustí Sancho (por aquello de la panza) y algunos incluso apostaron por que era Pep Samitier. Debemos suponer que Castanys y los viejos redactores de *Xut!* y *El Once* se compadecerían ante la ignorancia ajena. Al fin y al cabo, sus legendarias revistas no se vendían en Madrid.

765. Pelotas fuera

El 4 de noviembre de 1951, en el programa oficial del Barça-Zaragoza, se podía leer este texto enmarcado: «Nuestra felicitación al socio don J. Miguel Rodríguez por su inspirado *Himno al Club de Fútbol Barcelona* que hemos recibido y que sentimos no poder publicar por falta de espacio». Hombre, eso no se hace. Ya que publicas la noticia, pon el texto, como mínimo. Y si no tienes espacio, pues no lo publiques. El socio se quedaría con un palmo de narices, y nosotros, con las ganas de conocer cómo era la letra de aquel «inspirado» himno.

766. Cesc, el dibujante

El dibujante Francesc Vila, *Cesc* (1927-2006), realizaba un chiste diario desde 1952 en el *Diario de Barcelona*, el añorado *Brusi*. Lógicamente, aquellas viñetas humorísticas querían tratar la actualidad cotidiana, aunque siempre bajo la espada de Damocles de la censura gubernativa. El bueno de Cesc se debía quedar de piedra cuando, casi de entrada, la dirección del diario le prohibió la publicación de un inocente chiste de temática futbolística. Pocos días antes, el Barça había perdido un partido importante y a Cesc se le ocurrió dibujar a un señor que iba a una tienda de compraventa de ropa usada para ofrecer una corbata azulgrana. El hombre se sorprendía por el escaso dinero que le ofrecía el dependiente y replicaba: «¿Solo un duro por ella? ¡Si está completamente nueva! La compré hace diez días...». El chiste era muy *light*, pero el hipersensible director del diario, Enrique del Castillo, impidió que se publicara alegando que «los socios del Barça podrían molestarse». Hoy, al tiquismiquis de Castillo le pillaría un infarto continuo con lo que se ve por ahí...

Los problemas de Cesc con la censura no acabarían aquí. En septiembre de 1953 intentó publicar en el *Diario de Barcelona* un inocente chiste que hacía referencia a la surrealista decisión, presuntamente salomónica, de la Federación Española de Fútbol sobre el «caso Di Stéfano». Ya sabéis, aquella que decretaba que el crac argentino se alinearía alternativamente con el Real Madrid y el Barça según avanzaran las temporadas de su contrato. En la viñeta se veía a un grupo de aficionados congregados ante la entrada de un bar donde quedaba expuesta una pizarra con los resultados de la jornada liguera. Uno de los hombres le preguntaba al vecino: «¿En qué equipo le tocaba jugar hoy a Di Stéfano?». Pues bien, aunque parezca mentira, tan suave ocurrencia fue prohibida por la censura y nunca se pudo publicar.

767. EL TERROR DE DI STÉFANO

Conocido por sus compañeros como el Miserias porque casi siempre iba mal afeitado, Isidre Flotats era un jugador bajito pero de extraordinaria fortaleza física. En 1952, llegaría al Barça procedente del Espanyol. Pronto se haría famoso entre la parroquia de Les Corts como medio volante, por delante de la defensa, con la misión específica de marcar a la figura del equipo contrario. Así, Flotats llegaría a ser uno de los mejores secantes de Alfredo di Stéfano. La Saeta Rubia sufriría en sus carnes la implacable vigilancia del Miserias el 21 de febrero del 54, cuando el Barça arrollaría al Madrid en Les Corts por 5-1. Y, como era de prever, los chicos de *El Once* aprovecharon la ocasión para mojar pan, con una supuesta entrevista a Di Stéfano:

«Después del memorable Barcelona-Real Madrid entramos a saludar a Di Stéfano. La Saeta Rubia se había convertido en una saeta negra.

—¡Vaya con el pibe! —exclamaba.

—¿Qué sucede?

—Que ese Flotats es un acaparador, *amigaso*. No me dejó libre ni un minuto, como si uno fuese un taxi. ¡Qué cosa!…

—Ha sido la mejor lección de secaje que hemos presenciado, Di Stéfano.

—Si cada domingo me saliera un «pibe» de esos, le aseguro que me dedicaría a tocar tangos.

Y Di Stéfano ya no quiso decir nada más, y se quedó sentado y pensativo, con la frente más arrugada que un bandoneón arrabalero».

768. MÁS VALE QUE SOBRE

En mayo de 1954, el FC Barcelona encargó el proyecto de construcción del Camp Nou a los arquitectos Josep Soteras Mauri y Francesc Mitjans Miró, primo hermano del presidente Miró-Sans, en igualdad de condiciones técnicas y económicas. Con ellos colaboraría el arquitecto Lorenzo García Barbón. La aspiración de la directiva consistía en un nuevo estadio para ciento cincuenta mil espectadores, aunque el aforo final se quedó en solo noventa y nueve mil. La idea inicial, un tanto megalómana, venía justificada por cierta madriditis, ya que, en aquellas fechas, el Real Madrid estaba a punto de inaugurar la ampliación de Chamartín (estrenado el 47), ensanchando su aforo hasta los ciento veinticinco mil espectadores. Vaya, una competición de aquellas para comprobar quién la tenía más larga. La capacidad, obviamente.

La situación no pasaría desapercibida para los geniales redactores de *El Once*. Así, a principios de 1955, se podía leer en la publicación satírico-deportiva un artículo seudoprofético, que, bajo el título «Veinte años después», decía así:

«El C. de F. Barcelona, vista la insuficiencia de su nuevo campo actual, cuyo aforo es de doscientas mil personas, se propone adquirir unos nuevos terrenos para edificar el «Estadio

Miró-Sans», en memoria del que fue presidente del club azulgrana hace cerca de un cuarto de siglo. El nuevo campo será,
desde luego, mucho mejor que el del Real Madrid, cuya cabida
actual se estima en medio millón de espectadores. La noticia ha
sido muy bien recibida por los socios y los constructores de
obras. El Real Madrid anuncia que será reampliado su Gran
Chamartín. A tal fin se abre un concurso de proyectos al que
podrán concurrir todos los arquitectos de España aficionados al
fútbol y a los proyectos. Esta ampliación permitirá presenciar
los partidos de fútbol a un 25% más de público que el que tiene
previsto el C. de F. Barcelona para su nuevo campo».

769. Inauguración en broma

La inauguración del Camp Nou, el día de la Mercè de 1957, fue
inspiración de inagotable ironía para los chicos de *El Once,* que el
16 de septiembre publicaban una supuesta entrevista con el secretario de la junta, un Pere Salvat de ficción que fue interpelado
con licencia humorística y cierto retintín que rayaba la maldad:

«—¿Usted cree que el nuevo campo aguantará hasta que se
haya pagado la deuda? Mire que mi cuñada compró un comedor pagando a plazos, y cuando acabó con la última letra, terminaba las astillas que había hecho para encender fuego con
los restos del mobiliario.»

La respuesta del apócrifo Salvat era entusiasta hasta el límite:

«—El nuevo campo superará la incorruptibilidad de las
momias de Egipto. El Foro Romano será la porquería olvidada
de otros tiempos. Nerón Miró-Sans no pegará fuego a Barcelona para celebrar la inauguración del campo…, pero pasará a
la historia coronado de laureles y tocando el arpa.»

Hablando en serio, el Camp Nou no estuvo completamente
pagado hasta el 19 de septiembre de 1979, día en que se amor-
tizaron las últimas obligaciones hipotecarias emitidas para el
financiamiento de su construcción. Y sí, entonces, el Estadi aún
aguantaba. Hoy, continúa en pie, que nosotros sepamos.

770. Unas cuantas ideas

La víspera de la inauguración del Estadi, el trasunto cómico
del secretario general del club, Albert Maluquer, desvelaba al

propio *El Once* estas ingeniosas iniciativas de celebración, pensadas para magnificar aún más el estreno de la nueva catedral culé:

«–Ligera modificación de la estatua de Colón, hasta lograr que con su índice extendido señale la situación exacta del nuevo Estadio.

–En todos los entierros que se celebren en domingo en el cementerio de Las Corts se darán facilidades a los acompañantes para que puedan presenciar el partido del Estadio.

–Ángeles azules y granas recorrerán los accesos prestando auxilio a todos aquellos coches que lo necesiten.

–Los jugadores del Barcelona Olmedo, Martínez, Villaverde, Evaristo, Hermes, Kubala y Kaszas bailarán una sardana y un chotis en el intermedio del partido inaugural.

–Todos los niños nacidos el día 24 de septiembre serán proclamados socios honorarios del Barcelona».

Ay, como eran… Solo añadiremos, por si algún lector no ha reparado en ello, que los futbolistas convertidos en bailarines de danzas vernáculas o tradicionales eran de procedencia extranjera. Todos, sin excepción. Por cierto, más de un acompañante a entierro se habría apuntado a la entrada gratis, seguro…

La broma con el Camp Nou («aunque haya costado un pico es la gran obra de Quico», el apodo de Miró-Sans) continuaría largo tiempo en *El Once*, en especial con el tema recurrente de su falta de nombre. Esta es la lista de ideas sugeridas por la revista humorística a la junta directiva: «Estadio Juan Gamper; Estadio Miró-Sans; Estadio Miró-Gamper; Estadio del Cementerio; Estadio de los Accesos; Estadio Santander; Estadio de los Cuatro Llenos; Estadio Confetti». Lo dicho: tiraban con bala.

771. Mala hierba

Los de *El Once* también aprovecharon que, el día de la inauguración del Camp Nou, el césped se hallaba en condiciones deplorables para publicar esta entrevista apócrifa con un Manuel Torres («la autoridad número uno en materia de tierra, hierba y cal») más áspero y silvestre que nunca:

«—Torres, ¿qué ocurre con el campo nuevo?

—Miren, a mí déjenme tranquilo. *El meu mal no vol so-roll!* [¡Mi mal no quiere ruido!, en libérrima traducción de un dicho catalán.]

—Torres, esto es dejar pasar la pelota.

—No, jovencito; lo que ocurre es que hace años que a mí no se me pregunta nada, no se me dice nada y yo me estoy calladito. *Què sap el gat de fer culleres?* [¿Qué sabe el gato de hacer cucharas?, otro refrán]».

Impagables, las apostillas en catalán. Seguro que a *L'Avi* Torres poca gracia le debían causar tales licencias humorísticas.

772. ACCESOS SELVÁTICOS

Y, de propina, también destacaba sobremanera entre la más candente actualidad el grave problema de llegar al Estadi, una especie de aventura selvática provocada por accesos en extremo deficientes. Publicada el 11 de noviembre de 1957, una encuesta (inventada) típica de *El Once* servía para conocer algunas alternativas, ofrecidas por los propios socios (imaginarios). Por ejemplo, y atención a nombres y apellidos, el ingeniero forestal Javier Valderrobles Pino manifestaba: «Yo resolvería el problema instalando un servicio de telesillas en la Diagonal. Estoy seguro de que los socios estarían encantados de ir al campo cómodamente sentados». Por su parte, el aviador Luis Rico Tipo opinaba: «Nada de autobuses, tranvías y trolebuses. Esto se arregla con un servicio de helicópteros. Y pagando un plus se tendría derecho incluso a un paracaídas. Una cosa estupenda, fácil y divertidísima».

El profesor de atletismo Andrés Ribete Plano indicaba: «Al fútbol debe irse con el pecho erguido, haciendo marcha atlética y aspirando el aire puro (no confundirse con el aire de puros humeantes de los socios). Es inadmisible que para ir a ver un partido de fútbol se actúe, poco más o menos, como si se tratase de ir al Liceo». Por último, el «simple aficionado» José Pinatell Bosch confesaba: «Yo hace tiempo que lo tengo resuelto eso de ir al nuevo campo del Barcelona. A primeras horas de la madrugada del domingo salgo de casa con una mochila llena de comida y a la una suelo comer debajo de los algarrobos de Pedralbes. Después sigo andando y al cabo de un par de horitas ya estoy en mi localidad del nuevo estadio azulgrana». No hablemos ya de las catalanadas escritas en castellano. Aún hoy generan sonrisa por irreverentes…

773. Solución imaginativa

No podía ser de otro modo. Tenía que ser *El Once* quien se encargara de facilitar la mejor solución al problema de cómo llegar al Camp Nou. Impagable su altruista labor de arrancar sonrisas en aquellos tiempos difíciles. Allá va la solución: «Lo primero que debe hacerse es construir una línea de metro con espaciosa estación debajo del césped del estadio. Eso que hacemos ahora de comer a las doce del mediodía para ir a buscar un taxi que no se deja seducir, terminar colgándose en el tranvía y después andar un buen rato por entre cloacas, casas baratas, barracas, montones de basura y fábricas de escamas es algo que nos escama y nos subleva». Y, ya de paso, se había colado de manera hábil una rápida pincelada descriptiva sobre la miseria de la Barcelona de aquellos años.

774. El gran Muntañola

Joaquim Muntañola (1914-2012) merece mención obligada. Reputadísimo dibujante y destacado barcelonista, fue considerado, durante largos años, el más importante humorista gráfico y textual catalán sobre temas futbolísticos, tras Valentí Castanys. Muntañola era uno de los caricaturistas más populares de Cataluña, en especial a raíz de su colaboración semanal en la revista *Barça*, a partir de los años cincuenta. Pero su carrera ya había arrancado cuando solo era un adolescente, en 1930, en publicaciones como *El Be Negre*, *Xut!*, *En Patufet*, *TBO* o *Papitu*. Trabajador incansable, tras la guerra colaboró con sus chistes y textos en un montón de diarios y revistas. Además, publicó novelas, obras de teatro e, incluso, fue escultor. Culé empedernido, Muntañola era amigo de figuras azulgranas como Biosca, Seguer, los hermanos Gonzalvo y Kubala, a quienes supo caricaturizar como nadie.

Estas son algunas muestras del humor característico en Muntañola. Así, en los cincuenta, publicaba en la revista *Barça* una página muy ingeniosa y divertida que titulaba «Objetivo: sonrisas». Consistía en curiosas fotos de todo tipo con pies que hacían referencia a la actualidad azulgrana, aunque el texto no tuviera nada que ver con la imagen, contraste que resaltaba de manera inmediata la intención irónica del autor. ¿Un ejemplo? Aquella imagen del 8 de noviembre de 1956, en la que se veía un rebaño de ovejas pastando en una montaña con el pie de foto «Estado actual de los accesos al Nuevo Campo».

También resultó corrosiva para el alma culé la comparación entre el retrato robot del socio del Madrid y del Barça. Fue publicado el 1 de septiembre de 1961, en tiempos caracterizados por los éxitos blancos y el continuo sufrimiento azulgrana. Bien claro, el merengue, tras el primer gol marcado chillaba: «¡Grande, Puskas!», mientras el culé se lamentaba: «¡La Virgen, Ramallets». El aficionado blanco iba al estadio acompañado por «una gachí», mientras el azulgrana lo hacía con su hija. El blanco salía del campo «hinchando el pecho», y el barcelonista, «hablando de H. H.». Al madridista, le parecía mentira «perder», y al barcelonista, «que el presidente lo haga bien». El primero disfrutaba «viendo a Gento», y el segundo, «agitando el pañuelo». En aquella funesta época, nada más cierto que aquello de que las comparaciones son odiosas, aunque fuera bajo el prisma del humor.

Como colofón, un chiste gráfico con texto definitivo. En el dibujo se ve a una pareja comiendo en un restaurante con una mampara separándoles en mitad de la mesa. El hombre explica al camarero el porqué de este muro circunstancial: «Es que mi mujer es del Espanyol, y yo, del Barça».

775. EL VERBO FLORIDO DE CASAUS

Nicolau Casaus, el directivo de las peñas en la época del presidente Núñez, ya lucía un denso currículo barcelonista cuando aceptó la vicepresidencia en 1978. Visceral, apasionado y vitalista, su vehemente y florida oratoria le haría popular entre los culés. Presidente de la Penya Solera entre 1947 y 1965 (un auténtico contrapoder a las directivas de entonces), Casaus era protagonista recurrente de los bromistas artículos de *El Once*, que a menudo parodiaban su inflamado verbo. Así, el 13 de junio de 1960, en plena crisis institucional del club, con la masa social dividida entre partidarios y detractores del presidente Miró-Sans, se podían leer estas declaraciones apócrifas de un supuesto Casaus, fervoroso defensor de la unidad azulgrana:

—¿De qué lado está usted, señor Casaus?

—Yo no estoy de ningún lado. Mi acendrado amor a los colores azulgranas me obliga a dirigirme una vez más a toda la familia azulgrana, una vez más a dirigirme en peregrinación a Montserrat, para implorar a la Moreneta que interceda para lograr la unión entre los jugadores, los directivos, los socios, los entrenadores, los asesores, los técnicos, los intérpretes…

776. TIRABAN CON BALA

En enero de 1963, el Barça que entrenaba Kubala marchaba errático, deambulando por la Liga y sin esquema de juego. El día de Reyes, el duelo contra el Mallorca en el Camp Nou acabaría con un triste empate a un gol, patinazo que provocó la fuga del Madrid al frente de la clasificación con seis puntos de ventaja; el Barça andaba en séptima posición. Hurgando en la herida, los de *El Once* publicaron una apócrifa y despiadada encuesta entre los técnicos del momento sobre la discutida labor de Kubala. Las supuestas respuestas, todas encomiásticas, resultaban un monumento a la ironía. Por ejemplo, Helenio Herrera contestaba, presuntamente: «Los equipos se forjan en la adversidad. Yo creo que a fuerza de cosechar empates y derrotas, Kubala logrará tener un equipo resignado y sufrido, único en la historia del Barcelona». Por su parte, el doble de Enrique Orizaola era así de cáustico: «El juego del Barcelona me entusiasma, es deliciosamente horizontal. Si en los campos de fútbol situaran las porterías a los lados del centro del terreno, el equipo azulgrana marcaría muchos goles». Y el trasunto irónico de Ferdinand Daučik aún le echaba más pimienta: «Mi cuñado entiende mucho de fútbol, lo que pasa es que los jugadores no le obedecen. Él dice, marquen un gol, y no lo marcan». Así de punzante era *El Once* de aquellos tiempos.

777. NI ABRIR LA BOCA…

Atención porque *El Once*, como las buenas publicaciones satíricas de cualquier época, poseía la rara habilidad de dejar caer sencillos y acertados análisis que otros sabios no eran capaces de hacer. Leed como se describió aquel triste momento azulgrana de inicios de 1963: «Hemos leído el rumor sobre Kubala otra vez jugador y Samitier entrenador. Bueno. Lo que sea, pero rápido. Kubala presidente, o jugador, o cesante, pero rápido. Con tres partidos más como el que acabamos de presenciar se logrará que la gente se marche en masa al cine, se agravará el problema económico y se hará un ridículo histórico. Bueno, para ser exactos, el ridículo histórico se está haciendo hace rato y nada parece presagiar una posibilidad de enmienda. El socio azulgrana no se encalabrina porque ha entrado en el nirvana, en la ataraxia, en el "ahí me las den todas" más triste y absoluto. Está tan y tan asustado que, como decimos en vernáculo, *ni gosa piular* (ni se atreve a abrir boca)». Las herramientas de pinchar conciencias, muy afiladas.

778. LISTOS DE TODO PELAJE

Venga, hablemos ahora de aquella vieja y entrañable tradición de intentar entrar «por la cara» en un campo de fútbol, hábito que tiene la virtud de aguzar el ingenio de quien lo practica. En enero de 1956, el jefe de personal Ricard Combas explicaba en público cuales eran los trucos más originales de los aficionados dispuestos a colarse en Les Corts. Por ejemplo, Combas hablaba de los supuestos empleados de Telefónica cargados con alicates y rollos de alambre que avisaban de una avería general en las comunicaciones del estadio y de los falsos trabajadores de la Compañía de Aguas que aseguraban acudir con urgencia con la orden de restablecer las conducciones de los vestuarios.

779. HAY MÁS FUERA QUE DENTRO

De todos modos, el gran premio a la jeta se lo llevaba de calle aquel señor que, cierto día, se presentó en los accesos de Les Corts provisto con un certificado del director del psiquiátrico de Sant Boi que autorizaba su salida temporal para ver el partido del Barça. El documento estaba tan bien hecho y el hombre se expresaba con tanta sensatez y seguridad que los empleados le dejaron pasar, gentileza que ya no demostrarían al cabo de quince días, cuando el presunto interno del psiquiátrico intentó repetir la jugada.

780. INGENIO POPULAR

Por su parte, el *speaker* Manel Vich recordaba que hacía algún tiempo fue habitual ver en el Camp Nou a un individuo vestido con bata blanca que cargaba un bloque de hielo sobre las espaldas. El muy listo iba saltándose todos los controles con un peculiar pasaporte, que consistía en decir a quien le preguntara «voy al vestuario, esto es para los jugadores». A base de ingenio, el personaje pretendía ver el partido de gorra. Y nuestro héroe, conste, lo consiguió unas cuantas veces.

781. LOS SEGUNDOS DE GLORIA

Vich también explicaba que durante bastantes años fue habitual en el Estadi un acto de descarada picaresca, consistente en que algunos espectadores de general perdían deliberadamente a sus hijos. Entonces, Vich convocaba por megafonía a los padres para recuperar a las criaturas presuntamente extraviadas «en la puerta principal de tribuna». A partir de aquí, plan sencillo en marcha. El supuestamente atribulado padre acudía a la parte noble del campo para recuperar a su vástago y allí se quedaban ambos, dispuestos a presenciar el choque desde una posición privilegiada.

Otra muestra de pillería pura, también narrada por el propio Vich. En la década de los sesenta, el *speaker* recibía con frecuencia mensajes para ciertos doctores, llamados a resolver cuestiones urgentes de salud. Al final, resultaba que los mensajes eran ficticios, pura estrategia «comercial» de los propios médicos, que deseaban darse publicidad gratis.

782. BARRABÁS

Barrabás, «la revista satírica del deporte», se publicó por primera vez el 3 de octubre de 1972 con una deliciosa portada, obra del dibujante y caricaturista Jordi Ginés, *Gin*, en la que se podía ver una despiadada pelea a puñetazos y patadas entre los presidentes del Barça y del Madrid, Agustí Montal y Santiago Bernabéu. Con su humor corrosivo e inmisericorde, *Barrabás* fue una publicación muy popular. En ella colaboraban periodistas como Àlex J. Botines, José María García, Enric Bañeres o Antonio Franco, y dibujantes como García Lorente, Ventura & Nieto, el Perich y el tándem formado por Oscar e Ivà. *Barrabás* desapareció en 1977.

783. TONELADAS DE MALA UVA

¿Queréis una muestra de la mala leche de *Barrabás*? Por ejemplo, el chiste referido al Barça-Sevilla (1-0) del 3 de junio de 1973, correspondiente a la vuelta de los octavos de final de Copa. Recordemos que, tres días antes, el equipo azulgrana había perdido por 3-1 en la ida disputada en el Sánchez Pizjuán y que algunos jugadores habían sido multados por «celebrar» la derrota con botellas de cava. Además, el escándalo fue aliñado con un efectista estropicio de la bandeja con copas y botellas por parte del entrenador, Rinus Michels. Pues bien, el dibujo del dúo Óscar-Ivà daba para mojar pan. El texto decía: «En el Camp Nou jugaron todos los implicados en el asunto de la juerga en el hotel sevillano, excepto el Reina, del que algunas malas lenguas dicen que fue porque todavía le duraba la resaca». Más aún, en la ilustración se veía a un aficionado que entablaba el siguiente diálogo con Michels:

«—Señor Michels, ha cometido usted dos grandes errores. Uno, el alinear juntos a esa pandilla de pencos.

—¿Y el otro...?

—El otro fue no haberles roto las botellas de champán en la cabeza cuando los pilló en plena juerga».

Sin rodeos. A eso se le llama reflejar fielmente el sentimiento popular.

784. ¿AL PORTADOR O BARRADO?

Otra muestra del estilo *Barrabás*. En la tercera jornada de la Liga 1973-74, aquella que terminó gloriosa pero empezó de manera pésima, el Barça perdió ante el Celta por 2-1, resbalón que le hundió hasta el penúltimo lugar de la clasificación, que ya es exagerar. En el número del 18 de septiembre de 1973, el chiste de Óscar Nebreda dedicado a esta derrota resultaba despiadado. Se veía a un grupo de futbolistas azulgrana cambiándose en los vestuarios de Balaídos tras el partido y entablando este diálogo:

«—¡Ojo! Que viene el Agustín.

—¿Viene por su pie o lo traen en camilla?

—Vendrá a echar otro de sus famosos *ultimátums*.

—¿Al portador o barrado?».

Hurgando aún más en la herida abierta, en la página anterior de aquella edición de *Barrabás* se veía a un preocupado Agustí Montal en su despacho, con una pizarra en la pared donde se podía leer: «Partidos proamortización Cruyff: Bonn Deportivo, Managua FC, R. C. D Chihuahua, Alaska FC, Globe Troters, Holidays Star, FC Limoges y Chicago Boys».

785. Contra Charly

Ahora bien, uno de los mejores artículos jamás publicados en *Barrabás* salió el 30 de diciembre de 1975, dedicado con todos los honores a Carles Rexach (*Carlitus-Charly*, en el argot de la revista). Dos días antes, el Barça había derrotado al Real Madrid en el Camp Nou por 2-1, con un gol de Rexach de inesperado chut desde fuera del área en el minuto ochenta y nueve, en un partido recordado por las primeras *senyeres* que ondearon en el Estadi desde la muerte del dictador, acaecida pocas semanas antes.

En la vertiente deportiva, de todos modos, el equipo blanco continuaba líder con veintidós puntos, con el Barça cuarto, a tres de distancia. Pero aquel día, gracias al milagroso tanto de Rexach, los sufridos seguidores azulgranas recuperaron la ilusión por el título de Liga y perdonaron a Charly el horroroso partido perpetrado. El artículo en cuestión era de autor anónimo, ya que, según los redactores de *Barrabás*, lo habían comprado de madrugada por cincuenta duros a un aficionado que lo estaba escribiendo bajo la luz de la farola de Canaletas. Y el aficionado poeta se gastó los cincuenta duros en «champán». Aquí va la pieza, tal como la publicaron:

«Ay, pero que ay, Carlitus-Charly de mi vida y de mi muerte, tendrían que llevarte a la guillotina implacable, que meterte para siempre en el puto banquillo y poner en tu lugar al fino estilista Clares, o cederte para siempre al Español de la otra acera, para que formaras tándem con el José María, o que te los cortaran y se los echaran a los perros delante de ti, porque lo que tú nos haces a la afición no tiene nombre, y tu nombre Carlitus-Charly no me sabe a hierba sino a *merda* y por eso lo estuvimos barajando en la grada todo el partido con el de mujeres de oficios horribles, por lo vendido que parecías estar al oro de Madrid. Me hacías llorar a cada minuto y morderme las uñas por lo cagado que te ponías en cada una de las entradas de los madrileños, y aunque esta vez no llevabas ni medias ni pantis ni *sarasadas* por el estilo, to-

dos los culés estuvimos ochenta y nueve larguísimos minutos odiándote y escupiéndote, y retorciéndote mentalmente
el sexo flojero, porque no dabas una a derechas y porque todas las jugadas de ataque del Barcelona acababan en tu go-
rrina cachaza y lentitud, y en tus malditos regates excesivos,
y en tus podridos pases al contrario, y en tus lamentables e
inconfesables disparos a la quinta puñeta, Carlitus-Charly
de mis debilidades, que cada vez que tocabas la bola te mal-
decía por frío y por frívolo, y por indigno de la santa espina
que llevo clavada en mi corazón. Me arrepentía de haber co-
leccionado con amor cromos tuyos y de no haberte arrancado con las uñas del poster del dormitorio y de conservar tu
autógrafo, y de no haberte dibujado bigotes y gafas y cuer-
nos en las fotos en que tú sales en el *Dicen*... o en el *Mundo
Deportivo*... o en el *4-2-4* o en el *Marca* o en el *As* nuestros
de cada día. Y tu solemne noche loca del Feyenoord me parecía minuto a minuto más casualidad trapera, y los chistes sobre la Guillermina dejaban de hacerme gracia. Ya no era ni
más que un club ni mi país ni mi nada, y eras menos que un
jugador de fútbol, y eras menos que un hombre y eché la al-
mohadilla con ganas de darte y lamenté haber tocado por
equivocación al Breitner que estaba en el banquillo porque
lo que deseaba era desdentarte. Y a la media parte regué el
váter pensando en ti, y todo mi destrempe me recordaba los
catorce años de espera que ya tuvimos y a los otros catorce
que volvimos a empezar a contar el año pasado, y me entró
un *fàstic y* un inmenso cabreo. Sentía que todo el mundo era
como una descomunal olla en la que se *remenaba* todo y me
levanté para irme. Blasfemaba contra todos los demonios del
santísimo infierno cuando metiste el gol, hermoso, blando,
jodiente, tremendo, antimadridista, glorioso, desvirgador de
imbatibilidades y me di cuenta de que era un simple desgra-
ciado capaz de volverte a amar, de mimarte, de aplaudirte, co-
reé tu nombre, agité la bandera catalana, enronquecí, lloré y
doblé mi codo en el gesto de la butifarra hacia las banderitas
blancas de *gol nord* y volví a hacerme ilusiones, y *ja tenim
equip,* y te indulté, y te amnistié, y me fui a las Ramblas, y
te hubiera besado porque somos más que un club y porque
era más que un partido de fútbol, y porque fue más que un

gol, y porque resultó más que una victoria. Y porque los culés somos así, mi Carlitus-Charly, ay».

786. RECORDANDO A IVÀ

Como hemos dicho, uno de los dibujantes más destacados de *Barrabás* era Ivà, seudónimo de Ramon Tosas (1941-1993). El popular autor de *Historias de la puta mili* o *Makinavaja, el último choriso* era un humorista ferozmente combativo con el poder establecido, de aquellos que no tienen pelos en la lengua y escandalizan a las personas de orden que, por regla general, suelen ser inmunes a escandalizarse con las flagrantes injusticias cotidianas. Ácrata y descreído, Ivà era asimismo un culé empedernido. La razón de ser de su afición por el Barça quedaba plasmada en un chiste que publicó en la revista infantil *Patufet* a inicios de los setenta. En él, un ángel le preguntaba a un demonio: «Si tantos disgustos te da el Barça, ¿por qué no te borras de socio?». La respuesta del diablo, antológica: «Tu ya sabes que soy persona de escasas creencias. Entonces, si no creo en el Barça, ¿qué me quedaría para creer en la vida?». Pregunta retórica que hoy, visto el panorama, suscribirían millones de personas.

787. Y NO ES BROMA

Lo que explicaremos ahora puede parecer un chiste, pero es rigurosamente cierto. Sin dudar, podríamos escribir un voluminoso libro solo con las anécdotas vividas por los empleados del FC Barcelona que, en el transcurso del tiempo, han tenido que atender al público por variadas razones. La escena sucedió en las taquillas del chalet del pasaje Méndez Vigo, el miércoles 28 de febrero de 1973, cuatro días antes de un importante Barça-Espanyol de Liga y en la vigilia de que se pusieran a la venta las entradas, ritual que, para los partidos del domingo, siempre se realizaba el jueves. Aquel miércoles, una señora de cierta edad se acercó a la taquilla para charlar así con el encargado:

«—¿No despachan entradas?

—No, señora, hasta mañana no hay venta.

—Pues no lo entiendo. Si las despacharan hoy en vez de mañana, se ahorrarían colas y aglomeraciones. ¡Fíjese, estoy sola!»

Y la buena señora se largó, convencida de tener toda la razón del mundo…

788. RICARDO PASTOR

Los viejos aficionados al fútbol seguro que le recuerdan. Ricardo Pastor (1924-2016) fue un periodista y humorista, españolista de corazón, que se convirtió en famoso con el apodo de «Pitoniso Pito», un *alter ego* con videncia futbolística que, desde 1953, vaticinaba en las páginas del diario *Dicen…* la clasificación final del campeonato liguero cuando quedaban diez jornadas para su conclusión. Y no acostumbraba a errar, que conste. Además, durante muchos años publicó en el propio *Dicen…* una columna semanal titulada «El humor es cosa seria», muy seguida y celebrada por nuestros antepasados, donde se publicaban referencias humorísticas a la actualidad futbolística, así como supuestas e hilarantes entrevistas con los personajes deportivos del momento. ¿Una muestra del humor de Ricardo Pastor? Aquí va la «Telepatía indiscreta con Montal» publicada el 29 de octubre de 1973, al día siguiente del debut oficial de Johan Cruyff con el Barça, en un partido contra un durísimo Granada resuelto con victoria azulgrana por 4-0. En el texto podemos leer los pensamientos en voz alta del presidente Montal en el transcurso del *match*, con la euforia de sentirse claro ganador ante las elecciones presidenciales de diciembre contra el aspirante Lluís Casacuberta, gracias a los goles de Cruyff:

«Y después de este golpe, a ver quién es el guapo que se presenta a candidato a la presidencia… ¡Dejarme *zolo*!

Esto suponiendo que el Cruyff haga todo lo que yo espero. De todas maneras ya es una garantía que no juegue el Aguirre Suárez.

Diez minutos y aún no hemos marcado. Esto empieza a no gustarme. ¡Y ese bruto de Fernández aún menos!… ¡No hay derecho!… Alguien tenía que haberle dicho lo que nos cuesta ese pollo.

Mira que si llegamos a traspasar a Marcial al Valencia. Menos mal que la gente se entretiene aplaudiéndole a él. Con razón esos del Granada se han puesto uniforme de jugar a rugby… ¡Brutos!… Si acabarán desmontándomele.

Faltan dos minutos y seguimos sin... ¡Gol!... ¡Gol!... ¡Gol!...Marcial, eres el más grande..., después de Cruyff, claro. Ahora ya descansaré tranquilo.

Y vamos por la segunda parte. Esto me parece que... ¡Gol!... ¡Gol!... ¡Gol!... ¡Y marcado por Cruyff!... ¡Qué grande eres, Agustín!... Bien mirado, me parece que el Marcial estaba un poco en fuera de juego, pero... ¡Carabén!... Mañana envíale una caja de puros al señor Soto Montesinos.

Y después de este tercer gol de Sotil, casi también tendríamos que enviarle algo al portero ese... ¿Cómo se llama?... ¡Ah, sí, Izcoa!... Esto es un auténtico festival... ¡Vaya golazo de Cruyff!... No sé si quedaría bien si saliera a saludar al centro del campo. Esto es un sueño... ¡Cuatro goles en un solo día!

¿Dónde debe estar escondido el señor «Casacubierta»?... Me gustaría descubrirle para darle la lista de compromisarios.

Esto se acabó. Carabén, me has fallado en una cosa. Tenías que haber alquilado a unos cuantos para que me pasearan a hombros. Este Cruyff es capaz de salvar hasta a Michels, que ya es salvar.

Y el domingo a Murcia, dos positivos más y a por el liderato. Los únicos que me fastidian un poco son los del Atlético.... ¿Cómo se nos ocurrió traspasarles a Reina?... ¡Carabén!... Averigua quién tuvo esa idea... No averigües nada, que me parece que fui yo. Pero con el Cruyff metiendo goles, a mí no hay quién me destrone».

Bien mirado, pensamientos que suscribiría cualquier presidente en todas las épocas: si el equipo funciona, palco asegurado. Así ha sido siempre. Ayer, hoy, mañana y...

789. Después del 0-5

Otra muestra del ingenio de Ricardo Pastor en fecha señalada. Al día siguiente del 0-5 en el Bernabéu, 18 de febrero de 1974, Pastor publicaría esto:

«Si don Raimundo [Saporta, vicepresidente del Real Madrid] llega a imaginarse lo que iban a ver los millones de telespectadores, con la influencia que tiene, seguro que no lo televisan. El caso era como para provocar un apagón. Cómo nos acordamos de aquel programa... *Había una vez un circo...* Y no les decimos quiénes hicieron el papel de payasos, por respeto a don Santiago. Con la particularidad de que los payasos del circo nunca nos han hecho reír tanto.

Oímos que Zoco le decía al árbitro: "Échenos una mano, porque esto va a acabar mal...". El señor Orrantia le respondió: "Tendría que ser un pulpo para poderos echar las manos que hacen falta para arreglar esto...". Y es que el Realísimo actual está tan bajo de forma que ya no le pitan ni penaltis.

Los madridistas ya se esforzaban en no abrir la boca, viendo jugar a Cruyff, pero a la que se descuidaban ya estaban con la boca abierta..."Esto es un fichaje y no el rubiales que nos han largado a nosotros...", se le escapó a uno. Tenía toda la razón, porque el Netzer en cuestión nos pareció un poco el timo de la estampita.

Un directivo del Realísimo le dijo por lo bajo a don Raimundo: "¿Y a este no habría manera de hacerle jugar un año con el Barcelona y otro con el Madrid como hicimos con Di Stéfano?". Sin comentarios...

Y mientras seguía el festival con música de Pérez Prado... ¡Uno...! ¡Dos...! ¡Tres...! ¡Cuatro...! ¡Cinco...! ¡Mambo! ¡Y como bailaban los azulgrana! Aquello fue una auténtica merienda de blancos».

790. YA CONOCEMOS A DALÍ

En noviembre de 1974, con motivo de la celebración del septuagésimo quinto aniversario del FC Barcelona, Salvador Dalí realizaría un grabado alusivo a esta efeméride. En los días previos a la presentación de la obra, los periodistas aprovecharon la ocasión para preguntar al genial pintor ampurdanés su opinión sobre el fútbol y el Barça, con las consecuencias previsibles. Al fin y al cabo, Dalí era un artista que había convertido el surrealismo en su permanente *modus vivendi et operandi*. Así, cuando le preguntaron si le interesaba la trayectoria deportiva del Barça, Dalí contestó: «No hay nada como el Ampurdán». Después respondió que «nadie puede quejarse sin razón. Todo lo que hago trae consecuencias nefastas», cuando un periodista le interpeló sobre su grabado. Más adelante, Dalí dejaría el surrealismo dialéctico para instalarse en el narcisismo: «Se habla mucho de Cruyff, y debe de ser bueno, pero de Salvador Dalí se habla más y debo de ser más bueno». Genio y figura.

791. Almohadillas voladoras

Cuando se disputaba la temporada 1980-81, en cada partido en el Camp Nou desaparecían entre setecientas y mil almohadillas de los asientos. Con la voluntad de remediar tan curioso problema, aunque fuera de manera parcial, en abril de 1981 el Barça decidió que las almohadillas fueran solo de color grana, cuando antes podían ser de ese color o azules. De este modo se pensó que los robos quedarían reducidos a la mitad, con la convicción de que antes el personal se llevaba un cojín azul una semana y otro grana en el siguiente partido, para completar así en casa la pareja de almohadillas azulgrana como trofeo. Si esa fuera la causa auténtica que justificara tanto robo, cabría preguntarse por los misterios de la condición humana. Doble ración de almohadillas del Camp Nou para la colección personal…

792. ¡Y es de los míos!

El 30 de diciembre de 1989 estalló un grave escándalo en el Camp Nou. En un partido de Liga contra el Sevilla, el árbitro Brito Arceo pitó un penalti inexistente contra el Barça. Un enfadado Jaume Sobrequés, entonces destacado político socialista, clamó en una tertulia televisiva: «Como portavoz de la dirección del Partit dels Socialistes de Catalunya exijo que el Partido Socialista Obrero Español expulse del partido al colegiado canario Brito Arceo». Hombre, en casos así, mejor no mezclar política y fútbol…

793. Culpa de la pintura

En la temporada 1994-95, el Barça era la viva expresión del impredecible perro flaco y sus pulgas. Para desesperación de los culés, el equipo protagonizaba una trayectoria deficiente y los constantes resultados adversos del ex Dream Team contrastaban de manera cruel con la gloria vivida en temporadas anteriores. Un día, cierto dirigente azulgrana se dio cuenta de que, en una estancia del Camp Nou, había colgado un cuadro al óleo en el que podía contemplarse una espectacular escena de un barco naufragando bajo una terrible tempestad. Pues ya está, hete aquí la explicación a la mala racha futbolística: la culpa era del maldito cuadro, que era gafe. Por lo tanto, fue inmediatamente descolgado. A pesar de tan infalible y decidida actuación, nada cambió y la pelota continuó negándose a entrar. Como dicen las abuelas catalanas, quien no tiene trabajo, peina al gato. Una pintura diabólica, responsable de la mala racha deportiva. A quien se lo cuentes…

794. LA FOTO GIRADA

La primera guía del museo del FC Barcelona se publicó en 1995. En sus páginas se mostraba un recorrido exhaustivo por el museo y, también, se echaba un vistazo rápido a la historia del club. El conjunto quedaba bastante lucido, lástima que se colara una mínima errata, hasta cierto punto comprensible para aquellos poco avezados en los cánones de la vanguardia artística: la fotografía de la escultura de Moisès Villèlia *Barça, Barça, Barça* se publicó del revés. Ganadora del primer premio de escultura de la I Biennal d'Art del FC Barcelona (1985), aquella composición consistía en un par de largas cañas de bambú dentro de un cilindro de metacrilato que llegaba hasta el segundo piso del museo. La verdad, era fácil equivocarse…

795. CAÑAS CARAS

La obra de Villèlia era realmente vanguardista y se hacía difícil encontrarle alguna analogía con el Barça. El presidente Núñez, partidario (al parecer) del estricto academicismo artístico, reaccionó con esta pregunta retórica al saber que *Barça, Barça, Barça* había ganado el primer premio de escultura de la Biennal d'Art: «¿Y ahora tenemos que pagar un millón de pesetas por unas cañas?». Muy prosaico, el hombre.

796. PATINAZOS EN HISTORIA

Como sabéis, en la campaña electoral a la presidencia de 2000, el candidato Lluís Bassat manifestó que el mejor jugador en la final de Wembley 92 había sido Romàrio, un futbolista que aún no estaba en el club y que, por tanto, no la disputó (por si algún lector se ha despistado un momento). Bien, ya hemos asumido que la asignatura de historia del Barça suele ser la «maría» en el plan de estudios de los dirigentes barcelonistas (o aspirantes a ello), pero algunos patinazos claman al cielo, la verdad. Como cierto presidente azulgrana que, una vez, rebautizó al entrenador irlandés del Barça durante la guerra civil, Patrick O'Connell, al cual llamó «Patrick O'Neil». O el caso de otro presidente que cierto día soltó que el mítico goleador filipino Paulino Alcántara había sido uno de los mejores porteros en la historia del Barça. Y lo dijo tan campante en la mismísima cara de sus atónitos descendientes.

797. Crucigramas con retranca

Un mes después del inolvidable 2-6 conseguido por el Barça en el Bernabéu, el 2 de mayo de 2009, el escritor y periodista Màrius Serra, reconocido experto en crucigramas y juegos de palabras, impartía una conferencia en Madrid a unos ejecutivos del mundo de la comunicación. En un momento dado, Serra les dijo: «Hoy practicaremos un juego de palabras subversivo e interactivo. Simplemente tendrán ustedes que conjugar el verbo endosar en subjuntivo». Los asistentes lo miraron extrañados, pero él insistía: «Es muy sencillo. Miren: que yo endose, que tú endoses…». Poco a poco, los presentes se sumaron al repaso en voz alta hasta llegar al «que vosotros endoséis». Entonces, Serra les soltó: «Concretamente, en 2-6». Se generó un tenso silencio seguido de risas tímidas. Enseguida, el conferenciante aclaró: «¿Ven lo subversivo del tema?…».

798. El típico talante

Hemos hecho mención a un artículo publicado en *El Periódico* el 29 de noviembre de 2009 donde se hablaba sobre la historia sociológica de la dualidad Barça-Madrid en el fútbol español. Lo rescatamos de nuevo para citar esta ilustración perfecta de lo que fuera el tradicional ADN derrotista y fatalista del culé durante tantos y tantos años (y que aún no parece totalmente desterrado), en clara contraposición con el talante luchador y un tanto prepotente que, por costumbre, ha caracterizado al madridismo: «El Barça lleva doce puntos de ventaja al Real Madrid y la gente va diciendo "ay, ay, ay". El Madrid está a doce puntos y dice "os pisamos los talones, sentís nuestro aliento en el cogote". El Barça gana al Madrid por 2 a 0 y los titulares de la prensa de Madrid son "hay Liga". Pasa al revés y los titulares de la catalana habrían dicho "adiós a la Liga"». Así es, al artículo no se le puede poner ni un pero…

799. Ay, la tolerancia…

En septiembre de 2011, Andrés Iniesta fue al teatro como espectador de una comedia y se lo pasó en grande. Al día siguiente escribió este mensaje en catalán en su cuenta de Twitter: «*Ahir vaig anar al teatre a veure* Els bojos del bisturí. *Molt divertida.*» (Ayer fui al teatro a ver *Los locos del bisturí. Muy divertida*) Atentos al detalle: era la primera vez que el centrocampista manchego escribía un tuit en catalán. Francamente, no parece ningún mensaje en clave para declarar la independencia unilateral de Cataluña. Da lo mismo, don Andrés recibió un montón de exquisitas respuestas por aquello de la interacción propia de las redes sociales. Hagamos un resumen de urgencia: «Menudo gilipollas de mierda eres hablando en catalán, payaso, si eres más español que la bandera pon los tweets en castellano». Sic.

800. Crackòvia

En *Crackòvia*, el programa de sátira deportiva que se emite actualmente por la televisión catalana, se ha podido ver algún *sketch* humorístico realmente memorable. Nosotros, por pura deformación profesional, nos quedamos con aquel *gag*, ambientado en 1899, en el que se veía a Joan Gamper con dos amigos en una taberna del barrio de Sant Gervasi, bastante aburridos por no hallar la manera de matar el tiempo libre. De repente, a Gamper se le ilumina la cara y exclama: «¡*Hey*! ¿Y si creáramos un club de fútbol? ¡Qué gran idea! Un club de fútbol mundialmente reconocido y que gane todas las copas que juegue. Eh, y que sea más que un club. ¡Y cuando hagamos un campo nuevo, le llamaremos Campo Nuevo!». Y los tres amigos, muy contentos, se van a celebrarlo a un local llamado Luz de Aceite, en referencia al Luz de Gas donde el presidente Laporta disfrutaba de noches triunfales.

Quizá sea verdad que es mejor tomárselo a cachondeo. Al fin y al cabo, no hemos de olvidar que esto solo es un juego.

Epílogo

POR DAVID CARABÉN

*E*l fútbol es un deporte que juegan 11 contra 11. Solo por eso, cada partido, como mínimo, ya se podría dividir en 22 microhistorias, cada una de las cuales con sus precedentes, sus introducciones, nudos y desenlaces. Pero rápidamente podríamos añadir a los árbitros, los entrenadores de ambos equipos, los miembros de los cuerpos técnicos, las directivas, los aficionados… Imaginaos un gol. Cualquier gol. No es lo mismo haberlo marcado tú que lo marque tu compañero, que te lo marquen si eres el portero o si eres el defensa a quien han superado, verlo con tu hija, perdértelo porque la nena eres tú y, antes de que realizaran el remate definitivo, los de las butacas de delante se han levantado y te han tapado la visión de la jugada… Fijaos que en esta multiplicidad de experiencias que puede generar un solo acontecimiento, aún no hemos añadido a los medios de comunicación. Por su mera intervención, multiplican hasta el infinito los puntos de vista.

No hay, pues, una manera fidedigna, ni mucho menos objetiva o definitiva, de representar, de capturar el fútbol. Tampoco de representar las emociones que genera entre los que lo seguimos. Ser un aficionado al fútbol es aceptar este acceso parcial, fragmentario a la información, al espectáculo. Aceptarlo, convivir con él y disfrutarlo. Puede ser que la nena no haya visto el gol. Pero que, en cambio, el padre y los hermanos traten de explicarle cómo ha ido, que los compañeros de escuela insistan, que las fotos de la prensa den una idea más o menos exacta, que las crónicas enaltezcan la épica de la jugada, que las imágenes de televisión, en cambio, no capturen la magia del momento en el estadio… Pero toda esta caterva de intercambios entre unos y otros, este alud de mensajes en todas direcciones, genera una trama que religa a todo este grupo de actores en algo similar a lo que es, en definitiva, una sociedad.

La afición nace también de mil maneras. Solo por el hecho de entrar en contacto con el fragor que genera este intercambio de información, el entusiasmo, el fervor, la inquietud, las profundas decepciones y las alegrías asombrosas, cualquier distraído entenderá que el fenómeno merece una cierta atención. Entonces, de una simple simpatía inicial se puede pasar al fanatismo en cuestión de días, de horas, de minutos. Como en el nacimiento del amor, uno se da cuenta de que aquella inclinación que sentía se ha convertido en una especie de fiebre que no necesita más estímulos externos para seguir quemando. A partir de cierto momento, la combustión adquiere suficiente entidad como para convertirse en autónoma e independiente de todo tipo de argumentos a favor y en contra, racionales o irracionales.

Acabáis de leer, de hojear, de consultar el enésimo intento de capturar ambos fenómenos: las mil maneras de aproximarse al fútbol y las mil maneras de explicar una afición, de documentar un sentimiento. Ya lo definimos bien. Un intento. Incluso, en esta obra monumental, que demuestra una amplitud de espectro casi enciclopédica para abordar el barcelonismo, la única estrategia posible es la de la araña. Es decir, que no hay manera de afrontar la cuestión directamente. El único modo de capturar la pasión pasa por tejer una red de anécdotas, de episodios, de momentos fugaces que confirmen su existencia, que dan fe de ello. Como los astrónomos que, sin haberlos visto nunca, tienen noticia de planetas solo por la manera en que perturban la órbita de otros satélites a través de su fuerza de gravedad. O como los escritores que, para retratar una ciudad y captar el latido auténtico, nos explican fragmentos azarosos de las vidas inconexas que hormiguean en ella.

Barça insólito consigue reunir una y mil anécdotas, hechos curiosos, rumores, noticias que poseen esa misma cualidad de urdir una trama y de dar noticia de una pasión.

¿Qué descubrimos? Por ejemplo, que pese a la sensación de que, cada domingo, los aficionados aparcamos el día a día para entrar en contacto con otra dimensión de la realidad, de la vida, del tiempo, pese a la certeza de que el Barça tiene su propia historia, independiente de la Historia, en los años de la Guerra Civil vemos como la H mayúscula perfora, perturba e incluso destruye muchas con la h minúscula. Descubrimos que el sentimentalismo, el comportamiento exigente hacia los jugadores, en definitiva, el carácter de la grada blaugrana, ha sido una constante. Que existe un compromiso también recurrente con el valor formativo y cívico del deporte, con el *fair play*, que de vez en cuando se pierde, pero siempre regresa. Que lo requerido para ser un jugador del Barça en los años veinte no tiene nada que ver con lo exigido hoy día. Que la evolución técnica y los avances en la preparación física han discurrido en paralelo al abandono de la fascinación por la fuerza bruta. Que la alineación del Barça con las causas colectivas no solo ha sido activa sino que, más a menudo aún, ha sido pasiva. Es decir, que no solo ha sido siempre el club quien se ha identificado con los valores republicanos o con las aspiraciones nacionales de Catalunya. Muy a menudo han sido sus adversarios quienes la han identificado de esta manera y atacado en consecuencia. Que Pelé jugó con diecisiete años en el Camp Nou. Que Pujol jugaba con las medias caídas, como Gordillo. Que Olivella jugaba con el hermano mayor de Serrat en la calle Poeta Cabanyes, donde sé que también creció Jaume Sisa. Que el club se ha relacionado de modo muy particular con rincones de la ciudad, con la geografía catalana y con la globalización. La exquisita anécdota del «perro húngaro asesino», el primer expulsado, el primer jugador negro, el más joven, el primer clérigo, los muertos de uno y otro bando de la guerra, las travesuras, las frases célebres…

En algún momento, alguien arrancó el motor que centrifuga todos estos acontecimientos. Después, nos hemos ido alineando todos a su paso. Vete a saber por qué. Pero, ciento dieciocho años después, aún estamos aquí. ¡Y por muchos años!

DAVID CARABÉN